U0139204

葉程義著

帛書老子校劉師培「老子斠補」疏證

文史哲出版社印行

國立中央圖書館出版品預行編目資料

帛書老子校劉師培「老子斠補」疏證 / 葉程義著
. -- 初版. -- 臺北市 : 文史哲, 民83
面 ; 公分
ISBN 957-547-868-1(平裝)

1. 老子 - 評論

121.317 83003704

帛書老子校劉師培「老子斠補」疏證

著　者：葉　程　義
出版者：文　史　哲　出　版　社
登記證字號：行政院新聞局局版臺業字五三三七號
發行人：彭　正　雄
發行所：文　史　哲　出　版　社
印刷者：文　史　哲　出　版　社
台北市羅斯福路一段七十二巷四號
郵撥〇五一二八八一二彭正雄帳戶
電話：三　五　一　一　〇　二　八

實價新台幣　四五〇元

中華民國八十三年五月初版

ISBN 957-547-868-1

自序

老子之書，流傳至今，年代久遠，傳鈔刋刻，文多舛譌，曲解謬說，義有不明。儀徵劉師培申叔（別號左盦）老子斠補，歷檢羣籍，以讎異同，故解舛訛，亦附正焉。雖所據資料，多爲「古人糟粕」，然頗具卓見，均王洪俞郭孫氏所未詮，可謂老子學說之功臣也。惜以囿於文獻，間有瑕疵，仍爲瑕不掩瑜。

近年以還，地不愛寶，各種史料，相繼出土。如帛書老子本，不僅「可澄清後人對老子哲學之誤會，並可了解法家如何改變老子之思想。」尤於校勘訓詁之學，價値至高。其可校正今本之「衍文」、「奪文」、「訛文」、「句讀」、「誤解」、「訟文」、「章次」、「叚借」文字，以及「詮釋古義」等等。

今本老子第三十九章云：「侯王無以貴高，將恐蹷。」左盦疑「貴」爲「貞」之誤，「高」乃衍文。檢核帛書老子作「侯王無以貴、以高，將恐蹷。」足澄劉說之臆斷。惜以劉氏天不假年，英年早逝，而未能得覩帛書老子，否則，睿智如申叔者，豈有此失哉！

余自知不敏，惟以偏愛道術，益愛老學，今覩老子斠補，復見帛書老子，忻喜若狂，經潛心鑽研，爰撰就「帛書老子校劉師培老子斠補疏證」，先後發表於政大學報第四十六及四十七兩期。其時因受學報篇幅之限制，經濃縮爲六萬字，分期刋出。是故未能「暢所欲言」，部分史料，不得不「忍痛割愛」，今出版專書，始復舊觀，損益刪補，字數倍增，義理益顯。惟以深感禍棗災梨，不勝愧悔惶恐之至。拙著承蒙學報審查委員諸公惠賜卓見，遵經一一修正，謹此陳明，並敬致謝忱。

噫！漆園嘗云：「吾生也有涯，而知也無涯，以有涯隨無涯，殆已。」（莊子養生主）蓋以有限之性，尋無極之知，安得而不困哉？筆者軨才末學，資質魯鈍，焚膏油以繼晷，恆兀兀以窮年；踵常途之促促，竊陳編以盜竊；歷數寒暑，賴以完成。惟以老子猶龍，其學深奧莫測，欲闚堂奧，無異以管窺天，以蠡測海，難免有井蛙夏蟲之見，曲士河伯之說。尚祈碩彥鴻儒，不吝指正，無任企禱！

中華民國七十八年三月廿九日青年節於國立政治大學 葉程義謹識

帛書老子校劉師培「老子斠補」疏證 目次

丙卷　結論

主要參考及引用書目

甲卷　緒論

一、劉師培「老子斠補」概說

㈠、撰述

錢玄同左盦著述繫年，是編列爲作年不詳。劉氏莊子斠補，其自序云，作於民國元年三月十六日，曾刊載中國學報第一期；而老子斠補，亦曾刊載中國學報二至五期；以此衡之，老莊斠補，當爲同時所作也。

㈡、義例

儀徵劉師培申叔老子斠補，爲其稽古有得。嘗自序云：校審斯書，惟徵古誼，及古誼罕徵，始互勘本書，以諍註說，其所發正約百餘事，按文次列成老子斠補二卷，以補王洪俞孫所未備也。若夫宣究義蘊，以經史大義相闡明；或侈述微言眇義，高下在心，比傅穿洨，窮高遠而乖本眞；今輯斯編，概無取焉。此其義例也。

㈢、取材

劉著取材於東周秦漢之書，蓋老子之文，恆爲莊列所述，韓非解老喻老，詮釋尤晰。迄至西漢，則淮南所述爲詳；文子之書，又襲淮南。其他述老子者，於周則荀呂商墨；於漢則陸韓賈桓揚劉，或明著其文，或述其誼，而殊其詞，然所引均故書所述，亦均故誼。序中固已言之矣。

(四)、優點

1.校讎訛挩

(1)挩字

有足證今本挩字者：如「魚不可脫於淵」，證以喻老，則「淵」上挩「深」字。「子孫以祭祀不輟」，證以喻老，則「以」下挩「其」字；「不」上又挩「世世」二字。「唯施是畏」三語，證以解老，則「唯」下挩「貌」字；（廣雅云：貌，巧也。）「徑」下又挩「大」字。（大即迂夸之義）「生之徒四語，證以解老，則「人之生」下，挩「生而動」三字；「之死地」上，挩「皆」字。（十有三，即九竅四肢合數。）「復衆人之所過」，證以喻老，則「復」下挩「歸」字。（與「復歸於無物」等同。）「故能成器長」，證以解老，則「成」上挩「爲」字，（成器長，即大官。）是也。亦有僅挩助字，如「不出戶」數語，證以喻老，則「戶牖」二字上，各挩「於」字；「知見」二字上，各挩「可以」二字。「可以有國」，證以解老，則「可」上挩「則」字。「深根固柢」，證以解老，則「深固」下，各挩「其」字。「弱之勝强」數語，證以淮南道應，則「剛强」下，各挩「也」字；「莫能」當作「而莫之能」。「受國之垢」數語，證以淮南道應訓，則「受」上，各挩「能」字是也。

(2)挩句

有足證今本挩句者：如「上禮爲之」數語，證以解老，疑上挩「禮以情貌」。「禍兮福之所倚」，證以解老，疑下挩「以成其功」是也。

(3)訛挩相兼

有足證今本訛挩相兼者：如「貴以賤爲本」，當從淮南原道訓，作「貴者必以賤爲號」是也。

(4)衍文

有足證今本衍文者：如「柔弱勝剛強」，當從解老，作「損（即自卑）弱勝強」是也。

(5)訛字

有足證今本訛字者：如「少私寡欲」，解老以「不思」與「無欲」對言，而文選注（謝靈運詩注）亦引私作思，則私爲訛字。「不被甲兵」，解老「被」作「備」，即不恃甲兵之用。「以輔萬物之自然」，喻老「輔」作「恃」。「恃」蓋「待」字之訛是也。「以其不病」二語，亦當從喻老，作「以其不病，是以無病」。

(6)異文

有足證今本之「異文」者：「若夫措其爪」，解老「措」作「錯」「不可以示人」，說苑君道篇，「示」作「借」。「若冰之將釋」，文子上仁篇，作「若冰之液」。「爲天下谿」，淮南道應作「以爲天下谿」，又作「其爲天下谿」。「故知足之足常足矣足」，喻老作「知足之爲足矣」。或因形近，或因義通，或損益助詞，或屬別義，亦古本老子之異文也。又如或不盈，淮南道應訓作又，墨子佚文作有，又有古通，或復通有。若有可寄天下，莊子在宥篇作則，淮南道應訓作焉，焉則若義同，亦古本異文。後世而降，各本互有異同。凡與古籍所引相合者，均屬未改之本。如輕則失臣。引於喻老。長短相形，引於淮南齊俗訓，則河上本爲長。故強字之曰道，引於解老及牟子。故人無棄人，物無棄物。引於淮南道應訓，則傅本爲長。功成名遂身退，引於淮南道應訓，文子上德篇，則王本爲短。是則訛挩之跡，非勘以諸子弗克明。

2.闡釋古誼

(1)足證歧異

有闡老子古誼足證歧異者：如「常道常明」，解老以不易及有定訓常，文子道原篇引之，與變並言，則恆久爲常。「治人事天莫若嗇」，解老以愛精神，嗇知識相解；呂氏春秋情欲篇，亦引此詞，則事有所節爲嗇。「不善人者」二語。喻老以紂索玉版事相詮；淮南道應訓，以子發用偸者事相詮，則利而用之謂之資。「則攘臂而扔」，解老謂聖人復恭敬盡手足不衰，則扔即因仍，攘臂即行禮。「國之利器」二語，韓非子內儲下篇六微篇及喻老，均以刑賞釋利器，以見釋示，則此指臣竊人君賞罰言推之。「生而不有」數語，即呂氏春秋貴公篇，生而弗有諸義也。（辭字同始，畢說是。）「故能蔽不新成」，即文子上仁篇，自損蔽，（能蓋同耐）不敢廉成，不敢新鮮之義也。「卻走馬以糞」，糞爲糞田，說見解老及淮南覽冥訓。「若烹小鮮」，誼取不撓，說見解老及文子道德篇。舊說昭垂，義非後起。若「太上下知有之」韓非難三篇所述，異于淮南主術訓。「失德而後仁」節，淮南本經訓所述，又異於解老。若斯之屬，亦足證古誼之歧。

(2)可稽故訓

有可稽古訓者：蓋老子漢註，今既不傳，欲稽古說，惟資諸子。諸子而外，則他籍文同老子，而漢儒作解者，亦足匡王弼諸家之缺，如芻狗見於淮南，（說山訓、齊俗訓）證以高注，則束芻爲狗，與芻靈同。載營魄，見於楚詞，（遠遊）證以王注，則載訓爲抱，營魄即靈魂。此亦故訓之可稽者也。

(3)以諍註說

有互勘本書，以諍註說者：如常無欲，常有欲，以下文常無欲，可名於小相律，則無欲有欲絕句，（與常無爲，常無名，莊子常無有同。）而貴食母，以下文得其母相例，則食母即得母。（食德古恆互訛。如周書王食，孫氏斠補易爲王德。是老子書，又德得互用。）侯王無以貴高，以上文爲天下貞相證，則貴爲貞訛，高涉下高字衍。（義案：劉說非也。）質眞若渝，以上下兩德字相較，則眞亦德訛。（古德字與眞近）又寵辱若驚，寵疑訓貴，與貴大患對文。餘食贅行，食疑作德，與行對文。

(5)缺點

1.所取喻老而失玄旨

所取喻老，則粗淺而失玄旨，事多附會。王協云：解老多精到語，喻老則粗淺而失玄旨，疑出二人手筆。又云：韓非喜刑名法術之學，故任權威。其作喻老也，以是附會老子。

2.未睹帛書而有臆斷

劉氏天不假年，惜以英年早逝，而未能得覩帛書老子；否則，益深於老學矣。如今本老子第卅九章云：「侯王無以貴高，將恐蹶。」劉氏疑「貴」爲「貞」之誤，「高」乃衍文。今檢核帛書老子作「侯王無以貴、以高，將恐蹷。」可證劉說之臆斷。劉氏如能得見帛書老子，睿智如申叔者，豈有此失哉。

二、馬王堆「帛書老子」概論

（一）出土及內容概況

1、發現時地

帛書老子，於民國六十二年十一月至六十三年元月間，出土於湖南長沙馬王堆第三號漢墓東側箱盒內。墓主爲長沙丞相軑侯利蒼之子（利豨兄弟），葬於漢文帝前元十二年（西元前一六八年），距今二千一百五十七年。帛書共有十二萬餘字，其中「老子甲本及卷後古佚書」，高約二十四厘米，一萬三千餘字，字體近似篆書。由避漢高祖劉邦諱觀之，年代至遲當在公元前二〇六至一九五年之間。「老子乙本及卷前古佚書」，高約四十八厘米，一萬六千餘字，字體近似隸書，於同時出土竹簡書體相似。由避劉邦諱而不避惠帝諱察之，時代應在公元前一九四至一八〇年之間。老子甲乙兩本，皆德經在前，道經在後；核與韓非解老喻老，以及嚴遵「道德眞經指歸」順序一致，可見即老子古本原貌也。乙本卷末云：「德三千四十一」，「道二千四百二十六」，合爲五千四百六十七字，符合史記所謂「五千餘言」，今云五千言者，蓋略之也。

2抄寫年代

依據避漢諱推定，小篆本不避邦諱，則爲劉邦稱帝以前抄寫；隸書因避邦諱，則爲其後抄寫。高亨云：「小篆本中所能辨得清的「邦」字二十個，在隸書本中俱改爲「國」字。漢高祖名邦，這充分說明隸書本寫者有意避劉邦的諱，而小篆本則不避。漢惠帝名盈，文帝名恒，而「盈」字和「恒」字，兩本都有出現。小篆本「盈」字有九個，隸書本「盈」字也是九個。小篆本「恒」字有二十五個，隸書本「恒」字有二十九個。可見，小篆、隸書兩本都不避劉盈和劉恒的諱。隸書本有意避當朝皇帝的諱，是很明顯的。它獨避劉邦的諱，而不避劉盈和劉恒的諱，可證它是劉邦稱帝以後，劉盈劉恒爲帝以前抄寫的。小篆本不避劉邦的諱，可證它是劉邦稱帝以前抄寫的。』（帛書老子研究—高亨等「試談漢墓中帛書老子」）。

惟嚴靈峯主張兩書皆在漢代以前，其云：⑴隸書本的確皆用「國」字而不作「邦」，可能是避漢高祖的諱。⑵但小篆本則「邦」、「國」二字並用。如：五十四章：「修之邦」，「以邦觀邦」。五十七章：「以正治邦」。五十九章：「可以有國」，「有國之母」。二十五章：「國中有四大」。按：禮記曲禮云：『詩、書不諱，臨文不諱。』漢代當亦行之。高祖名邦，字季。史、漢多不避之。孔廟禮器碑，立於永壽二年（西元一五五年）爲後漢桓帝劉志年號。碑陰有：『故修行董方字季方。』「季」字不避高帝諱。百石神君碑，立於靈帝光和六年（西元一八三年），內有：「百姓豐盈」字句，亦未避惠帝劉盈名諱。足證漢代人對於避諱之舉，並不十分嚴格。⑶又：三十章：「□□所居，楚□生之。」校之隸書本作「□棘生之」，從今本，當作「荊棘生之」。按：韓非子、呂氏春秋二書，多避秦莊王子楚諱，改「楚」作「荊」，而此本不避，原文作「楚」；不但不避漢諱，兼且不避秦諱。⑷許愼說文解字敍曰：『文字異形，秦始皇帝初兼天下，丞相李斯乃奏同之，罷其不與秦文合者，斯作倉頡篇，中車府令趙高作爰歷篇，太史令胡母敬作博學篇；皆取史籀大篆，或頗省改；所謂小篆者也。是秦燒滅經書，滌除舊典，大發吏卒，興戍役，官獄職務繁，初有隸書，以趣約易，而古文由此絕矣。』據此，則秦時小篆、隸書業已並行。則此兩本書寫年代，提到漢代以前，頗有可能。縱然假定寫於西元前二〇六年，韓非子死於始皇十四年；相距不過二十七年，時代之久遠可知。」（嚴靈峯「馬王堆帛書老子試探」）高說篆在漢前，隸在漢後；嚴說二書，咸在漢前。二氏之論，言之成理，孰是孰非，唯有存疑已待考。

3 德前道後

道家重視「道」，故「道經在前，德經在後。」法家重視「德」，故「德經在前，道經在後。」帛書如此，當為法家傳本。高亨云：『帛書老子，小篆本和隸書本都是德經在前，道經在後，德經是上篇，道經是下篇。這種編次是不是老子原書的編次？這一點，我們現在還無法論定，不過，從先秦古籍的有關記載來看，老子傳本在戰國期間，可能就已有兩種；一種是道經在前，德經在後，這當是道家傳本。老子本書論道德，總是把「道」擺在第一位，把「德」擺在第二位；莊子論述道德，也是把「道」擺在第一位，把「德」擺在第二位（例子很多，從略），便是明證。另一種是德經在前，道經在後，這當是法家傳本。韓非子，解老首先解德經第一章，解道經第一章的文字放在全篇的後部，便是明證。大概是道、法兩家對於老子書各有偏重。老子上篇講「道」的文字多些，所以後人稱做道經。下篇講「德」的文字多些，所以後人稱做德經。老子所講的「道」，多屬於宇宙和本體論的範疇；所講的「德」，則多屬於人生論與政治論的範疇。道家重視書中的宇宙和本體論，並認為「德」從屬於「道」，所以把道經放在前面。法家重視書中的人生論與政治論，而用法家眼光來理解老子的言論，所以把德經放在前面。兩家俱以自己不同的需要來安排老子。』（帛書老子研究—高亨等「試談漢墓中帛書老子」）。

惟嚴靈峯氏不同意此說，其云：「高亨等以帛書老子上、下篇次序的倒置，與今本不同，認定爲「法家傳本。」這也是不正確的。帛書兩本既有錯簡的存在，足證其祖本係由竹書而來。竹書放置的次序，偶有散亂，即有顚倒之可能；傳鈔者如對內容的不理解，而順手抄錄，亦屬尋常之事。所以吾人還不能以帛書的現狀，確認其必定如此。至於以思想來推斷，爲「法家傳本」，更屬武斷。因法家重「改更」，道家貴「因循」。商君書更法篇：『公孫鞅曰：「臣聞之，疑行無成，疑事無功，君亟定變法之慮，殆無顧天下之議之也」。』又曰：『三代不同禮而王，五霸不同法而霸。』韓非子五蠹篇：『故曰：「事異則備變，」上古競於道德，中世逐於智謀，當今爭於氣力。』商鞅、韓非雖主變法，而韓非解老則不背老子本旨。解老篇：『凡法令更則利害易，利害易則民務變，謂之變業。故以理觀之，事大衆而數搖之，則少成功；藏大器而數徙之，則多敗傷；烹小鮮而數撓之，則賊其澤；治大國而數變法，則民苦之；是以有道之君貴靜，不重變法。故曰：「治大國若烹小鮮」。』解老明言「不重變法」，正合老氏之旨，如何可以用法家思想作標準來確定帛書老子爲「法家傳本」呢？又如：二十五章帛書兩本：「字之曰道」，韓非子解老篇引老子作：「强字之曰道」。「字」上有「强」字。蓋道「不可道」，「不可名」，故『「强」爲之「字」，』『「强」爲之「名」，』於義爲長。此並可證帛書老子與韓非古本非出一源。解老者乃解老子之說，而非解法家之說，所以，也不能以韓非傳本作爲「法家傳本。」（嚴靈峯「馬王堆帛書老子試探」）。

4不分章次

依出土帛書老子篆隸二本均不分章，推定爲老子書原貌。高亨云：漢書載老子鄰氏經傳、老子傅氏經說、老子徐氏經說、劉向說老子（藝文志），都是老子的註解，均已失傳，是否分章，不可知。今存的老子河上公本、王弼本、傅奕本等等，均分八十一章。舊說：分章始於河上公。河上公是漢文帝時人。出土帛書老子篆、隸二本均不分章。可見不分章是老子書的原樣。（帛書老子研究—高亨等「試談漢墓中帛書老子」）。

5不同傳本

依據篆隸兩本文字之歧異，推定傳本不同。高亨云：「篆、隸兩本文字相同的地方很多，但也有許多歧異。由此可見，帛書老子本不是抄自篆本，兩本是根據不同的傳本而抄寫的。戰國時代，老子一書已多有傳本。現在發現給一人殉葬的帛書老子，篆、隸兩本文字多歧異，不是一個來源，而現存的河上公本、王弼本、傅奕本等文字也多歧異，不是一個來源。這充分說明老子著作在戰國秦漢已經流傳很廣，影響很大。尤其值得注意的，戰國時代，不僅道家引用老子，而且墨家、法家也引用老子，只有儒家未引用老子（荀子非儒家）。這是儒家反對道家的一種表現，至於道家反對儒家，在老莊書中是常見的。」（帛書老子研究—高亨等「試談漢墓中帛書老子」）

6白璧有瑕

帛書老子之出土，震撼學林，推崇備至，確有助於老學之研究。惟嚴靈峯氏獨持異說，以爲大陸學者，「過份掄揚，誇張功績」，有失客觀態度；海外學人，「隨聲附和，人云亦云」，尤不足取。

嚴氏云：帛書老子甲（篆書）本、乙（隸書）本抄寫年代在兩千一百餘年之前，是歷史上所保留珍貴古物，自無疑義；同時，使吾人對老子一書產生之歷史年代，提供了重要的研究資料與線索，也是無可否認的。如果從其內容上加以探究，帛書老子卻具備了：譌字、脫文、衍誤、錯簡之諸種缺點，明白地說：是一種從來最古的文字，但卻不是最好的版本。茲略舉證如後：⑴譌字：小篆本：五十五章：終曰號，「曰」當作「日」。七十四章：夫伐司殺者殺，「伐」當作「代」。隸書本：四十一章：天象無形，「天」當作「大」。六十二章：置三鄉「鄉」當作「卿」。⑵脫文：小篆本：第四章：挫其解其紛，「其」下脫「銳」字。二十四章：企者不立，自是者不彰。「立」下脫「跨者不行，自見者不明」九字。四十一章：全文脫落。隸書本：十一章：鑿戶牖，當其无，有室之用。「牖」下脫「以爲室」三字。二十七章：故無棄人，故無棄物。「人」下脫「常善救物」四字。⑶衍文：小篆本：七十六章：其死也植仞堅强，「也」下衍「植仞」二字。隸書本：第一章：以觀其所噭，「其」下衍「所」字。⑷錯簡：小篆本、隸書本：依現行本覈校，第四十一章在四十章之前；第八十、八十一兩章在第六十七章之前；第二十四章在第二十二章之前。兩本的第十二章：「五色使人目盲」句下「五音使人耳聾」一句，都錯入下文「五味使口爽」句下，「聖人之治」句上。四十一章、八十、八十一兩章及二十四章次序的不同，尚可說此爲古本，乃今本的錯誤；但第十二章的錯簡，顯然是帛書的錯亂無疑。此外，可以證明帛書老子的缺點的重要實例，如：小篆本六十三章：『是□□人猷難之，故終无難。』隸書本作：『是以聖人□□之，故□□□。』與現行本：『是以聖人猶難之，故終無難矣。』完全一樣。此句在文義上顯然是錯誤的。既云：『聖人猶難之，』何以能穿之以『故終無難矣。』按：韓非子喻老篇：『扁鵲見蔡桓公，立有間。扁鵲曰：「君有疾在腠理，不治將恐深。」桓侯曰：「寡人無。」扁鵲出，桓侯曰：「醫之好治不病以為功。」居十日，扁鵲復見曰：「君之疾在肌膚，不治將益深。」桓侯不應，扁鵲出，桓侯又不悅。居十日，扁鵲復見曰：「君之病在腸胃，不治將益深。」桓侯不應。扁鵲出，桓侯又不悅。居十日，扁鵲望桓侯而還走。桓侯故使人問之，扁鵲曰：「疾在腠理，湯熨之所及也；在肌膚，鍼石之所及也；在胃腸，火齊之所及也；在骨髓，司命之所屬，無奈何也。今在骨髓，臣是以無請也。」居五日，桓侯體痛，使人索扁鵲，已逃秦矣；桓侯遂死。故良醫之治病也，攻之於腠理，此皆爭之於小者也。夫事之禍福，亦有腠理之地；故曰：「聖人蚤從事焉」。』劉向新序雜事篇亦引喻老之文，末句作「故聖人蚤從事矣。」夫「攻之於腠理之地」，即「圖難於其易，為大於其細；」亦即「蚤從事」之意。則韓非所據之本，較帛書寫本為優明矣。嚴氏攻於老學，多歷年所，功力深厚，深佩卓見。惟史料之運用，存乎一心。過份褒貶，均非所宜。物有所長，亦有所短。帛書老子，即使白璧有瑕，仍為瑕不掩瑜也。

㈡、校勘訓詁之價值

甲乙本老子，於中華歷史文化，貢獻至鉅，意義深遠；尤於校勘訓詁之學，價值至高。例如今本老子第卅七章：「道常無為而無不為。」馮友蘭云：「故帝王之德，必以『無為為常』；一切事皆使人為之，則人盡其能而無廢事，此所以『無為』則『用天下而有餘』也。（中國哲學史第十三章第九節）錢賓四云：「『無為而無不為』，『後其身而身先』，此乃完全在人事利害得失上着眼，完全在應付權謀上打算也。」（莊老通辯卷中「道家政治思想」）帛書老子甲乙兩本，此句皆作「道恆無名」，「常」

與「恆」雖可通，而「爲」作「名」，則其義全非；且其下無「而無不爲」四字，可知歷來注家皆「隔靴搔癢」也。鄭良樹云：「大概韓非子在解釋老子、利用老子之際，於老子「無爲」思想，別有會心的了解，乃創立「人君無爲，臣下無不爲」的政治法術。後人不察，竟以此權謀法術，加在老子樸素的哲學上。帛書老子的出土，正可以澄清後人對老子哲學的誤會，並可以了解法家如何改變老子的思想。」（竹簡帛書論文集）（此語誠然。茲再舉數例，分述於后：

1.校勘衍文

帛書老子可校今本之「衍文」：如今本老子第卅一章云：「夫佳兵者，不祥之器。」帛書老子作「夫兵者，不祥之器。」可證「佳」爲衍文。又如今本老子第六五章云：「民之難治，以其多智。」帛書老子作「夫民之難治也，以亓知也。」可證「多」爲衍文。

2.校勘奪文

帛書老子可校今本之「奪文」：如今本老子第二章云：「故有無相生，難易相成，長短相形，高下相傾，音聲相和，前後相隨。」帛書老子「前後相隨」下，有「恆也」二字，可證「恆也」爲奪文。又如今本老子第七四章云：「常有司殺者殺。」帛書老子作「若民恆且必畏死，則恆有司殺者。」可證則上奪「若民恆且必畏死」，者下衍「殺」字。

3.訂正訛文

帛書老子可訂正今本「文字之誤」：今本老子第十六章云：「致虛極，守靜篤。」帛書甲本「篤」作「表」，乙本作「督」，與莊子「緣督以爲經」同。「督」通「裻」，與「表」形似，故甲本乃由

「裂」譌爲「表」。今本作「篤」者，蓋音譌或音叚也。又如今本第一章講「道」云：「自古及今，其名不去，以閱衆甫。」高亨云：「這是今王弼本文字，但是范應元道德經集註引王本「自古及今」作「自今及古」，傅奕本同。按當作「自今及古」，因爲「其名」是指道的名。「道」這個物，是古時就有。「道」這個名，是老子今天給的。用「道」的名以稱「道」的物，是用今天的名以稱古時的物，乃「自今及古」，不是「自古及今」，可見今本是錯了。又此三句，古、去、甫三字押韻，若作「自古及今」，則失其韻，也可見今本是錯了。帛書篆、隸兩本均作「自今及古」，有這樣的古本證明，就可以做出正確的結論了。」又如今本第四十五章：「躁勝寒，靜勝熱，清淨爲天下正。」高亨云：「這一章文句都押韻，只有這三句不押韻，似有誤字，而無從訂正。現在我們一查帛書兩本，篆本熱字作炅，隸本同今本。因而翻閱經籍纂詁，問題就解決了。素問，擧痛論：「得炅則痛立止」。長刺節論：「盡炅病已。」調經論：「乃爲炅中」。疏五過論：「膿積寒炅」。陰陽類論：「炅至以病皆死」。王冰注：「炅，熱也。」「炅」字音迥，古音「炅」與「正」都在青部，正是押韻。可見隸本「熱」字是後人所改，炅字從日從火，日與火都是熱的，當是會意字。（說文：「炅，見也。」見當作光，是炅字另一義。）」又如今本第十章：「滌除玄覽，能無疵乎？」高亨云：「「滌除玄覽」四字，講不圓通。「覽」字當讀爲「鑒」，「鑒」與「鑑」同，即鏡子。「玄鑒」指內心的光明，是形而上的玄妙的鏡子，淮南子・修務：「執玄鑒於心，照物明白。」太玄・童首：「修其玄鑒」，都是此義。老子是說：洗去內心的塵垢，即清除內心的私欲等，則觀察事物就能沒有錯誤了吧？現在我們一查帛書，「覽」字篆本作「藍」，隸本作「監」。「監」字即古「鑒」字。說文作「[illegible]」，古銅器銘文作[illegible]（頌鼎），作[illegible]（頌壺），乃從人，從目（不是臣），從皿，中有一點像水。古人用盆裝上水，當做鏡子，以照面孔，稱它爲監，所以「監」字像人張目以臨水盆之上。尙書記周公姬旦引古人的話：「人無於水監，當於民監。」（酒誥）即古人用水盆做鏡子的明證。以後才有銅鏡，再後才有玻璃鏡。隸本作「玄監」，自是老子原文。後人不懂「監」字本義，改作「覽」字，是錯誤的。篆本作「藍」，則以同聲借用。」（帛書老子研究—高亨等「試談漢墓中帛書老子」）

4.校勘句讀

帛書老子可校今本「句讀之誤」：今本老子第卅九章第二節云：「侯王無以貴高，將恐蹷。」劉申叔以爲「貴」乃「貞」之訛，非也。帛書老子作「侯王無以貴，以高，將恐蹷。」「貴高」不僅無誤，且高上多一「以」字，當歸第三節：「侯王無以貴、以高，將恐蹷。故貴以賤爲本，高以下爲基，是以侯王自謂孤寡不穀。」

5.澄清誤解

帛書老子可澄清「誤解文字」：今本老子第卅九章云：「故致數車無車。」王弼本「車」皆作「輿」，莊子知北遊「至譽無譽」，故歷來學者以莊解老，以「車」「輿」訓爲「譽」。羅運賢以「數」訓「計」，謂「致」爲衍文。馬敍倫以「致」訓「至」，謂「數」爲「致」字之誤衍。檢核帛書，「致數」二字，皆非衍文，羅馬二說非也。鄭良樹云：「致數車無車，謂雖聚有數輿車，當自謙無輿車；猶侯王富有民人，當自稱孤寡不穀也。」（鄭良樹「論帛書老子」）鄭說是也。

6.解決聚訟

帛書老子可解決「聚訟文字」；今本老子第七十九章云：「是以聖人執左契，不責於人。」高亨以爲古時尚右，「左契」當作「右契」。當其發現卅一章「吉事尚左，凶事尚右」時，又自圓其說：「蓋老子作成之時代，以左爲貴。」蔣錫昌以爲「左契」不誤，聖人於立契之後，保存左右契，表示永遠不向對方索報，則失立契之義矣。檢核帛書，「左」字無誤。左傳桓公八年云：「楚人尚左。」孔子云：「微管仲，吾其被髮左衽矣！」老子卅一章又云：「君子居則貴左，用兵則貴右。」老子乃楚國人，蓋楚人貴左制度之自然反映也。又如今本老子第八十章云：「小國寡民，使有什佰之器而不用。」嚴遵本、河上公本、敦煌庚本及奈卷「什佰」下，皆有「人」字（或作「民」）。檢核帛書亦同。俞樾引用《說文繫傳》及《後漢書注》，將「什佰」解釋爲「士卒部曲」之名稱；「什佰之器」，即士卒所用之兵器。故劉師培、高亨、蔣錫昌及朱晴園等咸同聲附和。鄭良樹云：胡適之先生把「什」解爲十倍，「佰」解爲百倍；「什佰人之器」，即十倍百倍於其人民之器用。這一說法雖然淺白，可是，第一、它符合古本《老子》的文字，第二、它和「小國寡民」相呼應（國小民寡，設使有十倍、百倍其民之器用，尚且棄之而不顧），實在是一個無懈可擊的講法了。」（鄭良樹「論帛書本老子」）

7.訂正章次

帛書老子可校今本「章次之誤」：今本老子第四十章云：「反者，道之動；弱者，道之用。天下萬物生於有，有生於無。」第四十一章云：「上士聞道，勤而行之；中士聞道，若存若亡；下士聞道，大笑之。不笑不足以爲道。故建言有之：明道若昧，進道若類；上德若谷，大白若辱；廣德若不足，建德若偸；質眞（當作德）若渝，大方無隅；大器晚成，大音希聲，大象無形，道隱無名。夫唯道，善貸且成。」第四十二章云：「道生一，一生二，二生三，三生萬物。萬物負陰而抱陽，沖氣以爲和。」檢核帛書，皆不分章。甲本無今本四十一章，乙本有，而列於今本四十章文字之前，兩段文字相聯，皆論宇宙本體之道，當是老書原狀。高亨云：「因爲今本分章，有些錯誤。有的不是一章而誤合爲一章。例如第二十九章：「將欲取天下而爲之，吾見其不得已。天下神器，不可爲也。爲者敗之，執者失之。故物或行或隨，或歔或吹，或强或羸，或挫或隳，是以聖人去甚、去奢、去泰。（「故」字，帛書小篆本無，當據刪。）」依文意，這是兩章，前六句爲一章，是老子講述他的無爲政策。後五句爲一章，是老子講述他的貴儉貴謙的主張。今本合爲一章，又增「故」字，是錯誤的。有的本是一章而誤分爲兩章。例如第十八章：「大道廢，有仁義。慧智出，有大僞。六親不和，有孝慈。國家昏亂，有忠臣。」第十九章：「絕聖棄智，民利百倍。絕仁棄義，民復孝慈。絕巧棄利，盜賊無有。此三者以爲文不足，故令有所屬，見素抱樸，少私寡欲。」依文意，這兩章本是一章，是老子反對假借仁義忠孝等德目而行違仁盜義事情的人，先講有這些東西，都是亂的現象；後講拋棄這些東西，才有治的結果。今本分爲兩章，是錯誤的。有的把上章的語句誤劃入下章，例如第十九章的末句，今本列爲第二十章的首句。第二十章的原文是：「絕學無憂。唯之與阿，相去幾何？善之與惡，相去何若？人之所畏，不可不畏。……」很明顯，「絕學無憂」一句與第十九章「見素抱樸，少私寡欲」文意並列相聯，與第二十章「唯之與阿」等語決不相關，那麼，這一句應當劃入第十九章，而今本劃入第二十章，是錯誤的。由這三種例子看來，今本老子分爲八十一章，只是注家的分析，有助於後人閱讀；但因有些誤處，不免引人强爲配合，甚至誤解。今有帛書證明老子原書本不分章，我們研究它，就可以打破今本的章界，取消今本的章次了（已有人這樣作）。特別是今後注釋老子，不受章界的拘束，會得到更好的切合原意的理解。」（帛書老子研究—高亨等「試談漢墓中帛書老子」）

8.闡釋叚借

帛書本多叚借字，資料豐富，有助於文字學之研究。高亨云：「老子書中有很多「謂」字，今本作「謂」，帛書篆隸兩本均作「胃」。按說文：「謂，報也。」（廣雅．釋詁：「謂，說也。」）「胃，穀府也。」據此，今本作「謂」，是用本字。帛書作「胃」，是借字。老子書中有很多「其」字，今本作「其」，帛書篆本均作「亓」，隸本均作「其」。按說文：「亓，下基也，薦（墊）物之亓，象形，讀若基。箕，簸也，從竹，象形，下其亓也。其，籀文箕。」「亓」與「丌」同，似即「几」字。「其」即「箕」字。用「亓」「其」為代詞等均是借字。（墨子有以「亓」為「其」之例。）今本第三十八章：「則攘臂而扔之。」帛書篆、隸兩本「扔」均作「乃」。按「乃」篆文作[illegible]，是古繩字，象形。（說文解「乃」字，誤，不錄。）說文：「扔，捆也，從手，乃聲。」廣雅釋詁：「扔，引也。」據此，今本作「扔」，是用本字，帛書作「乃」，是用借字。今本第三十九章：「神得一以靈。」帛書篆、隸兩本「靈」均作「霝」。按說文：「霝，雨零也，從雨，㗊則象形。靈，靈巫也，從巫，霝聲。」雨落為「霝」，巫人稱「靈」，神奇亦稱「靈」。據此，今本作「靈」，是用本字，帛書作「霝」，是用借字。今本第三十二章：「譬道之在天下，猶川谷之於江海。」帛書隸本「譬」作「卑」，篆本「譬」作「俾」。按說文：「譬，諭（喻也），從言，辟聲。」「卑」篆文作[illegible]，銅器銘文作[illegible]（散盤），作[illegible]（曶鼎），即「椑」之古文。說文：「椑，圜榼也。」是圓而扁的小酒瓶，有曲柄。古文象形，從 象手持之。（說文解「卑」字，誤，不錄。）又說文：「俾，益也。」據此，今本作「譬」，是用本字，帛書作「卑」與「俾」，均是用借字。今本第四十二章：「萬物負陰而抱陽，沖氣以爲和。」帛書篆本「沖」作「中」，隸本同今本。按說文：「沖，涌搖也，從水，中聲。」引申爲交流之義。「中」，古文作「中」，是射箭中的之「中」，象形。（說文解「中」字，誤，不錄。）據此，今本作「沖」，是用本字，帛書篆本作「中」，是用借字，隸本已用本字了。今本第四十三章：「天下之至柔，馳騁天下之至堅。」帛書篆本「騁」作「甹」，隸本同今本。按「甹」篆文作「甹」，銅器銘文作「甹」（宗婦彝，娉字偏旁），作「甹」（番生敦），疑是「聘」之古文，從「由」（器名），放在「丂」上，「由」是所送的禮物。（說文解「甹」字，誤，不錄。）說文：「騁，直馳也，從馬，甹聲。」據此，今本作「騁」，是用本字，帛書篆本作「甹」，是用借字，隸本已用本字了。今本第五十章：「陸行不遇兕虎，……兕无所投其角，虎无所措其爪。」帛書篆本「兕」作「矢」，隸本作「𠒋」即「兕」，與今本同。按說文：「矢，弓弩矢也。象鏑羽之形。兕，如野牛而青，象形。」據此，今本作「兕」，是用本字，帛書篆本作「矢」，是用借字，隸本已用借字了。」（帛書老子研究—高亨等「論漢墓中帛書老子」）

嚴靈峯云：『在帛書老子中，我們發見不少文字，爲許愼說文解字所未收者，如：閺、叜、䋼、茾、閲、㨔、絽、迈、𥠩等字；可能爲先秦的古字。其次，則省形省聲之字甚多，與現行本相校，祇用字之偏傍爲之。如：「皮」之作「彼」，「胃」之作「謂」；「其」之作「期」，「女」之作「如」；「霝」之作「靈」，「與」之作「譽」；「規」之作「窺」，「龍」之作「寵」；「古」之作「固」；

又如：「𡉉」之作「穀」，「𦔻」之作「聖」並與許書例不合。倘以帛書之字爲本字，則現行本老子之字，多爲增形之孳乳字；若以現行本之字爲本字，則帛書之字，依許書則皆爲假借字。然許氏說文後於帛書入土三百九十餘年，不少問題，似有重新考定之必要。』其說甚是。（嚴靈峯「馬王堆帛書老子試探」）

五、拙著「老子斠補疏證」概述

㈠、分章要旨

本書凡分甲乙丙三卷。

甲卷緒論，復分爲三：一爲劉師培「老子斠補」概說，簡介撰述、義例、取材、優點、缺點。二爲馬王堆「帛書老子」概論：其一爲出土及內容概況：㈠出土時地，㈡抄寫年代，㈢德前道後，㈣不分章次，㈤不同傳本，㈥白璧有瑕。其二校勘訓詁之價值：㈠校勘衍文，㈡校勘奪文，㈢訂正文字，㈣校勘句讀，㈤澄清誤解，㈥解決聚訟，㈦訂正章次，㈧闡釋叚借。三爲拙著「老子斠補疏證」概述：其一略敘分章要旨，其二簡述撰寫體例。

乙卷疏證，分上下二篇，上篇老子道經，自一章至卅七章；下篇老子德經，自三十八章至八十一章。分章標題，悉依河上公本。其中有目無辭者，則仍依劉氏斠補從闕，並分別於章題下註明。每章首爲「經文」，其下括弧內爲則目號次。其次爲「斠補」，其次爲「疏證」。

丙卷結論，復分爲二：其一校讎訛挩：㈠挩字，㈡挩句，㈢訛字，㈣錯句，㈤衍文，㈥訛挩，㈦訛衍，㈧挩衍，㈨叚借，㈩避諱。其二詮釋古義。末附主要參考及引用書目，分爲專書與論文。

㈡撰寫體例

拙著主要以帛書老子小篆本（簡稱甲本）、隸書本（簡稱乙本）爲依據，旁參道德經古本篇（簡稱古本）以及石刻等善本，就劉著老子斠補，相互校勘，或校讎訛抗，力探其眞；或詮釋古義，以尋確詁。仿劉文淇「春秋左氏傳舊注疏證」之體例，博采衆說，集腋成裘，野人獻曝，間以己意。藉以闡揚先賢學說，並就正於方家耳。

乙卷 疏 證

上篇 老子道經

一章 體 道

道可道，非常道；名可名，非常名。(1)

【斠補】王注：可道之道，可名之名，指事造形，非其常也；故不可道，不可名也。案易象下傳：未變常也。虞注：常，恆也。常訓爲恆，即久遠之意。韓非子解老篇述此文曰：凡理者，方圓、短長、麤靡、堅脆之分也。故理定，而後可得道也。故定理有存亡、有死生、有盛衰。夫物之一存一亡，乍生乍死，初盛而後衰者，不可謂常。唯夫與天地之剖判也俱生，至天地之消散也不死不衰者謂常。而常者，無攸易，無定理，無定理非在於常所，（複衍「無定理」三字，「非」當作「而」，藏本無「所」字。）是以不可道也。聖人觀其玄虛，用其周行，強字之曰道，然而可論，故曰：道之可道，非常道也。是韓以有定及不易釋常也。又文子道原篇引老子曰：變生於時，知時者，無常之行。故道可道，非常道；名可名，非常名。以變與常並言，則常爲恆常之常，無常及無恆也。文字精誠篇又曰：故道可道，非常道也；名可名，非常名也。著於竹帛，鏤於金石，可傳於人者，皆其粗也。蓋文子之意，以爲著竹帛，鏤金石，以傳于人者，僅爲一時之譽，非久遠不易之名。淮南子道應訓引輪扁對齊桓公曰：聖人之所言者，獨其糟粕在耳。故老子曰：道可道，非常道；名可名，非常名。淮南所謂糟粕，即文子所謂粗，蓋以糟粕非久遠之道，亦非久遠之名，此周漢諸子釋常道常名之義也，均以久遠有定相詮。本書第十六章：復命曰常，知常曰明，不知常，妄作凶。二十八章：常德不離，常德不忒，常德乃足。五十二章：是謂習常。均與此文常字同。

【疏證】義案：帛書老子小篆本（以下簡稱「甲本」）作「道可道也，非恆道也；名可名也，非恆名也。」帛書老子隸書本（以下簡稱「乙本」）作「道可道也，（下缺九字）恆名也。」道德經古本篇（以下簡稱古本）無異文。吳澄道德眞經註：「道，猶路也。可道，可踐行也。常，常久不變也。名，謂德也。可名，可指定也。道本無名，字之曰道而已。若謂如道路可知踐行，而道則非此常而不變之道也。德雖有名，强爲之名而已。若謂如名物之可指定，而名則非此常而不變之德也。」焦竑老子翼：蘇子由云：莫非道也，而可道不可常，惟不可道，而後可常耳。今夫仁義禮智，此道之可道者也。然而仁不可以爲義，而禮不可以爲智，可道之不可道也。惟不可道，然後在仁爲仁，在義爲義，禮智亦然。彼皆不常，而道常不變，不可道之能常如此。夫道不可道，況可得而名之乎？凡名皆其可道也者，名既立，則圓方曲直之不同，不可常矣。呂吉甫云：凡天下之道，其可道者，莫非道也，而有時乎而殆，則非常道也。凡天下之名，其可名者，莫非名也，而有時乎而去，則非常名也。萬物芸芸，各歸其根，而不知曰靜，靜曰復命，復命曰常，爲道而至乎常，則心凝形釋，物我皆忘，夫孰知道之可道，而名之可名哉？則常道者，固不可也，故曰道乃久，沒身不殆。常名者，固不可名也，故曰自古及今，其名不去，不殆不去，是之謂常道。程俱云：可道之道，以之制行；可名之名，以之立言。至於不可道之常道，不可名之常名，則聖人未之敢以示人，非藏於密，而不可以示人也，不可得而示人焉耳。李息齋云：常者，不變之謂也。物有變，而道無變。物之變，至於念念遷謝俯仰之間，未嘗少停。至所謂道，則無始無終，天地有盡，而此道無盡，是之謂常。常之爲道，不可行而至，不可名而得；使其可行，即非常道；使其可名，即非常名。焦竑云：可道，如禮不虛道之道；常者，恆久不變也。」又劉氏斠補所引韓非子解老：「而常者，無攸易，無定理，無定理非在於常所，是以不可道也。」陳奇猷韓非子集釋云：盧文弨曰：「謂常」下者字、「於常」下所字衍。張、凌本俱無。顧廣圻曰：藏本「謂常」下者字在而常下，是也。「謂常」二字句絕，屬上。「而常者」三字逗，屬下。今本兩常下各有者字誤。藏本無所字。王渭曰：「非在於常句絕。」陶鴻慶曰：案顧校云：「而常下當有者字，今誤倒在上，」是也。又引王渭說「非在於常句絕」，而以所爲衍字。今案：所字非衍，非乃而字之誤，本云：「無定理而在於常所。」常所，猶言常處，呂氏春秋圜道篇：「黃帝曰：帝無常處也，有處者乃無處也。」高注云：「無常處，言無爲而化，乃有處也。」可證此文之義。上云：「常者，無攸易，無定理」，此云「無定理而在於常所」，即承「無攸易無定理」而言，謂其無定而有定也。定理非常道，無定而有定乃爲常道，故曰無定理而在於常所，是以不可道也。而誤作非，則文義俱乖矣。高亨曰：常下有所字是也。常所，猶言定處也。上文「道以爲近乎，遊於四極，以爲遠乎，常在吾側」，即非在於常所之義。莊子知北遊篇所謂「道惡乎在？莊子曰：無所不在。」亦非在於常所之義。陳奇猷云：藏本「謂常」下者字在而常下，是，今據乙。又云：高說是。又云：無定理三字不當重。此文蓋解老子「道可道，非常道」二句。「與天地之剖判也具生，至天地之消散也不死不衰者謂常，」釋常字。而常者無攸易，無定理，又非在於常處，是以不可道，正老子「道可道非常道」之義。今複衍「無定理」三字，遂不可通矣。**魏源老子本義**：「無名無欲四句，司馬溫公王安石、蘇轍，皆以有無爲讀。河上公諸家，皆以名字、欲字爲讀。丁氏易東曰：老子曰：道常無名，始制有名。則上二句，以有無爲讀者，非也。下二句，或援莊子云：建之以常無有。正指老子此語。然老又云：常無欲可名於小。是又不當以莊例老也。陳景元、吳澄，皆以此兩者同爲句。亦通。吳氏澄曰：首章總言道德二字之形，無名者，道也。有名者，德也。老子之意，蓋以虛無爲天地之所由，以爲天地者，莊子所謂建之以常無有也。以氣化爲萬物之所得以爲萬物者，莊子所謂主之以太一也。故其道其德，以虛無自然爲體，柔弱不盈爲用。」王夫之老子衍：「「可」者不「常」，「常」者無「可」。然據「常」，則「常」一「可」也，是故不廢「常」，而無所「可」。不廢「常」，則人機通；無所「可」，則天和一。**馬叙倫**老子校詁：「俞樾曰：常與尚通。史記衞綰傳：劍尚盛。漢書作常。漢書賈誼傳：尚憚以危爲安。賈子宗首篇尚作常，並其證。尚者，上也。言道可道不足爲上道，名可名不足爲上名也。倫案淮南道應引此文。本書後文曰：復命曰常，知常曰明，不知常妄作，凶。知常，容。莊子天下篇言老子之道術曰：建之以常無有。是則常者遮絕有無而爲言，非上義也。」陳柱老子註：「常者，永久不變之謂。可道可名，則非永久不變，何以故？故以凡道之名之，則必有對待；故如云道是生，則有生必有死，而道便當有死矣，如云道是小，則大小之相形本無定，而道之大小不可得言矣。然則一名爲道，人將問我以何謂道，我亦竟不能答也；故即道之一名，亦當不可成立，而爲便於言說計，不能不強名之爲道耳。」高亨老子正詁：道可道，猶云道可說也。名可名，猶云名可命也。道可道非常道者，例如儒墨之道，皆可說者，非常道也。名可名非常名者，例如仁義之名，皆可命者，非常名也。老子此二語實爲其全書而發。其意以爲吾所謂道之一物，乃常道，本不可說也；吾所稱道之一名，乃常名，本不可命也。常者，莊子駢拇篇：「天下有常然。常然者，曲者不以鉤，直者不以繩，圓者不以規，方者不以矩，附離不以膠漆，約束不以纆索。」莊子所云常然，與自然固然同意。自然固然者，非人爲而然者也。綜觀老子常字之義有四，其三與莊子相契。一，常爲自然之義。本章曰：「道可道，非常道。名可名，非常名。」常道者自然界之道，常名者自然界之名也。又曰：「常無欲以觀其妙，常有欲以觀其徼。」常無者自然界之無，常有者自然界之有也。十六章曰：「復命曰常，知常曰明，不知常妄作凶。」謂復命者物之自然，知其自然者明，不知其自然而妄作者凶也。五十二章曰：「是謂習常。」習慣爲襲。襲常謂因其自然也。五十五章曰：「知和曰常。知常曰明。」知和疑當作精和，謂精和二者性之自然，知其自然者明也。二，常爲固有之義。二十八章曰：「常德不離。常德乃足。」常德者固有之德也。四十九章曰：「聖人無常心，以百姓心爲心。」常心者固有之心也。三，常猶固也。三十二章曰：「道常無名樸。」三十四章曰：「常無欲可名於小。」三十七章曰：「道常無爲而無不爲。」四十八章曰：「取天下常以無事。」五十一章曰：「道之尊，德之貴，夫莫之命，而常自然。」七十四章曰：「若使民常畏死。」又曰：「常有司殺者殺。」諸常字皆此義也。茲三者，隨文立訓，雖有小異，而義則相通。四，常永久也。三章曰：「常使民無知無欲。」二十七章曰：「聖人常善救人，故無棄人；常善救物，故無棄物。」四十六章曰：「故知足常足矣。」六十四章曰：「民之從事，常於幾成而敗之。」七十九章曰：「天道無親，常與善人。」諸常字皆此義也。今發其義例於此。朱謙之老子釋譯：俞正燮曰：『老子此二語，「道」「名」，與他語「道」「名」異；此言「道」者，言詞也，「名」者文字也。文子精誠云：「名可名，非常名，著於竹帛，鏤於金石，皆其麤也。」上義云：「誦雖王之書，不若聞其言；聞其言，不若得其所以言；故名可名，非常名也。」上禮云：「先王之法度有變易，故曰：名可名，非常名也。」淮南本經訓云：「至人鉗口寢說，天下莫知貴其不言也，故道可道，非常道；名可名，非常名。著於竹帛，鏤於金石，可傳於後人，其麤也。晚世學者博學多聞，而不免於惑。」繆稱訓云：「道之有篇章形埒者，非其至者也。」道應訓云：「桓公讀書常上，輪人曰獨其糟粕也。故老子曰：道可道，非常道；名可名，非常名。」皆以老子「道」爲言詞，「名」爲文字。』情案：俞說是也。老子著五千之文，於此首發其立言之旨趣。蓋「道」者，變化之總名。與時遷移，應物變化，雖有變易，而有不易者在，此之謂常。自昔解老者流，以道爲不可言。高誘注淮南氾論訓曰：『常道，言深隱幽冥，不可道也。』僞關尹子推而廣之，謂『不可言即道』；實則老子一書，無之以爲用，有之以爲利，非不可言說也。曰：『美言』，曰：『言有君』，曰：『正言若反』，曰：『吾言甚易知，甚易行』；皆言也，皆可道可名也。自解老者偏於一面，以「常」爲不變不易之謂；可道可名，則有變有易；不可道不可名則無變無易；（林希逸）於是可言之道，爲不可言矣；可名之名，爲不可名矣。不知老聃所謂道，乃變動不居，周流六虛，既無永久不變之道，亦無永久不變之名。故以此處世，則無常心，『以百姓之心爲心』（四十九章）以此應物，則『建之以常無有』（莊子天下篇）言能常無、常有、不主故常也。不主故常，故曰非常。常有常無，故曰：『復命曰常』（十六章）『知和曰常』（五十五章）常即非常也。夫旦明夜闇，死往生來，安時處順，與時俱往，莊子所云：『死生命也，其有夜旦之「常」天也』天地之道，恒久而不已，四時變化，而能久成。若不可變、不可易，則安有所謂常者？故曰：『道可道，非常道』也；『名可名，非常名』也。王淮老子探義：程俱曰：「故西方之聖人，其所示見，設爲乘者三，演爲分者十二，命之曰敎。若夫傳於敎外者，則其不可道與不可名者也。中國之聖人祖唐虞、憲文武，以訂詩書禮樂之文，命之曰經。若夫其所以言，猶履之非迹者，則其不可道與不可名者也。故老子著五千之文，將以示天下，廸後世。蓋非退於道冥，而獨於已者。故其發言之首，以謂可道之道，可名之名者，五千文之所具也，若夫千聖之所不傳者，不可得而言也」。案兩句中首一「道」字爲名詞，猶言「眞理」；首一「名」字亦爲名詞，猶言「概念」。次一「道」字爲動詞，即「論謂」之意；次一「名」字亦爲動詞，即「稱謂」之意。兩「常」字皆爲「絕對」或「究竟」之意。此言凡可論謂之眞理，皆非絕對，亦非究竟之眞理，凡可稱謂之槪念，皆非絕對，亦非究竟之槪念。西方哲學論眞理有「絕對」與「相對」之分，佛法亦有究竟（眞諦）與方便（俗諦）之別。一切語言文字無非只是載「道」之工具。換言之：它僅有傳達表現眞理的功能，而並不等於眞理自身。在本質上它只是眞理的象徵符號與獲得眞理的假借手段。佛法以一切經理皆方便假立，過河即不用揹船。所謂：得魚而忘筌，得意而忘言，皆此義也。蓋道本無名，眞理亦本是不可說的。佛教禪宗所謂：「說是一物即不中」。不可說，故不可傳。故莊子大宗師曰：「道可受而不可傳」。（『受』與『傳』二字原文互倒，據王叔岷校改）抑更進而言之，所謂不可說不可傳者，唯在表明常道之不在所說與所傳耳。故老子雖著五千文，而於立言之始，首明此義，蓋亟欲人之自得之，而不欲人之執五千文以爲常道也。嚴靈峯老子達解：「道」者，「周行不殆」，「獨立不改」；絕對待而混成之宇宙本體。「混而爲一」，非視、聽、觸、搏所可得而知；「不可致詰」；故不可道。自古固存，無始無終，不變不易，故曰：「常道」。若有狀可道，有形可指；則非常道矣。「名」者，道之永久存在之本眞，不生不滅，不增不減；「自古及今，其名不去」；故其名常存。「道隱無名」，無名則是其名；若有名矣，則非常名也。唯其不可名；故曰：「常名」也。嚴靈峯馬王堆帛書老子試探：「淮南汜論訓：故道可道者，非常道也。高誘汜論訓注：常道，言深隱幽冥，不可道也。本經訓注：至道，可名不可道；故曰：『可道者，非常道』也。唐釋法琳辯正論注五千文云：道可道者，謂朝食美也；非常道者，謂暮成屎也。兩者同出而異名，謂人根生溺，溺出精也。玄之又玄者，謂鼻與口也。」陳鼓應老子今注今譯：道可道，非常『道』：第一個「道」字，是指道理的道。第二個「道」

字，是指言說的意思。第三個『道』字，是老子哲學上的專有名詞，在本章它意指構成宇宙的實體與動力。名可名，非常『名』：第一個「名」字，是名稱的名，文法上屬於名詞使用。第二個「名」字是稱謂的意思，作動詞使用。第三個『名』——「常名」（經常不易的『名』）爲老子特用術語，是指稱『道』的眞相。余培林老子讀本：道可道，非常道。第一個「道」字是名詞，指宇宙的本源，亦即創生天地萬物的總原理或原動力。韓非子解老篇曰：「道者萬物之所然也。」又曰：「道者萬物之所成也。」皆謂道是天地萬物的本源。第二個「道」字是動詞，講說的意思。「常」、謂恆久不變。「常道」即永久不變之道。名可名，非常名。第一個「名」是名詞，指道的眞相。第二個「名」字是動詞，稱謂的意思。蓋老子之道，無形無象，是形而上的，故不可名。只是爲了解說方便起見，不能沒有一個稱呼，所以勉强用一個「道」字來稱呼它。張揚名老子斠證譯釋：經訓堂傳奕校定本，以「道，可道非常道；名，可名非常名」爲讀。案傅讀並無新義，各本均從王弼；且王三字爲讀，文氣較暢；仍從王。莊子知北遊：「无始曰：道不可聞，聞而非也；道不可見，見而非也；道不可言，言而非也。」嚴遵曰：「有名非道也，無名非道也；有爲非道也，無爲非道也。須名而無所不名，無爲而無所不爲。」又在道生一下注云：「無無無之無，始未始之始，萬物所由，性命所以，無有所名者，謂之道。」王弼曰：「可道之道，可名之名，指事造形，非其常也。故不可道，不可名也。」趙秉文曰：「非但可道非道，不可道亦非道；莊子云：『語默皆不足以盡道』。非但道常無名，有名無名亦不足以盡道。無名者，道之似也。」魏源曰：「道固未可以言語顯而名迹求者也，故鄭重於發言者之首，曰：道至難言也。使可以議而指名，則有一定之義，而非無往不在之眞常矣。非眞常者而執以爲道，則言仁而害仁，尙義而害義，襲禮而害禮。昫昫孑孑，詐僞之習出，而所謂道者弊，而安可常乎？老子言道，必曰常，曰玄，蓋道無而已。眞常者指其無之實，而玄妙則贊其常之無也。俞樾曰：「常與尙古通。尙者上也，言道可道，不足爲上道；名可名，不足爲上名。」馮友蘭曰：「道乃萬物所以生之總原理。與天地萬物之爲事物者不同，事物可名曰有；道非事物，只可謂爲無。然道能生天地萬物，故又可稱爲有。故道兼有無而言；無言其體，有言其用。」又說：「謂道即是無；不過此無，乃對於具體事物之有而言，非即是零。」又說：「凡道則皆可謂之常。」顧頡剛曰：「常道，常名，本體也。可道之道，可名之名，天下皆知美之爲美，現象也。」高亨曰：「道者，宇宙之母力也。」羅根澤曰：「所謂道，其本體爲無，其作用則爲自然。」李石岑曰：「老莊所謂道，就是無，就是無名，也可以說就是自然界。無即是體之體，道即是體之用。」嚴靈峯曰：「老子的道，可以說是永久不斷、循環運動和變化之無限的宇宙本體。」德人塔爾海瑪曰：「老子的道，是非感覺的精神的原理。」赫格爾曰：「道就是原始的理性。」日人武內義雄曰：「老子的道，是天下萬物的本源。」宇野哲人曰：「蓋一元論也。故超絕乎相對界，超絕乎時間及空間，超絕乎認識。」張揚明曰：「老子的道，是先天地生，也是永遠常存的；是包含萬有，化生萬物的；雖然是看不見，聽不到，摸不着，但有無狀之狀，無象之象的；故不是原理；亦不僅是原始的理性；不僅爲母體，亦不僅爲萬物的本源。道，既是一氣運行，亦是萬物遷化；既是母體，亦是本體。究竟道是什麼呢？勉强地說：道是似虛而實，似靜而動，包含精神和物質，時間和空間，原因和結果，生化萬物，並爲萬物的規律，而且永恒循環的宇宙本體。故無可稱道，亦無以名之。所以說「道可道，非常道；名可名，非常名」。這第一「道」字爲名詞，即指老子所傳的道；第二「道」字爲動詞，即指以言語道述。第一「名」字爲名詞，即名稱之謂；第二「名」字爲動詞，即稱謂之意。「常道」「常名」，是本體，是永久不變的道。是經常不易的名。所以「常」，是常的本意；而非上義。對老子之道，摸索曲解者頗多，近且有所謂新解者，將道分爲「可道」與「非常道」，標新立異，故不列論。

故常無，欲以觀其妙；常有，欲以觀其徼。(2)

【斠補】王注：常無欲，可以觀其始物之妙；常有欲，可以觀其終物之徼。俞云：按易州唐景龍二年所刻道德經碑，無兩以字，當从之。司馬溫公、王荊公，並於無字絕句，亦當從之。常，讀作尙。言尙無者，欲觀其微；尙有者，欲觀其歸也。案下三十四章云：萬物恃之而生而不辭，功成不名有，衣養萬物而不爲主。常無欲，可名於小；萬物歸焉而不爲主，可名爲大。以彼例此，亦當無欲有欲聯文，當從王讀，常無欲常有欲者，猶言永無欲永有欲也。三章：常使民無知無欲。即此常無欲之的解。又三十七章云：道常無爲而無不爲。三十二章云：道常無名，始制有名。四十三章云：無有入無間。莊子天下篇用此文，則作建之以常無有。此文常無有，與彼常無名，常無爲，常無有一律。又十三章：並言有身無身。三十八章：並言有德無德。四十八章：並言有事無事。亦與此文之有欲無欲一律。

【疏證】義案：甲本作「□恆無欲也，以觀其眇；恆有欲也，以觀其所噭。」乙本作「故恆无欲也，□□□□恆又欲也，以觀亓所噭。」古本「無作无」。以觀其「眇」：通行本「眇」作「妙」。說文：「眇，一目少也。从目从少。少亦聲。」釋名釋疾病：「目眶陷曰眇，眇小也。」集韵、正韵：「並彌笑切，音妙。」漢書元帝贊：「窮極幼眇」，顏師古注：「讀要妙。」易說卦：「神也者萬物而爲言也。」王肅作「眇」。又：妙，廣韵、集韵、正韵並：「彌笑切，音廟，神妙也。」按：莊子齊物論：「而我以爲妙道之行也。」韓非子五蠹篇：「微妙之言也。」是「妙」字先秦已有，而許氏未收。又抱朴子暢玄篇：「眇昧乎其深也，故稱微焉；綿邈乎其遠也，故稱妙焉。」「眇」「妙」並用，以「眇」爲微，以「妙」爲遠。故恆「无」欲也：通行本「无」作「無」。說文：「无，奇字無也。」玉篇：「不有也。」朱駿聲曰：「易經「無」字，皆作「无」。左襄二十七年傳：「有棠无咎。」今隸作「無」。」按：莊子唐敦煌寫本、宋刊本多作「无」。古文作「匕几」。以觀「亓」所噭：通行本「亓」作「其」。說文：「其，簸也。从竹𠀠，象形，下其亓也。」又：「丌，下基也。」段玉裁曰：「字亦作「亓」，古多用爲今渠之切之其。墨子書「其」字多作「亓」。「亓」與「丌」同也。」按：「其」，古文作「丌」、作「亓」。韵會：「指物之辭。易繫辭：「其旨遠，其辭文。」詩大雅：「其在於今」。」「亓」、「其」古今字。「以觀其所噭」：「其」字下衍「所」字。「恆有欲也以觀其所噭」：隸書本「有」作「又」，通用字。从來各本「欲」下皆無「也」字。倘「也」字非古代斷句符號，則此文必須从「有」字連下讀無疑。吳澄道德經眞經註：「常，即常道、常名之常。常無欲，謂聖人之性，寂然而靜者，此道之全體所在也，而於此可以觀德之妙，其指德言。妙以道言，妙者，猶言至極之善。常有欲，謂聖人之情，感物而動者，此德之大用所行也。而於此可以觀道之徼，其指道言。徼以德言，徼者，猶言邊際之處，孟子所謂端是也。」—焦竑老子翼：「蘇子由云：聖人體道以爲天下用，入於衆有而常無，將以觀其妙也；體其至無而常有，將以觀其皦也。若夫行於徼，而不知其妙，則麤而不神；留於妙，而不知其徼，則精而不變矣。呂吉甫云：萬物之母，知常曰明，明無所不見也，故惟常爲可以觀。方其無欲也，則滌除玄覽而無疵，於此觀其妙，故曰常無欲，可名於小矣。方其有欲也，則萬物並作而芸芸，於此觀其徼，故曰萬物皆往歸焉，而不知主，可名於大矣。惟小所以見其妙，惟大所以見其徼也。李息齋云：故妙者，大道也，無也。徼者，小道也，有也。吾欲觀其妙，則與妙同入而歸於無。吾欲觀其徼，則與徼同出而遊於有。妙即徼，徼即妙；有即空，空即有；其本同，其末異，故同謂之玄。焦竑云：徼，讀如邊徼之徼，言物之盡處也。晏子曰：徼也者，德之歸也。列子曰：死者德之徼，皆指盡處而言。蓋無之爲無，不待言已，方其有欲之時，人皆執以爲有，然有欲必有盡，及其盡也，極而無所更往，必復歸於無，斯與妙何以異哉！徼、竅通物，所出之孔竅也。又邊際也，歸也。陳景元曰：大道邊有小路曰徼。」—魏源老子本義：「焦氏竑曰：欲，猶樂記感於物而動性之欲也之欲。徼，讀如邊徼之徼，言物之盡處也。晏子云：徼者，德之歸。列子云：死者，德之徼，皆指盡處而言。蓋無欲之爲無不待言，惟方其有欲之時，人皆指以爲有，然有欲必有盡，則復歸於無矣。」—王夫之老子衍：「故常無欲，以觀其妙；常有欲，以觀其徼。邊際也。」—馬敘倫老子校詁：「故常無，欲以觀妙。范應元曰：古本、並河上公、王弼、李若愚、張君相，並有故字。紀昀曰：永樂大典引無故字。嚴可均曰：御注本無兩以字。馬敍倫曰：易州羅卷道藏注疏本、彭耜本、趙秉文本、寇才質本、張嗣成本、吳澄本、大德三年磻溪十方長春道宮經幢本、趙孟頫寫本及文選海賦注引輔行記二之六引，無故字。廣弘明集五孫盛老子疑問反訊，引有故字。羅卷易州及後漢書西域傳注引此句及下句，以字並無。輔行記二之六引常無欲觀其妙。周易集解十三韓康伯曰：故常無欲以觀妙。蓋本此文，則無其字。畢沅曰：古無妙字。易妙萬慮而爲言，王肅本作眇。董遇注易曰：眇，成也。馬敍倫曰：妙爲紗譌，字當作杪。說文：杪，木標末也。後同。常有，欲以觀其徼。彭耜曰：黃徼作竅。畢沅曰：李約本徼作儌。馬敍倫曰：廣弘明集五孫盛老子疑問反訊引句首，有故字。羅卷徼作皦。馬敍倫曰：徼當作竅。（後同。）說文：竅，空也。竅與杪對言。莊子庚桑楚曰：出無竅，有所入而無竅者有長，有長而無乎剽者宙也。亦竅與剽對，剽即杪借字。（莊子原文有錯脫，此倫所訂正。詳莊子義證。）詳此二句，王弼孫盛之徒，並以無欲有欲爲句。司馬光、王安石、范應元諸家，則並以無字、有句爲句。近有陶紹學依本書後文曰：常無欲，可名於小。謂無欲有欲，仍應連讀。易順鼎則依莊子天下篇曰：建之以常無有。謂莊子已以無字有句。倫校二說，竊從易也。後文常可欲可名於小，依臧疏本、羅卷本，並無常無欲三字，校義亦不應有，則陶說失其依矣。」陳柱老子註：「欲，讀如莊子知北游篇『欲言而忘其所欲言』之欲。無欲，謂忘然無思念，無意識。妙讀如易經『妙萬物而爲言』之妙，謂生天地萬物之道也。徼謂分徼萬物之分界也。——史記黥布列傳注云『徼謂以木石水爲界者也』。是徼有異義—道既不可得名，故吾人唯有無思無識，以觀無名之妙而已，此形上之學也，此重乎修養而頓悟，故曰常無欲以觀其妙。若就天地萬物論而論，則當窮思極慮，以究萬物之異同，此形而下之學，如今之科學，最重分析者也，故曰常有欲以觀其徼。高亨老子正詁：陸德明曰：「徼，邊也。」按：常無連讀。常有連讀。常無欲以觀其妙也，猶云欲以常無觀其妙。常有欲以觀其徼，猶云欲以常有觀其徼也。因特重常無與常有，故提在句首。此類句法，古書中恆有之。論語里仁篇曰：「吾道一以貫之。」猶云吾道以一貫之也。陽貨篇曰：「君子義以爲上。」猶云君子以義爲上也。禮記禮運篇曰：禮，先王以承天之道，以治人之情。」猶云先王以禮承天之道，以禮治人之情也。左傳僖公四年傳：「楚國方城以爲城，漢水以爲池。」猶云楚國以方城爲城，以漢水爲池也。淮南子氾論篇曰：「仁以爲經，義以爲紀。」猶云以仁爲經，以義爲紀也。其例甚多，不可歷舉。此類句法本書中亦恆有之。六十一章曰：「大國以下小國，則取小國。小國以下大國，則取大國。」猶云以大國下小國，則取小國。以小國下大國，則取大國也。六十七章曰：「夫慈，以戰則勝，以守則固。」猶云夫以慈戰則勝，以慈守則固也。七十七章曰：「孰能有餘以奉天下。」猶云孰能以有餘奉天下也。今發其句例於此。莊子天下篇述老聃之術曰：「建之以常無有。」常無有即此常無常有，特莊子省一常字耳。即常無連讀，常有連讀之明證。此采奚侗說。朱謙之老子釋譯：范應元曰：音辯云：『常无、常有，合作斷句。』王應麟曰：『首章以「有」「無」字斷句，自王介甫始。』嚴可均曰：『御注與此同，「觀」上，河上、王弼有「以」字，下句亦然。』羅振玉曰：『敦煌三本均無「故」字及二「以」字。又「徼」敦煌本作「曒」。』俞樾曰：『按易州唐景龍二年所刻道德經碑無兩「以」字，當從之。司馬溫公、王荊公、並于「無」字絕句，亦當從之。』易順鼎曰：『按莊子天下篇：「老聃聞其風而悅之，建之以常無有。」「常無有」即此章「常無」「常有」，以「常無」「常有」為句，自莊子已然矣。』情牽案：御注、邢玄、景福、慶陽、樓正、磻溪、顧歡、彭耜、高翿均無『故』字。『徼』，傅、范本與碑本同，宜從敦煌本作『曒』。十四章『其上不曒』，景龍本亦作『曒』是也。一切經音義卷八十四引：『說文「徼」作「循也」，以遮遏之；』是徼有遮訓，在此無義。又卷七十九、卷八十三引『說文「曒」從日敫聲，二徐本無。』田潛曰：『案慧琳引埤蒼「明也」，韻會云「明也」，未著所出。詩「有如曒日」，詩傳云：「曒，光也，」說文古本舊有「曒」字，後世或借用「皎」。「皎」，月之白也；詩「月出皎兮」是也。或借用「曒」，曒，白玉之白也；論語「曒如」是也。字義各有所屬，「有如曒日」之「曒」，碻從日，不從白也。』（一切經音義引說文箋卷七）經文『常无觀其妙』，妙者，微眇之謂，荀悅申鑒所云：『理微謂之妙也』；『常有觀其曒』，「曒」者，光明之謂；與「妙」為對文，意曰理顯謂之曒也。王淮老子探義：李息齋曰：「聖人體眞常之道，以出入於有無之間。」案妙者，幽深精微之謂。徼者，邊際窮盡之意。（史記司馬相如傳：「南至牂牁為徼」。註曰：「徼，塞也。以木柵水為蠻夷界」。李息齋以「徼」為「小道」，蓋本之廣韻。小道猶邊道也。班固西都賦：「徼道綺錯」是其證）。又：妙為一深度的「質」的概念，徼，為一廣度的「量」的概念。兩「觀」字皆觀照之義。此兩句意謂：常於「無」處以觀照道體之深微：微妙玄通、深不可識。常於「有」處以觀照道用之廣大：四方上下，無不窮盡。且唯其有無雙照、本末一貫，故能通幽明，一始終，然後表裡精粗無不盡，而全體大用無不明也。又曰：此兩句蓋言修道之工夫，當有無雙照。嚴靈峯老子達解：常無，恆自無；因其所無也。常有，恆自有；因其所有也。妙者，有之始而微之極；言其小也。徼者，無之始而際之終；明其大也。言常自無以觀其小，常自有以觀其大；其小無內，其大無外。因其所無而之，則萬物莫不無；因其所有而有之，則萬物莫不有。此常無、常有、觀妙、觀徼之義也。「故常無欲以觀其妙，常有欲以觀其徼。」此二句河上公注：「人常能無欲，則可以觀道之要，……常有欲之人，可以觀世俗之所歸趣也。」王弼注：「故常無欲空虛，可以觀其始物之妙；……故常有欲，可以觀其終物之徼也。」是河、王二家並以「無欲」、「有欲」爲讀。按：應從「有」、「無」爲讀，已見前說。且老子書中，多言「無欲」，除此之外，無有以「有欲」連文者。況老子以致虛守靜以觀萬物反復，而「有欲事則不虛靜矣；又豈可「觀徼」乎！此「常無」、「常有」二語，猶云：「以無觀之」、「以有觀之」；或「自無觀之」、「自有觀之」。莊子秋水篇：「以道觀之，物無貴賤；以物觀之，自貴而相賤；以俗觀之，貴賤不在己；以差觀之，因其所大而之，則萬物莫不大；因其所小而小之，則萬物莫不小，……以功觀之，因其所有而有之，則萬物莫不有，因其所無而無之，則萬物莫不無。」德充符篇：「自其異者視之，肝、膽，楚，越也；自其同者視之，萬物皆一也。」故「常無，欲以觀其妙」者；猶云：常自無，欲觀其妙；常以無而觀其妙也。「常有，欲以觀其徼」者；猶云：常自有，欲觀其徼；常以有而觀其也。如英文："Point of view 或 In view of"——即今之所謂：「從某種觀點」，「從某種立場」之意義也。嚴靈峯馬王堆帛書老子試探：老子全書言「無欲」者多，如第三章：『常使民無知、無欲。』三十四章：『常無欲，可名於小。』三十七章：『無名之樸，夫亦將無欲，無欲以靜，天下將自正。』五十七章：『我無欲，而民自樸。』除此「有欲」二字連文外，書中並不再見。說文：『欲，貪欲也。』第三章：『不見可欲，使心不亂。』河上公注：『不淫邪，不惑亂也。』王弼注：『故可欲不見，則心無所亂也。』反之，見「可欲」，則「心必亂」。此句關鍵在於「觀」字，即如何「以觀其徼」（依通行本）。老子觀物方法，以虛靜爲本。十六章云：『致虛極，守靜篤。萬物並作，吾以觀其復。』則是欲以觀萬物之反復，必須有致虛守靜之修養。三十七章：『不欲以靜，天下自將定。』則「恆有欲」之人，其心已亂，豈能自靜、自定？故莊子天道篇曰：『萬物無足以鐃心者，故靜也；水靜則明，燭鬚眉，平中準，大匠取法焉。水靜猶明，而況精神乎？聖人心靜乎（按「乎」疑當作「平」，形近致譌。）天地之鑑也，萬物之鏡也。』惟有精神平靜，乃能鑑照天地萬物；常常有欲之人，自難虛靜；何能「觀妙」、「觀徼」，是知帛書雖屬古本，「也」字應不當有，而此字亦當从「有」字斷句；而「欲」字作「將」字解；爲下「觀」字之副詞。又「噭」字，說文：「吼也，从口，敫聲。』尤不可通，吼聲可用耳「聽」，安可以目「觀」之乎？足證此爲誤字無疑。又：「恆」、「常」通用。范應元引音辯云：『「常无」、「常有」，合作斷句。』則此文以「常有」爲讀，由來固久矣。」陳鼓應老子今註今譯：常『無』欲以觀其妙，常『有』欲以觀其徼：常體『無』，以觀照『道』的奧妙；常體『有』，以觀照『道』的邊際。嚴靈峯先生說：「老子書中，『欲』字連下文作動詞之例甚夥。如十五章：『保此道者不欲盈。』二十九章：『將欲取天下而爲之。』……若以『無欲』『有欲』爲讀，則與上下文均不相附矣。」（老子章句新編）俞樾說：「下云：『此兩者同出而異名，同謂之玄。」正承『有』『無』二義而言，若以『無欲』『有欲』連讀，旣『有欲』矣，豈得謂之『玄』乎？（引自諸子平議）「妙」，深微奧妙。「徼」，前人有幾種解釋：㈠歸終：如王弼注：「徼，歸終也。」㈡作「竅」：如黃茂材本爲「竅」。馬敍倫說：「徼當作竅，說文：『竅，空也』。」（引自老子覈詁）㈢作「皦」解。如敦煌本爲「皦」。㈣邊際：陸德明說：「徼，邊也。」（引自老子音義）董思靖說：「徼，邊際也。」（引自道德眞經集解）陳景元說：「大道邊有小路曰徼。」吳澄也說：「徼者，猶言邊際之處，孟子所謂端是也。」這幾種解釋中，作「竅」講根本不通，作「皦」（皎）講也不妥；徐學謨說：「『徼』字諸註以不得其說，則皆以『徼』爲『竅』，於說文似無所據，鄭氏註云：『「徼」者，明而不可亂，』則又以『徼』爲『皎』，尤屬杜撰。」（引自老子解）。本章各句，常因標點符號不同，在解釋意義上產生了差別。如「常無欲以觀其妙，常有欲以觀其徼。」讀法不同，解釋就跟着不一樣。有以『無』『有』爲讀，有以「無欲」「有欲」爲讀。王弼以「無欲」「有欲」作解，後人多依從，其實王弼的解釋並不妥當，因爲本章是講形而上之『道』體的，而「有欲」却是講人生哲學的。況且在人生哲學中，老子認爲「有欲」是壞事，是要不得的，那麼「常有欲」怎能「以觀其徼」呢？老子認爲「有欲」妨礙認識，則「常有欲」自然不能觀照『道』的邊際了！所以這裡不可以「無欲」「有欲」作解，而應承上文以『無』『有』爲讀。再則，莊子天下篇說：老聃聞其風而悅之，建之以常無有。」莊子所說的「常無有」就是本章的「常無」「常有」。這更可證明此處應以『無』『有』斷句。余培林老子讀本：常無欲以觀其妙，常有欲以觀其徼。「妙」、「精微莫測」的意思。「徼」、陸德明曰：「邊也。」引中有「廣大無際」的意思。「妙」形容道之體（無）；「徼」形容道之用（有）。這兩句的意思是：「常處於『無』，以觀照道體的奧妙莫測；常處於『有』，以觀照道用的廣大無際。」又這兩句古人多以「無欲」、「有欲」爲句，而讀成「故常無欲，以觀其妙；常有欲，以觀其徼。」這樣的斷法，無論在文字上或意義上都說不通。就文字上說，與上文不能相貫，「故」字也沒有著落。就意義上說，老子固主張「無欲」，但却決不贊成「有欲」。三章云：「不見可欲，使民心不亂。」十九章云：「見素抱樸，少私寡欲。」五十七章云：「我無欲而民自樸。」都是證明。**張揚明老子**校證譯釋：「故常無欲，以觀其妙；常有欲，以觀其徼」：

唐景龍二年易州龍興觀石刻本，蘇靈芝書御注本，羅振玉藏卷子本，均無兩「之」字。御注並無兩「以」字。景龍、羅卷，並無兩「故」字。宋彭耜道德眞經注，金趙秉文道德眞經集解，金寇才質道德眞經四子古道集解，元張嗣成藏廣明三年經幢殘石本，元吳澄道德眞經注，元大德三年陝西寶鷄磻溪十方長春宮經幢本，元趙孟頫寫本，晉孫盛老子疑問反訊叔及文選海賦注引輔行記二之六引，永樂大典引均無「故」字。案「無名」、「有名」，「無欲」、「有欲」；王安石老子注，司馬光道德眞經論，俞樾諸子平議，均以「有」、「無」爲讀；近人易順鼎、馬敍倫、梁啓超、高亨、于省吾、嚴靈峯皆從之。傅奕古本，蘇轍老子解，范應元老子道德經古本集注，亦以「常無」、「常有」爲讀。而其他各本，均如王弼。金丁易東及近人陶紹學亦均認爲不能改讀。仍以不改爲是。「無」，景龍本作「无」，全書均同。案「無」「无」今古字。「妙」，王肅本作「眇」。畢沅說：「古無妙字」。案：易繫辭：「眇萬物而爲言。」王肅說：「今本作妙。」

是「妙」「眇」亦今古字也。漢書律歷志：「究其微眇」；揚雄傳：「宏意眇指」；注皆讀曰「妙」，並可證。馬敘倫云：「妙爲玅譌，原當作杪。說文：杪，木標末也。」復案朱駿聲說文通訓定聲：「高遠之誼，古皆以眇以玅爲之」。故馬說不取。各本均如王弼作「妙」，仍從王。

「徼」，敦煌、羅卷均作「曒」，敦煌丙本則作「皎」。彭耜說：「黃作竅」。畢沅：「李約作儌」。于省吾雙劍誃老子新證：「是徼、儌、竅、皎，並皦之假借字也。玄應一切經音義四引埤蒼：『皦明也。』論語八佾：『皦如也』。釋文：『皦，如其音節奏分明也』。……有無既分，則可別其微明；有無不分，則顯晦一致。」揚明案：經文爲「無欲」、「有欲」；于氏雖宗俞樾「常無」「常有」之說，然亦僅「無」之與「有」，而非所謂「有無既分」、「有無不分」。于氏所言，有失經義，不足取。多本均作「徼」，同王弼。作「徼」爲是。「玄」：王本均作「元」。嚴靈峯：「『玄』字，浙江書局覆刻華亭張之象原本，因避清諱，全書俱改作『元』」。張揚明曰：清聖祖名玄燁，故諱玄爲元。今復其舊。」張說是也。

二章　養身

長短相較。(3)

【斠補】河上公本作長短相形。案文子云：長短不相形。淮南子齊俗訓曰：短修相形。疑老子本文亦作形，與生成傾協韻，較乃後人旁注之字，以較釋形，校者遂以較易形矣。

【疏證】義案：甲本作「長短之□□也。」乙本作「長短之相刑也。」古本作「長短之相形。」劉說是也。長短之相「刑」：通行本「刑」作「形」。說文：『刑，罰辠也。從井，從刀，井亦聲。』朱駿聲曰：『假借爲「形」。易順鼎：「其刑渥。」集解：「今本作形。」」又廣雅釋詁四：『形，容也。』按：假借爲「刑」。荀子成相篇：『說夫棄之形是詰。』楊倞注：『或曰：「形當爲刑，無德化唯刑戮是詰」，言苛暴也。」郝懿行曰：『「形」與「刑」，古字通。詰者，治也。書云：「度作刑以詰四方。」」吳澄道德眞經註：物之有無，事之難易，形之長短，勢之高下，音之闢翕，聲之清濁，位之前後，兩相對待，一有則俱有，一無則俱無，美惡善不善之相因，亦猶是也。相形，謂二形相比並，相傾，謂一俯臨，一仰視；相如，謂一倡一和，隨猶隨風巽之隨相連屬也。焦竑老子翼：「陸希聲云：所謂長短之相形者，美惡也。美惡之相奪，猶高下之相傾也。蘇子由云：彼不知有無、長短、難易、高下、聲音、前後之相生相奪，皆非其正也。方且自以爲長，而有長於我者，臨之斯則短矣。呂吉甫云：有鶴脛之長，而後知有鳧脛之短；有鳧脛之短，而後知有鶴脛之長，是之謂長短之相形。陸師農云：長短者，以言乎其體。李息齋云：蓋天下之物，未有無對者：有無之相生，難易之相成，長短之相形，高下之相傾，聲音之相和，前後之相隨，有其一，未有無其二。」魏源老子本義：「長短相形。王弼本，形作較，與傾韻不協。」馬叙倫老子校詁：「焦竑曰：龍興碑無故字。畢沅曰：顧歡無故字。較，陸德明亦作較，各本作形，古無較字，本文以形與傾爲韵，不應作較。王昶曰：易州開元御注本無之字，六句皆然。張煦曰：蘇轍、林希逸，無之字。下同。馬叙倫曰：羅卷臧疏，亦無故字。較，各本並作形。說文荊之古文作⿱艹⿰井刂，則古文形，或亦有作⿳㐅㐅㐅者。爻旁與⿰車爻字之爻旁相同，或老子本作⿳㐅㐅㐅，傳寫脫譌成爻，讀者以爲義不可通，加車成⿰車爻，後世較行⿰車爻廢，因爲較字矣。」高亨老子正詁：「形」王本原作「較」，河上本作「形」。今據改。畢沅曰：「本文以『形』與『傾』爲韻，不應作較。」按：作「形」是也。朱謙之老子釋譯：敦煌本、遂州碑本、顧歡本無『故』字。六『相』上，廣明、景福、慶陽、磻溪、樓正、室町、彭耜、傅、范、高翿、趙孟頫本，及後漢書朱穆傳注均有『之』字，王弼、河上本無。李道純曰：「『有無相生』已下六句，多加一『之』字者非也。」嚴可均曰：「『相形』王弼作『相較』，見釋文。」案：作『相形』是也。淮南齊俗訓『故高下之相傾也，短修之相形也』；有二『也』字。『長』因避父諱改『脩』。」嚴靈峯老子達解：「無以有見，有以無形；難以易顯，易以難彰；寸以尺短，尺以寸長；山以谷摧，谷以山傾；音以聲別，聲以音停；先以後見，後以先明；故無無則無以見有，無有則無以知無；無難無以知易，無易無以知難；無長無以知短，無短無以知長；無山無以知谷，無谷無以知山；無音無以知聲，無聲無以知音；無前無以知後，無後無以知前。此言宇宙間相生相對之理，皆由相互依倚與比較而成。朝菌比之惠蛄，則惠蛄爲壽，朝菌爲夭；惠蛄比之殤子，則殤子爲壽，惠蛄爲夭；殤子比之彭祖，則彭祖爲壽，殤子爲夭；彭祖比之大椿，則大椿爲壽，彭祖爲夭。天下莫大於秋毫之末，而大山爲小；莫壽乎殤子，而彭祖爲夭。稽諸萬有，莫不如是。」陳鼓應老子今註今譯：形，王弼本原作「較」。河上公本、傅奕本及其他古本都作「形」。畢沅說：「古無『較』字。畢說可從，因據河上本與傅奕本改正。」余培林老子讀本：形，顯的意思。張揚明老子斠證譯釋：蔣錫昌曰：「按顧歡本成玄英疏，『長短相形，』是成『較』亦作『形』。」以上諸說並是也。按：傅奕本作「形」，當據改正。

生而不有，爲而不恃。(4)

【斠補】案呂氏春秋貴公篇云：天地大矣，生而弗子，成而弗有；萬物皆被其澤，得其利，而莫知其所由始。高注：生育民人，不以爲己子；成遂萬物，不以爲己有。義本老子所云：萬物被澤。亦即此章上文之萬物作焉而不辭也。

〔疏證〕義案：甲本作「（上缺十字）也，爲而弗（下缺三字）」。乙本作「昔而弗始，爲而弗恃也。」古本無異文。吳澄道德眞經注：生而不有。生，謂物既生，夏時也。有，謂有言不辭不有，此天地不言之教也。夫子謂：天何言哉？百物生焉是也。爲而不恃。爲，謂物將成，秋時也。恃，謂恃其能而有爲。不恃，不居此天地無爲之事也。焦竑老子翼：「陸希聲云：如天地之生物，而不有其用；如百工之爲器，而不恃其成。蘇子由云：我生之爲之，而未嘗有，未嘗恃。呂吉甫云：若然者，無往不妙；無往不妙，則萬物之作，吾不見其作與作之者，不見其生與生之者，不見其爲而爲之者；則雖作不作，雖生不生，雖爲不爲，吾何辭、何有、何恃哉！王无咎云：萬物之生也，吾亦與之生而不有；萬物之爲也，吾亦與之爲而不恃。李息齋云：萬物並生，吾從而與之生；生而不有，方其有爲，非我之爲順物而已，故爲而不恃。」魏源老子本義：「聖人知有名者之不可常，是故終日爲而未嘗爲，終日言而未嘗言，豈自知其爲美爲善哉，斯則觀徼而得妙也。若然者，萬物之來，雖亦未嘗不因應，而生不有，爲不恃，終不居其名矣。」馬叙倫老子校詁：生而不有。羅卷無此句。爲而不恃。高亨曰：恃猶往也。生而不有，爲而不恃，又見五十一章，三十四章，萬物恃之以生而不辭。功成而不居，亦與此似複。諭知此文是以聖人處無爲之事行不言之敎二句，當在四十三章不言之敎無爲之益天下稀及之矣下，易繫辭正義引爲而不宰功成不居，成玄英莊子庚桑楚篇疏引功成弗居長而不宰，雖句次互易，可證此文生而不有以下，皆五十一章之文，蓋因錯簡而校者有增無刪，遂複出也。」高亨老子正詁：生而不有，按：「不有」者，不以萬物爲己之私物也。爲而不恃，河上公曰：「施爲不恃望其報。」按：河上公注是也。爲，施也，心以爲恩之意也。爲而不恃者，猶云施而不德，謂施澤萬物而不以爲恩也。「爲」訓「施」者，廣雅釋詁：「爲，施也。」蓋「爲」可爲施行之施，亦可爲施予之施。詩鳧鷖「福祿來爲。」來爲，謂來施也。禮記祭統：「是知賢者之祭也，致其誠信，與其忠敬，奉之以物，道之以禮，安之以樂，參之以時，明薦之而已矣，不求其爲。」不求其爲謂不求祖先有所施於我也。並其證。老子書中常用「爲」爲施予之義。八十一章曰：「聖人不積，既以『爲』人已愈有，既以與人已愈多。」「既以『爲』人已愈有，」言既以施予人而已愈有也。又曰：「聖人之道『爲』而不爭。」言施予人而不與人爭也。並其證。「恃」訓「德」者，莊子應帝王篇：「化貸萬物而民弗恃。」民弗恃，猶言民弗德，謂民不以爲恩也。在宥篇：「會於仁而不恃。」不恃，猶言不德謂不以爲恩也。二「恃」字義與此同。老莊書中之「恃」字同於他書之「德」字。易繫辭上：「勞而不伐，有功而不德。」管子正篇：「愛之生之，養之成之，利民不德。」此他書用「德」字之例。蓋老子以「德」爲道德之德故以「恃」爲恩德之德。「恃」「德」古通用。詩柏舟：「實維我特，」釋文「『特』韓詩作『直』。」我行其野：「求爾新特。」釋文：「『特』韓詩作『直』。」宛丘「值其鷺羽。」毛傳：「值，持也。」值正借爲持。禮記月令：「具曲植籧筐。」鄭注：「植，槌也。」植乃借爲榯。並其左證。朱謙之老子釋譯：羅振玉曰：『「生而不有」，敦煌本無此句。』情牽索：遂州碑本亦無。羣書治要卷三十四引同此石。嚴靈峯老子達解：「生而不有，不有，謂不以爲己有也。此言道生萬物，不據爲己有也。爲而不恃，此言道畜養萬物，不恃其能；施而不待報也。生而不有，蔣錫昌曰：「敦煌寫本殘卷、景龍碑並無此句。按：次解本亦無此四句，當刪。嚴靈峯馬王堆帛書老子試探：萬物作焉而不辭，爲而不恃。隸書本「作焉」下，脫「生而不有」四字。（按：景龍碑本、敦煌寫本殘卷首章至第五章之首本亦無此四字）余培林老子讀本：「不有之，不據爲己有。不恃，不恃其能。」余說是也。

三章　安　民

不見可欲，使民心不亂。(5)

【斠補】王注：故可欲不見，則民心無所亂也。案文選東都賦注引作使心不亂。易艮卦孔疏引此文，亦無民字。蓋唐初避諱，删此字也。古本實有民字，與上兩使民一律。淮南子道應訓引此文，亦無民字。疑亦後人據唐本所删。

【疏證】義案：甲本作「（上缺）使民不（下缺）」。乙本作「不見可欲，使民不亂。」古本無異文。劉說是也。吳澄道德眞經注：「蓋名利，可欲者也，不尙之，不貴之，是不示之以可欲，使民之心不爭，不爲盜，是不亂也」焦竑老子翼：蘇子由云：見可欲，則民患於不得，而至於亂。……未嘗去可欲也，獨不見之耳。夫是以賢者用，而民不爭。難得之貨，可欲之事，畢效於前，而盜賊禍亂不起。呂吉甫云：苟子之不欲，雖賞之不竊。君子之制欲者，賢也；小人之所欲者，貨也。我皆不見其可欲，則心不亂矣。李宏甫云：夫腹之所以不充者，心累之也。今一不見有可欲、可尙、可貴之事，則心虛而腹自實矣。」魏源老子本義：「蓋君子好名，小人好利，賢與貨皆可欲之具。是故人以相賢爲尙，則民恥不若而至於爭；貨以難得爲貴，則民病其無而至於盜，皆由見可欲耳。治世人尙純樸，無事乎以賢知勝人，物取養人，無貴乎難得而無用，則賢與不賢同用，難得與易得等視，民不至見之以亂其心，而爭盜之原絕矣。」王夫之老子衍：「心」未必「亂」於「見」可欲。」馬叙倫老子校詁：「范應元曰：音辯云：古本皆有民字。彭耜曰：纂微心上有民字。畢沅曰：河上公本及淮南子道應訓引無民字。紀昀曰：各本俱無民字，惟永樂大典有之。據弼注故可欲不見上承沒命而盜，則經文本有民字。蓋唐初避諱刪此字也。古本實有民字，與上二句一律。淮南道應訓引無民字，疑後人據唐本刪。易順鼎曰：易艮卦正義、晉書吳隱之傳、文選沈文鍾山詩注、素問王冰注引，皆無民字。顧實曰：史記自序集解無民字。張煦曰：呂等無民字。羅運賢曰：蜀志秦宓傳，道家法曰：不見可欲，使心不亂。可字作所，無民字。治要引亦無民字。倫案：臧疏、羅卷、易州經幢、彭寇白張嗣成及趙寫本，並無民字。蜀志秦宓傳，宓報李權書引道家法曰：不見可欲，使心不亂，蓋即此文。又藝文類聚七二引庾闡斷酒戒曰：不見可欲，使心不亂。漢書司馬遷傳注引如淳曰：不見可欲，使心不亂。亦本此文，並無民字。成疏曰：心恆虛寂，故言不亂。不及民字。又成疏後文罪莫大於可欲，引此亦無民字，則成無民字。弼注曰：故可欲不見，則心無所亂。是王經文正無民字。淮南及秦書最可據，諭義亦不當有民字。（道藏集要吳澄本亦無民字，粵雅堂叢書吳本有，依注亦有民字。）趙秉文無心字，蓋妄刪也。倫案：治亂字當作𢿢。說文曰：煩也。今通作亂，後同。」陳柱老子註：「賢也，難得之貨也，可欲也，此三者，亦對待比較之物也，不尙賢，不以智識階級壓迫羣衆也，不貴難得之貨，不以物質文明迷惑羣衆也，兩者既無，則心無可欲而不亂，故不至釀成階級之革命矣。」高亨老子正詁：有五色之可欲，則民心亂於色矣。有五音之可欲，則民心亂於音矣。有五味之可欲，則民心亂於味矣。故曰：「不見可欲，使民心不亂」朱謙之老子釋譯：嚴可均曰：『使心不亂，王弼「使」下有「民」字。』情牽案：紀昀、劉師培之說非也。王弼注『穿窬探篋，沒命而盜；故可欲不見，則心無所亂也；』是王本並無『民』字。永樂大典蓋沿襲吳澄本妄增『民』字。劉氏謂無『民』字，乃唐初避諱所删，不知古本實無『民』字，唐初羣書治要卷三十四引亦無『民』字。此如與避諱有關，則何不並上兩句『民』字删之，此非妄删，直妄增耳。但吳澄亦有所本，褚遂良貞觀十五年跋之王羲之帖本，作『民心不亂』，與傅、范本同，知其誤已久。傅、范雖稱古本，實亦為後人所改，其字句均較他本為繁，此其一例耳。朱說是也。王淮老子探義：河上公曰：「放鄭聲、遠美人，不邪淫，不惑亂也」。釋憨山曰：「所以好名好利者，因見名利之可欲也。……若在上者苟不見名利有可欲，則民各安其志，而心不亂矣」。案：此承上文賢貨，名利而申言之。謂不單賢貨，名利非所貴尚，一切可欲者，皆不執着，則意不迷而心不亂矣。本經十二章：「五色令人目盲，五音令人耳聾，五味令人口爽，馳騁田獵令人心發狂」，廿九章曰：「是以聖人去甚、去奢、去泰」四十四章曰：「甚愛必大費」，五十七章曰：「吾無欲而民自樸」，皆其義證。而結論則是：「見素抱樸，少私寡欲」（十九章）蓋歸真返樸，則自然無私而寡欲矣。嚴靈峯老子達解：見可欲，則患於不得；貧名、利，則心惑亂；欲念不起，則心自斂；歸於清靜，而不致於迷亂矣。此二句疑當接第二章：「處無為之事行不言之敎」句上，並接本章：「虛其心實其腹」句上，武英殿聚珍本、浙江書局本「心」上並有「民」字。按：諸本並無。武英殿本館臣據永樂大典妄增，而浙局本因襲其誤耳。按「見」與「現」同，顯現的意思。此句總上兩句而言。因可欲者不外名利，若在上位的人不顯現名利有可欲，則民心自然不亂。

四章 無源

道，沖而用之，或不盈。(6)

【斠補】王注：道沖而用之，又復不盈。俞云：唐景龍碑或作久，殊勝今本。案王注又以復訓或，籃宗老子古本，老子古本作又作不作或。淮南道應訓引老子曰：道充而用之，又不盈也。盈字，文子微明篇作滿，即用老子此文。又此均古本作又之證。又不盈者，猶言復不盈，且不盈也。又墨子佚文引老子曰：道沖而用之，有弗盈也。有又古通，或有亦互相通叚，其證俱見經傳釋詞。故又叚作有，有復叚作或也。若夫景龍碑久字，必係又字之訛。俞氏以爲勝今本誤矣。

【疏證】義案：甲本作「（上缺）盈也。」乙本作「道，沖而用之，有弗盈也。」古本作「道，盅而用之，又不滿。」劉說是也。吳澄道德眞經註：沖字，本作盅器之虛也，或疑辭不敢必也。道之體虛，人之用此道者，亦當虛而不盈，盈則非道矣。」焦竑老子翼：「蘇子由云：夫道沖焉至無耳，然以之適衆有，雖天地之大，山河之廣，無所不偏，以其無形，故似不盈者。呂吉甫：萬物負陰而抱陽，沖氣以爲和；則沖者，陰陽和也。陰爲虛，陽爲盈，道之體則沖，而其用之，則或不盈，其體沖也。故有欲無欲，同謂之玄，其用之不盈也。李息齋云：道沖虛而妙，迫而取之，若不可得，故曰或不盈。李宏甫云：夫沖漠而不盈者，道也；而用之者，或見其盈，則失其所以沖漠者矣。焦竑云：沖，本作盅，器之虛也。」魏源老子本義：道沖而用之。沖，說文作盅，傳弈本亦作盅，淮南子及諸家作沖。姚鼐曰：道盅句，與宗爲韻。又弗盈。河上王弼本作或不盈，開元蘇轍本作似不盈，傳弈本作又不滿，此從淮南子。說文曰：盅，器虛也，道之體本至也。而用之有能不盈者乎？則淵然其深，物物而不物於物。似萬物之宗矣。夫人之用所以常失之盈者，恃己之銳而與人爲紛，以己之光而照人之塵也。」王夫之老子衍：道，沖而用之，「沖」，古本作「盅」，器中虛處。或不盈；不期不盈，故或之。用者無不盈也，其惟「沖而用之或不盈」乎！」馬叙倫老子校詁：道盅，而用之又不滿。彭耜曰：陸德明盈或作滿，蘇或下有似字。焦竑曰：古本沖作盅，開元本蘇本不上有似字。畢沅：說文解字，盅，妻虛也。引本書作盅。諸本及淮南子道應訓引此二句皆作沖，非是。河上公王弼又不滿作或不盈，諸本同，淮南引作又弗盈也。陶紹學曰：王弼曰：故沖而用之又不復不盈，則王本作又不作或。兪樾曰：唐景龍碑作久不盈，殊勝今本作或不盈。河上公注：或，常也。古無此義，疑河上本正作久也。文廷式曰：不字疑衍，玄道雖沖虛而用之則盈滿，爲萬物之宗也。下文云：大盈若沖，其用不窮。是其證。易順鼎曰：景龍作久不盈，久乃又之誤，古或字通作有，有字通作又。三字義本相同，竊謂王本作又，河上本作或，而老子本作又，淮南道應訓引作又不盈也，文子微明篇亦曰又不滿也，是其證。御覽三二二引墨子引老子曰：道沖而用之有不盈也。有與又同。張煦曰：盅，呂等作沖，又不滿作或不盈，又不滿作或不盈。羅運賢曰：說文及初學記二十三引並之字絕句。倫案：盅各本並作沖，范羅卷滿並作盈。弼注曰：故沖而用之又復不盈，則王亦作又不盈，各本作或不盈，趙磻溪作或似不盈。成疏曰：而言或不盈者，則成亦作或不盈。孫盛老子疑問反訊及後漢書黃憲傳注引並同。後漢書劉祐傳：延篤貽祐書曰：沖而不盈。邊韶老子銘曰：沖而不盈。蓋並本此文而有節也。潘靜觀本盈作窮，趙不上有似字，未知何據。又墨子引作有，河上作或，易州作久，四字古皆通。又有或古通，具見經傳釋詞。　義則久字爲長，又有久亦通，莊子至樂篇：人又反入於機。列子天瑞篇又作久，列子天瑞篇：精神者天之久。殷敬順陳景元釋文曰：久音有，本作又。漢書楊王孫曰：精神者天之有。即本此文，並其證。蓋又久有三字聲，並屬之類也。滿字諸本作盈者：荀悅曰：諱盈之字曰滿，蓋漢惠帝名盈，諱之改爲滿也。盈字是故書。倫案：而讀爲如。」陳柱老子註：「沖；說文引作盅，云，器虛也。」高亨老子正詁：「沖」傅本作「盅」。」俞樾曰：「說文皿部：『盅，器虛也。老子曰：道盅而用之。』作沖者，叚字也。第四十五章：『大盈若沖。』沖亦當作盅。」按：旣言沖，又言不盈，文意重複疑「盈」當讀爲「逞」。」左傳襄公二十五年傳：「不可億逞。」杜注：「逞，盡也。」文選思玄賦李注引字林：「逞，盡也。」「盈」「逞」古通用。左傳昭公四年傳：「逞其心以厚其毒。」新序善謀篇引「逞」作「盈」。昭公二十三年傳：「沈子盈。」穀梁傳「沈子逞」。襄公二十三年傳：「欒盈」，史記晉世家作欒逞。並其證。其本字當作「罄」或「䆋。」說文「罄，器中空也。䆋，空也。」爾雅釋詁「罄，盡也。」罄，盡也。」「逞」「䆋」古通用，據說文，逞從呈聲，呈從壬聲，䆋從巠聲，巠從壬省聲，是二字同聲系也。「䆋」「罄」古亦通用，詩蓼莪：「甁之罄矣，」說文引「罄」作「䆋。」即其證。「道沖而用之或不盈」者，謂道虛而用之或不盡也。六章稱道曰：「用之不勤，」勤亦盡也。三十五章稱道曰：「用之不可既，」既亦盡也。並與此句同意。又五章：「虛而不屈。」屈亦盡也。四十五章曰：「大盈若沖，其用不窮。」窮亦盡也。亦可作此句左證。朱謙之老子釋譯：『沖』傅奕本作『盅』，『盅』即「沖」之古文。說文皿部『盅，器虛也；老子曰「道盅而用之」。』郭忠恕汗簡（上之二）『沖』字，引古老子作盅。畢沅曰：『說文解字引本書作「盅」，諸本皆作「沖」，淮南子亦作「沖」，並非是。』蓋器中之虛曰盅，盅則容物，故莊子應帝王篇曰：『太盅莫勝。』嚴可均曰：『「久不盈」各本作「或不盈」。』羅振玉曰：『景龍本作「久」，敦煌本作「又」，乃「久」之譌。』俞樾：『「道盅而用之」，「盅」訓虛，與「盈」正相對，作「沖」者假字也。第四十五篇「大盈若沖，」沖亦當作「盅」。又按「或不盈」，唐景龍碑作「久不盈」；久而不盈，所以為盅，殊勝今本。河上公注曰：「或，常也；」訓或為常，古無此義，疑河上本正作「久」也。』情牽案：作『久』是也。太平御覽三百二十二引墨子曰：『善持勝者，以强為弱，故老子曰「道沖而用之」。』有弗盈即又不當。賈昌朝羣經音辨曰：『有又也。』王弼注「故沖而用之，又復不盈；」是王本亦作『又』，不作『或』。有、又、久古通。傅本『盈』作『滿』，陸德明曰：『「盈」本亦作「滿」。』盈滿同義。一切經音義卷十三引說文『盈』作『器滿也。』二徐本作『滿器也。』田潛曰：『案水部「溢」下云：「器滿也，」器滿即溢，亦即盈也。故「滿」下云：「盈、溢也；」訓義甚明。』可證『盈』『滿』可互用，惟原本當作『盈』。馬叙倫曰：『「滿」字諸本作「盈」者，荀悅曰：「諱盈之字曰滿；」蓋漢惠帝名盈，諱之改為「滿」也，「盈」字是故書。』王淮老子探義：「沖」字據古文當作「盅」，說文所引者是也。「盈」字據本經四十五章「大盈若盅，其用不窮」，正可證其不誤。復次說文：盅、器虛也。盈、滿器也。是盅、即「虛」（無）義，盈、即「實」（有）義。所謂：「道盅而用之或不盈者，蓋言「道」以「虛無」爲其性用，故似或非「實有」也。嘗試言之：所謂「虛無」者相對於「實有」而言者也。實有、指具體之「事物」，虛無、指深微之「玄理」，此言道以虛無而深微之玄理爲其性用，故似或非實有具體事物也。世俗固多知老莊貴「虛無」，鮮能識其深義。故每以道家之「無」比附釋氏之「空」，而老莊之「無、有」，亦遂即佛家之「眞空、妙有」矣。須知老莊之所謂「道」與「無」者，在一切情況下皆指深微之「玄理」而言，絕非空無所有之義。此爲讀老莊書之一基本前提，苟無得於此，則未有不成光景戲論者矣。抑更進而言之：「道」之本質既只是「理」（玄理或自然之理，理之爲物，唯恍唯惚，似有非有，似物非物），故無形（方圓、大小）、無量（長短、多少）。無形無量之「理」，可以成一切有形有量之「物」，（方圓之理可以成就天下無窮的方圓之物，餘類推）。且「理」之本身無「成、住、壞、空」（佛家語）之變滅性，而其生物之功，成物之用，復永恆而無盡，故引申其義，又曰：「大盈若盅，其用不窮」（四十五章）也。又曰：「老莊之論固多玄理，後世之言老莊者不明其義，不探其本，魏、晉之清談，略嗅得些氣味，後儒之考據，復破碎其肢體，而大道於是乎湮沒。即如本章首句，歷來注家所解，多點綴字句，全不問是何道理，自家說廢話，對人不負責，是注疏家之通病也。」嚴靈峯老子達解：「三十輻共一轂，當其無，有車之用」；「無之以爲用」，此以沖虛爲用也。」器滿則傾，月盈則虧；惟不盈，故不虧。「持而盈之，不如其已」；「保此道者不欲盈」也。陳鼓應老子今註今譯：沖：古字爲「盅」，訓虛。「沖」傅弈本作「盅」。說文：「盅，器虛也」；老子曰：『道盅而用之』。」不盈：不滿，不窮。余培林老子讀本：沖，「盅」的假借字。說文皿部曰：「盅，器虛也。從皿，中聲。老子曰：道盅而用之。」水部「沖」段注：「凡用沖虛字者，皆盅之假借。老子：道盅而用之。今本作沖是也。」又歷來各註家「沖」字皆連下文「而用之」爲句，但細尋文意，「沖」乃形容「道」，而非形容「用」，所以當與「道」字爲句，今據改斷。不盈，高亨以爲「盈」當訓爲「盡」。「不盈」，不盡的意思。「用之不盈」即六章的「用之不勤」，三十五章的「用之不可既」。張揚明老子斠證譯釋：淮南，魏源作「又弗盈」。開元、蘇轍「似不盈」。景龍「久不盈」。傅作「道盅，而用之又不滿」。俞樾：「唐景龍碑作『久不盈』，殊勝今本」。易順鼎：「『久』乃『又』之誤。古『或』字通作『有』，『有』字通作『又』；三字義本相同。竊謂王本作『又』。淮南道應訓引作『又不盈也』，文子微然篇亦曰：『又不滿也』；是其證」。陶紹學：「王弼曰：『故沖而用之，又復不盈』，則王本『又』不作『或』」。文廷式：「不字疑衍，玄道雖沖虛，而用之則盈滿，爲萬物之宗也。下文云：『大盈若沖，其用不窮』，是其證。」揚明案：「沖」「盅」其義既一，而釋文出「道沖，直隆反。」以沖爲是。「盈」爲故書，「久」爲「又」僞，而注家多以「或不盈」立論；至文廷式因「大盈若沖」而以「不」字疑衍，則係未詳審大盈若沖之義所致。蓋「大盈若沖」者，係指爲道之士，雖至大盈，仍要有若不盈的沖虛爲懷的風度。是則大盈若沖，仍係本「不盈」之旨而言也。證之十五章「保此道者不欲盈，夫唯不盈，故能敝而新成」，則「不盈」決無可疑。故此句應從王弼不改。王安石老子注：「道有體有用，體者元氣之不動，用者沖氣通行於天地之間。其沖氣至虛而一，在天則爲天五，在地則爲地六。蓋沖氣爲元氣之所生，既至虛而一，則或如不盈似者，不敢正名其道也。」王道曰：「盈，滿也；盡也。道體沖虛，而用之或不能盡。所謂虛而不詘，動而愈出也。陸長庚曰：「道體沖虛，而用之也恒不盈；不盈者，生而不有，爲而不恃，不自滿是也」。揚明索：「沖」，虛也。見說文通訓定聲。「沖而用之」者，弱者道之用也。「盈」，說文：「滿器也。」「或不盈」者，謂或不致有盈溢之患也。第九章「持而盈之」，十五章「保此道者不欲盈」，「夫唯不盈」，二十二章「窪則盈」，四十五章「大盈若沖」，均係同一用法。王道訓爲「盡」，高亨疑盈當讀爲「逞」，不知所本。」

淵兮似萬物之宗，挫其銳，解其紛，和其光，同其塵，湛兮似或存。(7)

【斠補】案湛兮句，疑當在淵兮句之下，抄寫致訛。

【疏證】義案：甲本作「潚兮始萬物之宗，銼其解其紛，和其□同（下缺五字）或存。」乙本作「淵呵佁萬物之宗，銳其兌，解其芬，和其光，同其塵，湛呵佁或存。」古本無異文，淮南道應篇引文同。解其「芬」：通行本「芬」作「紛」。說文：『芬，艸初生，其香分布也。從艸、從分。分，亦聲。』朱駿聲曰：『叚借爲紛，實爲棻。漢書禮樂志：『「芬哉芒芒。」』注：「謂衆多。」』陸德明：『河上本作「芬」。』與帛書同。又說文：『紛，馬尾韜也。從系，分聲。』廣雅釋詁三：『紛，亂也。』按：五十六章王弼本作「分」。現存本無有作「芬」者。小篆本作作「紛」。潚呵「始」萬物之宗：通行本「潚」作「淵」，「呵」作「兮」，「始」作「似」。說文：『始，女之初也。

从女，台聲。』叚爲「治」。又：『台，說也；从口，㠯聲。』按：皆以㠯聲，疑同聲叚借。現存本無有作「始」者，隸書本作「佁」，蓋亦同聲爲之。「挫其解其紛」：「挫其」下脫「銳」字。「潚呵始萬物之宗」：小篆本除廿一章：『其中有精吔』一句作「吔」外，全書皆作「呵」。隸書本則無有例外，全部作「呵」。此句通行本作『淵兮似萬物之宗。』河上公及他本「兮」字，亦有作「乎」者，但亦無有作「呵」者。銳其「兌」：通行本「兌」作「銳」。說文：『兌，說也。』朱駿聲曰：『叚借爲「銳」』，荀子議兵：「兌則若莫邪之利鋒。」』又說文：『銳，芒也。從金，兌聲。』廣雅釋詁二：『銳，利也。』按：莊子天下篇：『銳則挫矣』。此叚字之右偏旁爲之。現存本無有作「兌」者。隸書本同。吳澄道德眞經註：「淵兮似萬物之宗。淵，深不可測也。宗，猶宗子之宗。宗者，族之統道者，萬物之統。故曰：萬物之宗，似者，亦不敢必之辭也。挫其銳，解其紛，和其光，同其塵，湛兮似或存。挫，摧也。銳，銛也。紛，糾結也。解糾結者，以觿取其銳也。凡銳者，終必鈍，故先自摧其鈍，以解彼之紛，不欲其銳也，則亦終無鈍之時矣。和，猶平也。掩抑之意，同謂齊等，與之不異也。鏡受塵者不光，凡光者，終必暗，故先自掩其光，以同乎彼之塵，不欲其光也，則亦終無暗之時矣。夫銳者，必鈍；光者，必暗；猶盈者之必溢，道不欲盈，故銳者挫之，而不欲其銳光者，和之而不欲其光也。其銳其光，二其字屬己。其紛其塵，二其字屬物。舊解作一句一義者，非。此四句，言道之用不盈也。湛，澄寂之意，道之體虛，故其存於此也。似或存，而非實有一物存於此也。此一句，言道之體虛也。」焦竑老子翼：「蘇子由云：淵兮深眇，吾知其爲萬物宗也，而不敢正言之，故曰似萬物之宗。人莫不有道也，而聖人能全之。挫其銳，恐其流於妄也；解其芬，恐其與物搆也；不流於妄，不搆於物，外患已去，而光生焉。又从而和之，恐其與物異也。光至潔也，塵至雜也，雖塵無所不同，恐其棄萬物也。如是而後全，則湛然常存矣。雖存而人莫之識，故曰似或存耳。呂吉甫云：故虛心弱志，而常使民無知無欲，唯其如此，故淵兮似萬物之宗，而求其爲宗者，固不可得也，似之而已。然則何以得此道哉？挫其銳，解其芬，和其光，同其塵而已。心出而入，物爲銳，挫其銳，而勿行，物至而交。心爲紛，解其紛，而勿攖。銳挫而紛解，則知常之明，發乎天光。光者，塵之外，在光不皦，故和之而不別。塵者，光之內，在塵不昧，故同之而不異。夫唯如此，則所謂宗者，湛兮似或存矣。李息齋云：然其深妙愈用而愈不窮，物物自道，而道未嘗物，故曰似萬物之宗。古之學道者，未嘗有進，而必爲之志。挫其銳者，不必爲也，未嘗有畏，而不爲之心。解其紛者，無不爲也，未嘗取善而爲美。和其光者，不取善也，未嘗惡惡以爲非。同其塵者，不捨惡也。湛然自住，而不住於湛然，故似或存。邵弁云：銳者，所以爭；銼其銳，則解紛矣。光者，所以辨；和其光，則同塵矣。上二其字，以己言；下二其字，以人言。李宏甫云：故淵乎常止，雖萬流歸之，而不見其盈。聖人體道於身，淵身靜遠，無有涯涘，一似萬物之宗，而非有以宗之也。故常挫其銳，以示不能；解其紛，以示不用；和光以遊於世，同塵以諧於俗，湛兮常寂，似亡若存焉耳。」魏源老子本義：「淵兮似萬物之宗。淵兮，河上本作淵乎，釋文作淵𠀤。案𠀤，古兮字，此從王弼本。挫其銳。解其紛。紛，碑本作忿。釋文云：一本作芬。和其光，同其塵，湛兮似或存。碑本無兮字，或存作常存，河上王弼本作若存，此從傅奕本。挫其銳，則紛自解矣。和其光，則塵自同矣。是其用之，能不盈也。湛兮若存，則其體仍盡矣。世或有斯人，則體用一源，復乎道之本然，象帝之先矣。而誰其能之哉？李氏約曰：象，似也。適性謙約，故不云定處其先而云似。蘇氏轍曰：銳挫紛解，則不流於妄，不搆於物，外患已去而光生焉。又從而和之，恐其與物異也。以塵之至雜而無所不同，則於萬物無所異矣。聖人之道如是而後全，則湛然常存矣，雖存而人莫之識，故似或存耳。」王夫之老子衍：淵兮似萬物之宗。挫其銳，解其紛；和其光，同其塵；陽用銳而體光，陰用紛而體塵。湛兮似或存。用之爲數，出乎「紛」、「塵」，入乎「銳」、「光」；出乎「銳」、「光」，入乎「紛」、「塵」。唯沖也，可銳、可光、可紛、可塵，受四數之歸，而四數不留。馬叙倫老子校詁：「淵兮似萬物之宗。畢沅：河上公作淵乎，王弼亦作淵兮。陸德明曰：淵兮河上作乎。案兮古文字。張煦曰：蘇葛趙兮作乎，開元無兮字之字。羅運賢曰：御覽六五九引兮作乎。倫案：初學記二三引無又不盈至此十字。蓋有節也。易州淵兮作深乎，無之字，羅卷無兮字。臧疏及趙寫本後漢書黃憲傳注引兮作乎。挫其銳，解其紛。焦竑曰：龍興碑紛作忿。畢沅曰：紛，顧歡作忿，唐易州石刻本亦作忿。陸德明曰：河上作芬，淮南子道應訓引亦作紛。俞樾曰：陸德明曰：河上本作芬，然芬字無義，此句亦見五十六章。河上於此注曰：紛，結恨也。於彼注曰：結恨不休。則芬當讀爲忿，顧歡本正作忿，芬紛皆假借耳。倫案：宋河上作紛，臧疏羅卷趙並作忿，成疏曰：忿，嗔怒也。則成亦作忿。各本及文選魏都賦注、三國名臣序贊注引，並作紛。弼注曰：紛解而不勞。又五十六章注曰：除爭原也。則王本作紛，紛字是。說文：紛，馬尾弢也。莊子知北遊篇曰：解其天弢，即此文義。且弢與銳義類，忿則不倫矣。倫案：挫爲剉之借字。莊子山木篇：廉則挫。呂氏春秋必己篇引作剉，是其通假之證。說文曰：[illegible]陽也。和其光，同其塵。譚獻曰：五十六章亦有挫其銳，解其紛，和其光，同其塵四句，疑誤。倫案：文選陶徵士誄注及後漢書崔駰傳注引光下有而字，御覽三十七及後漢書王允傳張奐傳注引與此同。易順鼎據文選魏都賦注及運命論注引五十六章知者不言，言者不知，是謂玄同。無塞其兌，閉其門，挫其銳，和其光，同其塵六句，謂挫其銳四句，乃此章之文。倫謂此文挫其銳四句，乃五十六章錯簡。而校者有增無刪，遂複出也。湛兮似或存。焦竑曰：龍興碑無兮字。或作常，一作者。紀昀曰：或一作若。畢沅曰：河上公或作若。王昶曰：開元作湛常存，邢州作湛似或存，至元或作常。張煦曰：葛蘇趙或作若。倫案：易州無兮似二字，或作常，羅卷無兮字或作常，文選七里瀨詩注論語義疏上引並與此同。義疏又引河上注曰：或，常也。則河上亦作或矣。」陳註老子註：此章專形道體，挫銳四句，語意不類，當從馬敍倫說，定爲五十六章錯簡，解見彼章。道之本體，既不可得而言，則其原始亦不可得而說，只覺其似爲造物之先而已，不能知其從誰所出也。帝，王弼云：『謂天帝。』然此所謂帝，乃自然之代稱，非宗教家所謂上帝者比也。嚴復云：『此章專形容道體，當翫兩「或」字與兩「似」字，方爲得之。蓋道之爲物，本無從形容也。』高亨老子正詁：淵兮似萬物之宗，按：小爾雅廣詁：「淵，深也。」宗，猶祖也。挫其銳，解其紛，和其光，同其塵。此四句重見五十六章。譚獻、馬如龍並謂此處衍文。湛兮似或存，按：湛者，黯不可見之貌。當讀爲黮。廣雅釋器：「黮，黯黑也。」「黮」、「黯」同訓，而俱有不可見之義。道不可見。故曰：「湛兮似或存。」二十一章稱道曰：「窈兮冥兮，其中有精。」湛與窈冥同義。朱謙之老子釋譯：嚴可均曰：『「深乎」御注作「淵似」，河上作「淵乎似」，王弼作「淵兮似」。「萬物宗」河上王弼「物」下有「之」字。』羅振玉曰：『敦煌本作「淵似萬物之宗」。』情牽案：釋文出『淵[illegible]』云：河上作『乎』，畢沅曰：『[illegible]古今字。』盧文弨曰：『「[illegible]」今本皆作「兮」。』又傳、范本『淵兮似萬物之宗，』范「萬」均作「万」，玉篇『万』俗「萬」字，十千也；』舉此一例，知范本多古訓，亦存俗字。又案『深』與『淵』義同。玉篇『「淵」水停又深也，』小爾雅廣詁『「淵」深也；』勞健曰：『景龍作「深乎萬物宗，」當是庸人避諱改「淵」作「深」。』俞樾曰：『按釋文河上公本，「紛」作「芬」，然「芬」字無義。此句亦見五十六章，河上公於此注云：「紛，結恨也；」……於彼注云：「紛，結恨不休，」注文大略相同。則河上本「芬」字當讀爲「忿」，若以本字讀之，則注中結恨之義不可解。……王弼本五十六章作「解其芬，」注云：「除爭原也；」則亦讀爲忿矣。顧歡本正作「忿」，乃其本字，「芬」「紛」並叚字耳。』武內義雄曰：『「解其紛」，河上作「芬」。按「芬」當作「忿」，此句在四章，又見於第五十六章，舊鈔河上本，彼章作「忿」，此章作「紛」。王本於彼章作「分」，據其注，則「分」者忿」之訛。此章與舊鈔河上本同此，王、河兩本字亦同。至景龍碑及敦煌本此章之「紛」，皆改爲「忿」，此以假借字，而還爲正字者也。』嚴可均曰：『河上作「湛兮似若存」，王弼作「湛兮似或存」。』羅振玉曰：『「景龍御注二本均作「湛常存」，敦煌本作「湛似常存」。』武內義雄曰：『敦本此句作「湛然常存」，遂州本「湛似常存」。』王昶曰：『邢州本「湛似或存」下句「誰」下有「之」字。』情牽案：傅、范本與王弼同。邢州本舊謂即遂州本，今知非是。又十一章『是謂忽恍，』王昶曰：『諸本並同，邢州本無此句；」案今遂州本實有，作『是謂忽怳』，此亦一證也。又『湛』說文『沒也』，小爾雅廣詁：『沒無也』，此云『湛常存』，言其虛靈不昧，似無而實有也。王淮老子探義：淵兮似萬物之宗。河上公曰：「道淵深不可知也，似爲萬物之宗祖」。釋憨山曰：「道體淵深寂寞，其實能發育萬物，而爲萬物所歸依。但生而不有，爲而不宰，故曰：似萬物之宗。或似，皆不定之辭，老子恐人將言語爲實，不肯離言體道，故以此等疑辭以遣其執耳」。案：道之體性，如上述所言，即是玄理（自然之理）。玄理，微妙玄通，深不可識，然而却具有生化萬物之無窮妙用，故曰：「淵兮似萬物之宗」。本經四十二章曰：「天下萬物生於有，有生於無」，無者虛無也，道也，謂深微之玄理（自然之理）也。挫其銳，解其紛，和其光，同其塵。案：本章全論道體，乃描述道之體性者，屬於宇宙論之層次。而此四句則是說的道用，體用固可一貫，唯此乃描述「體道之士」立身行世所具的原則與態度，屬於人生論的層次。且句首亦無「是以聖人」字樣，與上下文義不相屬，當是衍文。古書傳授多憑口誦，而本經又多用韻文，稍微記誦不確，徒以韻同，遂致章句錯亂。所幸義理自有章法，文意自有脈絡，有心人仔細體察，其是非彷彿之間，亦自能有所鑑別也。湛兮似若存。河上公曰：「湛然安靜，故能長存不亡」。案：湛，說文曰：『沒也』。又：揚雄文『違靈氛而不從兮，反湛身於江皋』，湛，即沉沒之義。準此，則所謂『湛兮似若存』者，言道體雖隱沒（深不可識），然而其生化萬物，成全萬物之功用，則眞實而無妄，似乎自古以固存也。本經廿一章曰：「道之爲物，唯恍唯忽，忽兮恍兮，其中有象，恍兮忽兮，其中有物……自古及今，其名不去。卅五章曰：「道之出口，淡乎其無味，視之不足見，聽之不足聞，用之不可既」。四十一章曰：「明道若昧」，又曰：「大音希聲，大象無形，夫唯道善貸且成」，蓋道「體」雖隱沒（深不可識）然道「用」則眞實，故曰：「湛兮似若存」。嚴靈峯老子達解：淵兮，似萬物之宗。沖而用之，「守靜篤」也；故曰：淵兮。道生萬物，爲其快也；似萬物之宗也。挫其銳，解其紛，和其光，同其塵。「揣而銳之，不可長保」，銳則挫；故挫其銳，則鋒芒不露。紛則紊亂，解其紛，則不至於擾亂。和其光，則不至於炫耀。同其塵，則混而若濁。湛兮，似若存。「道隱無名」，寂寞無形；故曰：湛兮。「其上不皦，其下不昧，迎之不見其首，隨之不見其後」；故曰：似或存也。挫其銳，解其紛，和其光，同其塵。譚獻曰：『五十六章亦有「挫其銳」四句，疑誤。』馬叙倫曰：『「挫其銳」四句，乃五十六章錯簡；而校者有增無刪，遂複出也。』陳柱曰：『按馬說是也。「淵兮似萬物之宗」與「湛兮似或存」相接。若閒以「挫其銳」四句，文義頗爲牽强。』按：此四句與上下俱不相應，似當删去。嚴靈峯馬王堆帛書老子試探：毛詩惟國風用「兮」字稍多外，如：『葛之覃兮』，『于嗟麟兮』，『其實七兮』之類；小雅有：『旣見君子，我心寫兮。』大雅：『不殄心憂，倉兄塡兮。』周頌、商頌皆不用「兮」字；獨魯頌有：『舞于胥樂兮』等三句，從未有用「呵」字者。屈原楚辭用「兮」字特多。史記屈原傳：『屈原者，名平，楚之同姓也。爲楚懷王左徒。』項羽本紀，歌曰：『力拔山兮，氣蓋世，時不利兮，騅不逝；騅不逝兮可奈何？虞兮虞兮奈若何？』此皆楚人多用「兮」字之證。老子楚人，其書用兮字，理所當然。高祖本紀：大風歌：『大風起兮，雲飛揚，威加海內兮歸故鄉，安得猛士兮守四方。』荊軻列傳：易水歌：「風蕭蕭兮，易水寒；壯士一去兮，不復還。』劉邦沛人，荊軻齊人，亦用「兮」字。甚至孟子離婁篇引孺子歌曰：『滄浪之水清兮，足以濯我纓；滄浪之水濁兮，足以濯我足。』孟子鄒人，亦引用「兮」字。疑傳寫帛書者，以方言、方音爲之。然全書兩本皆作「呵」，斷不能認爲此係譌字。說文：『兮，語所稽也。从丂，象氣越亏也。』段玉裁注：『越、亏皆揚也。』又曰：『兮、稽疊韵，稽部曰：「留止也，語於此少駐也。……有假「猗」爲「兮」者，如詩：「河水清且漣猗」，是也。』說文無「呵」字，亦無「吔」字。「訶」字，說文：「訶，大言而怒，从言，可聲。」朱駿聲曰：『字亦作「呵」。廣雅釋詁二：「呵，怒也。」漢書食貨志：「縱而弗呵虖。」注：「責怒也。」南山經：「青邶之山有鳥焉，其音若呵。」經、傳皆以「苛」爲之；字亦作「㰤」。廣雅釋詁二：「㰤，息也」。』按：山海經南山經：『青丘之山，……有鳥焉，其狀如鳩，其音若呵。名曰灌灌。』郭璞注：『如人相相呵呼聲。』「兮」字，唐韵：『胡雞切。』集韵、正韵並『弦雞切，音奚。』說文：『猗，犗犬也：从犬，奇聲。』唐韵：『於離切』。集韵、韵會、正韵『並於宜切，音漪。』書秦誓：『斷斷猗，無他伎。』孔穎達疏：『猗者，足句之辭，不爲義也。』注『猗，於綺反，又於宜反。』禮記大學引此句此「斷斷兮」，「猗」作「兮」。詩衞風：『瞻彼淇奧，綠竹猗猗；有斐君子，如切如磋，如琢如磨。』又叶於何反，音窩。莊子大宗師篇：『而我猶人猗。』陸德明釋文云：『猗，於宜反，崔云：「辭也。」』亦不讀窩音。窩字，集韵、韵會、正韵並『烏禾切，音倭。』與「兮」字音異。孔廣森詩聲類云：『「猗，古讀「阿」，則「兮」字亦當讀「阿」。唐韵始入十二齊。』按漢書司馬相如傳：子虛賦：『猗柅从風。』郭璞注：『猗柅，猶阿那也。』觀帛書作「呵」，當依孔說，老子書中「兮」字，古皆當讀「呵」。唯下文大人賦：『文猗柅以招搖。』晉灼注：『猗，音依倚反。』姚文田論古字亦有數音云：『如「皀」聲近「即」，故「即」从之；又讀若「香」，故「鄉」、「卿」从之。』又云：『一「久」字，大過象詞與「醜」諧，則在幺部；既濟象詞與「時」、「來」諧，又在之部。是同一易而兩音矣。此類只可兩存，而不可强通合部也。』姚說亦可从。今帛書出「吔」字，蓋「吔」，當從口，也聲；也，集韻、正韻並『以者切，音野。』疑「兮」字古音亦有兩音，或讀爲「呵」，或讀爲「奚」；證諸帛書，宜當如是也。陳鼓應老子今註今譯：挫其銳，解其紛，和其光，同其塵：這四句是五十六章錯簡重出，因上句「淵兮似萬物之宗」與下句「湛兮似或存」正相對文，所以應將中間插入的這四句刪去。湛：沉、深、形容『道』的隱而未形。吳澄說：「湛，澄寂之意。」奚侗說：「道不可見，故云『湛』。說文，『湛，沒也』。」（引自老子集解）余培林老子讀本：「淵兮似萬物之宗，釋憨山曰：「道體淵深寂寞，其實能發育萬物，而爲萬物所歸依。但生而不育，爲而不宰，故曰：『似萬物之宗。』」按道體深不可測，而能創生天地萬物，故曰：「淵兮似萬物之宗。」挫其銳，解其紛，和其光，同其塵。謂收斂鋒芒，消解紛擾，隱藏光耀，混同塵俗。湛兮似或存，說文水部：「湛，沒也。」是「湛」即隱沒之意。道隱不顯，似沒而實存，所以說：「湛兮似或存。張揚明老子斠證譯釋：「淵兮似萬物之宗」：河上作「淵乎」，釋文作「淵𠔃」。景龍作「深乎」無「之」字。羅卷無「兮」字。畢沅：「案『𠔃』，古「兮」。「解其紛」：釋文：「河上作芬」。而宋河上作「紛」；景龍臧疏、羅卷、顧歡並作「忿」。楊明案：說文：「紛，馬尾韜也。韜，劍衣也。弢，弓衣也。」莊子解其天弢，成疏：「弢，囊藏也」。馬說頗牽强。復案玉篇：「紛，亂也」。廣雅釋詁三同。呂覽愼大：「紛紛分分」，注：

「紛，殺亂也。」故「解紛」即去亂，去亂即純一：正與「去甚」「去奢」「去泰」之義相合。而「挫銳」則與「守柔」「守雌」「守辱」之義相應。故「挫其銳，解其紛」兩句，正相對稱。且「解紛」與後文「湛然」亦遙相照應。蓋不紛亂始能湛然澄清也。如易爲「忿」則不倫矣。河上所謂「紛結恨不休」「紛結恨也」；正指因「紛結」而「恨也」，而「恨不休」也。王弼於此章注云：「紛解而不勞」；則正與河上公注相應。「紛結恨不休」，「紛解而不勞」，故知「紛」爲爭亂之原也。可證河上、王弼均作「紛」。「芬」與「忿」係傳寫之誤。各本及淮南道應訓引，文選魏都賦引，三國志名臣序贊注引均作「紛」，尤可證。又覈詁：「挫其銳，解其紛，和其光，同其塵」四句，是五十六章錯簡。陳柱亦同此說。按本經複出之句語甚多，如「生而不有，爲而不恃」，見於二、十章；「信不足，焉有不信」，見於十七、二十三兩章；「夫唯不爭」，見於八、二十二兩章；「知常曰明」，「物壯則老，是謂不道，不道早已」，見於十六、三十及五十五章；「知止可以不殆」，見於三十二、四十四兩章是。本章「挫其銳，解其紛」，係承「道，沖而用之」；「和其光，同其塵」，則係「或不盈」之象。有此四句，方能承受「湛兮」之義。而「湛兮」「淵兮」，正是遙相對照。故不錯。亦不能易。陳修說：「錯簡之說，甚有語病。古代竹簡，一簡即當今書一行，每簡約在三十字左右或二十字以上。脫一簡，即是少一行。錯一簡，即是錯一行。此處僅十二字，未必即是錯簡。」又按書孔序疏引顧氏說：「簡長一尺二寸」。桂注：「簡之所容，一行字耳」。並可證非錯簡。「湛兮似或存」：河上「或」作「若」。開元、龍興、御注作「湛常存」。景龍作「湛或存」。羅卷、敦煌作「湛似常存」。劉師培：「此句疑在『湛兮』之下。」然案文理，劉氏似係過慮。」（義案：劉氏謂當在「淵兮」句之下。）「淵兮似萬物之宗」：「淵」，深也。詩邶風燕燕：「其心塞淵」。疏：「其心誠實而深遠也」。「宗」，祖也。本也。晋語：「禮之宗也。」又：人物之所歸往也。書禹貢：「江漢朝宗於海」。傳：「百川以海為宗，宗，尊也。」「湛兮似或存」：釋文：「直減反」。說文：「沒也。衆水甚聲。」段注：「古書浮沉字多作湛，湛沈古今字。沉又沈之俗也。按直林切，七部。大徐，宅減切，未知古義古音也。凡湛字引伸之義甚多，其言不一，要其古音則同直林切而已。」又楚辭九章：「忠湛湛而願進兮」，王注：「厚重貌。」洪補：「詩曰：『湛湛露斯』注云：「湛湛，茂盛貌。大減切。』相如賦云：『紛湛湛其差錯』，注云：『湛湛，積厚之貌。徒感切。』」文選謝混遊西池詩：「水木湛清華」翰注：「澄也」。又深也。相如封禪文：「湛恩龐鴻。」呂吉甫注：「湛兮者，言乎其清也。」楊明案：「湛，澄清也，呂吳之說是。高謂讀為黮，說文：「黮，桑黮之黑也」。段注：「毛傳：桑實也。方言云：私也。」是則讀黮無義。「湛兮或存」者，道心澄澈之謂也。

五章　虛用

天地不仁。以萬物爲芻狗；聖人不仁。以百姓爲芻狗。(8)

【斠補】王注：地不爲獸生芻，而獸食芻；不爲人生狗，而人食狗。案芻狗者，古代祭祀所用之物也。淮南齊俗訓曰：譬若芻狗、土龍之始成：文以青黃，絹以綺繡，纏以朱絲，尸祝袀袨，大夫端冕，以送迎之；及其已用之後，則壤土草剗而已，夫有孰貴之？高注：芻狗，束芻爲狗，以謝過求福。說山訓云：聖人用物，若用朱絲約芻狗。又曰：芻狗待之而求福。高注：待芻狗之靈，而得福也。是古代祭祀，均以芻狗爲求福之用。蓋束芻爲狗，與芻靈同，乃始用終棄之物也。老子此旨，□天地之於萬物，聖人之於百姓，均始用而旋棄，故以芻狗爲喻，而斥爲不仁。

【疏證】義案：甲本作「天地不仁，以萬物爲芻狗；聲人不仁，以百姓□□狗。」乙本作「天地不仁，以萬物爲芻狗；耶人不仁，（以百姓）爲芻狗。」古本無異文，「聲」人不仁：通行本「聲」作「聖」。說文：『聲，音也。从耳，殸聲。』又：『聖，通也。从耳，呈聲。』白虎通：聖人：『聖者，聲也。』吳澄道德眞經註：「仁，謂有心於愛之也。芻狗，縛草爲狗之形。禱雨所用也，既禱則棄之，無復有顧惜之意。天地無心於萬物，而任其自生自成；聖人無心於愛民，而任其自作自息，故以芻狗爲喩。蓋聖人之心虛，而無所倚著，若有心於愛民，則心不虛矣。」焦竑老子翼：「蘇子由云：天地無私，而聽萬物之自然；故萬物自生自死，死非吾虐之，生非吾仁之也，譬如結芻以爲狗，設之於祭祀，盡飾以奉之，夫豈愛之，時適然也，既事而棄之，行者踐之，夫豈惡之，亦適然也，聖人之於民亦然。特無以害之，則民全其性，死生得喪，吾無與焉，雖未嘗仁之，而仁亦大矣。呂吉甫云：天地體此道者也，無所事仁，以萬物爲芻狗。聖人體此道者也，無所事仁，以百姓爲芻狗，芻狗之爲物，無所事仁，而畜之者也，萬物者，與天地同體者也；百姓者，與聖人同體者也。天地聖人，自視猶芻狗，則其視萬物百姓，亦若是而已。則生之、畜之、長之、育之，何所事仁哉？夫唯不仁，是之謂大仁。王純仁云：芻狗，喩聖人過化之妙。」魏源老子本義：「聖人，斥當世之君，予聖自雄者，結芻爲狗，用之祭祀，既畢事則棄而踐之。老子見亂世民命如寄，故感而言曰：悲哉！天地有時而不仁乎？乃視萬物如土苴，而聽其生死也，聖人其不重仁乎？乃視斯民如草芥，而無所顧惜也，諉之於天地，尊之爲聖人，蓋悲天憫人，無所歸咎之詞。」馬叙倫老子校詁：張煦曰：趙芻作䒠，倫案：芻狗，經幢易州作䒠狗。治要引芻作蒭，下同。倫案：范應元曰：譬如結芻爲狗以祭祀，此說是也。莊子天運篇曰：芻狗之未陳也，盛以篋衍，巾以文繡，尸祝齋戒以將之，及其已陳也，行者踐其首脊，蘇者取而爨之。即此芻狗之義。王弼河上注，以芻草狗畜二物說之，非也。（羅卷第一卷止此下爲字。）」陳柱老子註：不仁，謂任其自然，無仁恩之心也。芻狗，祭祀所用之物，未用時貴之，既用則棄之，簡言之，謂已故則可棄也，天地生物，譬如草木，春生，秋落，當生而榮，已落則棄而不可復用，明春復生，亦已非此日之花葉矣；聖人於民，亦復如此。何者？蓋今日之百姓，已非昔日之百姓；明日之百姓，又非今日百姓。故古之政教，非所以用於今；今之政教，亦非所能用於後也。或曰：詩天保：『羣黎百姓。』毛傳云：『百姓』謂百官族姓也。老子此章之百姓，當作百官解爲最適。百官者。政教之所寄也。以百官爲芻狗。官府政教，不可因襲也，此老子反對復古之說也，故莊子常以此詆儒家之稱先王，說仁義。」高亨老子正詁：按老子不詆訾天地。亦不詆訾聖人。而此處云：「天地不仁。聖人不仁」者，非自相矛盾也。蓋老子不以仁爲上德也。十八章曰：「大道廢。有仁義。」十九章曰：「絕仁棄義。民復孝慈。」三十八章曰：「失道而後德，失德而後仁，失仁而後義，失義而後禮。」是其證。說文：「仁，親也。」荀子大略篇：「仁，愛也。」然則不仁只是無所親愛而已。釋文引李頤注：「芻狗，結芻爲狗，巫祝用之。」說林篇：「譬若旱歲之土龍，疾疫之芻狗，是時爲帝者也。」高注：「芻狗束草爲狗，以謝過求福。」此芻狗之義也。蓋人之於芻狗，無所愛憎。天地之於萬物亦然，故曰：「天地不仁，以萬物爲芻狗。」聖人之於百姓亦然，故曰：「聖人不仁，以百姓爲芻狗。」文子自然篇引此二語，舊注：「天地生萬物，聖人養百姓，豈有心於物，有私於人哉！一以觀之，有同芻狗。」尚得其恉。此采吳澄、馬如龍、奚侗諸家說。

朱謙之老子釋譯：嚴可均曰：『「茤狗」別體字。』羅振玉曰：『景龍廣明二本作「苙」，敦煌本作「茤」，均「芻」之別構。』情牽索：河上、王弼、傅、范並作『芻狗』。釋文羣書治要及遂州本『芻』作『茤』。李文仲字鑑曰：『「芻」說文刈草也，象包束草之形，從二屮，即「草」字也。俗又加草非。』情牽索：呂氏春秋貴公篇高誘注引老子二句同。又莊子庚桑楚篇：『至仁無親，』齊物論『大小不仁。』天運篇『夫芻狗之未陳也，盛以篋衍，巾以文繡，尸祝齋戒以將之；及其已陳也，行者踐其脊首，蘇者取而爨之而已。』語皆出此。王淮老子探義：老子此兩句在思想表達的方式上是採用「遮詮」而非「表詮」（佛家語）的方式，亦即採用「遮撥」的方式，從反面顯示眞理也。莊子所謂「弔詭」，齊物論所謂：「詼詭譎怪，道通爲一」，是即由矛盾中顯示眞理之絕對與統一也。復次，老子此兩句其所欲表達之思想，唯在顯天道之自然而無私，廓然而大公，所謂「以萬物爲芻狗」者，謂對萬物一視同仁，不特別以某物爲可貴可愛也。俗謂「雨露之均，不私一物」，故「大仁不仁」。聖人體合天道，故能「以百姓爲芻狗」言其於百姓一視同仁，不特別以某一人爲可貴可愛也。抑更進而言之：天地之道與聖人之德，在內容意義上是大「公」無「私」，在表現形式上則是「普遍」而非「特殊」，如此則其仁非私愛，亦非特殊具體之仁，故似若不仁。然而「不仁」者其「相」也，「大仁」者其「實」也，此種似若不仁之大仁即天地之「道」與聖人之「德」也。嚴靈峯老子達解：天地法自然，無爲、無親；聖人法天地，無心、無事，故無仁恩也。束芻爲狗，古人用以祭祀；用畢則棄之。言天道無親，至仁不仁，天地無心，「以待萬物之自然」；故曰：以萬物、百姓爲芻狗也。此數句與下文不相連續，疑係他處錯簡。嚴靈峯馬王堆帛書老子試探：小篆：以百「省」□□狗。通行本「省」作「姓」。說文：『視也。从眉省，从中。』爾雅釋詁：『省，察也。』又：說文：『姓，人所生也。从女，从生，生亦聲。』朱駿聲曰：『叚借爲「生」。曲禮：「納女于天子曰備百姓。」注：「姓之言生也」。』陳鼓應老子今註、今譯：天地不仁：天地無所偏愛。即意指天地只是個物理的、自然的存在，並不具有人類般的感情；萬物在天地間僅依循着自然的法則運行着，並不像有神論所想像的，以爲天地自然法則對某物有所愛顧（或對某物有所嫌棄），其實這只是人類感情的投射作用罷了！王弼註：「天地任自然，無爲無造，萬物自相治理，故不仁也。仁者，必造立施化，有恩有爲。」河上公註：「天施地化，不以仁恩，任自然也。」福永光司說：「天地自然的理法（道）是沒有人類所具的意志、感情、以及目的性的意圖與價值意識的一個非情之存在。……天地自然的理法，畢竟只是一個物理的，自然的存在而已。」芻狗：用草紮成的狗，作爲祭祀時使用。林希逸說：「芻狗之爲物，祭則用之，已祭則棄之。喻其不着意而相忘爾。……而說者以爲視民如草芥，則誤矣。」聖人不仁：『聖人』無所偏愛。即意指『聖人』取法於天地之純任自然。林希逸說：「天地無容心於生物，聖人無容心於養民。」余培林老子讀本：天地不仁，王弼曰：「天地任自然，無爲無造，萬物自相治理，故不仁也。仁者必造立施化，有恩有爲。造立施化，則物失其眞；有恩有爲，則物不具存。物不具存，則不足以備載矣。」按「仁」，作仁愛解，引申有偏私的意思。「仁」是儒家思想的中心，是修養的最高境界；但在老子的思想體系中，「仁」字並未佔有重要的地位。他曾說：「失道而後德，失德而後仁」（三十八章），僅佔第三等而已。儒家言「仁」，本於天理，廓然大公；老子言「仁」，發諸人情，有爲有私。老子思想的精神也在「公」字，不過表現這種大公精神的不是「仁」，而是「道」而已。天地生長萬物，一本於道，無親無私，而任物之自然，故曰：「天地不仁」。以萬物爲芻狗，莊子天運篇：「夫芻狗之未陳也，盛以篋衍，巾以文繡，尸祝齋祭以將之。」成玄英疏：「謂結草爲狗以解除也。」釋文：「李云：結草爲狗，巫祝用之。」按「芻狗」就是用草紮成的狗，祭祀的時候盛飾奉上，用完以後就丟掉，毫不愛惜。天地對萬物，也是如此，一視同仁，無愛無憎，任萬物之自然發展，以保全其本性。故曰：「以萬物爲芻狗」。聖人不仁，以百姓爲芻狗。是說聖人體天地之道而行，對於百姓，不妄作施化，無所偏愛，以順遂人民的天性。張揚明老子斠證釋譯：「芻狗」：景龍、廣明作「⿱艹⿱彐丂狗」，敦煌作「茥」。趙秉文作「茤」，唐寫及治要引作「蒭」，均「芻」之別構。」范應元：「譬如結芻爲狗以祭祀。」范說是也。

虛而不屈。(9)

【斠補】王注：虛而不得窮屈。釋文：掘，求物反，又求月反。河上本作屈，屈，竭也。顧作掘，云猶竭也。案佚周書五權解曰：極賞則淈，淈得不食。即此屈字之義。淮南道原訓：況兮忽兮，用不屈兮。高注：屈，竭也。爲河上注所本。

【疏證】義案：甲本作「虛而不淈。」乙本同。古本作「虛而不詘。」吳澄道德眞經註：橐籥，冶鑄所用噓風熾火之器也。爲函以周罩於外者，橐也。爲轄以鼓扇於內者，籥也。天地間猶橐籥者，橐象太虛，包含周徧之體，籥象元氣，絪縕流行之用。不屈，謂其動也直。愈出，謂其生不窮，惟其橐之虛，而籥之化。化者，常伸，故其籥之動，而橐之生。生者，曰富在天地之間，如此。其在人也，則惟心虛無物，而氣之道路不壅，故氣動有恆，而虛中之生出益多。」焦竑老子翼：

「蘇子由云：然橐籥則何爲哉？蓋亦虛而不屈，是以動而愈出耳。呂吉甫云：蓋橐籥之爲物，唯其虛而不屈，所以動而愈出者也。」魏源老子本義：「虛而不屈。王弼作掘，傅奕作詘，歡作㧙，此從河上本。「屈，竭也。首以天地聖人並言，而繼但言天地，不及聖人者，是即老子不欲多言之故也。」王夫之老子衍：虛而不屈，屈然後仁。是以天不能生，地不能成，天地無以自擅，而況於乎萬物乎？況於聖人乎？設之於彼者，「虛而不屈」而已矣。馬叙倫老子校詁：「虛而不詘。畢沅曰：詘，河上公作屈，王弼作掘。陸德明曰：顧歡作㧙。俞，諸本作愈。案古無愈字。倫案：詘，各本作屈。弼注曰：故虛而不得窮屈，動而不可竭盡也，則王亦作屈。俞，范易州同，各本作愈。倫案：虛借爲空，屈借爲渴。呂氏春秋愼勢篇：堯且屈力。高誘注：屈，竭也。淮南原道訓：用不屈兮。高注：屈，竭也。竭訓負擧，竭盡義當作渴。說文曰：渴，盡也。高以竭力訓屈力，此屈爲渴借之證。」高亨老子正詁：虛而不屈，王弼曰：「虛而不得窮屈。」河上公曰：「言空虛無有屈竭時。」按：王以窮釋屈，河上以竭釋屈，此古義也。孫子作戰篇曰：「攻城則力屈。」曹注：「屈，盡也。」曹注：「屈，盡也。」荀子王制篇：「國家足用而財物不屈。」禮論篇：「使欲必不窮乎物，物必不窮於欲。」楊注並云：「屈，竭也。」呂氏春秋愼勢篇：「堯且屈力。」高注：「屈，竭也。」安死篇：「智巧窮屈，無以爲之。」高注：「屈，盡也。」淮南子原道篇：「用不屈兮。」高注：「屈，竭也。」法言重黎篇：「漢屈羣策，羣策屈羣力。」李注：「屈，盡也。」皆其例證。朱謙之老子釋譯：嚴可均曰：「王弼、顧歡作「不掘」，「俞出」一各本作「愈出」』。」情牽索：傅、范本亦作『俞』。羅振玉曰：『今本王作屈，與景龍、御注、景福三本同，釋文出「掘」字，知王本作「掘」。釋文又云：『河上本作屈，顧作掘」。』情韋案：作『屈』是也。王注『故虛而不得窮屈；』是王注本原作『屈』，范本同。傅本『屈』作『詘』。勞健曰：『按說文「屈」訓無尾，引申爲凡短之稱，故有竭義。「詘」訓詰詘，乃詘伸本字。掘與搰互訓，釋文引顧云猶竭者，謂通叚作屈也。傅之作「詘」，蓋釋爲詘伸，非是。此字當作「屈」，訓竭音掘。』畢沅曰：『「俞」諸本並作「愈」，案古無「愈」字，蓋即用「俞」也。諸本並非。』王淮老子探義：橐籥之「用」唯存乎「虛」，故老子此處以之喻「天地」包容並蓄，生化萬物之「用」。蓋天地之所以能包容並蓄，生化萬物者，亦唯其間廓然空虛故也。抑且天地之間乃宇宙萬物生存活動之場所，如非「空虛」，則無以爲「用」，故今人謂之「空間」。空間者即天地之間也。復次，老子此處所欲表達者，厥爲一朴素的宇宙論，謂天覆於上，地載於下，天地之間，如橐籥之中空，而此所謂「空間」者，即宇宙萬物，所以能生存變化，流行不已之依據也，故本經第十一章曰：「埏埴以爲器，當其無，有器之用；鑿戶牖以爲室，當其無，有室之用，故有之以爲利，無之以爲用」，所謂「無之以爲用」者，謂空間之大用，如天地之包容並蓄，生化萬物者，是也。空間有如此之大用，故老子狀之曰：「虛而不屈，動而愈出」，虛而不屈者，喻空間之無窮無盡也。動而愈出者，喻萬物之生生不已也。嚴靈峯老子達解：虛則無體，動則無方；無體故不屈，無方故不盡；不盡則愈出也。空虛不毀，「周行不殆」；「大盈若沖，其用不窮」；故曰：動而愈出也。天地之閒，其猶橐籥乎？虛而不屈，動而愈出。按：此數句疑當在四十二章「道生一，一生二，二生三，三生萬物」諸句之下，並在四十三章「無有入無間」句上。陳鼓應老子今註今譯：「不屈：不竭。」余培林老子讀本：「不屈：不盡，不窮。」張揚明老子斠證譯釋：「虛而不屈」：傅奕作「詘」，顧歡作「䘿」。揚明案：說文：「𡱝」，段注：「今人屈伸字，古作詘伸。俗分𡱝屈爲二字，不知屈乃𡱝之隸變也。」釋文出「掘」謂「河上本作「屈，竭也。顧作「掘，云猶竭也。」則作「䘿」者，係傳寫之誤。作「屈」是。「屈」：竭也。荀子王制：「使國家足用，而財力不屈。」呂氏春秋愼勢：「堯且屈力。」高誘注：「屈，竭也。」淮南原道訓：「用不屈兮」，高注：「屈，竭也。」張說是也。

六章　成象（闕）

七章　韜光（闕）

八章　易性

正善治⑽

【斠補】案正與事並言，則正即政字。五十七章：以正治國。文子上禮篇引作政。

【疏證】義案：甲本作「正善治」。乙本同。古本作「政善治」。劉說是也。「正」善治：通行本「正」作「政」。說文：『政，正也。从文，正聲。』釋名釋言語：「政，正也。」又論語子路篇：「政者，正也；子帥而正，孰敢不正？」此叚左偏旁字爲之。王弼本、河上公本，並作「正」。范應元及諸本多作「政」。吳澄道德眞經註：「彼衆人所善，則居之，善必得地。心之善，必如淵，淵謂靜深。與之善，必親仁，與謂伴侶，仁謂仁人。言之善，必有信；政之善，貴其治；事之善，貴其能；動之善，貴其時；時謂之當其可。七者之善，皆擇其衆人之所好者爲善，可謂之善，而非上善也。」焦竑老子翼：「蘇子由云：洗滌羣穢，平準高下，善治也。呂吉甫云：其派爲川谷，其委爲瀆海，故以政則善治。吳幼清云：政之善，貴其治。」魏源老子本義：「洗滌羣穢，平準高下，兼治也。」王夫之老子衍：「正善治。按：正讀爲政。」馬叙倫老子校詁：「政善治。畢沅曰：王弼作正，永樂大典作政，作正者非。張煦曰：葛政作正。倫案：范彭寇張嗣成臧疏易州二趙吳、並同此，館本作正。」朱謙之老子釋譯：嚴可均曰：『「政善」河上作「正善」。』紀昀曰：『永樂大典作「政」，古通用。』畢沅曰：『永樂大典作「政」，作「正」者非。』情牽索：作『政』是也。老子書中『正』『政』二字互見，五十八章『其政悶悶，其政察察；』與此均用『政』。『治』字釋名釋言語：『治，值也，物皆值其所也。』王淮老子探義：正善治。河上公曰：「無有不洗，清且平也」。案：正、用爲動詞，即整治成就之意。治、名詞，即「治績」之意。此言水佈政於天地之間（雲行雨施），空中塵埃之滌除，地上草木之清洗，雨水皆負責總理之，每當雨過天晴，宇宙一片清新，此即佈政施於天地之間所成的至善之治績也。體道之聖人亦如之，本經五十七章曰：「我無爲而民自化，我好靜而民自正，我無事而民自富，我無欲而民自朴」，此種聖人之德化作用，其所成就就者亦是一種至善之治績—無爲而治的德化境界。嚴靈峯老子達解：「我好靜而民自正」；正善治也。按：「居善地」至末「夫唯不爭故無尤」止各句，當在七十九章「安可以爲善」句下，「有德司契」句上。陳鼓應老子今註今譯：正善治：爲政善於完成良好的治績。「正」，同「政」。景龍本，傅奕本，蘇轍本，林希逸本，范應元本，吳澄本，及衆多古本作「政善治」。以上各句，薛蕙曾有簡明註釋，薛註說：「行己不爭，避高處下，『善地』也；藏心微妙，深不可測，『善淵』也；其施兼愛而無私，『善仁』也；其言有徵而不爽，『善信』也；治國則清靜自正，善治也。」余培林老子讀本：正善治，按論語顏淵篇：「政者、正也。」所以「正」就是政治的意思。「治」謂治績。此謂聖人治政，則能有至善的治績。五十七章曰：「我無爲而民自化，我好靜而民自正，我無事而民自富，我無欲而民自樸。」就是聖人的「正善治」。張揚明老子斠證譯釋：「政善治」：王弼原作「正」。傅奕、景龍、御注、景福、魏源均作「政」。揚明案：「畢、朱之說是。據改。」蘇轍：「道無所不在，水無所不利，避高趨下，未嘗有所逆，善地也。空虛湛靜，深不可測，善淵也。利澤萬物，施而不求報，善仁也。圓必旋，方必折，塞必止，決必流，善信也。洗滌羣穢，平準高下，善治也。以載則浮，以鑑則清，以攻則堅强莫能敵，善能也。不舍晝夜，盈科後進，善時也。水唯兼此七善而不爭，故無尤矣。」蘇說是也。

九章　運夷

功遂，身退，天之道。⑾

【斠補】畢云：諸本並作「功成，名遂，身退，天之道。」案古本亦有成名二字。文子上德篇引作「功成，名遂，身退，天道然也。」淮南道應訓亦云：故老子曰：功成，名遂，身退，天之道也。均其證。

【疏證】義案：甲本作「功述，身芮，天□□□。」乙本作「功遂，身退，天之道也。」古本作「成名，功遂，身退，天之道。」劉說是也。吳澄道德眞經註：「世有金玉滿堂，莫能守者，何哉？蓋因富貴而驕，自遺其咎耳！是以功成，名遂，而身退，乃合於天之道，此言不可盈之也。金玉謂富，驕謂盈，自遺謂由己所致，非由乎人。咎謂不能守之咎，功成名遂，謂貴身退，謂不盈之者，天之道，虛而不盈，故四時之序，成功者去。前言富，後言貴，而富貴二字，在中間一句，通貫前後，惟貴迺富，則富之中有貴，既貴必富，則貴之中有富，富貴二者，相須而有，故驕盈而不保其富，是即不保其貴也，身退不盈，而長保其貴，是亦長保其富也。」焦竑老子翼：「呂吉甫云：蓋功成，名遂、身退，天之道。此所以無私，而成其私也。封人之告堯曰退已，其法天之道之謂乎？劉師立云：功成名遂必危，在乎知止而不失其正。李息齋云：功成者退，天道如此，況於人乎？」魏源老子本義：「功成、名遂、身退，天之道。碑本作名成功遂身退，王弼作功遂身退，李約本名作事，此從淮南子所引。「日中則昃，日滿則虧，四時之運，成功者退。天地尙然，而況於人乎？亢之爲吉也，知進而不知退，知存而不知亡，知得而不知喪，是以動而有悔也。聖人成功而不有，安有盈？名遂而不居，安有銳？蓋隨事大小而能自全，故曰成曰遂也。若不知自足，則何時而爲成，何日而後遂邪！此言非必處山林，絕人事，然後可以入道，雖居功名富貴之域，皆可守而行之也。」王夫之老子衍：「以天爲成遂，而生未息；以天爲退，而氣未縮；何信乎？故鴟夷子皮之遯，得其迹也；郭子儀之晦，得其機也；許繇、支父之逝也，得其神也。迹者，以進爲進，以退爲退。機者，方進其退，方退其進。其唯神乎！無所成而成，無所遂而遂也。雖然，其有退之迹也，神之未忘乎道，道之未降處乎機也。」馬叙倫老子校詁：「成名、功遂、身退，天之道。陸德明曰：遂，本又作成。焦竑曰：龍興碑作名成功遂身退。畢沅曰：王弼作功遂身退天之道，諸本幷作功成名遂身退天之道。李約名作事，淮南子道應訓引道下有也字。嚴可均曰：邢州作名成功遂身退。易順鼎曰：文字上德篇、淮南道應訓、牟子引，並作功成名遂身退。石田洋一郎曰：下句載字，唐玄宗改爲哉，屬上句讀，當從之。幷當依淮南引補也字，與後文愚人之心也哉，盜夸也哉，非道也哉，語法正同。倫案：范彭寇白張嗣成二趙吳臧疏宋河上易州及治要後漢書梁冀傳注，李固傳注引，並作功成名遂身退。淮南道下有也字。牟子理惑論引一同此。一同王弼本漢書疏廣傳：廣謂受曰：吾聞知足不辱，知止不殆，功遂身退天之道。蓋本此文。則疏所據本同王本，陸謂遂本又作成。論王注曰：四時更運，功成則移。是王本作成也。老子古本蓋作功成身退天之道，故王注曰：四時更運，功成則移。此作成名功遂身退，諸本及淮南道應引，並作功成名遂身退。李約名作事者，蓋後人因十七章功成事遂而妄改。牟子理惑論，文子上德篇治要，後漢書梁冀傳注，李固傳注，引道下並有也字。倫案：遂當作　。說文曰：從意也。今通用遂，後同。倫案：右文舊爲第九章。」陳柱老子註：功遂身退天之道。老子之學，期乎一切平等，故戒持盈，以見官位階級之不可恃；戒揣銳，以見智識階級之不可恃；戒金玉滿堂，以見資本階級之不可恃；非提倡階級革命也，使夫不爲已甚，以消患於無形，弭禍於未成耳，故曰功遂身退天之道。夫若是，則何恃之有？」高亨老子正詁：功遂身退天之道。按禮記月令：「百事乃遂。」鄭注：「遂，成也。」朱謙之老子釋譯：

嚴可均曰：『王弼作「功遂，身退」，傅奕作「成名、功遂、身退」，邢州本作「名成、功遂、身退」。』羅振玉曰：『景龍、御注、景福三本均作「功成、名遂、身退」，景福本「道」下有「也」字。』情牽案：文子上德篇引『功成、名遂、身退，天道然也。』淮南道應訓『故老子曰：功成、名遂、身退，天之道也；』亦均有『也』字。又『身退』開元御注本作『身𨓆』，字鑑曰：『𨓆，說文卻也，从日从夊，从辵，俗作退。』王淮老子探義：功遂身退，天之道。河上公曰：「言人所爲，功成事立、名迹稱遂、不退身避位、則遇於害，此乃天之常道也。譬如日中則移，月滿則虧，物盛則衰，樂極則哀」。案：此總結上文而爲一章之主眼，蓋吾人立身行世，既不可聲勢過盛，鋒芒太露，便當虛爲體，謙卑爲用，假若功名成就尤當急流勇退，引身而去，此乃自然之常道。觀乎范蠡、張亙之與文種、韓信，其間吉凶禍福之辨，昭然若揭。然則天道自然，固絲毫不爽。順之者昌、逆之者亡，豈虛言哉。**嚴靈峯老子達解**：功遂身退；天之道。日中則昃，月盈則虧。「天之道，高者抑之，下者舉之。」功成名就，須知隱退，明哲保身。「名亦既有，夫亦將知止；知止不殆，可以長久」也。蔣錫昌曰：『劉惟永引王本經文，作：「功成，名遂，身退。」是劉見王本與諸本同。强本成疏，「功成名遂者，謂退身隱行；行自然也。」則成亦作：「功成名遂身退」。』蔣說是也。按：三十二章：「名亦既有，夫亦將知止。」此即「名遂，身退」之意也。按：「天之道」下疑當接十五章「保此道者不欲盈，夫唯不盈，故能敝不新成」諸句。」**嚴靈峯馬王堆帛書老子試探**：小篆本：功「述」身芮。通行本「述」作「遂」。說文：『述，循也。从走，朮聲。』**朱駿聲曰**：『論語：「述而不作，」按：由故道爲述。故凡循其舊而申明之，亦曰：「述」。』又說文：「遂，亡也。从辵，㒸聲。」按：周語：『而行以遂八風，』注：『猶順也。』現存本無有作「述」者。隸書本作「遂」。**淮南主術**：功名遂成，天也。**牟子理惑論**：老子不云乎：功遂、身退；天之道也。**陳鼓應老子今註今譯**：功遂：功業成就。河上公本、傅奕本及多種古本「功遂」作「功成名遂」。**易順鼎說**：「文子上德篇，淮南道應訓，牟子引並作：『功成，名遂，身退』。」身退：指斂藏鋒芒。**王眞說**：「身退者，非謂必使其避位而去也，但欲其功成而不有之耳。」（引自道德經論兵要義述）天之道：指自然的規律。**成玄英疏**：「天者，自然之謂也」。**余培林老子讀本**：功成身退。河上公曰：「言人所爲，功成事立，名迹稱遂，不退身避位，則遇於害。此乃天道之常也。譬如日中則移，月滿則虧，物盛則衰，樂極則哀。」按「身退」，非必「退身避位」，凡

「不有」、「不恃」、「不居」皆是。天之道，自然之道。張揚明老子校證釋譯：「功成，名遂，身退，天之道」：王本原作「功遂身退」。龍興碑作「名成功遂身退」。李約作「功成事遂身退」。此從淮南子。各本同。蘇轍曰：「知盈之必溢，而持固之，不若不盈之安也。知銳之必折，而以揣先之，不知揣之不可必恃也。若夫聖人有而不有，尚安有盈？循理而後行，尚安有銳？無盈則無所用恃，無銳則無所用揣矣。」劉師立曰：「盈則必虛，戒之在滿。銳則必鈍，戒之在進。金玉必累，戒之在貪。富貴易淫，戒之在傲」。魏源曰：「蓋滿而不溢，所以長守富；高而不危，所以長守貴。夫何以能不溢不危哉？法天之道而已。」

十章　能爲

載營魄抱一，能無離乎？⑿

【斠補】王注：載，猶處也。營魄，人之常居處也，一人之眞也。河上本載營魄句，抱一能無離句，無乎字。俞云：河上本無乎字，唐景龍碑亦無乎字，然淮南道應篇引老子有乎字，則古本固有乎字。案素問調精論云：取血於營。淮南子俶眞訓云：夫人之事其神而嬈其精營。慧然而有求於外，此皆失其神明，而離其宅也。法言修身篇云：熒魄曠枯，糟莩曠沈，此之營魄，即素問淮南所言營法，言所謂熒魄也。楚辭遠遊：載營魄而登遐兮。王注：抱我靈魂而上升也。以抱訓載，以靈魂訓營魄，是爲漢人故訓。載營魄者，即安持其神也，載抱同義。至於此文乎字，當从河上本，景龍碑衍，下文諸乎亦然。能字係而字叚文。

【疏證】義案：甲本殘闕。乙本作「戴營袙抱一，能毋離乎？」古本作「載營㿝袌一，能無離乎？」

吳澄道德眞經註：載，猶加也。陰魄爲營，猶軍營之營。陽魂爲衛，猶兵衛之衛。營者，所以居七卒也。神加陰魄，魄抱陽神，交媾不離，則如日月之終古常存矣。此出世之人，能存形者也。

焦竑老子翼：「蘇子由云：魄之所以異於魂者，魄爲物，魂爲神也。易曰：精氣爲物，遊魂爲變，是故知鬼神之情狀。魄爲物，故雜而止；魂爲神，故一而變，謂之營魄，言其止也。蓋道所不在，其於人爲性，而性之妙爲神，言其純而未離，則謂之一。言其聚而未散，則謂之樸，其歸皆道也，各从其實言之耳。聖人性定而神凝，不爲物遷，雖以魄爲舍，而神所欲行，魄無不从，則神常載魄耳。衆人以物役性，神昏而不治，則神聽於魄耳。目困以聲色，鼻口勞於臭味，魄所欲行，而神从之，則魄常載神矣。故教之以抱神載魄，使兩者不相離，此固聖人所以修身之要。呂吉甫云：人生始化曰魂，魄與精爲一，則寂然而已。既生魄，陽曰魂，魂與神往來，而魄旁精出入，則魄隙而不營一，離而不抱矣。載者，終而復始之謂也；營者，環而無隙之謂也。雖已爲人爲矣，而載營魄抱一，湛然無爲，如其收之始化，則能無離矣。李息齋云：載，初也。營，造也。魂者，人之陽；魄者，人之陰。自初造魄，抱魂於魄，能使魂魄相抱一而不離乎？李宏甫云：人之魄之載神，而不知神之載魄；載魄則神營，魄載之則不神，然則一神焉耳矣。抱元守一，則神魄自不相離，而庶乎知神之爲矣。營，營衞也。焦竑云：古者，魂魄或合而言之：左氏心之精爽，是謂魂魄是也。或分而言之：左氏人生始化曰魄，既生魄，陽曰魂是也。左氏清虛則魄，即爲魂住著，則魂即爲魄。如水凝則爲冰，泮則爲水，其實一耳。夫魄之營營，日趨於有，而此云載者，知七情無體，四大本空。如人之載於車，舟載於水，乘乘然，無所歸也。如此，則化有爲無，滌情歸性，衆人離之而爲二，我獨抱之而爲一。入道之要，孰切於此？載，乘也。營如經營、征營之營。白虎通曰：營營，不定貌是也。營魄雖滯，載而乘之，言無住著也。訓營爲魂、爲衞、爲止，皆於義未協。言魂載魄者雖近，但不曰魂載魄，而曰載營魄，後人亦何以而知其指言魂也。況以此載彼，離而二之，亦非抱一之旨乎？」魏源老子本義：「載營魄，營讀爲魂。抱一，傅奕作袌，古今字。能無離乎。河上公無六乎字。「載，猶處也。營魄，即魂魄也。魄即是一，載即是抱，魂載魄，動守靜心。心之精爽，是謂魂魄，本非二物，然魂動而魄靜，苟心爲物役，離之爲二，則神不守舍，而血氣用事，惟抱之爲一，使形神相依，而動靜不失，則魂即魄，魄即魂，何耗何昏，乃可以長存。蓋非偶載之難，亦非抱一之難，而常不離之難也，修身養生，道皆如此。」王夫之老子衍：「載營魄，營魄者魂也。載者，魄載之。抱一，三五一。能無離乎？載，則與所載者二，而離矣。」馬叙倫老子校詁：畢沅曰：諸本袌並作抱。案袌，褱也。抱同，取也。義異，應用袌字。孫詒讓曰：册府元龜載唐玄宗五載詔云：頃改道德經載字爲哉，仍隸屬上句。考所改即此載字，以載字屬上句，雖無古讀，義尚可通。能字係而字假文，章內並同。張煦曰：袌，呂等作抱。倫案：抱朴子應嘲，先生載營抱一，載哉古通，不煩改字。然已載字屬上句讀，是也。蓋上章十二句，句末之已之保室守驕咎辱殆退哉十二字，此之脂幽宵侯五部叶韵，此章營魄抱一，專氣致柔，滌除玄覽，愛民治國，天門開闔，明白四達，皆以四字爲句，不得此獨加一載字。老子他章亦無以載字起辭者，而五十三章非道也哉，與此辭例正同，均可證哉字當屬上讀。河上公注曰：言人能抱一使不離於身，則長存，是河上公以營魄絕句，抱一屬下讀，後漢書寇榮傳注引載營魄，文選弔魏武文注引抱一能無離乎，則唐人亦以魄字絕句。抱一屬下讀，倫謂能無離乎？能無嬰兒乎？能無疵乎？能無以知乎？能爲雌乎？能無以爲乎？六句一例。則不當以魄字絕句也。說文曰：營，而居也。營魄袌一，相對爲文，與專氣致柔辭例亦同，此一足證抱一不當屬下讀也。

抱朴子至理篇曰：滌除玄覽，守雌抱一，專氣致柔。蓋本此文。亦以抱一絕句，磻溪營作盈，能當如字讀，若劉說當讀營魄絕句，始通，且亦惟此一句可作而也。羅卷上三句能字同，下三句作而，若可為劉說之證。然自是古音讀能如而，故新序以而為能，此文義當作能，卷子本偶書作而耳。淮南道應訓引至嬰兒乎，袌作抱，各本袌並作抱。倫案，袌字，畢說是也。離借為𢼸。說文曰：𢼸，坼也，分離字當用此，今通作離，後同。（羅卷第二卷始此。）」陳柱老子註：楚辭遠游：【載營魄而登遐兮。】王注：『抱我靈魂而上升也。』以抱訓載，以靈魂訓營魄，此漢人故訓。莊子庚桑楚篇載『南榮趎問老子云：「若趎之聞大道，譬猶飲藥以加病也，趎願聞衞生之經而已！」老子曰：「衞生之經，能抱一乎？」能勿失乎？能無卜筮而知凶吉乎？—原作吉凶，據王念孫改作凶吉。—能止乎？能已乎？能舍諸人而求諸己乎？能翛然乎？能侗然乎？能兒子乎？兒子終日嗥—又作號，音同。—而嗌不嗄，和之至也；終日握而手不掜，共其德也；終日視而目不瞚，偏不在外也。行不知所之，居不知所為，俱物委蛇，而同其波，是衞生之經已。」南榮趎曰：「然則是至人之德已乎？」曰：「非也，是乃所謂冰解凍釋者，能乎？夫至人者，相與交食乎地，而交樂乎天，不以人物利害相攖，不相與為怪，不相與為謀，不相與為事，翛然而往，侗然而來，是謂衞生之經已。」曰：「然則是至乎？」曰：「未也。吾固告汝曰，能兒子乎，兒子動不知所為，行不知所之，身若槁木之枝，而心若死灰，若是者，禍亦不至，福亦不來，禍福無有，惡人有人災也？」』此莊子純釋老子，老子之『抱一』『勿失』即老子之抱一勿離也，謂神魂精一，不感於外物。高亨老子正詁：河上公曰：「營魄，魂魄也。」按：河上蓋以魂釋營，王逸蓋以靈釋營，質則魂與靈一義也。淮南子俶眞篇：「人之事其神而嬈其精營，瑟然而有求於外。」精營，猶云精魂也。法言修身篇：「營魂曠枯。」營魂猶云靈魂也。然則營魂即魂魄，亦即靈魂矣。又按：一謂身也。抱一猶云守身也。身爲箇體，故老莊或名之曰一。老子二十二章曰：「聖人抱一爲天下式。」莊子庚桑楚：「老子曰：衞生之經，能抱一乎！能勿失乎！」並此義也。又徐無鬼篇：「吾相狗也，上之質若亡其一。」其一謂狗之身也。又：「吾相馬也，天下馬有成材，若卹若失，若喪其一。」其一謂馬之身也。可以互證。靈魂外馳，神與身離，道家大忌。故曰：「載營魂抱一，能無離乎！」朱謙之老子釋譯：嚴可均曰：『「能无離」，傅奕及近刻王弼句末有「乎」字，下五句皆然。』俞樾曰：『河上公本無「乎」字，唐景龍碑亦無「乎」字，然淮南道應引老子曰「載營魂，抱一能無離乎？專氣致柔，能如嬰兒乎」？則古本固有「乎」字。』情牽索：『「乎」字條係衍文。羅振玉曰：『景龍、御注、敦煌乙、丙、英倫諸本，均無「乎」字，以後各「乎」字同。』李道純曰：『「抱一能無離」已下六句，加一「乎」字，非。』首「載」字。按郭忠恕佩觿卷上『是故老子上卷改「載」爲「哉」。』註云：『唐玄宗詔「朕欽承聖訓，覃思玄宗，頃改道德經。「載」字爲「哉」，仍屬上文，及乎議定，衆以爲然，遂錯綜眞詮，因成注解云。」』孫詒讓札迻『案舊注並以「天之道」斷章，而讀「載營魄抱一」爲句，淮南子道應訓及羣書治要三十九引「道」下並有「也」字，而章句亦同。楚辭遠遊云「載營魄而登霞兮，」王注云：「抱我靈魂而上升也」。屈子似即用老子語。然則自先秦西漢至今，釋此書者，咸無異讀。惟册府元龜載唐玄宗天寶五載詔云：「頃改道德經「載」字爲「哉」，仍隸屬上句，遂成注解。」郭忠恕佩觿則云：「老子上卷，改載爲哉；」注亦引玄宗此詔。檢道經三十七章王本及玄宗注本，並止第十章有一「載」字，則玄宗所改爲「哉」者，即此「載」字；又改屬上章「天之道」爲句。今易州石刻玄宗道德經注仍作「載」讀，亦與舊同者。彼石立於開元二十年，蓋以後別有改定，故特宣示，石刻在前，尚沿舊義也。「載」「哉」古字通，玄宗此讀，雖與古絕異，而審文校義，亦尚可通。天寶後定之注，世無傳帙，開元頒本，雖石刻具存，而與要寶詔兩不相應。近代畢沅（考異）、錢大昕（潛研堂金石跋尾）、武億（授堂金石跋）、王昶（金石萃編）考錄御注，咸莫能證覈。今用詔文，推校石本，得其蹤跡，聊復記之，以存異讀。」次『抱』字。傅本、高翿本作『袌』。畢沅曰：『諸本「袌」並作「抱」，案袌，裒也、抱、同捊，取也，義異，應用「袌」字。』情案：畢說非也。廣韻號部『袌，衣襟』；又云：『今朝服衣』，與抱字義別。經文四十二章『萬物負陰而抱陽』；六十四章『合抱之木』十九章『見素抱樸』；二十二章『是以聖人抱一，爲天下式』；傅奕本皆作『袌』。畢沅曰：「『袌』作抱非也。流俗所行，河上公、王弼諸本並作「抱」矣。」畢說不知何據。廣韻『袌』字上有『抱』字，注『鳥伏卵』，疑爲『抱』字正字，義較『袌』字爲優。劉說雖是，但以靈魂訓營魄，似有未至。魂、形體也，與魂不同，故禮運有『體魄』，郊特性有『形魄』。又魂爲陽爲氣，魄爲陰爲形。高誘注淮南說山訓曰：『魄，人陰神也；魄人陽神也；』王逸注楚辭大招曰：『魂者陽之精也，魄者陰之形也；』此云營魄即陰魄。素問調精論『取血于營』注：『營主血，陰氣也。』又淮南精神訓『燭營指天；』知營者陰也，營訓爲陰，不訓爲靈。『載營魄抱一』是以陰魂守陽魂也。抱如鷄抱卵，一者，氣也、魂也，抱一則以血肉之軀，守氣而不使散洩，如是則形與靈合，魄與魂合，抱神以靜，故曰：『能无離乎？』王淮老子探義：河上公曰：「營魄、魂魄也。……故魂淸志道不亂，魄安得壽延年也」。案：載、乘而任之大意。抱、保而守之大意。營魄、即魂魄，存乎天地謂之陰陽，賦予人體謂之魂魄。一者，道之別名。離者、乖違之意。此言修道之士要能體合陰陽，抱道守眞，勤而行之，幸而乖違。本經四十二章曰：「萬物負陰而抱陽，沖氣以爲和」。廿八章：「常德不離……常德不忒」，五十二章曰：「善抱者不脫」皆其義也。蓋修道之要，唯在秉任陰陽，因循天理，抱朴守眞，不離輜重（本經廿八章曰：「重爲輕根，靜爲躁君，是以聖人終日行不離輜重」）也。嚴靈峯老子達解：謂人身運載魂魄而守道，能毋使其魂魄與形體分離否耶？按：本章自「載營魄抱一」至「明白四達能無知乎」止，各句當五十五章「含德之厚比於赤子」句上。「載營魄」河上公注：「營魄，魂魄也」。楚辭遠遊篇：「載營魄而登霞兮」。王逸注：「抱我靈魂而上升也。」解殊迂曲。按：第四章王注：『地雖「形魄」，不法於天，不能全其寧。』二十五章王注：『「形魄」不及精象，精象不及無形。』是王本原作「形魄」之證。「營」、「形」音近，或因而致誤。魄屬形，又疑「營魄」二字，乃古之音注，羼入正文；句當作：「載形抱一，能無離乎！」王注：「抱一」，精神能常無離乎？則萬物自賓也。」列子天瑞篇：「載若形。」又云「精神離形，各歸其眞。」淮南子說山訓：「無爲而治者，載無也。」高誘注：「言無爲而能致治者，常載行其無爲。」又云：「無言而神者，載無。」高誘注：「道貴無言，能致於神，載行也；常行其無言也。」「行」、「形」古通。道應訓：「隳支體，黜聰明，離形去知，洞於化通；是謂坐忘。」高誘注：「言坐自忘其身，以至道也。」莊子達生篇：「有生必先無離形，形不離而生亡者，有之矣。」又云：「神全精復，與天爲一。」馬蹄篇：「同乎無知，其德不離。」天地篇：「執道者，德全；德全者，形全；形全者，神全；神全者，聖人之道也。」抱朴子應嘲篇：「載營抱一，韜景靈淵；背俗獨往，邈爾蕭然。計決而猶豫不棲於心術，分定而世累無係於胸間。」疑葛洪所見本正無『魄』字。莊子大宗師篇：『夫大塊載我以形。』程大昌易老通言：「其於載形而抱一也。」疑程所見本亦無「魄」字，而「營」正作「形」。則此句作「載形」，於義較勝。「載形抱一」，正與下句「專氣致柔」相對爲文。列子天瑞篇：『太初者，「氣」之始也，太始者，「形」之始也。』亦「形」、「氣」對言。陶弘景養性延命錄引大有經曰：「載形魄於天地。」是「營」古當作「形」之證。疑此句原當作「載形抱一」。陳鼓應老子今注今譯：載：助語句。陸希聲說：「載，猶夫也。發語之端也。」（引自道德眞經傳）張默生說：「如詩經中『載笑載言』的「載」字，和『夫』字的用法差不多。」營魄：魂魄。河上公說：「營魄，魂魄也。」范應元說：「營魄，魂魄也。內觀經曰：『動以營身之謂魂，靜以鎭形之謂魄。』」抱一：合一。二十二章：「是以聖人抱一爲天下式」，「抱一」作抱『道』解。三十九章：「古之得一者」，「一」指『道』。本章的「抱一」，指魂和魄合而爲一。魂和魄合而爲一，亦即合於『道』了（這個『道』含有融和，統一的意思）。林希逸說：「抱者，合也。」高亨說：「身」包含魂和魄，即將精神與形軀合爲一體。余培林老子讀本：載：陸希聲曰：「猶夫也。發語之端也。」營魄：河上公曰：「營魄，魂魄也。」按楚辭遠遊：「載營魄而登遐兮。」王注：「抱我靈魂而上升也。」文選陸機贈從兄詩：「營魄懷茲土，精爽若飛沉。」李註：「經護爲營，形氣爲魄，經護其形氣使之常存也。」抱一：「一」指道，二十二章曰：「是以聖人抱一爲天下式，」三十九章曰：「古之得一者」，「一」皆指道。「抱一」，守道之意。無離：不離於道。張揚明老子斠證釋譯：「載營魄抱一」：孫詒讓：「册府元龜載：唐玄宗天寶五載詔云：『頃改道德經載字爲哉，仍隸屬上句。』」馬叙倫：「載哉古通，不煩改字。然以載字屬上句讀是也。蓋上章十二句，句末之『已、之、保、室、守、驕、咎、辱、殆、退、哉十二字，以『之、脂、幽、宵、侯五部叶韻。于省吾：「馬說是也，……楚辭遠遊：『載營魄而登霞兮』，王注：『訓載爲抱。』此既言抱一，不應再言載。後人見楚辭有載營魄之語，因改上句哉字爲『載』，以下屬爲句。賴有玄宗復糾正之耳。」揚明案：此句各本均同，惟傅奕「抱」作「袌」。畢沅云：「按袌，褱也。應作袌字。」考之說文段注：「今字抱行而袌廢矣」。是袌、抱古今字。復按上引諸家，馬于均以玄宗載爲哉屬上句爲是，而嚴則仍以載照原而改營魄爲形字。似均不明「載」字之義，而任意忖度也。按此載字，係語詞。如歸去來詞中「載欣載奔」之載；詩周頌：「載用有嗣」之載。係承上章之文義而來，略如「則之」字之義。故以下五句均無，而首句獨有也。至馬謂「老子他章亦無以載字起辭者」，似不成理由。老子起語，僅「天」「大」「道」「善」數字相同，而多數均不同—如「谷」「持」「三」「五」「寵」「視」均是。且老子之以語詞爲起語者，如「夫」與「夫唯」，凡數十見。不過分爲章首僅一「夫唯」而已，既能用「夫」與「夫唯」，又何以不能用「載」？故以不改爲是。

「營魄」即「魂魄」。左傳昭七年：「人生始化曰魄。既生魄，陽曰魂。」注：「陽，神氣也。」竹添光鴻會箋：「人之始生，目不能見，耳不能聞，手不能執，足不能行。既而目能見，耳能聞，手能執，足能行，此之謂化。即所謂魄也。魂魄相將之物，魄生則魂亦相將而生矣。陽曰魂，則魂爲陰而屬形可知。易曰：『精氣爲物，游魂爲變』。所謂精氣即魄也。神識智慧，皆魂之所爲也。昭昭靈靈者是魂，運動作爲者是魄，依形而立。魂無形可見，譬之於燭，其炷是形，其熖是魄，其光明是魂」。「抱一」：「一」，即氣。四十二章：「道生一」，張爾歧注：「一，氣也。」「抱一」即守氣、養氣；亦即「專氣」。即五十二章所謂「既得其子」之意。「既得其子，復守其母」，則是以己身之氣，與天地之氣通流，即是養氣要體認萬物未生之始，一氣運行於宇宙間的情狀。這便是天人合一，與道同體。如此，自然以天地之心爲心，自然無欲無爲，一任自然了。倘能經常如此抱一養氣，即常德不離。

專氣致柔，能嬰兒乎？(13)

【斠補】王注：專，任也。致，極也。言任自然之氣，致至柔之和，能若嬰兒之無所欲乎？河上公本無乎字。兪云：唐景龍碑亦無乎字。據淮南道應篇所引，則古本有乎字。又案能如嬰兒句，河上本及王本，均無如字，于文義未足，惟傅奕有如字，與古本合。案能下當有如字是也。惟乎字，亦係衍文，能字亦係而字叚文。

【疏證】義案：甲本作「（上缺）能無嬰兒乎？」乙本作「摶氣致柔，能嬰兒乎？」古本作「專氣致柔，能如嬰兒乎？」劉說是也「摶」氣至柔：通行本「摶」作「專」。說文：『專，六寸簿也。

從寸，叀聲」廣雅釋言：『專，轉也。』」莊子盜跖篇：『無轉而行。』王念孫曰：『「轉」，讀爲「專」……「專」與「轉」古通用。』按：「摶」字，說文未收。集韵：『徒官切，音團；楚人謂圓爲「摶」。』疑同聲叚借。現存本無有作「摶」者。吳澄道德眞經註：「專氣於內，薰蒸肌骨，極其軟脃，如母腹之嬰兒，此出世之人也，能存氣者也。」焦竑老子翼：蘇子由云：神治，則氣不忘作喜怒，各以其類，是之謂專氣。神，虛之至也；氣，實之始也。虛之極爲柔，實之極爲剛，純性而亡氣，是之謂致柔。嬰兒不知好惡，是以性全，性全而氣微，氣微而體柔。專氣致柔，如嬰兒極矣。呂吉甫云：能無離，則專氣而不分，致柔而無忤，而能如嬰兒矣。李息齋云：嬰兒者，陽氣未散，內和以柔，非嬰兒之能，然乃專氣之效，不期致而致之，故轉氣致和，一而不雜，能如兒子乎？李宏甫云：夫嬰兒，百無一知也，而其氣至專；百無一能也，而其氣致柔。專氣致柔，能如嬰兒，則可爲抱一矣。焦竑云：專氣致柔者，老子曰：心使氣曰强。莊子曰：無聽之以心，而聽之以氣。氣也者，虛而待物者也。蓋心有是非，氣無分別，故心使氣則强，專於氣而不以心間之，則柔。夫專氣致柔，所謂純氣之守也，非嬰兒其孰能之？」魏源老子本義：專氣至柔。諸本作致。專，即易其靜也專之專，言專一純固，無所發露，所謂純氣之守也。有一毫失之粗，則剛而不能柔。必如嬰兒之和氣內充，一而不雜，而後爲至柔也。至人外不爲魄所滯，內不爲氣所使，其自治可謂善矣，然猶恐有餘疵之存也。未學之疵，粗而易改，既學之疵，微而難除，或守之徒滯，而運用不靈；或執之未化，而常存我見，是皆足爲病，而未盡合乎玄也。必加以滌除瑕垢之功，重以返觀內照之鑒，其果純合自然而無所疵已乎。焦氏竑曰：前三言者，老子示人可謂切矣，然智者除心不除事，昧者除事不除心，苟誤認前言，其不以輐斷爲學者幾希。故又示之曰：我所言載營魄者，非拱默之謂也。即愛民治國而能無爲也，所謂爲無爲也，專氣致柔者，非鬱閉之謂也。即天門開闔而能爲雌也，所謂雄守雌也。」王夫子老子衍：「專氣致柔，能嬰兒乎？專之，致之，則不嬰兒矣。」馬敍倫老子校詁：專氣致柔。能如嬰兒乎。畢沅曰：王弼無如字，淮南子道應訓引致作至。俞樾曰：淮南道應訓引有如字，王本無如字，文義未足。張煦曰：葛氣作炁，無如字，蘇亦無如字。倫案：范氣作　。嵇康難張遼叔宅無吉凶攝生論曰：專氣致柔，蓋本此文，則嵇所據本亦作致。王弼注曰：能若嬰兒之無所欲乎。臧疏引節解曰：大道流布若嬰兒也，則王節解本如作若。（陸德明老子音義，老子節解二卷，不詳作者，或云老子所作。一云河上公作。崇文總目有蜀喬諷老子疏義節解上下二卷，此引在張嗣成玄英前，疑即陸氏所謂河上公作者。）又引張嗣成曰：故曰能如嬰兒，則張本亦有如字。成疏曰：故如嬰兒之無欲也，則成亦有如字，范彭寇白張嗣成趙臧疏並有如字。宋河上無如字。諭河上注曰：能如嬰兒，內無思慮，外無政事，則河上本有如字，讀者以取上下文句齊一妄删，而校者復據改王本矣。唐寫無如字，館本無如字，並無乎字，下同。倫案：專爲嫥省。說文曰：嫥，壹也，今通作專，氣當作气，今通作氣。後同。」陳柱老子註：「專氣致柔，能嬰兒乎？兒子終曰嗥而嗌不嗄，和之至也，終日握而手不挽，共其德也云云，即老子專氣致柔之說也。」高亨老子正詁：專氣致柔，能嬰兒乎！「能」下傅本有「如」字。俞樾曰：「無『如』字，於文義未足。」奚侗曰：「傅奕本『能』下有『如』字，乃增字以足其誼。莊子庚桑楚篇引老子曰：『能侗然乎！能兒子乎！』與此文例正同。」按：管子內業篇「摶氣如神。萬物備存。」尹注：「摶謂結聚也。」老子之「專氣」與管子之「摶氣」同。氣者人之精神作用也，說見五十五章。嬰兒之精神作用不分馳於物，且骨弱筋柔，故曰「專氣致柔，能嬰兒乎！」朱謙之老子釋譯：經綸堂本無『乎』字，下同。『嬰』作『孾』，注亦作「孾」，景福本同。『氣』范本作『炁』，『能』下傅奕本，室町本有『如』字，又淮南道應訓引『致』作『至』。奚侗曰：『傅奕本「能」下有「如」字，乃增字以足其誼。淮南道應訓引「能」下有「無」字，蓋涉「無離」「無爲」「無疵」「無知」等「無」字而衍。老子之『專氣』，即管子內業之『摶氣』。『此氣也不可止以力；』『心靜氣理，道乃可止。』皆與專氣致柔說同。又心術下與內業均引『能摶氣乎？能勿卜筮而知吉凶乎？能止乎？能已乎？能勿求諸人而得之己乎？』此與莊子庚桑楚篇文同，而此文之前，引『老子曰：衞生之經，』則又可見老子書中，實包含古代醫學家之言。又孟子『志壹則動氣』，注：『志之所向專一，則氣爲之動；』亦與專氣之說相近。王淮老子探義：專氣致柔，能嬰兒乎。河上公曰：「能如嬰兒，內無思慮，外無政事，則精神不去也」。王弼曰：「任其自然之氣，致至柔之和，能若嬰兒之無所欲乎，則物全而性得矣」。案：專、守也。致、使也。專氣則不靜而不躁，致柔則弱而不强。此言修道之士要能平「心」靜「氣」，心平氣靜，則精神純粹，性情柔和，如嬰兒之天眞自然矣，故本經五十五章曰：「含德之厚也，比於赤子」，蓋赤子無思無慮，無造無作，即所謂「純氣之守也」。又：莊子德充符曰：「平者，水停之盛也，其可以法，內保之而外不蕩也。德者成和之修也。德不形者，物不能離也」。莊子所謂「內保之而外不蕩也」，即「專氣」之工夫也，所謂「德者成和之修也」，即「致柔」之工夫也。總而言之，精神統一，心性柔和，是赤子之德，亦聖人修養工夫之極致也。嚴靈峯老子達解：專氣致柔，能嬰兒乎？謂使志氣專一柔和，能含德之厚，如赤子否耶？能嬰兒乎？俞樾曰：『按「能如嬰兒」，河上公及王弼本均無「如」字，於文義未足；惟傅奕本有「如」字，與古本合。』俞說是也。按：景龍本、樓觀本，林希逸本及諸本多有「如」字，當據補正。陳鼓應老子今註今譯：專氣：集氣（concentrate the vital force）。能『如』嬰兒乎：傅奕本及其他古本都有「如」字，王弼本缺漏，應據傅本補上。嚴靈峯先生說：「王註云：『任自然之氣，致至柔之和，若嬰兒之無欲乎。』註以『若』釋『如』，疑王本亦當有『如』字。二十章云：『我獨泊兮其未兆，『如』嬰兒之未孩。』四十九章『聖人皆孩之』句，王注云：『皆使和而無欲，「如」嬰兒也。』以此例彼，亦當有『如』字。淮南子道訓引老子曰：『專氣致柔能如嬰兒乎』？蓋引古本，有『如』字，文義始足。因據俞說及傅本補正。」余培林老子讀本：專氣：河上公曰：「專守精氣使不亂。」按「氣」指生理的本能，「專」是聽任的意思。「專氣」謂聽任生理本能的自然，而不加入心知的作用。「專氣致柔」正與「心使氣曰强」（五十五章）相反。能嬰兒乎：按老子常以嬰兒比喻渾沌純樸的境界，二十八章曰：「常德不離，復歸於嬰兒。」五十五章曰：「含德之厚，比於赤子」本章亦然。張揚明老子斠證譯釋：「專氣致柔，能嬰兒乎」：范、葛「氣」作「炁」。淮南、傅、魏源作「能如嬰兒乎」。「專氣」：揚明案：專，應作「擅也，獨也，誠也，純篤也」。見廣韻、韻會。「一意如此也」，見助詞辨略。專氣，即一心一意的守中養氣。「嬰兒」：王弼云：「嬰兒不用智，而合自然之智」。揚明案：「含德之厚，比如赤子：毒蟲不螫，猛獸不據，攫鳥不搏。骨弱筋柔而握固；未知牝牡之合而朘作，精之至也。終日號而不嗄，和之至也。」可知嬰兒是純乎自然的。趙秉文引政和云：「靜而不離謂之專，和而不暴謂之柔，嬰兒居不知其所為，行不知其所之，不藏是非美惡，故專氣而致柔。」王眞云：「此言人君常抱守一氣，專致柔和，使如嬰兒之德善也」。趙、王之言得之。

滌除玄覽，能無疵乎？愛民治國，能無知乎？天門開闔，能無雌乎？明白四達，能無為乎？

⒁

【斠補】王注：玄覽，無疵，猶絕聖也。治國無以智，猶棄智也。雌應而不倡，因而不為，言天門開闔，能為雌乎？則物自賓而處自安矣。至明四達，無迷無惑，能無以為乎？則物化矣。河上公本作滌除玄覽，能無疵；愛民治國，能無知；天門開闔，能無雌；明白四達，能無知。俞云：唐景龍碑作愛民治國，能無為；天門開闔，能為雌；明白四達，能無知。其義並勝，當從之。案俞說是。蓋河上本改愛民句之為作知，王又作無以知，更改明白句知字作為也。惟此文四乎字，均係衍文。前文二乎字，亦然。當從河上本及景龍碑訂正。又此章六能字，均當作而，能而古文相通，互相借用。如詩芄蘭：能不我知。荀子解蔽篇：則廣然能棄之矣。管子任法篇：是貴能威之五語，王引之均訓為而。又韓詩外傳：富能分貧，與貴而下賤對文。管子侈靡篇：强能不服，與智而不牧對文。亦能而互通之證。此文六能字亦然。猶言載營魄抱一而無離，專氣致柔而如嬰兒，滌除玄覽而無疵，愛民治國而無爲，天門開闔而爲雌，明白四達而無知也。二章：萬物作焉而不辭，生而不有，爲而不恃，功成而弗居。五章：虛而不屈，動而愈出。三十四章：萬物恃之而生而不辭，衣養萬物而不爲主。四十七章：不行而知，不見而名，不爲而成。六十六章：處上而民弗重，處前而民弗害。此文詞例與彼一律，此之能，即彼之而也。又文子道原篇引作明白四達，能無爲乎？淮南子道應訓引作明白四達，能以無知乎？此乎字，疑亦後人據老子誤本所加，與淮南子今本之妄增以字同，且韓非子解老篇引夫禮者忠信之薄句，亦加乎字，均不得據彼而疑古本有乎字也。

【疏證】義案：甲本作「脩除玄藍，能毋疵乎？（下缺）」乙本作「脩除玄監，能毋有疵乎？愛民栝國，能毋以知乎？天門啓（闔），能爲雌乎？明白四達，能毋以知乎？」古本作「滌除玄覽，能無疵乎？愛民治國，能無以知乎？天門開闔，能爲雌乎？明白四達，能無以爲乎？」「脩」除玄監：通行本「脩」作「滌」。說文：『脩，脯也。從肉，攸聲。』朱駿聲曰：『假借爲「滌」』。司尊彝：「凡酒脩酌。」司農注：『以水洗勺而酌也。』又爲「修」。易象傳：『脩井也。』虞注：『治也。』……論語：「修慝辨惑。」孔注：「治也」。又說文：『修，飾也。從彡，攸聲。』禮記中庸：『修道之謂教。』注：『治也。』檀弓：「古不修墓。」注：「猶治也。」現存本無有作「脩」者。小篆本作「修」。脩除玄「監」能毋有疵乎：通行本「監」作「覽」。說文：『監，臨下也。從臥，衉省聲。」爾雅釋詁：『監，視也。』朱駿聲曰：『假借爲「鑑」，實爲「鏡」』。詩大東：「監亦有光。」

箋：「視也。」禮記大學：「儀監于殷。」疏：「視也。」晉語：「監戒而謀。」注：「察也。」賈子胎教：「明監所以照形也。」「監」、「鏡」雙聲。」又說文：「覽，觀也。從見、從監，監亦聲。」朱曰：『齊策：「而數覽」。注：「視也。」離騷：「皇覽揆余于初度兮。」注：「覩也。」漢書揚雄傳：「又覽纍纍之昌辭。」注：「省視也。」』朱說是。此證「監」、「覽」二字可互訓。現存本無有作「監」者。小篆本作「藍」。吳澄道德眞經註：「滌除玄覽，能無疵乎？神棲於目，目有所見，則神馳於外，閉目藏視，黑暗爲玄，雖玄之中，猶有所覽，是猶有疵也。玄中所覽，亦併滌除，妄見盡滅，然後無疵，此出世之人，能存神者也。」焦竑老子翼：「蘇子由云：聖人外不爲魄所載，內不爲氣所使，則其滌除塵垢盡矣。於是其神廓然，玄覽萬物，知其皆出於性，等觀淨穢，而無所瑕疵矣。既以治身，又推其餘以及人，雖於愛民治國，一以無心遇之。苟其有心，則愛民者，適以害之；治國者，適以亂之也。天門者，治亂興廢所從出也。既以身任天下，方其開闔變會之間，衆人貴得而患失，則先事以徼福，聖人循理而知天命，則待唱而後和。易曰：先天而天弗違，非先天也。後天而奉天時，非後天也，言其先後與天命會耳。不然，先者失蚤，後天失莫，皆失之矣。故所謂能爲雌者，亦不失時而已。內以治身，外以治國，至於臨變，莫不有道也。非明白四達，而能之乎？明白四達，心也。是以無所不知，然而未嘗有能知之心也。夫心一而已，苟又有知之者，則是二也。自一而二，蔽之所自生，而愚之所自始也。今夫鏡之於物，來而應之則已矣，而安得知應物者乎？本則無有，而以意加之，此妄之源也。呂吉甫云：能如嬰兒，則滌除悔吝，玄覽觀妙。凡動之微，我必知之，而能無疵矣。所以養中者，如此則雖愛民治國，不以事累其心，而能無爲矣。內之滌除玄覽而無疵，外之愛民治國而無爲，則天門開闔，常在於我，而能爲雌矣。不將不迎，應而不藏，則明白四達，而能無知矣。李息齋云：超然玄覽，非不善也。然此心未忘，則不足以語道，故能滌除玄覽，使之無疵乎？以愛愛民，愛始不周；以事治國，國始不治；淸靜臨民，民將自化，故曰能無爲乎？陽動而開，陰靜而闔，一開一闔，變化所出。然動而不已必窮，動已而闔，守靜養動，故曰能爲雌乎？內外明白，中心洞然，雖不涉事爲然，猶爲靜塵所累，必能自知，無自然而後知不爲礙，故曰能無知乎？李宏甫云：滌除玄覽，而能無疵，則可爲抱一矣。愛民治國，非神其誰爲之？而不能以無爲也。故知抱一者，不欲分心以愛民，務愛民者，不免役神以治國，是二之也，安能抱一而無離乎？天門開闔，非神其誰主之？而不能以自主也。故有開，則將不待迫之而自起；有闔，則逆不能無事而常定，是內淫也，安能抱一而無離乎？此無他，皆起於不知神之所爲也。夫神至虛也，虛則自然明白；神至靈也，靈則自然四達，而其誰能離之？然惟其有知也，是以無知；能無知，斯知之矣。有知則魄載神，無知則神載魄；神載魄則一，魄載神則二，故不可以有知也。焦竑云：玄覽，玄妙之見也。疵，病也。衆人之恥，麤而易除；學者之疵，微而難遣。何以故？道之所謂疵，則學有刅之，爲獨見者也。金屑雖精，入眼成翳。以覺爲礙，以解爲縛，可勝病乎？是故，當滌除之也。老子之示人，可謂盡矣。然智者除心不除事，昧者除事不除心；苟其誤認前言，不至於乾斷爲學者幾希！故又示之曰：我言載營魄者，非拱默之謂也，即愛民治國而能無爲也，所謂爲無爲也。專氣致柔者，非鬱閉之謂也。即天門開闔，而能爲雌也，所謂雄守雌也。滌除玄覽者，非晦昧之謂也，即明白四達，而能無知也，所謂知不知也。滌如水之濯除，如糞之除。天門以此心而言，開闔以心之運動變化而言。莊子：入出而無見其形，是謂天門本此。」魏源老子本義：「滌除玄覽者，非昧晦之謂也，即明白四達而能無知也，所謂知不知也。夫愛民治國，天門開闔，明白四達，其於生之畜也，爲之長之，皆不廢矣，而無爲也。爲雌也，無知也，則生不有，爲不恃，長不宰者，非玄德而何？此關尹子所謂在己無居，形物自著；莊子所謂以虛空不毀萬物爲實者，夫豈棄人事之實而獨任虛無也哉？蘇氏轍曰：聖人於道，既以治身，又推其餘以治人，然皆以無心遇之，苟有其心，則愛民者適以害之，治國者適以亂之也。陽動陰靜，一開一闔，治亂廢興所從出，衆人當此際患得患失，每先事而徼福，聖人循理而知天命，則待倡而後和，所謂先天而天弗違，後天而奉天時者，言其先後適與天命會耳，故能爲雌者不失時也。李氏贄曰：抱玄守一，神不外馳，則中有主，而天門開闔，常在我矣。彼世之不能自主者，有開則將，不待迫之而自起，有闔則逆，不能無事而常足，是內淫也，安能抱一而不離乎？張氏爾岐曰：元覽即觀妙觀徼之觀，天門開闔，指心之運動變化言。朱子曰：老子之學，以虛靜無爲沖退自守爲主，與莊生釋氏之旨，初不相蒙，而說者常欲合而一之，以爲神常載魄，而無所不之，此解老者之通蔽也。」王夫之老子衍：「滌除玄覽，能無疵乎？愛民治國，能無爲乎？天門開闔，生之所自出、爲天門。能爲雌乎？化至、乃受之。明白四達，能無知乎？有所滌，有所除，早有疵矣。愛而治之，斯有爲矣。闔伏開啓，將失雌之半矣。明白在中，而達在四隅，則有知矣。」馬叙倫老子校詁：滌除玄覽。能無疵乎。倫案：文廷式曰：覽，見也。滌除玄覽，言去一切見也。石田羊一郞引大田敦曰：玄覽猶玄鏡，淮南修務訓，清明之士執玄鏡於心，然則覽借爲鏡，猶借鑑爲鏡也。倫案：除借爲捨。說文：捨，釋也。玄覽即首章常無欲以觀其妙，常有欲以觀其徼，此兩者同出而異名，同謂之玄之義。滌除玄覽，如佛法所謂所觀之境，與能觀之心雙遣也。弼注曰：玄，物之極也，言能滌除邪飾，至於極覽，能不以物介其明疵之其神乎。辭義不明，紀昀謂疑有脫誤是也。河上公注滌除玄覽曰：當洗其心使潔淨也，心居玄冥之處，覽知萬事，故謂之玄覽也。諭二注皆以滌除與玄覽相對爲義，則老子何爲不曰洗心玄覽耶？愛民治國。能無以知乎。陸德明曰：治，河上本又作活。范應元曰：王弼孫登同古本。王昶曰：開元至元作能無爲。畢沅曰：能無以知，河上公作能無以爲，王弼作無能知。兪樾曰：景龍碑作愛民治國能無爲，天門開闔能爲雌，明白四達能無知，當從之。王本倒之。河上本兩句皆作無知，則辭複矣。易順鼎曰：此文各本多錯誤，傅本惟能無以爲乎一句誤，蓋能無以知乎之知，乃智字。能無知乎之知字，乃如字。王注曰：治國無以智，猶棄智也，能無以智乎？則民不辟而國治之也。是王本正作愛民治國能無以智？惟王義作智而字仍作知耳。張煦曰：開元呂林蘇趙作無能爲，葛作無能爲乎。倫案：易州民作人，宋河上作無能知，羅卷館本作而無知，臧疏彭寇白張嗣成二趙吳易州並作能無爲，磻溪作能無爲乎？唐寫無以字，范應元同此。范謂王弼同古本，則王亦同此，易擧王注爲諭，是也。至畢謂河上作無能爲，雖所見本與臧疏同，然宋刋本既作無知，諭河上注曰：治國者布德施惠，無令下知，則河上作無知，徒無以字，故河上讀如字。成疏曰：知，分別智也。又引下文以智治國國之賊爲說，則成亦作無能以知，今河上作無能爲，蓋後人據景龍碑改之。天門開闔。能爲雌乎。成玄英曰：天門，河上本作天地。范應元曰：河上並蘇注皆作爲雌，一本作無雌，恐非經義。畢沅曰：河上公作無雌，俞樾曰：王弼本亦作無雌。觀王注曰：言天門開闔能爲雌乎，則物自賓而處自安矣，則王本正作能爲雌乎？河上注曰：治身當如雌牝，是亦不作無雌。文廷式曰：老子一書，皆言守雌，獨至天門開闔之時，應機一發，不爲萬物制。故以無雌爲訓，文本作爲雌者誤。張煦曰：葛林趙爲雌作無雌。倫案：易州范彭趙吳唐寫磻溪集唐字本同此。趙寫作無雌，羅卷作天地開闔而爲雌，館本同羅，惟闔作合，據范說則作無雌者乃別本。後人據別本爲字誤者，改王本河上本也。至成謂天門河上作天地。論、河上注曰：天門謂北極紫微宮，治身天門謂鼻，則河上本亦作天門，作天地者乃別本之誤者耳。羅卷臧疏館本此二句，在明白四達之後。明白四達。能無以爲乎。畢沅曰：無以爲河上公作無知，以上六句，河上公並無乎字。李道純曰：有乎字者非。沅案：淮南子引並有乎字。有乎字者是。王昶曰：開元作能無知。張煦曰：開元呂等作能無知，六句並無乎字。倫案：陸德明曰：以知乎，河上本直作智，是陸所見王弼本作能無以知乎。然弼注曰：言至明四達，無迷無惑，能無以爲乎，則物化矣。所謂道常無爲，侯王若能守，則萬物自化，是王亦作能無以爲乎，豈陸所出，乃上文愛民治國能無以知乎之音，而今本釋文誤以此耶，范同此。磻本唐寫作能無知乎，淮南道應引此二句爲作知，張之象作能無爲乎，館本作而无爲，羅卷作無爲，無能以二字。成疏曰：且寂而能應，所以四達，應不乖寂，恒自無爲也，則成本亦作無爲，唐寫臧疏、彭寇白、張嗣成、二趙、吳磻溪及淮南道應訓文、子道原篇引並作能無知乎。（劉文典本淮南作能無以知乎。）易州作能无知，臧疏引蔡子晃曰：四達無知，是蔡本亦作能無知，淮南學齧缺問道於被衣事而引此文證之，齧缺問道於被衣事，蓋出莊子知北遊篇，諭義亦尚無知，則淮南引作無知是老子本文如此。以上六句乎字，館本白易州羅卷亦無。陳柱老子註：「滌除玄覽，能無疵乎？愛民治國，能無爲乎？天門開闔，能爲雌乎？明白四達，能無知乎？生之畜之，生而不有，爲而不恃，長而不宰，是謂玄德。無卜筮而知凶吉，郭象注云：『當則吉，過則凶，無所卜也。』即老子滌除玄覽能無疵之說也。俞樾云：唐景龍碑作『愛民治國能無爲，天門開闔能爲雌，明白四達能無知。』其義並勝，當從之；然則莊子『舍諸人而求諸己，』即愛民治國能無爲之說也。天門，羅振玉云：敦煌丙本門作『地，』然則莊子『交食乎地，交樂乎天』云云，即老子天門開闔能爲雌之說也。『兒子動不知所爲，行不知所之』云云，即老子明白四達能無知之說也。此章專言衞生之道。」高亨老子正詁：滌除玄覽，能無疵乎！按：「覽」讀爲「鑒」，「覽」「鑒」古通用。楚辭離騷：「皇覽揆余初度兮。」考異：「覽一作鑒」。文選西征賦李注引「覽」作「鑒」。九章抽思：「覽余以其脩姱。」考異：「覽一作鑒。」並其證。玄者形而上也，鑒者鏡也，玄鑒者，內心之光明，爲形而上之鏡，能照察事物，故謂之玄鑒。淮南子修務篇：「執玄鑒於心，照物明白。」太玄童：「修其玄鑒。」「玄鑒」之名，疑皆本於老子。莊子天道篇：「聖人之心，靜乎天地之鑑，萬物之鑑也。」亦以心譬鏡。洗垢之謂滌，去塵之謂除。說文：「疵，病也。」人心中之欲如鏡上之塵垢，亦即心之病也。故曰：「滌除玄覽，能無疵乎！」意在去欲也。愛民治國，能無爲乎！「爲」王本原作「知」，景龍碑、開元幢、古樓觀碑，並作「爲」。今據改。按：作「爲」是也。天門開闔，能爲雌乎！「爲」王本原作「無」，傅本爲作「爲」，景龍碑、開元幢、古觀樓碑，並與傅同。今據改。俞樾曰：「唐景龍碑作『天門開闔能無雌，』其義勝，當從之。」按：作「爲」是也。二十八章曰：「知其雄，守其雌，爲天下谿。」即其左證。天門，蓋謂耳目口鼻也。荀子天論篇：「耳目口鼻形能（王念孫讀書雜誌說「能」讀爲「態」。）各有接而不相能也，夫是之謂天官。」淮南子主述篇：「目妄視則淫，耳妄聽則惑，口妄言則亂。夫三關者不可不愼守也。」老子謂之天門者，天同於荀子之天，門猶之淮南子之關。蓋耳爲聲之門，目爲色之門，口爲飲食語言之門，鼻爲嗅之門，而皆天所賦予，故謂之天門也。莊子天運篇：「其心以爲不然者，天門弗開矣」天門亦同此義，言心以爲不然，則耳目口鼻不爲用。禮記大學：「心不在焉，視而不見，聽而不聞，食而不知其味。」即此意也。（莊子庚桑楚篇：「入出而無見其形，是謂天門。天門者，無有也，萬物出乎無有。」與此異義。耳目口鼻之開闔，常人競於聰明敏達，道家所忌，故欲爲雌，不欲爲雄也。明白四達，能無知乎！「知」王本原作「爲」，景龍碑、開元幢、景福碑、古樓觀碑，並作「知」，今據改。奚侗曰：「明白四達，是無所不知也。知而不自以爲知，乃德之上者，四十一章所謂『明道若昧』也。」按作「知」是也。朱謙之老子釋譯：奚侗曰：『玄借爲眩。荀子正論篇「上周密，則下疑玄矣；」楊注「玄，或讀爲眩；」是其例。文子上德篇淮南主術訓均云：「心有目則眩。」「玄覽」猶云妄見。滌除妄見，欲使心無目也。心無目則虛壹而靜，不礙於物矣。淮南氾論訓「故目中有疵；」高注「疵贅也」。』嚴可均曰：『「愛人」各本作「愛民」，「能无爲」王弼作「無知」，「能爲雌」河上作「無雌」，「能无知」王弼作「無爲」。』羅振玉曰：『「愛民」景龍本避諱作「人」。「國」下敦煌丙本作「而無知」，景龍、御注、英倫三本均作「能無爲」。「天門」敦煌丙本作「天地」。「闔」下敦煌丙本作「而爲」，景詔、御注、英倫、三本均作「能爲」。「達」下敦煌丙本作「能無爲」，景龍、御注、景福、英倫諸本均作「能無知」。』李翹曰：『「愛國治民」河上本「治」作「活」，譌。「天門開闔」成疏曰：「河上公本作天地開闔。」「明白四達」，淮南道應訓作「明白四達，能無以知乎」？』俞樾曰：『「愛民治國能無爲？」即孔子「無爲而治」之旨。明白四達能無知？」即「知白守黑」之義也。王弼本誤倒之。河上公本兩句並作「無知」，則詞複矣。「天門開闔能無雌？」義不可通，蓋涉上下文諸句而誤。王弼注云：「言天門開闔，能爲雌乎？則物自賓而處自安矣；」是王弼本正作「能爲雌」也。河上公注云：「治身當如雌牝，安靜柔弱；」是亦不作「無雌」，故知「無」字乃傳寫之誤，當據景龍本訂正。』情牽案：俞說是也。景龍本『爲雌』，敦煌本、傅、范本均同。范應元曰：『河上公並蘇註皆作「爲雌」，一本或作「无雌」，恐非經義；蓋當經中有「知其雄守其雌」也，理亦當作爲雌。』今案石本如邢玄、景福、慶陽、磻溪、樓正，諸王本如道藏本、集唐字本，皆作『爲雌』，與景龍同。紀昀校聚珍本亦云：『案王注義『無』似作『爲』。』又劉惟永道德眞經集義引王本經文，與景龍亦同，惟每兩句加『乎』字。王淮老子探義：滌除玄覽、能無疵乎。河上公曰，「當洗其心使潔淨也。心居玄眞之處，覽知萬事，故謂之玄覽也」。案：玄覽，指心體而言。此言修道之士要能清「心」無「欲」，孟子所謂「養心莫善於寡欲」義與此相近。荀子所謂：「虛一而靜謂之大清明」，亦即是此種修「心」工夫之極至也。又：禪宗六祖（北宗）神秀和尙證道偈曰：「身是菩提樹，心如明鏡臺，時時勤拂拭，無使惹塵垢（此雖是漸教法門，然既言「工夫」，則理固如是），其義即老子「滌除玄覽」，皆修心之工夫也。愛民治國、能無爲乎。案：「爲」字河上公本、王弼本皆作「知」字，注文亦然，知其誤久矣，唯唐景龍碑與明焦竑老子翼所引諸本皆作「爲」，審文義當從之。今據改。此言愛民治國要能無心而自化，無爲而自然，既不有心爲愛，亦不多事擾民，則天下自安，百姓自寧矣。天門開闔，能爲雌乎。案：天門，河上公謂「鼻孔」。本經五十二章：「塞其兌，閉其門」，河上公注曰：「門、口也，使口不妄言」。蓋「門」之狹義解釋指「口」而言，廣義解釋則指吾人之一切官能（五官、加心官，亦無不可）而言。開闔，即翕闢。猶動靜也。爲雌，舊本作「無雌」。嚴幾道曰：「爲譌無，看注自明」，焦，引諸本或作「爲」。今據改。爲雌即「柔弱安靜」（河上公語）之意。此言吾人動靜語默之間，要能柔弱安靜，謹言愼行，勿爭雄長。本經十六章所謂「致虛極、守靜篤」，即其義也。明白四達，能無知乎。呂吉甫曰：「道至於無知，則眞知也」。案：明白四達，謂智慧之本體（眞知），「無知」之「知」，謂世俗之知識（凡可道之道與可名之「名」皆是）。此言吾人如欲修證智慧之本體，則必須揚棄世俗之知識，故本經四十一章曰：「明道若昧」，七十一章曰：「知不知上」皆其義也。又：莊子曰：「曲士不可以語於道者，束於敎也」（秋水篇）亦爲一反面之證明。嚴靈峯老子達解：滌除玄覽，能無疵乎？謂屏除精微之觀察，能不見瑕疵否耶？愛民治國，能無知乎？謂愛民治國，能無用智巧否耶？天門開闔，能無雌乎？謂天地、陰陽闔闢之際，能守其雌靜否耶？明白四達，能無知乎？謂通達明察四方，能一無所知否？按：淮南子道應訓引，末句亦作：「明白四達，能無知乎？」足證兪說不誣。又：末句，武英殿本、浙局本並作「無爲」，此本作「知」，惟俞氏尚未見此本，其識之卓，殊不可及也。按：「明白四達能無知乎」句，疑當在五十五章：「含德之厚比於赤子」句上。嚴靈峯馬王堆帛書老子試探：「脩除玄監能毋有疵乎」：「小篆本作『修除玄藍能毋疵乎？』」高亨曰：『今本第十章：「滌除玄覽，能無疵乎？」「滌除玄覽」四字，講不圓通。「覽」字當讀爲「鑒」，「鑒」與「鑑」同，即鏡子。「玄覽」指內心的光明，是形而上的鏡子。淮南子修務：『執玄鑒於心，照物明白。』太玄童首：『修其玄鑒』。都是此義。老子是說：洗去內心的塵垢，即洗除內心的私欲等，則觀察事物就能沒有錯誤了吧！現在我們一查帛書，「覽」字篆本作「藍」，隸作「監」。「監」字即古「鑒」字。……後人不懂「監」字本義，改作「覽」字，是錯誤的。篆本作「藍」，則以同聲借用。』高說殊背老子本旨。按說文：『覽，觀也，從見從監。』漢書揚雄傳：『又覽纍纍之昌辭。』顏師古注：『省視也。』又說文：『監，臨下也。』爾雅譯詁『監，視也。』方言十二：『監，察也。』此不叚借爲「鑑」，乃省視之本義，不能作「鏡子」解也。老子五十八章：『其政悶悶，其民醇醇；其政察察，其民缺缺。』二十章：『俗人昭昭，我獨若昏；俗人察察，我獨悶悶。』豈可有「內心之光明」一如「鏡子」，覽字見於姬𡧖豆，本自可通。依帛書字例，「覽」字乃上聲下形之字，作「監」者，蓋以字上部爲之。又：「玄」字，古與「幺」爲一字，並具微小之義，非謂形而上之玄虛；「玄覽」二字，乃精微觀察之意。「滌除玄覽」，意謂屏除精微之觀察。上文：『專氣致柔，能如嬰兒乎？』蓋『專氣致柔』，欲使之猶如嬰兒。此云：『滌除玄覽』，欲使之看不見瑕疵；故云：『能毋疵乎？』上下文例一律；高氏以「覽」爲「鑑」，失之鑿矣。陳鼓應老子今註今譯：玄覽：

喩心靈深處明澈如鏡。「玄」，形容人心的深邃靈妙。「覽」，指心鏡的觀照。高亨說：「『覽』讀爲『鑑』，『覽』『鑒』古通用。……玄鑒者，內心之光明，爲形而上之鏡，能照察事物，故謂之玄鑒。淮南子修務篇：『執玄鑒於心，照物明白。』太玄童：『修其玄鑒。』『玄鑒』之名，疑皆本於老子。莊子天道篇：『聖人之心，靜乎天地之靈，萬物之鏡也』。亦以心譬鏡。」愛民治國能無「爲」乎：「爲」王弼本原作「知」。景龍碑，林希逸本，吳澄本，焦竑本都作「爲」。天門：各家的註解不一，舉數例，如：㈠河上公註：「天門謂鼻孔。」㈡蘇轍說：「天門者，治亂廢興所從出也。」㈢林希逸說：「天門，即天地間自然之理也。」㈣范應元說：「天門者，以吾之心神出入而言也。」今譯從㈠作感官解。開闔：即動靜。能爲雌：「爲雌」即守靜之意思。「爲雌」王弼本原作「無雌」。景龍本，傅奕及其他古本都作「爲雌」。「無雌」是誤寫，義不可通，應據傅本改正。俞樾：「『天門開闔能無雌』，義不可通。蓋涉上下文諸句而誤。王弼註云：『言天門開闔，能爲雌乎，則物自賓而處自安矣。』是王弼本正作『能爲雌』也。河上公註云：『治身當如雌牝，安靜柔弱。』是亦不作『無雌』。故知『無』字乃傳寫之誤，當據景龍本訂正。明白四達能無「知」乎：「知」王弼本作「爲」。河上公本及其他古本多作「知」，可據河上本改。兪樾說：「唐景龍碑作『明白四達能無知。』其義勝，當從之。」余培林老子讀本：玄覽：謂心體。河上公曰：「心居玄眞之處，覽知萬事，故謂之玄覽也。」爲：王弼本原作「知」，河上公本同，景龍碑本、林希逸本、焦竑本皆作「爲」。細觀文義，作「爲」較勝，故據改。天門：即荀子天論篇所謂的「天官」，指耳目口鼻等感官。開闔：即啓閉，動靜。爲雌：「雌」喩柔弱安靜。「爲」王弼本作「無」，河上公本同，傅奕本及其他古本皆作「爲」。王弼註云：「言天門開闔，能爲雌乎。」河上公註云：「治身當如雌牝，安靜柔弱。」是王弼原作「爲」，河上公本原亦不作「無」。作「無」義不可通，故據王註及傅奕本改。無知：王弼本原作「無爲」，河上公本及其他古本多作「無知」，前文謂「愛國治民，能無爲乎」，此不當重出「無爲」，故據河上公本改。張揚明老子斠證譯釋：「愛民治國，能無智乎」：傅作「能無以知乎」。開元、至元作「能無爲」。河上作「能無以爲」。俞樾：「能無爲，當從之。」易順鼎：「能無以知乎之知，乃智字。王注曰：「治國無以智，猶棄智也。」能無以智乎，則民不辟而國治之也。是本正作愛民治國能無以智乎。惟王義作智而字仍作知耳」。揚明案：易說是。六十五章：「民之難治。以其智多，故以智治國國之賊；不以智治國，國之福。」是其證。且本章所言「專氣致柔」、「滌除玄覽」、「愛民治國」、「天門開闔」、「明白四達」，莫非無爲而爲者，如單獨提出愛民治國爲「無爲」，則其餘四事均屬有爲矣，不太違老子本旨嗎？老子「知」「智」互用，且無以「知」作「智」者。故據王注改爲「智」字。「天門開闔，能無雌乎」：傅奕、范應元、彭耜、吳澄、景龍、磻溪、館本、羅卷、集唐字諸本，均作「爲雌」。河上、葛、林、趙寫，則同此。成玄英：「天門，河上本作『天地』。」范應元：「河上並蘇注作『爲雌』，一本作『無雌』，恐非經義。蓋當經中有知其雄守其雌也。」畢沅：「河上公作無雌。」魏源同。俞樾：「觀王注曰：『言天門開闔能爲雌乎，則物自賓而處自安矣。』則王本正作能爲雌乎。河上註曰：『治身當如雌牝』是亦不作無雌。」張煦：「葛、林、趙，作『無雌』事。文廷式：「老子書皆言守雌，獨至天門開闔之時，應機一發，不爲萬物制，故以無雌爲訓；

各本作「爲雌」者誤。」揚明案：(1)天門：惟河上本作「天地」；當以「天門」爲是。無雌：爲雌：各本不同。范、畢、兪、魏所見，亦有出入。復案能無雌乎，是說能不受守雌的思想所困擾嗎？亦即守雌必順其自然，而非容忍，非有意作爲也。倘易「爲雌」，則是有意造作，勉强行事了。范應元並引「知雄守雌」爲證，殊不知「知雄守雌」，係明知其雄，而不作雄飛，自甘雌伏。故「雄」爲體，而「守雌」則爲用。正是「弱者道之用」之意。蓋守者，靜以順應自然也。如「爲」，則係主動，係造作矣。故「爲雌」實非老子本旨。至文廷式所見雖是，然非所謂「應機一發，不爲萬物制。」老子因應自然，知雄守雌，毫無勉强，無所謂受制於物或制物也。「明白四達，能無知乎」：王弼原作「無爲」，館本、羅卷同。傅范作「無以爲」。河上、淮南、文子、開元、磻溪、唐寫、臧疏、彭、寇、白、張嗣成、二趙、吳澄、並作「無知」。揚明案：六句均爲無爲之意，無爲既不宜出於「愛民治國」下，自亦不宜出於「明白四達」。無知是，據改。「乎」：河上、景龍、館本、羅卷，均無六「乎」字。畢沅：「李道純曰：『有乎字者，非。」沅案淮南子引並有乎字，有『乎』字者是。」揚明案：詳文理，應有「乎」字。「玄覽」：河上公：「心居玄冥之處，覽知萬事，故謂之玄覽也。」揚明案：「玄覽」，心鏡也。六祖壇經神秀謁：「心如明鏡臺」是。河上失之。「天門開闔」：王弼：「天門謂天下之所由從也。開闔治亂之際也。或開或闔，經通於天下。故曰天門開闔也。」范應元：「天門者，以吾之心神出入而言也。」林希逸：「即天地間自然之理也，借造化而言之。」何道全：「天門者，生死變化之所出入之門戶也。」薛蕙：「天門一開一闔，言聖人之道，時止則止，時行則行也。」釋德清：「天門，指天機而言。

開闔猶言出入。」張爾岐：「天門，指心之運動變化言。」揚明綮：諸家所註，似均非老子本義。范、張雖相近，而語意亦欠明顯。莊子天運：「其心以爲不然者，天門弗開矣。」成疏：「其心之不能如是者，天機之門擁而弗開。天門，心也。」又庚桑楚：「有乎生，有乎死，有乎出，有乎入。入出而無見其形，是謂天門。天門者，无有也。萬物出乎无有。」郭注：「謂之天門，猶云衆妙之門也。」成疏：「天者自然之謂也。自然者，以無所由爲義。言萬物皆無所從，莫測所以，自然爲造物之門戶也。」釋文：「天門，一云謂心也；一云謂道也。」黃庭內景經：「上合天門入明堂。」注：「天門在兩眉間，即天庭是也。」法苑珠林：「頭爲殿，額爲天門」。是「天門事有三義：即一謂心；一謂道；一謂額。而本章所言，則以「心」爲妥。此心即指心意、思想而言。」「明白四達，能無知乎」：呂吉甫：「道至於無知，則眞知也。」易順鼎：「『能無知乎』之『知』，乃如字。」揚明綮：此句係指心與天遊，無遠弗屆，無微不察，前知古始，後雖百世可知也。而純乎自然，不須運之以智巧，行之而亦不自知之意。

十一章　無用（闕）

十二章　檢欲（闕）

十三章　猒耻

寵辱若驚，貴大患若身。何爲寵辱若驚？寵爲下，得之若驚，失之若驚，是謂寵辱若驚。

(15)

【斠補】王注：寵必有辱，榮必有患，驚辱等，榮患同也。爲下得寵辱榮患若驚，則不足以亂天下也。案此文寵貴對文，辱與大患對文，寵亦貴也。老子之義，蓋言世人不知辱之下，而尊之若驚；不知大患之害，而貴之若身。王注非也。又寵爲下三字，當从河上本作辱爲下。

【疏證】義案：甲本作「龍辱若驚，貴大梡若身。苛胃龍辱若驚？龍之爲下，得之若驚，失之若驚，是胃龍辱若驚。」乙本作「弄辱若驚，貴大患若身。何胃弄辱若驚？弄之爲下身，得之若驚，失之若驚，是胃弄辱若驚。」古本無異文。「龍」辱若驚：通行本「龍」作「寵」。說文：『寵，尊居也。从宀，龍聲。』此叚字之下部爲之。現存本無有作「龍」者。隸書本作「弄」。「弄」辱若驚：通行本「弄」作「寵」。說文：『弄，玩也。从廾、玉。』又：說文：『寵尊凥也。从宀，龍聲。』義不相關，惟古同韵；疑同聲叚借。現存本無有作「弄」者。小篆本作「龍」。「苛」胃龍辱若驚：通行本「苛」作「何」。說文：「苛，小艸也。从艸，可聲。」方言二：「苛，怒也。」又說文：「苛，怒也。」又說文：「何，儋也。从人，可聲。」義不相關，疑同聲叚借字。現存本無有作「苛」者。隸書本作「何」。吳澄道德眞經註：寵辱若驚，貴大患若身。寵，猶愛也。名位之尊，人以爲榮，反觀之，則辱也。故知道者，不愛而愛之者，於此而驚焉，謂不能忘之，而以之動心也。貴，猶重也。財貨之富人，以爲大利。反觀之，則大患也。故知道者不貴，而貴之者，於此而身焉。身焉不能外之，而以之自累也。何謂寵辱，辱爲下，得之若驚，失之若驚。謂之辱者，以其爲卑下，而不足爲尊高也。或者貪慕於未得之先，一旦得之，而驚焉。迷戀於既得之後，一旦失之而驚焉。是寵此辱而驚之者也？故曰：「寵辱若驚」。焦竑老子翼：「蘇子由云：古之達人，驚寵若驚辱，知寵之爲辱先也。貴身若貴大患，知身之爲患本也。是以遺寵而辱不及，忘身而患不至。所謂寵辱非兩物也，辱生於寵，而世不悟，以寵爲上，而以辱爲下者，皆是也。若知辱生於寵，則寵固爲下矣。故古之達人，得寵若驚，失寵若驚，未嘗安寵而驚辱也。所謂若驚者，非實驚也。若驚而已貴之，爲言難也。有身大患之本，而世之士，難於履大患，不難有其身。故聖人因其難於履患而救之，以難於有身，知有身之爲難，而大患去矣。呂吉甫云：寵者，畜於人者也，下道也。寵而有其寵，則辱矣。吾之所以有辱者，以吾有驚；未得之，則驚得之；既得之，則驚失之。若吾無驚，吾有何辱？則寵之有辱者，亦若是而已。貴者，畜人者也，上道也。貴而有其貴，則有患矣。吾之所以有大患者，爲吾有身；故吉亦我所患，凶亦我所患。若吾無身，吾有何患？則貴之有大患者，亦若是而已。言身則驚之爲心，言驚則之知身爲累也；無心則無驚，無驚則無辱；無身則無累，無累則無患。王元澤云：老子先明寵貴之累，而寵貴之累，皆緣有身而生，故因譬貴之若身，遂及無身之妙。焦竑云：人情率上寵而下辱，不知辱不自生，生於寵也，則寵爲下矣。寵爲下，故得寵失寵皆若驚，然驚者觸於物，而無著者也，過則虛矣。貴重也，謂難之也，人情率有身，而難患不知，患不自生，生於身也，無其身，則無患矣。」魏源老子本義：寵辱若驚，貴大患若身，何謂寵辱？此句他本亦有若驚二字，惟河上及開元本無之。寵爲下。三字，從王弼搏奕開元本，河上作何謂寵辱，辱爲下。陳景先、李道純作何謂寵辱若驚？寵爲上，辱爲下，俱謬。是爲寵辱若驚。吳澄本，無此六字。寵榮也。貴重也。世人不知辱之爲辱而寵之，不知患之爲患而貴之，是榮其辱而貴其患也。若驚，甚言其寵也。若身，甚言其貴也。夫人莫不惡辱而畏患，今反謂其寵而貴之何哉？蓋世人相習於妄見，則不知反其本，相安於當境，則未觀其終，何謂人之寵其辱哉？正以可辱者，即人之所謂寵也。夫寵人者上人，寵於人者下人，爲人下，非辱而何？而世人反榮之，得之則驚喜，失之則驚憂焉，是豈非惟辱是寵乎？寵辱之寵以己言，寵爲下之寵以人言也。何謂人之貴其患若身哉？正以可患者，皆人之所謂必不可無者也，人惟自私其身，有欲則有患，苟能外其身後其身，何患得患失之有？然則凡養身之可欲者，非大患而何？而人專重之，一若與生俱生而不肯暫舍焉，是豈非貴大患若身乎？是皆不知自重自愛之道故也。倚人之寵以爲重，而適以自輕，若果能自重，則雖榮以天下，而不肯輕以身處之矣。徇外之求以自奉，而適以自苦，若誠能自愛，雖付以天下而惜以身任之矣。如此則若以身寄託於天地之間，蓋有天下而不與焉者，直若寄焉而已。淮南子引老子此語，而證以太王避邠，杖策而去於岐山之下。是也。夫不能寵者復何辱之有？身外無所貴者，夫何患之自取哉？此章謬解不一，大抵以驚寵爲當然。以忘身爲幻泡，以寄託爲可付重任，今悉不取。王夫之老子衍：寵辱若驚，貴大患若身。何謂「寵辱若驚」？寵爲下，辱至則驚，去則洒然矣。寵至則驚，去之又驚，故較之尤劣。得之若驚，失之若驚，是謂寵辱若驚。

「衆人納天下於身，至人外其身於天下。夫不見納天下者，有必至之憂患乎？寵至若驚，辱來若驚，則是納天下者，納驚以自滑也。大患在天下，納而貴之與身等。夫身且爲患，而貴患以爲重槼之身，是納患以自梏也。唯無身者：以耳任耳，不爲天下任聽；以目任目，不爲天下任視；吾之耳目靜，而天下之視聽不熒；驚患去己，而消於天下，是以爲百姓履藉而不傾。」馬叙倫老子校詁：「寵辱若驚。貴大患若身。何爲寵辱若驚。寵爲下。」陸德明曰：河上本云：何爲寵辱？無若驚二字。陳景元曰：河上本作寵爲上辱爲下，皇甫謐本同。彭耜曰：纂微作寵爲上辱爲下。畢沅曰：王弼同此。河上公作何謂寵辱辱爲下，明皇作何爲寵辱寵爲下，陳景元李道純作何謂寵辱若驚寵爲上辱爲下，陳李二家俱謬。王昶曰：至元作何謂寵辱寵爲下。俞樾曰：王本河上本疑均奪誤，當從陳景元李道純本。張煦曰：趙作何爲辱寵爲下，呂蘇作何爲寵辱爲下，葛林作何謂寵辱辱爲下。石田羊一郎曰：王弼亦作寵爲下，河上作辱爲下，均有奪誤，當據李道純本訂。倫案：羅卷無下若驚二字，唐寫易州作何爲寵辱辱爲下。范彭臧疏二趙吳並作何謂寵辱，寇張嗣成潘作寵爲上辱爲下，吳作辱爲下，磻溪及文選在懷縣作詩注引何謂寵辱寵爲下。成疏曰：何者爲得寵心驚喜，失寵心驚怖，此兩驚本由一寵，故足爲下，是成同此。世說新語棲逸篇注引作寵辱若驚，得之若驚，失之若驚，無寵爲下三字。弼注曰：爲下得寵辱榮患若驚，則不足以亂天下也。是王有爲下二字，無寵字，蓋爲下二字乃弼注，而誤入經文，校者又因河上注曰：寵辱爲下賤，妄增寵字或辱字於河上本。（臧疏本作寵爲下。）後人復以河上本改王本耳，當從世說注引去寵爲下三字。倫案：劉師培曰：寵亦貴也。其說是也。寵字與貴字對文，辱字與大患對文，王弼河上注並以寵辱爲對文非是。石田羊一郎引大田敦曰：驚蓋狂疾別名，國語楚語下闔閭聞一善若驚，呂氏春秋愼大覽其身若驚。得之若驚，失之若驚，是謂寵辱若驚。張弼曰：林無是謂一句。倫案：臧疏謂作爲，吳無是謂寵辱若驚一句。」陳柱老子注：『「寵辱若驚，貴大患若身。」何謂寵辱若驚？寵爲下，得之若驚，失之若驚，是謂寵辱若驚。」二語爲古語，老子引而解釋之。寵爲下句，當從俞樾說據陳士元和本作『寵爲上，辱爲下，』謂人所以受寵辱若驚者，因以寵辱有上下之分，故有得寵失寵之驚，受辱亡辱之驚耳，向使寵不以爲寵，辱不以爲辱，孰得而驚之乎！」高亨老子正詁：寵辱若驚。按：國語楚語：「其寵大矣。」韋注：「寵，榮也。」說文：「驚馬駭也。」此以馬喻，故云若驚。貴大患若身。按：此句義不可通。疑原作「大患有身，」「貴」字涉下文而衍。王弼注：「故曰大患若身也。」是王本原無「貴」字。河內公注：「貴，畏也。」是河上本原有「貴」字。今王本亦有「貴」字者，後人依河上本增之耳。「有」「若」篆形相近，且涉上句而譌，下文云：「吾所以有大患者，爲吾有身，及吾無身，吾有何患。」正申明此意。且「有身」二字，前後正相應。七章曰：「聖人後其身而身先，外其身而身存。」後其身，外其身，即不「有身」也。史記孔子世家載老子告孔子之言曰：「爲人子者毋以有己，爲人臣者毋以有己，」有己即有身也。有身則自私。自私之極，則殺身覆宗亡國，故曰「大患有身。」下文「何謂貴大患若身，」誤與此同。何謂寵辱若驚？寵爲上，辱爲下。「寵爲上，辱爲下，」王本原作「寵爲下，」河上本作「辱爲下，」景福碑、陳景元本、李道純本，並作「寵爲上，辱爲下，」陳景元引河上公本、王甫謐本同，今據增。

俞樾曰：「當云：『何謂寵辱若驚，寵爲上，辱爲下，』陳景元、李道純本，可以訂諸本之誤。」按：俞說是也。得之若驚，失之若驚，是謂寵辱若驚。按：得寵得辱，失寵失辱，皆若驚者，由於自私其身也。自私其身，則重視外物，重視外物，則情爲物移，此人之通病也。或曰：「寵爲上，辱爲下，得之若驚，失之若驚，當作寵爲上，失之若驚，辱爲下，得之若驚，文有竄誤耳。」**朱謙之老子釋譯**：嚴可均曰：『何謂寵辱？辱爲下。王弼傅奕作「何謂寵辱若驚？寵爲下。」』羅振玉曰：『河上、景龍、御注、景福、敦煌丙諸本，均無「若驚」二字。景龍本「辱爲下」；景福本作「寵爲上，辱爲下」。』李道純曰：『「寵爲上，辱爲下，」或云「寵爲下」，不合經義。』俞樾曰：『河上公本作「何謂寵辱？辱爲下」。注曰：「辱爲下賤」，疑兩本均有奪誤。當云：「何謂寵辱若驚？寵爲上，辱爲下。」河上公作注時，上句未奪，亦必有注，當與辱爲下賤對文成義，傳寫者失上句，遂並注失之。陳景元、李道純本，均作「何謂寵辱若驚？寵爲上，辱爲下；」可據以訂諸本之誤。』榮健昨曰：『「寵爲上，辱爲下，」景福本如此。傅范與開元本諸王本，皆作「寵爲下」一句；景福與河上作「辱爲下」一句；以景福本證之，知二者皆有闕文。道藏、陳景元、李道純、寇才質諸本，並如景福，亦作二句。陳云：「河上本作寵爲上、辱爲下；於經義完全，理無迂濶。知古河上本原不闕上句。」按「寵辱」，謂寵辱之見也；為上為下，猶第六十一章「以其靜為下；」「大者宜為下；」諸言為下之見也。蓋謂以為上為寵，以為下為辱，則得之失之，皆有以動其心；其驚惟均也。若從闕文作「寵為下」一句而解，如以受寵者為下，故驚得如驚失，非其旨矣。作「辱為下」一句者，更不可通。』武內義雄曰：『按舊鈔河上本作：「何謂寵辱？寵為上，辱為下；」諸王弼本作：「何謂寵辱若驚？寵為下。」雖然陸氏雖注「河上本無若驚二字」耳。今本王本「寵」字下「為」字之上，當脫去「為上辱」三字，河上本似脫去「若驚」二字。蓋王弼、河上兩本相同，後河上本脫去「若驚」二字，王本脫去「為上辱」三字，在後以兩本脫誤本互校，遂生種種之異。』奚侗曰：『吳澂本無「是謂寵辱若驚」六字；以下文例之，似是。』情斖案：林希逸亦無此六字。又「驚借為「警」」，易『震驚百里；』鄭注『驚之言警戒也。』

王淮老子探義：寵辱若驚。河上公曰：「身寵亦驚，身辱亦驚」。王弼曰：「寵必有辱，榮必有患。寵辱等，榮患同也」。案：寵辱為互相對待者，亦猶是非、善惡、美醜之互相對待。蓋既有榮寵，則必有榮寵之反面（辱患），故為有道者所不取也。苟或不幸得之，則無論寵辱，皆似若可驚。而有道之士要平抽身於寵辱之外，超然於禍福之上，體合自然，逍遙無為。本經所謂「見素抱樸」，莊子所謂：「定乎內外之分，辯乎榮辱之境」（逍遙遊），即其義也。貴大患若身。河上公曰：「貴，畏也。若，至也。畏大患至身故皆驚」。焦竑曰：「貴大患若身，當云：貴身若大患。倒而言之，古語類如此」。案：貴，重也。謂重視之，故有謹慎之義。此言修道之士謹慎（擔心）自己之身體。就如謹慎（擔心）大患一樣，（河上公訓「若」為「至」，非）。一般但知外在之禍患可畏，不知我主觀之身體乃一切禍患之根本，故釜底抽薪之道，端在忘身也。何謂寵辱若驚？（寵爲上），辱爲下。得之若驚，失之若驚，是謂寵辱若驚。俞樾曰：「河上公本作『何謂寵辱？辱爲下』。陳景元、李道純，均作『何謂寵辱若驚，寵爲上、辱爲下』，可據以訂諸本之誤」。勞健曰：「『寵爲上、辱爲下』，景福本如此。傅范與開元本諸王，皆作『寵爲下』一句，景龍與河上作『辱爲下』一句。以景福本證之，知二者皆有闕文。道藏陳景元、李道純、寇才質諸本，並如景福，亦作二句」。嚴靈峯老子達解：寵辱若驚。心是惡源，有所好樂，則不得其正。得失之念起，而寵辱皆驚；故曰：寵辱若驚也。貴大患若身。言有身爲人之大患，重大患及於其身；故曰：貴大患若身也。何謂寵辱若驚？寵爲下。此著者自設問，自解答也。問曰：『何謂寵辱若驚？』答曰：『寵爲下。』辱之爲下，人莫不知；寵之爲下，人莫之知。夫爲以上者寵人，爲人下者寵於人。聞夫之寵妾矣，未聞妾之寵夫也；聞君之寵臣，未聞臣之寵君也。爲以臣、妾，不亦下乎！故以寵爲下也。得之若驚，失之若驚；是謂寵辱若驚。寵既爲下，故得之而驚；然失寵尤驚。未得之時，則患不得之；既得之後，又患失之，此謂寵辱若驚也。貴大患若身。王弼注『大患，榮寵之屬也，生之厚必入死之地；故謂之大患也。以之迷於榮寵，返之於身；故曰：「大患若身」也。』依注當無「貴」字。高亨曰：『此處云：「貴大患若身，」下文云：「何謂貴大患若身」；二「貴」字義不可通，殆皆衍文也。王注曰：「故曰大患若身也」；是王本原無「貴」字。河上公注曰：『貴，畏也。』是河上本原有「貴」字，今王本亦有「貴」字者，後人依河上本增之也。「寵辱若驚」，「大患若身」，皆四字爲句；應據王注刪二「貴」字。』張純一曰：『舊「大」

上衍「貴」字，「有」譌若」」：義不可通。』按：釋僧肇涅槃無名論：『夫大患莫若於有身，』故滅身以歸無。』是肇論所據本亦無「貴」字，下文正作「有身」。「大患有身」，即佛說八大人覺經所謂：「心是惡源，形爲罪藪；如是觀察，漸離生死。」是也。故下文云：「及吾無身，吾有何患？」「無身」正應上「有身」而言。莊子知北遊篇：「若死生爲徒，吾又何患？」似當從張說刪去「貴」，並改「若」字作「有」。是謂寵辱若驚。奚侗曰：『吳澂本無「是謂寵辱若驚」六字，以下文例之，似是。』奚說是也。按：林希逸本、明太祖本無此句，似當刪去。**嚴靈峯馬王堆帛書老子試探**：貴大「梡」若身：通行本「梡」作「患」。說文：梡，梱木薪也。从木，完聲。』廣雅釋器：『梡，几也。』又說文：『患，㥏也，从心，上貫吅，吅亦聲。』朱駿聲曰：『串即毌字，从心毌聲。』按：禮記樂記：『論倫無患』，注：『害也。』義不相關。惟集韻、韻會：「梡，並胡慣切，音患，木名。」疑叚聲近爲之。現存本無有作「梡」者。隸書本作「患」。**陳鼓應老子今註今譯**：寵辱若驚：得寵和受辱都使人驚慌。**河上公說**：「身寵亦驚，身辱亦驚。」貴大患若身：重視身體一如重視大患。「貴」，重視。「身」，身體，可作生命講。**王純甫說**：「貴大患若身，當云：貴身若大患。倒而言之，文之奇也，古語多類如此者。」（引自老子憶）這句話，前人的註解都不妥，只有王道（字純甫）的說法可取。焦竑老子翼曾錄王純甫這項解釋。**寵爲下**：得寵不是光榮的。「下」即卑下的意思。**憨山說**：「世人皆以寵爲榮，却不知寵乃是辱。」又說，寵爲下，謂寵乃下賤之事也。譬如僻倖之人，君愛之以爲寵，雖卮酒臠肉必賜之。非此，不見其爲寵，彼無寵者，則傲然而立。以此較之，雖寵實乃辱之甚也，豈非下耶！故曰寵爲下。」河上公本作

「辱爲下」。景福碑、陳景元本，李純道本作「寵爲上，辱爲下」。余培林老子讀本：寵辱若驚：河上公曰：「身寵亦驚，身辱亦驚。」按本句與下句「貴大患若身」，應是古語（陳柱亦主此說，見老子選註），而非老子之言。蓋就老子思想言：老子主張「無欲」，故十九章曰：「少私寡欲」，五十七章曰：「我無欲而民自化」。既主「無欲」，則必主寵辱兩忘，得失俱滅，今謂「寵辱若驚」，下文又謂「得之若驚，失之若驚」，似不合其思想。老子又主張「無身」（即無私、無我之意），故本章曰：「及吾無身，吾有何患」，七章曰：「後其身」，「外其身」，「無私」。今謂「貴大患若身」，似亦不合其思想。再就本章文字而言：全章可分爲四段。首二句爲第一段，乃老子所引古語。自「何謂寵辱若驚」至「是謂寵辱若驚」爲第二段，乃解釋「寵辱若驚」之言。自「何謂貴大患若身」至「吾有何患」爲第三段，乃解釋「貴大患若身」之言。自「故貴」以下爲第四段，乃老子爲上文所作之結語。文義一貫，脈絡顯明。而第二與第三兩段，皆以「何謂」開端，二段又以「是謂」作結，此皆訓釋語氣。若「寵辱若驚，貴大患若身」二語爲老子己語，則老子何必自說而又自解之？又第四段「貴以身爲天下」、「愛以身爲天下」，乃老子無我、忘身之思想表現，與首二句「寵辱若驚，貴大患」之義，完全相背，若首二句爲老子己語，則此處何以否定之？凡此足證「寵辱若驚，貴大患若身」二句乃古語，而非老子之言。又按「若」字本章共用九次，高亨以爲前五次當作「者」，張默生乃據之改前七「若」字爲「者」字。河上公於下句「貴大患若身」下註曰：「若，至也」，裴學海解作「以」（古書虛字集解），似都不妥。竊意以爲本章九「若」字皆當訓「乃」。「若」與「乃」古聲皆屬泥紐，二字聲同，故可通用。

「若可以寄天下」、「若可以託天下」，河上公本上一「若」字作則，下一「若」字作「乃」，莊子在宥篇皆作「則」，淮南子道應訓皆作「焉」。「則」、「焉」亦均有「乃」意。貴大患若身：河上公曰：「貴，畏也。若，至也。畏大患至身，故皆驚。」按「若」訓「乃」，前已言之。此句「身」字與上句「驚」字參互以見義，故爲互備語。河上公釋上句曰：「身寵亦驚，身辱亦驚。」釋下句曰：「畏大患至身，故皆驚。」上句連言「身」，下句連言「驚」，是河上公已明此旨。其他註家因未明此二字之用，故皆未能釋清二句之意。王道解「貴大患若身」，顚倒作「貴身若大患」，離旨愈遠。寵爲上，辱爲下：王弼本作「寵爲下」，河上公本作「辱爲下」，陳景元、李道純本作「寵爲上，辱爲下」。兪樾曰：「王本、河上本疑均奪誤，當從陳景元、李道純本。」按此二語乃解釋「寵辱若驚」之言，蓋世人皆以寵上辱下，得寵則尊，受辱則卑，因此得失皆驚。由此觀之，陳景元本、李道純本作「寵爲上，辱爲下」，義似較勝。王弼本作「寵爲下」，義不可通；河上公本作「辱爲下」，義則偏而不全，今據兪樾之說改。「大患若身」：王弼原作「貴大患若身」，高亨正詁：「此句義不可通，疑原作『大患若身』，『貴』字涉下文而衍。王弼注：『故曰大患若身也』。是王本原無『貴』字。『有』『若』篆形相近，下文云：『吾所以有大患者，爲吾有身』，正申明此意。且「有身」二字，前後正相應。有身則有私，自私之極，則殺身覆宗亡國，故曰『大患有身』。下文『何謂大患若身』，誤與此同。」張純一：「舊『大』上衍『貴』字，『有』譌『若』，義不可通。」楊明案：『貴』字應刪；下文同。至「若」，各本均同。若，如也；即或似之意，不肯定的說法。老子常用此等字句。如四十章「若存若亡」「若昧」「若退」均是。故應依原句不改。「何謂寵辱若驚？寵爲上，辱爲下」：釋文：「河上公無『若驚』二字。」陳景元：「河上本作『寵爲上，辱爲下』。暫甫謐本同。」彭耜：「纂微作『寵爲上，辱爲下』。」俞樾：「陳景元、李道純本均作『何謂寵辱若驚？寵爲上，辱爲下。』可據以訂諸本之誤。」石田羊一郎，武內義雄並同。武內並說：「蓋王弼、河上兩本相同，後河上本似脫去『若驚』二字；王弼脫去『爲上辱』三字。在後以取脫誤本互據，遂生種種之異。」王昶：「至元作『何謂寵辱？寵爲下。』」畢沅：「明皇作『何謂寵辱？寵爲下』。」張煦：「趙作『何謂辱？寵爲下』。呂、蘇作『何謂寵辱？寵爲下』。葛、林作『何謂寵辱？辱爲下。』」馬叙倫：「羅卷無下『若驚』二字。景龍、唐寫作『何謂寵辱？辱爲下。』范、彭、臧疏、二趙、吳並作『何謂寵辱』。寇、張嗣成、潘作『寵爲上，辱爲下』。吳作『辱爲下』。磻溪、文選作『何謂寵辱，寵爲下』。世說新語棲逸篇注引無『寵爲下』三字。」嚴可均：「景龍作『何謂寵辱，辱爲下。』傅作『寵爲下。』」羅振玉：「景福本作『寵爲上，辱爲下』。」勞健：「陳景元云：『河上本作寵爲上，辱爲下，於經義完全，理無迂闊；知古本原不闕上句』。蓋謂以『爲上』爲『寵』，以『爲下』爲『辱』，則『得之』『失之』，皆有以動其心。其心爲均也。若從闕文作『寵爲下』一句而解，如以受寵者爲下，故驚得如驚失，非其旨矣。作『辱爲下』一句，更不可通。」揚明案：陳景元、俞樾、勞健、武內義雄諸說是。一切差誤，均以兩脫誤本相校而起也。故應復其舊，方爲完善。「是謂寵辱若驚」：林希逸、吳澄兩本無此句。奚侗：「無此六字，以下文例之，似是。」嚴靈峯：「無此六字，當從之。倘再加『是謂寵辱若驚』一句，則文複矣。若有此句，依文例，則下文亦宜增『是謂大患有身』一句，文法始一律也。」揚明案：「是謂寵辱若驚」一句，甚爲自然，亦可加强語氣。與下節大患若身之文氣本非一律，故下文不必再加一句，再加，反不倫不類矣。「及吾無身，吾有何患」：傅、范、司馬、「及」作「苟」；「患」下有「乎」字。河上、呂、臧疏、磻溪、趙寫及晋書嵇康無私論引均同此。景龍、館本、羅卷「及我无身」。王弼：「寵必有辱，榮必有患，寵辱等，榮患同也。大患榮寵之屬也。生之厚，必入死之地，故謂之大患也。人迷之於榮寵，返之於身，故曰：「大患若身也。」蘇轍：「夫惟達人，知性之無壞，而身之非實，忽然忘身，而天下之患盡去，然後可以涉世而無累矣。人之所以驚於權利，溺於富貴，犯難而不悔者，將以厚其身也。今也祿之以天下，而重於身任之，則其忘身也至矣。如此而以天下與之，雖天下之大，不能患之矣。……然貴以身爲天下，非忘我不能，故使天下知名之不足親，貨之不足多，而後知貴身，而後知忘我。」呂吉甫：「無心則無驚，無驚則無辱，無身則無累，無累則無患。昔者舜以匹夫而友天子，則可謂寵矣；而若固有之，則何辱之有？巍巍乎有天下，可謂貴矣，而不與有焉，則何大患之有？故貴以身爲天下，若可寄天下。寵而招辱，則賤其身矣，非可以寄天下者也。愛以身爲天下，若可託天下，貴而罹患，則危其身矣，非可以託天下者也。若夫寵而不有其寵，貴而不有其貴如舜者，乃眞可寄託天下者也！」焦竑：「夫不以身視身，而以大患視身，無身者也。而顧可以無患。所謂後其身而身先外其身而身存也。如不輕以身爲天下者，天下反可寄；惜以身爲天下者，天下反可託；則知不有其身，而其身反可保也。夫王子搜惡爲君，而越人愈迫欲得之，則不有其身而身可有也，復奚疑哉！」

故貴以身爲天下，若可寄天下；愛以身爲天下，若可託天下。⒃

【斠補】王注：如此乃可以寄天下也，如此乃可以託天下也。案王注訓若爲乃是也。惟乃字亦非古本。莊子在宥篇云：故貴以身爲天下，則可寄天下；愛以身爲天下，則可託天下淮南子道應訓云：故老子曰：故貴以身爲天下，焉可以託天下，愛以身爲天下，焉可以寄天下。考老子之書，凡乃詞、則詞，恆用焉字。如十七章：信不足，焉有不信焉。二十三章同此。老子恆有焉字之徵，焉即於字，王氏讀書雜誌述之甚詳。故知此文古本亦作焉可，則字、乃字，均後人訓釋之詞，校者用以代正文。又開元本，於此文二若可，均改爲則若，此則不知若即則義矣。

【疏證】義案：甲本作「故貴爲身於爲天下，若可以遺天下矣；愛以身爲天下，女可以寄天下。」乙本作「故貴爲身於爲天下，若可以橐天下，□愛以身爲天下，女可以寄天下矣。」古本作「故貴以身爲天下者，則可以託天下矣；愛以身爲天下者。則可以寄天下矣。」若可以「橐」天下；通行本「橐」作「託」。說文『橐，囊也。从省㯻，石聲。』朱駿聲曰：『小而有底曰橐，大而無底曰囊。』又說文：『託，寄也。从言，乇聲。』義不相關。朱曰：『淮南、論衡：「項託」，漢書注作「橐」。蓋同音叚借字。現存本無有作「橐」者。小篆本作「𧦝」。吳澄道德眞經註：「天子之尊，四海之富，皆以其身爲天下者也。知道之人，愛惜貴重此身，不肯以之爲天下，甯不有天下，而不輕用其身。夫惟如此，乃可以寄託以天下也。寄，猶寄百里之命之寄。託，猶託六尺之孤之託。舜禹有天下，而不與焉，所以可受唐虞之禪，彼寵其辱，以爲榮，貴其大患以爲大利者，鄙夫爾。何可付之以天下哉？貴以身爲天下，富以身爲天下，老子之意善矣，而楊朱爲我之學，原於此。」焦竑老子翼：「蘇子由云：夫惟達人，知性之無壞，而身之非實，忽然忘身，而天下之患盡去，然後可以涉世而無累矣。人之所以驚於權利，溺於富貴，犯難而不悔者，將以厚其身耳。今也祿之以天下，而重以身任之，則其忘身也至矣。如此而以天下與之，雖天下之大，不能患之矣。呂吉甫云：故貴以身爲天下，若可寄天下，寵而招辱，則賤其身矣，非可以寄天下者也。愛以身爲天下，若可託天下，貴而罹患，則危其身矣，非可以託天下者也。焦竑云：如不輕以身爲天下者，天下反可寄；惜以身爲天下者，天下反可託；則知不有其身，而其身反可保也。」魏源老子本義：故貴以身爲天下，則可寄於天下。愛以身爲天下，乃可託於天下矣。寄託下各本無於字，開元本兩可字皆作若字，傅奕本天下下各有者字，兩可字上皆作則字，天下末各有矣字，此四句並從淮南子及河上本。吳氏澄曰：人以爲榮者，自知道者反觀之，則辱也，有何可愛，而愛之者於此而驚焉。人以爲大利者，自知道者反觀之，則大患也。是豈足貴，而貴之者於此而身焉。是故，被寵至卑下耳，而得失動心，身外之物至輕耳，而若與身俱有，則惑之甚也。呂氏惠卿曰：寵者畜於人者也，下道也，寵而有其寵則辱矣。吾之所以有辱者，以吾有驚，既驚其得，復驚其失，若吾無驚，吾有何辱？吾之所以有大患者，爲吾有身，故吉亦我所患，凶亦我所患，若吾無身，吾有何患。」馬敘倫老子校詁：「故貴以身爲天下者，則可以託天下矣，愛以身爲天下者，則可以寄天下矣。范應元曰：一本作故貴以身爲天下，若可寄天下，愛以身爲天下，若可託天下。

按莊子在宥篇：故貴以身爲天下，則可以託天下，愛以身於爲天下，則可以寄天下。大意同古本。彭耜曰：纂微身字下各有於字，若並作則，可下並有以字，上句作託，下句作寄。司馬與纂微略同。爲天下下各添者字，下句天下下各添矣字，程字可下並有以字。紀昀曰：永樂大典上句作則可以寄，下句作乃可以託，河上公本上句作則可寄於天下，下句作乃可託於天下。畢沅曰：河上本上句作則可以寄於天下，下句作乃可以託於天下，王弼上句作若可以寄於天下，下句作若可託天下，明皇上句作若可寄天下，下句作若可託天下。陸希聲同。嚴可均曰：御注無字者。王昶曰：至元同開元。陶紹學曰：案王注無以易其身，故曰貴也。如此，乃可以託天下也。無物可以損其身，故曰愛也。如此，乃可以寄天下也。是王本亦上句作託下句作寄。劉師培曰：莊子在宥篇引若作則，淮南道應引若作焉，（倫案此據莊逵吉本，他本亦有作則字者。）案作焉是也。十七章信不足焉有不信。此老子恆用焉字之證。焉即於是，作若作則，均後人訓釋之詞，校者因以代正文。易順鼎曰：王本作若，淮南作焉，傅本及莊子作則，蓋作若是本文，諸家以若字義不甚顯，各以同義之字爲訓也。然淮南作焉，其義最古，畢謂作則，不知何據。（倫案明汪一鸞本作則，疑畢據此。）張煦曰，呂作則可以寄天下則可以託天下，林蘇葛作則可寄於天下乃可以託於天下，趙作若可寄天下若可託天下。倫案：淮南道應引貴以身爲天下，焉可以託天下，愛以身爲天下，焉可以寄天下矣。故貴以身爲天下者之爲字，館本羅卷易州作於，與莊子同，而莊子兼有於爲二字者，王念孫謂於即爲也，莊子本作於天下，後人依老子旁注爲字，而寫者因誤合之也。莫說是也。本文可以託可以寄，河上本有於字者，疑亦校者以莊子作於字旁注爲字之下，傳寫誤入正文，後人以於爲連文不可解，移至下句耳。淮南道應訓引故無字，易州無以字，宋河上范臧疏並有者字，各本及淮南道應訓引無者字，則可以託天下矣，宋河上本范白吳則字同此，各本並作若，莊本淮南道應訓引作焉，以託，范及淮南道應訓引同此。諭弼注曰：如此乃可以託天下也，則王本字作乃，以託二字同此，今王本作則可寄，蓋後人依別本改之也，羅卷易州無以字，託字同此，白吳以字同此，託字作寄，各本並無以字，託字作寄，臧疏宋河上並無以字，託字作寄，寄下有於字，矣字范應元臧疏經幢同此，各本並無，則可以寄天下矣，范吳則字同此，館本彭寇張嗣成二趙張之象易州羅卷並作若，宋河上臧疏白經幢及汪本淮南道應訓引作乃，莊本引作焉，以寄范宋河上白吳並有以字。范寄字同此，河上吳作託，羅卷易州無以字，寄字同此，館本臧疏彭寇二趙張之象並無以字，寄字作託，經幢臧疏宋河上託下有於字。諭弼曰：如此，乃可以寄天下也，則王則字作乃，以寄二字同此，今王本作則可以寄，蓋後人依別本改之也，張嗣成無以字，寄字作託，矣字范臧疏同此，各本並無，唐寫磻溪與范云一本同。倫案：託借爲宅。倫案：右文舊爲第十三章。」陳柱老子詮：故貴以身爲天下，若可寄天下，愛以身爲天下，若可託天下。至於貴與大患莫如有身，蓋所貴莫如生，而生有不可得，大患莫如死，而死終不可免。然此皆以此身爲己有者也。莊子：『汝身非汝有也，乃天地之委形。』知乎此，身非己有，乃天地之所有；忽然而爲人，固在天下；化爲異物，亦在天下。生非吾生，故生不足貴；死非眞死，故死何足患；是『貴以身爲天下』而常生於天下；『愛以身爲天下』而長存於天下也。故曰貴以身爲天下，若可寄天下，愛以身爲天下，若可託天下。嚴復謂『若』字作『如此乃』三字解；柱按此二『若』字，宋河上本均作

『者則』二字。高亨老子正詁：故貴以身爲天下若可寄天下。愛以身爲天下，若可託天下。按：貴者，意所尚也。愛者，情所屬也。以身爲天下者，視其身如天下人也。若猶乃也。視其身如天下人，是無身矣，是無我矣，是無私矣；如此者，方可以天下寄託之。又按：老子實持無我利物主義。本章曰：「貴以身爲天下，若可寄天下。愛以身爲天下，若可託天下。」七十八章曰：「聖人云，受國之垢，是謂社稷主。受國之不祥，是謂天下王。」言無我方可作天下君也。二十七章曰：「聖人常善救人，故無棄人；常善救物，故無棄物。」言聖人能利物也。七章曰：「聖人後其身而身先，外其身而身存，以其無私，故能成其私。」八十一章曰：「聖人不積，既以爲人己愈有，既以與人己愈多。」言聖人無我而得利我之結果也。朱謙之老子釋譯：嚴可均曰『「故貴身於天下，」御注作「故貴以身爲天下」』與王弼同。河上作「故貴以身爲天下者。」「若可託天下」，御注王弼作「若可寄天下；」河上作「則可寄於天下；」永樂大典作「則可以寄天下。」「若可寄天下」河上作「乃可託於天下；」王弼作「若可寄天下；」大典作「仍可以託天下」。』劉文典曰：『莊子在宥篇：「故貴以身於爲天下，則可以託天下；愛以身於爲天下，則可以寄天下。」案：身於爲天下，義不可通，兩「於」字，疑當在「託」字「寄」字下。道經厭恥第十三，正作「故貴以身爲天下者，則可寄於天下；愛以身爲天下者，乃可以託天下。」淮南子道應訓引老子作「貴以身爲天下，焉可以託天下；愛以身爲天下，焉可以寄天下矣；」兩「身」字下，亦並無「於」字。』情牽案：劉說非也。此段各本經文不同，惟莊子在宥篇云『故君子不得已而臨莅天下，莫若無爲；無爲也而後安其性命之情。故貴以身於爲天下，則可以託天下；愛以身於爲天下，則可以寄天下。』二『身』字下有『於』字。又『託天下』在『寄天下』之前，與景龍、遂州、敦煌三本相合；惟上句衍一『爲』字，下句衍一『於』字。王念孫曰：『莊子本作「故貴以身於天下，愛以身於天下；」「於」猶「爲」也，後人依老子傍記「爲」字，而寫者因譌入正文。老子釋文「爲，于僞反；」此釋文不出「爲」字，以是明之。』王引之曰：『「於」猶「爲」也。（此爲字讀去聲）老子曰：「故貴以身爲天下，若可寄天下；愛以身爲天下，若可託天下。」莊子在宥篇作「故貴以身爲天下，則可以託天下；愛以身爲天下，則可以寄天下。」「於天下」即「爲天下」也。』情韋案：二王說是也。『於』『爲』互訓。莊子上文作『於天下』，下文『爲天下』，與碑本正相同。傅、范本作『故貴以身爲天下者，則可以託天下矣；愛以身爲天下者，則可以寄天下矣。』范注『古本』二字，陳碧虛引王弼本與傅、范同，當亦王之古本。諭道藏宋張太守彙刻四家注引王弼云『無物以易其身故曰貴也，如此乃可以託天下也。無物可以損其身，故曰愛也，如此乃可以寄天下也。』亦『託天下』在『寄天下』之前。遂州本作『故貴以身爲天下者，可託天下；愛以身爲天下者，可寄天下。』敦煌兩本作『故貴以身於天下，若可託天下；愛以身爲天下，若可寄天下。』各本大致與莊子文同，而以敦煌本爲優，當據校改。又此二『若』字，與『則』字同義。王引之曰：『「若」猶「則」也。老子曰：「故貴以身爲天下，若可寄天下；愛以身爲天下，若可託天下」。莊子在宥篇「若」並作「則」。』今案河上本、大典本亦作『則』，此其證也。又『愛以身』，廣明景福二本作『愛身以』；吳雲二百蘭亭齋金石記誤校廣明作『愛以身與爲天下者，』與景龍同。又『爲天下』者，羅振玉道德經考異誤校景龍本『者』作『矣』，蔣錫昌竟沿其誤，舉此一例，足見校書之難。又案莊子讓王篇曰：

『夫天下之重也，而不以害其生，又況他物乎？唯無以天下爲者，可以託天下也。』又呂氏春秋貴公篇曰：『天下重物也，而不以害其生，又況於他物乎？惟不以天下害其生者，可以託天下。』文誼皆出此章。王淮老子探義：故貴以身爲天下者，則可以寄於天下。愛以身爲天下者，乃可以託於天下。焦竑曰：莊子曰：越人三世弒其君，王子搜患之，逃之丹穴，越人薰之以艾，乘以王輿，王子搜綏登車，仰天而呼曰：君乎，君乎，獨不可以舍我乎。王子搜非惡爲君也，惡爲君之患也。此固越人之所欲得爲君也。夫王子搜惡爲君，而越人愈迫欲得之，則不有其身可有也，復奚疑哉」？

案：此言「爲天下」，有兩層意義：其一爲取天下，其二爲治天下（即：取天下而爲之）。蓋聖人初無意於爲天下，莊子逍遙遊：堯讓天下於許由，許由曰：「休歸乎君，予無所用天下爲」。此實道家對政治（爲天下）之基本態度，然君臣父子無所逃於天地，則退而求其次，爲天下之道亦有可得而言者：其一在主觀上須是無心、無爲。亦即本無其意，若無其事者也。本經四十八章：「取天下常以無事」，五十七章：「以無事取天下」，即其義。其二在客觀上須是不得已，亦即爲環境所迫，或時勢所需者，本經二十九章曰：「將欲取天下而爲之，吾見其不得已，天下神器不可爲也，爲者敗之，執者失之」，即其義也。總而言之：爲天下之事要能以「無心」而「不得已」之方式出之，王子搜之爲君，諸葛亮之爲臣，即其例也。諸葛孔明隱居隆中，本是「苟全性命於亂世，不求聞達於諸侯」，此可謂貴以身爲天下與愛以身爲天下（愛惜而不輕以其身爲天下）者矣，亦可謂本「無心」矣。然劉備三顧茅廬，孔明即「受任於敗軍之際，奉命於危難之間」，因爲感激，遂許以驅馳，此則可謂頗「不得已」矣。爲天下要能如此以出世之心情做入世之事業，然後主觀上自身可無患，而客觀上天下因以治，故曰：「貴以身爲天下者，則可以寄於天下；愛以身爲天下者，則可以託於天下」也。嚴霊峯老子達解：故貴以身爲天下，若可寄天下；愛以身爲天下，若可託天下。至人無己，公天下之身。貴重其身，以爲天下，愛惜其身。以爲天下。貴身、愛身皆爲天下，是貴愛天下，猶貴愛其身也。若是者，寵辱不驚；乃可以寄託以天下者也。若可託天下。按：此句疑當在第七章「是以聖人後其身而身先，外其身而身存，非以無私邪，故能成其私。」諸句之上。嚴霊峯馬王堆帛書老子試探：小篆本作若可以「迈」天下矣，通行本「迈」作「託」。說文「未收，亦未見他書。隸書本作「橐」。莊子在宥：故貴以身於爲天下，則可以託天下；愛以身於爲天下，則可以寄天下。陳鼓應老子今證今譯：貴以身爲天下，若可寄天下；愛以身爲天下，若可託天下：以貴重生命的態度去爲天下，才可以把天下寄付給他；以珍愛生命的態度去爲天下，才可以把天下托交給他。范應元說：「貴以身爲天下者，不輕身以徇物也；愛以身爲天下者，不危身以掇患也。先不輕身以徇物，則可以付天下於自然，而各安其安；能不危身以掇患，然後可以寓天下，而無患矣。」福永光司說：「本章謂眞正能夠珍重一己之身，愛惜一己生命的人，才能珍重他人的生命，愛重別人的人生。並且，也只有這樣的人，才可以放心地將天下的政治委任他。」余培林老子讀本：貴以身爲天下，若可寄天下；愛以身爲天下，若可託天下：「貴」與「愛」意同，「寄」與「託」意同。所貴所愛非「身」，而是「以身爲天下」，故可以天下寄託之。若愛身貴身，則不可以「寄天下」、「託天下」。張揚明老子斠證譯釋：「故貴以身爲天下」四句：傅「寄」「記」互易；三句末有「者」字；二、四句末有「矣」字；

兩「若可」均作「可以」。紀昀：「永樂大典，上句作『則可以寄』，下句作『乃可以託』。河上作『則可寄於天下……乃可記於天下』。」楊明索：王、馬之說是。故或作「於」，或作「爲」，於義均一。又寄託二字，或先或後，亦二而一也。故從王不改。馮友蘭：「吾之所以有大患者，爲吾有身，及吾無身，吾有何患；此眞大澈大悟之言。莊學繼此而講齊生死，同人我，不以害爲害，於是害乃眞不能傷……貴以身爲天下者，即以身爲貴於天下，即不以天下大利易其脛一毛，輕物重生之義也。」楊明索：本章主旨在於「寵辱若驚，大患若身」，易一語言之：即應無心於寵辱，忘懷於身體。因此，接下去說：要以貴身之道貴天下，才能寄以天下的安危；以愛身之道愛天下，才能付託天下的重任。能以貴身之道貴天下，愛身之道愛天下，則是視天下如己身。視天下如己身，即是忘我，即是忘身。忘我忘身，即無人我之見。無人我之見，即無得失之心。無得失之心，當然也就無所用其寵辱，無所慮其禍患了。馮友蘭以爲「貴以身爲天下者，即以身爲貴於天下，即不以天下大利易其脛一毛，輕物重己之義也。」其實，這只是韓非的說法（見韓非顯學），而非老子的本旨。果如此，怎麼是「後其身」「外其身」呢？老子說：「夫唯無以生爲者，是賢於貴生。」（見七十五章）馮友蘭執韓非之見以評老子，失之。張說是也。

十四章　贊　玄

執古之道，以御今之有。(17)

【斠補】王注：有，有其事。案：有即域字之叚文也。有通作或，或即古域字。詩商頌烈祖：奄有九有。毛傳：九有，九州也。又：正域彼四方。毛傳：域，有也。國語魯語：共工氏之伯九有也。韋注：有，域也。此文有字，與九有之有同。有即域，域即二十五章域中有四大之域也。御今之有，猶言御今之天下國家也。禮記中庸：生乎今之世，反之古道。此文今之有，與彼今之世略同。

【疏證】義案：甲本作「執今之道，以御今之有。」乙本同。古本作「執之古道，可以御今之有。」吳澄道德眞經註：「執古之道，以御今之有。惟其惚恍，不可名，故迎之於前，隨之於後，而皆不可見。古謂在先，今謂在後，有謂萬物德者，其源出於道，其流傳於萬物。故曰：執古之道，以御今之有。古始者，道也。謂古先天地之所始也。道紀者，德也，謂道散爲德，如理絲之縷，有條而不紊也。能知此道，則知此德爲道之紀也。」焦竑老子翼：「李約云：自古有之，謂之曰道。今欲執之，夫得其方；惟虛其心，道將自至；然後執之以御羣，有無不理矣。蘇子由云：道無所不在，故無前後，可見古者物之所從生也。有者物之今，則無者物之古也；執其所從生，則進退疾徐在我矣。呂吉甫云：雖不古不今，而未嘗無古今也。則長於上古，而不爲老者，吾得之以日用矣。故曰執古之道，以御今之有。李息齋云：試執古道以御今有，則今猶古也；以今之猶古，則知古之猶今，是謂道紀。道紀者，無去來古今之謂也。」魏源老子本義：「呂氏惠卿曰：無前後則無古今矣，無古今則長於上古而不爲老者，吾得之以日用矣。知今之所從來，則知古之所自始，所謂無端之紀也。道不可執，得此則可執之以爲德矣，執德之謂道紀也。」王夫之老子衍：「執古之道，以御今之有。古亦始也，今亦有也。道也者，生於未陰未陽，而死於仁義者與！故離朱不能察黑白之交，師曠不能審宮商之會，慶忌不能攫空塵之隙，神禹不能晰天地之分。非至常者，何足以與於斯！」馬叙倫老子校詁：執古之道。可以御今之有。畢沅曰：河上王弼無可字。張煦曰：呂等無可字。倫案：弼注曰：故可執古之道以御今之有，則王本有可字，有可字是。唐寫及各本無可字，易州御作語，館本今作金。倫案：或本字，域國均後起字。有借字，今通用域國二字。」陳柱老子註：執古之道，以御今之有。執古御今者，謂自有史以來，遞演遞進，人事進化之迹，治亂起伏之機，莫不由簡而繁，由古之世而可遞變至於今，則由今之世而遞變之者，皆可以預測而知所以御之之術。故曰執古之道，以御今之有也；俗儒或誤解爲復古，古字从十从口，謂十口相傳者也，謂有史以來也。古始則有史之前，雖不可得知，然以古之演爲今，則亦可以知古始之演爲古，逆而推之，則天地剖判之初，不亦可以意想而得乎！故曰能知古始，是謂道紀。自執古以下文義與上下不應，宜別爲一章。馮振云：執古之道，猶言『執古之無』老子書之道與無一也，『古之無』與下『今之有』對文。高亨老子正詁：執古之道，以御今之有。奚侗曰：「詩思齊：『以御于家邦。』鄭箋：『御，治也。』」說文『或』重文作『域。』中論法象篇、文選册魏公九錫文李注並引作『奄有九域。』漢書律曆志引祭典曰：『共工氏伯九域。』」朱謙之老子釋譯：嚴可均曰：『以語「今」之有，各本作「御」。』情牽案：素問氣交變大論第六十九曰：『余聞之，善言天者，必應於人；善言古者，必驗於今；善言氣者，必彰於物。』老子此章蓋即善於言氣者也。而執古之道，以語今之有，則是言古而有驗於今。執古語今，可見柱下史乃善用歷史之術者。王淮老子探義：執古之道以御今之有，以知古始，是謂道紀。河上公曰：「言人能知上古本始有『一』，是謂知『道』綱紀也」。案：以知，王弼本作「能知」。以，猶「能」也。「古始」，即古之道。「今之有」謂現實。此言執「古道」以應付「現實」，則可謂知「道」之「綱紀」矣。蓋事變非常，理貫不易，此即執簡御繁，以(變（道）應萬變（事）之道也。韓非子主道篇所謂：「道者萬物之始，是非之紀也。是以明君守始以知萬物之源，治紀以知善敗之端」，即其義也。嚴靈峯老子達解：執古之道，以御今之有。道者，自古以固存，先天地生，為萬物之母；「既得其母，以知其子」；執道「以閱衆甫」，故可以治今之萬有也。」「以御今之有」：傅「以」上有「可」字。景龍「御」作「語」。館本「今」作「金」。陳鼓應老子今註今譯：有：指具體的事物。這裡的「有」字，不是老子的專有名詞，所以和一章的『有』不同。張揚明老子斠證譯釋：「執古之道，以御今之有，能知古始，是謂道紀」：王弼：「『有』，有其事。……無形、無名者，萬物之宗也。雖今古不同，時移俗易，故莫不由乎此，以成其治者也。故可執古之道，以御今之有。上古雖遠，其道存焉。雖在今。可以知古始也。」呂惠卿：「無前後則無古今矣。無古今，則長於上古而不爲老，吾得之以日用矣。知今之所從來，則知古之所自始。所謂無端之紀也。道不可執，得此則可執之以德矣。執德之謂道紀也。」楊明索：「古之道」，是指「無名，天地之始」的「道」。即陰陽未判，天地未分的混沌一氣的元始之道。亦即所謂「古始也。「道紀」，按「紀」，禮樂記：「中和之紀」，注：「總要之名也」。玉篇：「紀，緒也。」故河上謂「知道紀綱」。亦即是道的緒，要領。所以這兩句話是說：能知天地之始的道爲何物，則是已掌握了道的要領。「今之有」，這個「有」，是指今所體認到的現象。即「觀妙」「觀徼」「守中」「養氣」時所發生的「無狀之狀」「無象之象」的現象。但是如何執？如何御呢？當然是「營魄抱一」，「滌除玄覽」，鼓動「橐籥」，守中養氣。假以時日，運以純功，則心如明鏡，氣若遊絲，纖塵不染，萬念俱寂。體中絪緼之氣，自然自在，運轉蒸騰。虛極靜篤，忘物忘我。恍恍忽忽，混混沌沌，猶如陰陽未判，天地未分的太初之始。是則天人合一，與天地同流。冥冥默默，出神入化。執古御今，與道同體。如此徐徐引導，漸漸昇華，常德不離，繩繩不絕。則自然生生不息，用之無既了。」張說言之成理也。

十五章　顯德

渙兮若冰之將釋。⒂

【斠補】案文子上仁篇作渙兮其苦（義案：「苦」疑「若」誤）冰之液。疑老子古本作液，將釋二字，係後人旁記之詞，校者用以代正文。

【疏證】義案：甲本作：「渙呵其若凌澤。」乙本作「渙呵亓若凌澤。」古本作「渙若冰將釋。」吳澄道德眞經註：「渙，解散貌。若冰將釋融液，而不凝滯也。」焦竑老子翼：「蘇子由云：若冰將釋，知物之出於妄，未嘗有所留也。呂吉甫云：渙若冰將釋，方終之以心凝於形釋，骨肉俱融也。王元澤云：人生之始，同於大空，凝爲我體，如水如冰，故爲道有冰解凍釋者，事至於此，其容已不滯於一體，渙然將釋矣。」魏源老子本義：「渙若冰將釋。諸本豫猶儼渙下多有兮字，陸希聲無之，王弼豫兮作與焉，儼兮下有其字。客作容，冰下有之字。釋文云：豫或作奧，碑本釋作汋。下三句作渾若樸，曠若谷，混若濁。渙若冰之將釋，油然無形而物莫之覺矣。夫奚滯之有乎？故又以下三者形容之，爲道至於融釋，則反本完眞，乃能存天性之全，而不雕於人僞，故若樸也。性全而不自有其全，無所不受，故若谷，水性本清而不自潔於物，故若濁。夫七者有道之容，而即求道之要，豫猶儼恪者，所以入德也。既渙然冰釋，乃能希夫敦樸曠渾之全，所以成德也。」王夫之老子衍：渙若冰將釋：「坐以消之，則冰可煥。」馬叙倫老子校詁：「渙若冰將釋。彭耜曰：司馬作渙兮若冰之將釋。王昶曰：邢州釋作汋。畢沅曰：河上公王弼並作渙兮若冰之將釋。張煦曰：葛渙下有兮字，冰下有之字，葛冰作水。羅運賢曰：御覽六十八引無兮字。倫案：唐寫范白吳作渙兮若冰之將釋，易州臧疏寇趙及類聚九引同此。彭張嗣成冰下有之字。趙寫渙下有兮字。易順鼎曰：考工記弓人注，液讀爲譯。山海經北山經注，液音悅懌之懌。王不懌，馬本作不釋，是液音義與釋同，故可通用。倫案：冰當作仌。將釋二字，當依文子改，然釋亦可借爲液，聲並魚類，本或作汋者，魚宵之類，古亦通也。」陳柱老子註：渙兮若冰之將釋：「若冰之釋者，自損蔽，所以保堅實也；讀老子此等處，最當注意『若』字，倘不注意『若』字，則常在濁辱卑弱而無以自存矣，吾國古來之讀老子者，皆多忽視此字者也；而間有注意及者，則又以爲陰謀之說，卻取先予，而不知若之爲言，有似是而非之意，其曰若濁，則原非濁而爲新鮮，曰若樸，則原非樸而爲盛全，其意甚明；然則若濁若樸云者，謂不以新鮮盛全矜人，雖新鮮而若濁，雖盛全而若樸耳；然則本自新鮮，非陰謀以取新鮮，本自盛全，非陰謀以取盛全，不過居新鮮盛全之地，而以若濁若樸之態度，不以階級凌人，不以階級炫人，使民心不亂，而爭亂不起耳；此老子之術，所以內剛强而外柔弱也。」陳說深獲我心。高亨老子正詁：渙兮若冰之將釋。按：「將」字疑衍。說文「渙，流散也。釋，解也。」冰釋而後渙然流散，若冰將釋，仍在凝結，安能云渙哉！故有「將」字其文爲不通矣。文子上仁篇引作「渙兮其若冰之液。」是老子古本原無「將」

字之證。「釋」文子作「液」者，二字古通用。禮記月令：「冰凍消釋。」釋文「釋本作液，」即其證。周禮考工記弓人：「冬折幹而春液角。」鄭注：「鄭司農云：『液讀爲醳。』」亦其佐證。（此采易順鼎、劉師培、蔣錫昌諸家說而補之。）渙兮若冰之液，喻其順物而行，不凝滯也。朱謙之老子釋譯：嚴可均曰：『河上、王弼作「渙兮若冰之將釋」，下三句皆有「兮」字。』羅振玉曰：『景龍、英倫、御注，三本均作「渙若冰將釋」。』武內義雄曰：『敦本「釋」作「汋」。』謙之案：遂州本亦作「汋」。易順鼎曰：『山海經北山經曰「液，音悅懌之懌，」「醳」「懌」皆與「釋」通。……顧命「王不懌，」馬本作「不釋」，是其證也。「液」音義與「釋」同，故可通用。』蔣錫昌曰：『說文「釋解也，」「液水盡也，」冰可言解，而不可言水盡，誼固以「釋」爲長。然「釋」古亦假「液」爲之。文子作「液」者，假字；老子作「釋」者，乃本字也。』王淮老子探義：渙兮若冰之將釋。河上公曰：「渙者解散、釋者消亡。除情去欲，日以空虛」。案：此句描述修道者進德之工夫。本經四十八章所謂：「爲學日益、爲道日損、損之又損，以至於無爲」，老子以修道進德要能「日損」，所謂日損在形式上是行之以漸，持之以恆，在內容上是除情去欲，棄知去己。此種修道進德之精神與方式，老子特假冰之將釋（將、甫始之義）以爲喻，蓋冰之釋必以漸，德之修亦必以漸；冰之釋爲日損，德之修亦爲日損；冰之釋終至於空虛，德之修則必終至於無爲也。嚴靈峯老子達解：「渙兮，若冰之將釋。言如堅冰，將行消散之時也。」余培林老子讀本：渙兮若冰之將釋。河上公曰：「渙者解散，釋者消亡。除情去欲，日以空虛。」按此謂有道之士的自損自赦，無所作爲。」張揚明老子斠補譯釋：「渙兮若冰之將釋」：王弼原作「將釋」。河上、司馬、唐寫、范、白、吳均同。傅奕、景龍、臧疏、寇、趙、魏源，作「渙若冰將釋」。揚明案：既稱「渙兮」，當係冰釋之象。如「將釋」，則與「渙兮」不相關。高說義長。據改。」

「渙」，散流也，見說文。

故能蔽不新成。⒆

【斠補】王注：蔽，覆蓋也。釋文云：蔽，必世反。王云：覆，蓋也。鍾，婢世反。梁武同。俞云：蔽乃敝之叚字，永樂大典正作敝，淮南子引作故能蔽而不新成。今本無而字，于文義似未足。案俞說是。二十二章云：敝則新。敝新並文，此蔽當作敝之證。又文子十守篇曰：是以蔽不新成。上仁篇曰：不敢積藏者，自損弊，不敢堅也。不敢廉成者，自虧缺，不敢全也。不敢清明者，處濁辱，而不敢新鮮也。以彼例此，則蔽即損，弊成即廉成，新即新鮮。能蔽之能，義與寧同。言寧損弊，而不欲清新廉成也。此蓋老子本義，今脫而字，蓋因不而字近，傳寫致脫。

【疏證】義案：甲本作「（上缺七字）成。」乙本作「是以能𡚁而不成。」古本作「是以能敝而不成。」劉說是也。吳澄道德眞經註：故能敝不新成：成，謂完備。凡物敝則缺，新則成；敝而缺者，不盈也。新而成者，盈也。保守此道之人，不欲其盈，故能敝缺不爲新成。章內七容，皆敝缺而不新成。焦竑老子翼：「蘇子由云：物未有不蔽者也。夫唯不盈，故其敝不待新成而自去。呂吉甫云：天下之物，有新則有敝，有敝則有壞，則能不敝者鮮矣。夫唯不盈，則新敝成壞，無所容心，是以雖敝不敝，不敝則不壞，則不新不成矣。王元澤云：道之爲用，通萬物而不敝，以其無敝無新，不成不敗故也。敝生於新，敗生於成，士雖成道，而常若敝敗矣。苟得道之初，矜其新成，則與道異意，非大成也。經曰：大成若缺，其用不敝。此篇句句有序，以至於成，成而若敝，則盡之矣。」魏源老子本義：「故能敝而不新成。傅奕作自以能蔽而不成，碑本作能敝復成，王弼作蔽，或又作弊，此從淮南子引。惟不以善自盈，則能安其敝而不求新成。斯則其能濁也。安以久也，如此則微妙玄通之道，斯可保矣。蓋敦樸曠渾者，濁之容；豫猶儼恪者，安之容；皆以沖得之，以盈失之者也。老子之大成若缺，其用不敝，大盈若沖，其用不窮，保此道之謂也。」王夫子之老子衍：「邵若愚曰：能敝，能不新，能成。久矣，其棄故喜新而不能成也！」馬叙倫老子校詁：「是以能敝而不成。彭耜曰：纂微蘇敝並作弊，五注葉並作是以能敝，清源同上，無能字，司馬作是以能弊復成，黃敝作蔽。焦竑曰：碑本李榮本作能敝復成。畢沅曰：河上公王弼作故能蔽不新成，淮南子道應訓引作故能弊而不新成。紀昀曰：大典作故能敝不新成。嚴可均曰：御注作故能弊不新成。王昶曰：至元同開元。洪頤煊曰：王本作蔽即敝字，下文敝則新。釋文作蔽，莊子逍遙遊孰弊弊焉，司馬本作蔽蔽，古字通用。俞樾曰：王本作蔽，叚爲敝。唐景龍碑作弊，亦叚字。大典正作敝不新成，景龍碑作復成二字，然淮南子道應訓引作故能敝而不新成，則古本如此。劉師培曰：俞說是。能字義與寧同，見經傳釋詞。易順鼎曰：疑當作故能敝而新成，作蔽者，敝之借字，不者，而之誤字也，據淮南可證古本有而字。然文子上仁篇解此文，以能蔽爲能自損敝，不新成爲不自新鮮不自廉成，則讀不如字是。張煦曰：林作是以能蔽不新成，呂作故能弊不新成，趙作故弊不新成，蘇葛同王弼。倫案：磻本下句作故能弊不新成，唐寫同，宋河上臧疏易州寇趙張之象及文子守弱篇引惟皆作唯，是以各本並作故，易州無，潘及文子守弱篇引同此。敝，寇張嗣成臧疏趙及文子守弱篇引並作弊，范彭白吳同此，文子守弱篇引無能字，而不成作不新成，臧疏二趙吳磻溪並作不新成。成疏曰：聖人於有爲弊濁之內，復能慈救蒼生，成大功德，疑成本作故能弊而復成，館本，易州作能弊復成，參校各本，並依下文曰敝則新，是此文當作故能敝而復新成，而不篆文形近誤衍，或不復聲近而譌。倫案：右文舊爲第十五章。」陳柱**老子註**：故能蔽不新成。淮南子作『能蔽而不新成，』景龍本作『能蔽復成，』今按上文文義，當作『能蔽而復成，』謂如此者，雖敝而能使之復成，則濁可以使之復清，亂可以使之復治也。」高亨老子**正詁**：故能蔽不新成。**按**：易說是也。篆文「不」作丆，「而」作𠕀，形近故譌。墨子兼愛下「不鼓而退也。」「而」乃「不」字之譌，可以互證。易謙彖傳：「天道虧盈而益謙，地道變盈而流謙，鬼神害盈而福謙，人道惡盈而好謙。」故老子云：「夫唯不盈，故能蔽而新成。」朱謙**之老子釋譯**：嚴可均曰：『御注作「故能弊不新成，」河上作「故能蔽不新成，」大典作「故能敝不新成，」按弼注「蔽，覆蓋也，」當與河上同。』洪頤煊曰：『故能蔽不新成，案「蔽」字與「新」對言之，「蔽」即「敝」字。下文「弊則新」，釋文作「蔽」。論語子罕「衣敝縕袍，」釋文「弊本作敝；」莊子逍遙遊篇「孰弊弊焉，」釋文「司馬本作蔽；」古字皆通用。』俞樾曰：『「蔽」乃「敝」之叚字。唐景龍碑作「弊」；亦「敝」之叚字。永樂大典正作「敝」。「不新成」三字，景龍碑作「復成」二字。然淮南子道應篇引老子曰：「服此道者，不欲盈，故能弊而不新成；則古本如此。但今本無「而」字，於文義似未足耳。』易順鼎曰：『文子十首篇作「是以蔽不新成，」亦後人所改。諸本或作「而不成」者，或作「復成」者，皆不得其誼，而以意改之，不若以本書證本書之可據也。』情牵案：錢大昕曰『「故能蔽不新成」，石本作「能弊復成」，遠勝他本；』是也。傅本作『是以能敝而不成，』脫一『新』字，與老子義相反。易說以『敝則新』，證此文當作『故能蔽而新成』，其說亦較俞樾寧損蔽而不敢新鮮之說爲勝。如陳繼儒老子雋，謂「能敝不新成者，不變不易，百年如一日矣；』眞迂腐之極。惟諗文，「能蔽復成」，當與上文「復此道者不欲盈」句相應，則「蔽而新成」不如景龍、遂州、及李榮、司馬光本作「蔽而復成」，爲更與老子義相合也明矣。王淮老子探義：故能蔽而（原作不）新成。案：此兩句總承上文而爲一篇之結論。上文首先描述修道者外在之形容（保守凝斂）次即暗示吾人此種保守凝斂之精神形容，必須要有源頭活水，亦即吾人之心靈必須要能保持虛明、清純與生動活潑（晦而理之則明、濁而靜之則清、安而動之則生）。此即一種內外兼修、身心相成之道。有如玉之在璞，外雖愚頑，內實昭昭。苟或內外不兼修，身心不相成。外如愚頑，內不昭昭，所謂虛有其『表』而無其『實』（如魏晉之假名士）則是偏執之道。所謂偏執者過份偏於一面而趨於極端之謂也。凡偏執即非道，故承上文而推證一結論曰：「保此道者不欲盈」。不盈者不偏不極之謂也。修道者苟能不偏不極，則能不過份偏執於外在形容之保守凝斂、枯槁憔悴，而能同時證修內在心靈之虛明、清純、與生動活潑矣，故曰：「夫唯不盈、故能蔽而新成」。嚴靈峯老子達解：故能蔽不新成：易順鼎曰：『按：此文頗難解，疑當作「能蔽而新成。」』易說是也。當據改正。惟「不新成」句，若作「晚成」解，說亦可通。陳鼓應老子今註今譯：蔽而新成：去故更新的意思。「而」王弼本原作「不」，「而」「不」篆文形近，誤衍。若作「不」講，則相反而失義。今據易順鼎之說改正。余培林老子讀本：「故能蔽而新成，王弼本原作「故能蔽不新成」，易順鼎曰：「疑當作『故能敝而新成』，作『蔽』者，『敝』之借字，『不』者，『而』之誤字也。」」按易說有理，今據之改「不」作「而」。「蔽而新成」，即二十二章的「敝則新」，去舊更新之意。」張揚明老子斠補譯釋：「故能敝而新成」：王弼原作「故能蔽不新成」。河上同。御注、纂微、蘇、呂、趙作「弊」。淮南、大典作「敝」。淮南「不」上並有「而」字。傅、王注、葉，作「是以能敝而不成」。景龍、李榮、司馬，並作「能弊復成」。洪頤煊：「王本作蔽即敝字。下文敝則新，釋文作蔽。古字通用。」揚明案：二十二章既云「敝則新」，則「敝不新成」，實屬矛盾。「不」字形近而誤無疑。易馬之說是。「敝而新成」，已含復義，故從易改。按姚鼐以本章通下章合爲一章。

十六章　歸根（闕）

十七章　淳風

太上，下知有之。⒇

【斠補】案韓非子難三篇云：太上，下智有之。此言太上之下民無說也，安取懷惠之民。淮南子主術訓並云：是故朝廷蕪而無迹，田野辟而無草，故太上，下知有之。高注：言太上之世，下知之人，皆能有此術。據高說，則知當讀爲智。

【疏證】義案：甲本作「大上，下知有之。」乙本作「（大上，下知又）□。」古本無異文。「大」上下知有之：通行本「大」作「太」。說文：「大，天大、地大、人亦大，象人形。」又『太，滑也。一曰：大也，通也。』「泰」，古文。『從水省，大聲。』風俗通：『大者，太也。』白虎通五行：『太，奕也。』經、傳多以「泰」爲之。此段字之上部爲之。陸氏釋文與古逸叢書本老子並作「大」。吳澄道德眞經註：太上不知有之。太上，猶言最上，最上謂大道之世，相忘於無爲，民不知有其上也。其次謂仁義之君，民親之，如父母，及仁義益著，則不但親之，而又譽之矣。又其次，謂智慧之主，民畏之如神明，及智慧漸窮，則不但畏之，而又侮之矣。信者，大道之實也，自大道之實有所不足，不能如上古之時，則君之於民，有不以其實者焉，而日趨於華，於是一降則用仁義，再降則用智慧也。焦竑老子翼：「陸希聲云：太古有德之君，無爲無迹，故下民知有其上而已。蘇子由云：太上以道在宥天下，而未嘗治之，民不知所以然，故亦知有之而已。呂吉甫云：執大象天下往由，天下方且釋我而忘之，其迹孰得而見哉！故下知有之而已。吳幼淸云：太上，猶言最上，最上謂大道之世，相忘於無爲，民不知有其上也。」魏源老子本義：「太上，下知有之。下知，吳澄作不知。陸氏希聲曰：太古有德之君，無爲無迹，故下民知有之而已。德既下衰，仁義爲治，天下被其仁故親之。懷其義故譽之。及仁義不足以治其治，則以刑法爲政，故下畏之。及刑法不足以服其意，則以權譎爲事，故下侮之。此皆由誠信遞降，故漸有不信，若夫在上者行不言之教，而及其成功，百姓各遂其性，皆曰我自然而然，則親譽畏侮之心不生於世矣。吳氏澄曰：猶兮其貴言，使民陰受其賜，皆謂我自然如此，不知其爲帝力，此則太上不知有之之事也。」馬敘倫老子校詁：「太上下知有之。彭耜曰：陸王弼太作大。畢沅曰：吳澄下作不。張煦曰：葛下作不。石田羊一郎曰：本無不字，依義當有，太古無名之世，聖人在上，無爲而化，民戴而不知也。倫案：潘作太上不知有之，各本及文選華林園集詩注讓中書令表注引同此。韓非引此而說之曰：此言太上之下，民無說也。則安取懷惠之民，則韓意謂太上之下民知有之而無說也，亦作下知，作智者非故書矣。諗義則作不知爲長，本書上無爲而民自化，民之飢以其上食稅之多也。皆以民與上對文。無作下者，可證也。然韓引已然，疑老子本作太上之下民知有之。」陳柱老子註：太上下知有之。『下知有之』胡適謂永樂大典本、吳澄本，皆作『不知有之』，日本本作『下不知有之』；杜按韓非難三篇及淮南主術訓均與舊本同，則舊本是也。此謂太上之民，止知有其應得之賞罰，不言說其是非也。」高亨老子正詁：太上，下知有之。按：太上者，最高之君也。下知有之者，民知有君而無愛惡恩怨於其間也。朱謙之老子釋譯：禮記曲禮『太上貴德，其次務施報；』鄭注：『太上，帝皇之世，其民施而不惟報。』老子所云正指太古至治之極，以道在宥天下，而未嘗治之，民相忘於無爲，不知有其上也。『下知有之』，紀昀曰：『「下」永樂大典作「不」，吳澄本作「不」。』今按焦竑老子翼從吳澄本。又王註舊刻附孫鑛考正云：『今本「下」作「不」；』作『不』義亦長。王淮老子探義：太上，下知有之。王弼曰：「居無爲之事，行不言之教，萬物作焉而不爲始，故下知有之而已」。案：此言聖人在天下，任無心而自得，放無爲而自然。莊子應帝王載老聃之言曰：「明王之治，功蓋天下，而似不自己，化貸萬物，而民弗恃，有莫舉名，使物自喜，立乎不測，而遊於無有者也」，聖人之境界如此，故「下知有之」而已。嚴靈峯老子達解：太上，下知有之；言至治之世，無爲、無事；下民祇知有君上而已。按：第五章：「天地不仁，以萬物爲芻狗；聖人不仁，以百姓爲芻狗」諸句，疑當在此「太上不知有之」句上。下知有之，馬叙倫曰：『張煦曰：「葛下作不。」潘作「太上不知有之。」各本及文選華林園集詩注。讓中書令表注引同此。……諗義，則作「不知」者爲長。』按：吳澄本、鄧錡本、明太祖本、焦竑本、周如砥本「下」並作「不」。淮南子原道訓：「夫太上之道，生萬物而不有，成化像而弗宰。」高誘注：「不以爲己有者也。」第十章：「生而不有。」是皆「不知有之」之誼也。疑當據吳澄本及各本改正。陳鼓應老子今註今譯：太上：最好，至上；指最好的世代。本章所說的「太上」、「其次」，是價值等級的排列，並不是一般舊註所謂的以時代先後爲序的排列。蔣錫昌說：

「『太上』者，古有此語，乃最上或最好之誼。魏策：『故爲王計：太上，伐秦；其次，賓秦；其次，堅約而詳講與國，無相離也；』謂最好，伐秦也。襄二十四年傳：『太上，有立德；其次，有立功；其次，有立言；』謂最上，有立德者也。呂覽孟秋紀禁塞：『凡救守者，太上，以說；其次，以兵；』謂救守者，最好，以說也。有始覽謹聽，『太上，知之；其次，知其不知；』謂最好，知之也。……皆其證也。此文『太上』亦謂最好，係就世道升降之程度而言，猶謂最好之世也。王註，『太上謂大人也，大人在上，故曰太上。』河上註，『太上，謂太古無名之君也。』自此二註出，後世解老者，即皆以『太上』爲君，沿誤至今。」福永光司說：「太上，即至高，最善的意思。次句『其次』，即次要的意思。乃是價值的等級。」不知有之：人民不知道有君主的存在。「不」字王弼本原作「下」。吳澄本，明太祖本，焦竑本，鄧錡本，潘靜觀本，周如砥本都作「不」。本章最後一句：「百姓皆謂我自然。」就是「不知有之」（人民不知道有政府或帝力）的一個說明。作『不知』意原較爲深長。所以據吳澄本改「下」爲「不」。余培林老子讀本：太上，王弼曰：「太上，謂大人也。大人在上，故曰太上。」按「太上」猶言至上、最上，指最好的國君，也就是聖人。左傳襄公二十四年曰：「太上有立德」，註：「黃帝、堯、舜」，疏：「太上，謂人之最上者，上聖之人也。」不知有之，「不」王弼本原作「下」，吳澄本、永樂大典本皆作「不」。按作「不」字義較勝，今據吳澄本改。「之」，指「太上」。此謂聖人在位，居無爲之事，行不言之教，人民皆能順性而發展，而不知有君存在。」張揚明老子斠證譯釋：「下知有之」：王弼、傅奕、景龍、宋河上，均作「下知有之」。韓非子難三亦云：「太上，下智有之」。王先愼注：「顧廣圻曰：「智讀爲知，按此，老子第十七章文」。」是亦即「下知有之」也。惟潘、葛、吳澄並作「不知有之」。日本古逸叢書作「下不知有之」。揚明索：「知」，係僅知之義。如堯德之盛，經緯天地，照臨四方。及帝俎落，百姓如喪考妣。而擊壤之歌却謂「帝力於我何有哉」。可見是僅知有帝而從未遭受帝力的干擾。如謂連有帝而不知，則似不近情理；亦殊背照臨四方之義。故仍以從古本不改爲是。「太上，下知有之」：王弼：「謂大人也。大人在上，故曰太上」。顧廣圻：「太古上德之人也」。揚明索：「太上」之義，古籍中不一而足。如：禮曲禮：「太上貴德」。疏：「太上，謂三皇五帝之世也」。左傳襄二十四年：「太上有立德」。注：「黃帝、堯、舜；大，音泰」。疏：「大上，謂大人之最上者，上聖人之人也」。而本章「太上」，係指人之最上者，與傳疏義同。「太上，下知有之」，是說太上之治，下民僅知有其君而已。至劉引高注知作智之說，按之四十一章「下士聞道大笑之；不笑不是以爲道」，可見高注非老子本義。張說是也。

十八章 俗 薄

慧智知，有大僞。⑵

【斠補】王注：行術用明，以察姦僞，趣覩形見，物知避之。故智慧出，則大僞生。案大僞與仁義對文，則大非大小之大，即四十一章下士聞道，大而笑之之大也。王念孫讀書雜志云：大笑之本，作大而笑之，猶言迂而笑也，其說甚確。惟以迂訓大則非，大即汏字。左傳昭三年：伯石之汏也。杜注：驕也。禮定檀弓篇：汏哉！叔氏釋云：自矜大。荀子仲尼篇：般樂奢汏。楊注：汏，侈也。新書道術篇：厚志隱行之潔，反潔爲汏，夸誕之謂也。彼文大而笑之，言汏以笑之也。此文之大僞，即汏僞，即誣告，習爲夸誕虛誣之言行也。

【疏證】義案：甲本作「知快出案有（大）僞。」乙本作「知慧出安有（大）□。」古本作「智慧出焉，有大僞。」吳澄道德眞經註：智慧出，有大僞：上文不知有之者，大道也。親譽之者，仁義也。畏侮之者，智慧也。自大道一降再降，已是三等，智慧又變爲大僞，則共有四等也。然大道廢，而後有仁義，則其變猶稍緩；智慧出，而遄有大僞，則其變爲甚亟。四者之兮，與邵子所言，皇帝王伯聖賢才術之等略相似。」焦竑老子翼：「王介甫云：智者，知也；慧者，察也。以其有知有察，此大僞所以生也。蘇子由云：世不知道之足以澹足萬物也，而以智慧加之，於是民始以僞報之矣。呂吉甫云：賊莫大乎德有心，而心有眼，及有眼而內視，內視則敗矣，則智慧出，固所以有大僞也。僞者，德之反也。李息齋云：不幸而又有小智小慧者，竊仁義而行之，則僞自此滋，亂自此始。」魏源老子本義：「智慧出，有大僞。傅奕廢下出下，並有焉字。夫不知有之者大道，親譽之者仁義，畏之者智慧。侮之者大僞。是自大道一降再降，共有此數等，然大道廢而後有仁義，則其變猶緩，智慧出而遄有大僞，則其變爲甚亟。馬叙倫老子校詁：智慧出，焉有大僞。焦竑曰：廢出下古本有焉字。畢沅曰：河上公王弼無焉字。智慧河上公作智惠，王弼作知慧，知與智通。聚珍版弼本作慧智，與陸德明本不同。張煦曰：呂等無焉字。倫案：經幢焉字同此，慧作惠。范焉字在義字僞字下，智慧作知惠，趙寫慧作惠，彭寇白張嗣成臧疏趙吳潘集唐並作智慧。成疏曰：智慧，聖智也。是成亦作智慧。後漢書仲成統傳注引作智慧，（王先謙本、明陳仁錫作惠，）易州及荀子性惡篇楊倞注引作智慧。論弼注曰：故智慧出，則大僞生也。是作慧智者，傳寫誤倒耳，各本無焉字。易州廢作發，仁作人，館本廢作發。范應元曰：知，去聲，惠訓儇也。洪頤煊曰：慧河上本作惠，說文：惠，仁也。慧，儇也。惠慧不同。論語衛靈公好行小慧，釋文魯讀慧爲惠，是假借字。倫案：焉字在廢出下者是，焉即在於是也。朱謙之老子釋譯：嚴可均曰：「『有人義』各本作『仁義』，『智惠出』王弼作『智慧』，或作『慧知』，非。」洪頤煊曰：「『智惠出，有大僞。煊案『惠』當作『慧』。釋文本作『知慧』，說文『惠，仁也，从心从叀；』『慧，儇也，从心彗聲；』『惠』『慧』不同。論語衛靈公『好行小慧』，釋文『魯讀慧爲惠」，是假借字。』紀　曰：『案慧惠古通』。情牽案：『癈』當作『廢』。景龍、廣明均作『癈』。字鑑曰：『廢放肺切，說文「屋頓也」，與篤癈字異。』又『人義』當從諸本作『仁義』，莊子馬蹄篇『道德不廢，安取仁義；』即本此。王淮老子探義：智慧出、有大僞。釋憨山曰：「智慧、謂聖人治天下之智巧，即禮樂、權衡、斗斛、法令之事。然上古不識不知，而民自樸素。及乎中古，民情日鑿，而治天下者乃以智巧設法以治之，殊不知智巧一出，而民則因法作奸，故曰：智慧出，有大僞」。案：此處所言「智慧」並非善義之詞。謂人之機智技巧也。君如於朝廷之上，行其機智而運其技巧，則必權術爲體，刑法爲用，於是乎羣臣百姓怖懼於下，固「畏之」矣，終必「侮之」（參看上章「其次畏之侮之」句），而欺詐在所難免矣。故本經第五十七章曰：「法令滋彰、盜賊多有」，五十八章曰：「其政察察、其民缺缺」，所以然者，皆因「智慧」出，故有「大僞」相應而生也。復次如臣民百姓多智、亦將行其欺詐巧智之事，本經六十五章所謂「民之難治、以其智多」者，即其義也。嚴靈峯老子達解：智慧出，有大僞；謂智慧出，則詐僞因之萌生也。按：十八、十九兩章，疑當合爲一章。本章自「大道廢，有仁義，智慧出，有大僞。」至「國家昏亂有忠臣」止，當連接在十九章「絕聖棄智」之上。智慧：武英殿本、浙局本並作「慧智」。按：傅奕本、道藏本、樓觀本、河上公本、陸德明音義及諸本，並同此本。嚴靈峯馬王堆帛書老子試探：小篆本作「[illegible]」。通行本「[illegible]」作「慧」。說文未收，亦未見他書。隸書本作「慧」。陳鼓應老子今註今譯：智慧：智巧。「智慧」王弼本原作「慧智」。傅奕本，蘇轍本，林希逸本，吳澄本，焦竑本均作「智慧」。王弼的註本：「故『智慧』出，則大僞生也。」可見「慧智」是傳寫誤倒的。因據傅弈本及王註改正。余培林老子讀本：智慧出，有大僞。按「智慧」王弼原作「慧智」，註曰：「故智慧出，則大僞生。」是王本原作「智慧」，後人傳寫誤倒作「慧智」。今據傳弈本、吳澄本改。「智慧」即詭巧。君以詭巧治民，民必相應而生詐僞，故曰：「智慧出，有大僞。」張揚明老子斠證譯釋：「大道廢，有仁義；智慧出，有大僞」：傅弈作「焉有仁義，焉有大僞」。范應元作「有仁義焉，有大僞焉」。王弼華亭張氏本「智慧」作「慧智」。釋文作「知慧」。宋河上作「智惠」。傅弈、吳澄、魏源作「智慧」。畢沅云：「知與智同。惠與慧通」。揚明案：王弼正德道臧本正作「智慧」，馬說是，據改正。王介甫：「道隱於無形，名生於不足；道隱於無形，則無小大之分；名生於不足，則有仁義智慧等差之別。仁者有所愛也，義者有所別也；以其有愛有別，此大道所以廢也。智者知也，慧者察也，以其有知有察，此大僞所以生也。孝者各親其親，慈者各子其子，此六親所以不和也。忠者忠於己之君，謂之忠；忠於他人之君謂之叛。

十九章 還淳

此三者，以爲文不足，故令有所屬。⑵

【斠補】王注：文甚不足，不令之有所屬，無以見其指。案此文當讀：此三者以爲句。以，用也，猶言行此三者也。爲文不足句，令即號令之令屬注也。此言人民無知無德，則國家之令克以專一，即商君說秦之所本也。又第二十章云：衆人皆有以，而我獨頑似鄙。王注云：以，用也。此文以字，與有以方之以同。又文子道原篇曰：清靜者，德之至也；柔弱者，道之用也；虛無恬愉者，萬物之祖也。三者行，則淪於無形。彼文之三者行，猶此文之三者以也。

【疏證】義案：甲本作「此三言也，以爲文未足，故令之有所屬。」乙本同。古本作「此三者，以爲文而未足也，故令有所屬。」吳澄道德眞經註：三者，仁義、聖智、巧利也。屬，與莊子屬其性乎仁義之屬同，猶云附著也。皇之大道，實有餘，文不足，自皇而降，漸漸趨文，帝者，以皇之治，爲文不足，於是降大道一等，而附著於仁義，王者以帝之治爲文不足，於是降仁義一等，而附著於聖智，伯者，以王之治，爲文不足，於是降聖智一等，而附著於巧利三者之治，各令有所附著者，以文不足故爾。」焦竑老子翼：「蘇子由云：世之貴此三者，以爲天下之不安，由文之不足故也。是以或屬之聖智，或屬之仁義，或屬之功利，蓋將以文治之也。呂吉甫云：聖智也，仁義也，功利也。此三者，以爲文而非質，不足而非全，故絕而棄之，令有所屬。李息齋云：聖人用其實，不取其文，故其見於外者，無其形。衆人竊其似，以亂其眞，故令見於外者，有所屬。焦竑云：聖智、仁義、巧利三者，繇世道日趨於文，故有此名。自知道者觀之，此文也。文不足以治天下，不若使之屬意乎見素抱樸。」魏源老子本義：「此三者以爲文不足。傅奕作以爲文而未足也，李約亦作未足。此三者，指仁義、聖智、巧利三事也。屬，與莊子屬其性乎仁義之屬同，猶云附著也。皇之大道，實有餘文，文不足，自皇而降，漸漸趨文，故遞以前此之文爲不足，而各附著於所尚，是以屢變而趨於末，而豈知大道之民，見素抱樸，質而已矣。如此，則少私寡欲，何以文爲。上云六親不和有孝慈，而又言民復孝慈者，蓋人孝慈則無孝慈之名，此名實文質之辨也。以是推之，則眞仁義者，無仁義之迹，眞聖智者，無聖智之名，亦若是而已。」王夫之老子衍：「此三者以爲文，不足，呂吉甫曰：文而非質，不足而非全。故令有所屬。」馬叙倫老子校詁：此三者以爲文而未足也，故令有所屬。范應元曰：王弼同古本。彭耜曰：司馬作以爲文而不足，程無此字。畢沅曰：河上公王弼並作以爲文不足，李約作以爲文未足。魏錫曾曰：御注作以爲文不足。張煦曰：呂等同王弼。羅運賢曰：治要卅四引無此三者故令有所屬字。平田羊一郎引桂君五十郎曰：此節雖韻叶，於義不串。且文體遽異，恐是校語，非經文也。余疑此十五字爲旁記之文，本在見素句上，三又作二，傳寫誤入正文，置之此下，二又因改爲三耳。倫案：范作三者，以爲文不足也。館本作此三者，爲文不足。各本並作此三者，以爲文不足。范謂王弼同古本。

則毛本亦作三者，以爲文不足也。今詮王注曰：此三者以爲文而未足，故令人有所屬，則王同此。晉書裴頠崇有論及治要引以爲文不足五字。又案易順鼎曰：文子引絕學無憂在絕聖棄智之上，疑古本如此。絕學無憂各二字爲句，學與憂爲韵，信慈有爲韵，三者疑當作三者。倫案：晁氏讀書記引明皇本，亦以絕學無憂屬於此章之末，孫盛老子疑問反訊引已同今本，倫謂當如明皇本。上文六句爲偶，知義利爲韵，信慈有爲韵，此則樸欲憂爲韵也。文蓋政字之譌，隸書政字爛脫左邊正字，因譌爲文矣。漢書武帝紀內長文所以見愛也。蘆浦筆記謂古文漢書內長文作而肆赦，赦字爛脫成文，正與此同。故，臧疏誤作政，此三者以下，疑古注或弼注也。倫案：屬爲孎省。說文曰：「孎，謹也。」陳柱老子註：此三者以爲文不足，故令有所屬。此承上章之意，而欲去仁義之世之有階級時代，而反於道德之世之無階級時代也；然聖智也，仁義也，巧利也，三者，皆比較而生之事，倘能使天下之人皆聖智，則聖智無所見矣，使天下之人皆孝慈，則仁義無所見矣；使天下之人皆巧利，則巧利無所見矣；此亦絕聖棄智，絕仁棄義，絕巧棄利之法也；何也？考工記云：『粵無鎛，燕無函，非無鎛也，非無函也，夫人而能爲鎛也，夫人而能爲函也。』老子之絕，亦若此而已。接天下人至不齊也，則此三者之文明，安能使天下之皆齊一滿足乎，故曰此三者以文不足也。下章絕學無憂句，宜據易順鼎說，移在此章絕句聖棄智句之上，蓋此章四絕字，文本一律也；『三者』之『三』當改爲『四』字。高亨老子正詁：此三者以爲文不足。按以，因也。爲讀爲虛僞之僞。「爲文，」即僞文也。三者，絕聖棄知一也，絕仁棄義二也，絕巧棄利三也。言所以如此者，因虛僞之文不足以治國也。五十七章曰：「天下多諱而民彌貧。民多利器，國家滋昏。

人多伎巧，奇物滋起。法令滋章，盜賊多有。」即申明僞文不足之意也。」朱謙之老子釋譯：魏稼孫曰：「『御注「爲」上有「以」字。』羅振玉曰：『景龍、景福二本均無「以」字。』武內義雄曰：『遂本「此三者言爲」；景本「此三者爲」；敦本「此三言爲」。』」情牽案：范本無『此』字，傅本『不』作『未』，傅、范本『足』下有『也』字。又羣書治要卷三十四引『盜賊無有』下，即接『以爲文不足，見素抱樸，少私寡欲，』無『此三者』與『故令有所屬』八字，疑此爲旁記之言，傳寫者誤入正文。于省吾曰：『按「爲」「僞」古通。書堯典「平秩南僞」，史記五帝紀作「南爲」。禮記月令「毋或作爲淫巧」，注「今月令作爲詐僞」。「文」讀荀子儒效「取是而文之也」之文，文飾也。「此三者」謂聖智、仁義、巧利。以僞文不足，言以僞詐文飾其所不足也。下言「故令有所屬，見素抱樸，少私寡欲；」是皆不以僞詐文飾爲事，絕之於彼，而屬之於此，此老子本義也。』王淮老子探義：此三者以爲文不足，故令有所屬。見素抱朴、少私寡欲。河上公曰：「以爲文不足者，文不足以敎民」。蘇子由曰：「見素抱朴、少私寡欲，而天下各復其性，雖有三者，無所用之矣。故曰：我無爲而民自化，我好靜而民自正，我無事而民自富，我無欲而民自朴。此則聖智之大，仁義之至，巧利之極也」。焦竑曰：「蓋老子絕之於彼，正欲其屬之於此。學者不察其意，而但知其絕而棄之，猥云：老子之論，蕩而不法也。斯所謂不得於言者乎」。案：三者謂聖智、仁義、巧利。本章老子主持其自然主義之立場，根本否定人文主義之價值世界。何以知其然？嘗試言之：「聖」與「智」是價值世界之建構者（人間文明之創造者），「仁」與「義」代表一切精神文明之價值內容，「巧」與「利」則代表一切物質文明之價值內容。老子所以根本否定此三者，其意蓋以爲一切人文之活動與文明之創造，在本質上皆是無意義的，故其活動之成果與創造之內容皆是無價値的。因爲就人類社會講，「人文」既是違反「自然」的；就個體生命講，「文明」則是戕賊「性情」的。老子之自然主義在本質上是一種朴素的實在論。主張在一種朴實的人類「社會」中，個別呈現眞實的「人性」而共同享受自然的「人生」。至於聖智、仁義、巧利等，既無意義，又無價値，故無妨絕而棄之也。抑更進而言之：棄彼人爲之文明，乃所以取此自然之朴素，朴素則無餘事矣。**嚴靈峯老子達解**：此三者，以爲文，不足；故令有所屬：言聖智、仁義、巧利三者以爲文飾，不足以言治道；故使有所從屬，即屬於下文諸事也。本章全章自首句「絕聖棄智，民利百倍」起，當接十八章「國家昏亂有忠臣」句後。此三者以爲文不足。王弼注：「此三者，以爲文而未足；故令人有所屬。」按：「不足」二字疑當從王注作「而未足」。**陳鼓應老子今註今譯**：此三者：指聖智、仁義、巧利。文：文飾、浮文。屬：歸屬、適從。**余培林老子讀本**：此三者，指聖智、仁義、巧利。以爲文不足，河上公曰：「以爲文不足者，文不足以教民。」按「文」是對下文「素」、「朴」而言，是人爲的文（人文），並非出於「自然」的「道」，所以不足以治天下。屬：歸依，從屬。**張揚明老子斠證譯釋**：「以爲文不足」：「文」，文采也。**王弼**：「聖智，才之善也；仁義，人之善也；巧利，用之善也。而直云絕，文甚不足；不令之有所屬，無以見其旨。故曰：『此三者以爲文不足，故令有所屬』。屬之於素樸寡欲。」

少私寡欲。(23)

【斠補】河上注：少私者，正無私也。案私當作思。韓非子解老篇曰：凡德者，以無爲集，以無欲成，以不思安，以不用固。思欲並言。又文選謝靈運鄰里相送方山詩，李注引老子曰：少思寡欲。此古本作思之證。韓非子之不思，提釋此少思也。

【疏證】義案：甲本殘闕。乙本作「少（私）而寡欲。」古本無異文。吳澄道德眞經註：少私寡欲。豈知大道之民，外之相示以素，內之自守以樸。素者，未染色之絲也。樸者，未斲器之木也，質而已矣。奚以爲文惟其質而不文，是以民雖有身，而似無身，其有私焉者少矣。民雖有心，而似無心，其有欲焉者寡矣。焦竑老子翼：「呂吉甫云：素而不雜，樸而不散，則復乎性，而外物不能惑，而少私寡欲矣。李息齋云：惟以素樸先民，民見其見素抱樸，則不敢以文欺物，不以私欲示民，民見其少私寡欲，則不敢以文自欺。焦竑云：夫遊於性之初，故雖有身，而實無身，其有私焉者少矣。雖有心，而實無心，其有欲焉者寡矣。」魏源老子本義：「見素抱樸，少私寡欲，則我無爲而民自化，我無欲而民自樸，此聖智之大，仁義之至，巧利之極也。」馬叙倫老子校詁：見素袌樸。少私寡欲。畢沅曰：樸或作朴，同。袌作抱，非也。張煦曰：呂等袌作抱。倫案：館本作見抱樸，各本袌作抱，後同。易州宋河上范吳樸並作朴，說文曰：樸，本素也。朴，木皮也。則作樸者是正字，作朴者假借字。袌，各本及文選江文通雜體詩注引並作抱，亦借字。私字，嵇康難張遼叔宅無吉凶攝生論、論語義疏七治要及文選幽憤詩注、養生論注、與吳質書注、田南園激流植援一首注，引並同此。倫案：右文舊爲第十九章。陳柱老子註：「少私寡欲。夫既不能使之足矣，則決不能專以此三者炫惑天下，而當令天下之民有所屬矣；於何屬之？則見素抱樸，少私寡欲是矣。如是則不惑天下之人以奢侈，而天下之人亦無有受階級之壓迫者故不致釀成階級之革命矣。」朱謙之老子釋譯：案：『朴』字，河上、顧、范與此石同。王弼傅奕作『樸』，御注作『撲』。畢沅曰：『「樸」或作「朴」，同。』情牽索：『私』本作『思』，唐王眞論兵要義述，及强思齊本，宋陳象古本，元大德三年陝西寶鷄縣磻溪宮道德經幢，『私』均作『思』，此其證也。惟莊子山木篇『其民愚而朴，少私而寡欲』語同此石。河上注『少私』曰：『正無私也』與經文七章『非以其無私邪，故能成其私』義合，以老解老，知劉說雖可通，而未可據以爲定論也。嚴靈峯老子達解：見素，抱樸，少私，寡欲。不言守素，而言見素，不言返樸，而言抱樸，不言無私，而言少私；不言無欲，而言寡欲；蓋即「去甚，去奢，去泰」之義也。按：二十章起句：「絕學無憂」，疑當在此章「少私寡欲」句下。二十三章起句：「希言自然，」疑亦當接「絕學無憂」之後，本章意義始能完整也。嚴靈峯馬王堆帛書老子試探：莊子山木：少私而寡欲。張揚明老子斠證譯釋：「見素抱樸，少私寡欲，而天下各復其性。雖有三者，無所用之矣。故曰：我無爲而民自化，我好靜而民自正，我無事而民自富，我無欲而民自樸。此則聖智之大，仁義之至，巧利之極也。素而不雜，樸而不散，則復乎性，而外物不能惑，而少私寡欲矣。少私寡欲，而後可以語絕學之至道也。」

二十章 異俗

唯之與阿，相去幾何？善之與惡，相去若何？(24)

【斠補】王注：唯阿美惡，相去何若。案善惡相反，唯阿二字義同，與善惡匪一律，阿當作訶。說文：訶，大言而怒也。廣雅釋詁：訶，怒也。訶，俗作呵。漢書食貨志：縱而弗呵乎。顏注：責怒也。蓋唯爲應詞，訶爲責怒之詞。人心之怒，必起于有所否，故老子因叶下文何韵，以訶代否．唯之與阿，猶言從之與違也。

【疏證】義案：甲本作「唯與呵，其相去幾何？美與惡，其相去何若？」乙本作「唯與訶，其相去幾何？美與亞，亓相去何若？」古本作「唯之與阿，相去幾何？美之與惡，相去何若？」唯與「訶」：通行本「訶」作「阿」。說文：『訶，大言而怒也。從言可聲。』廣雅釋詁二：『訶，怒也。』又說文：『阿，大陵也。一曰：曲阜也。從阜，可聲。』廣雅釋詁三：『阿，近也。』范應元曰：『唯，恭應也。阿，慢應也。』現存本無有作「訶」者。獨潘靜觀本作「呵」。隸書本亦作「呵」。吳澄道德眞經注：「以下言爲言，則有憂之事。唯阿，皆應聲。唯正順；阿，邪諂。幾何，言甚不相遠也。何若，言何若其相遠也？學應對者，唯與阿，其初相去本不遠，而唯則爲善，阿則爲惡，其究相去，迺甚遠。故學唯者，惟恐其或流於阿，此學可憂之一事而言也。」焦竑老子翼：「蘇子由云：學者溺於所聞，而無以一之，則唯之爲恭，阿之爲慢，不可同日言矣，而況夫善惡之相反乎？夫唯聖人，知萬物同出於性，而皆成於妄。如畫馬牛，如刻虎彘，皆非其實，滑焉無是非同異之辨，孰知其相去幾何哉？呂吉甫云：唯之與阿，出於聲一也，其相去幾何？善之與惡，離乎道一也，其相去何若？此所以雖聖知猶絕而棄之，不以累其心也。李息齋云：唯之爲恭，阿之爲慢，方其唯阿之間，其相去幾何？及其爲恭，與慢則相去遠矣。嚮理爲善，背理爲惡，方其嚮背之間，相去幾何？及其爲善，與惡則相去遠矣。聖人嘗觀其始，知其本同。故反慢而爲恭，反惡而爲善，在俄頃之間耳。焦竑云：彼爲善者，雖異於惡，而離性則一。其少異者，如唯與阿之間耳。董思靖云：唯阿出於聲，善惡同出於爲，達人大觀，本實非異，正如臧穀亡羊之說也。」

魏源老子本義：「善之與惡，相去何若？善，傅奕作美。何若，王弼作若何。蓋憂生於畏，彼世之爲學者，但以爲善勝於惡，揚揚自得，而以吾觀之，正猶唯之與阿耳。何者？論斯人之本心，豈眞樂唯而苦阿，樂善而苦惡，二者之間，相去幾何？徒以人皆唯阿之，慢人而取辱，畏惡之，失譽而招刑，是以亦不得不畏彼而爲此耳。迫於無可奈何而爲之，且抱此憂以畢生，而荒兮安有窮極乎？然在世人之心，豈眞知其多憂，彼固將以求樂，方熙熙然徇物有餘也。且世人之心，又豈自以無知，方且自以爲昭察，而視我爲沌愚昏悶頑鄙也。」王夫之老子衍：「唯之與阿，相去幾何？善之與惡，相去何若？善惡相傾，繇學而起，故效仁者失智，故智者失仁。既爭歧之，又强合之，方且以爲免於憂，而孰知一彼一此者之相去不遠也？則揖讓亦唯，而征伐亦阿也。」馬叙倫老子校詁：美之與惡。相去何若。彭耜曰：蘇無此二句。畢沅曰：河上公、王弼、美並作善。何若？聚珍版弼注本作若何。易順鼎曰：王注曰：唯阿美惡，相去何若。是王本作美之與惡，相去何若？倫案：各本及孫盛老子疑問反訊引，並作善之與惡，相去何若？成疏曰：順意爲美，逆心爲惡，則成亦作美，作美是也。陳柱老子註：「唯之與阿，相去幾何？善之與惡，相去若何？阿者，訶之借字。訶者，唯之反；惡者，善之反；在衆人則喜唯憎訶，爭喜舍惡，而自達人觀之，則一耳。」高亨老子正詁：唯之與阿，相去幾何？按：唯爲順而受之之詞。訶爲逆而斥之之詞。義正相反。美之與惡，相去何若？「美，」王本原作「善，」傅本作「美，」今據改。「何若，」王本原作「若何，」傅本作「何若，」今據改。易順鼎曰：「王本作『美之與惡，相去何若，』正與傅奕同。注云：『唯阿美惡，相去何若』是其證也。今本非王之舊。」按：易說是也。二章曰：「天下皆知美之爲美，斯惡已。」亦美惡對言，此善當作美之證。此文阿何爲韻，惡若爲韻。此若何當作何若之證。此二句亦老子之相對論也。朱謙之老子釋譯：武內義雄曰：『敦遂二本「善」作「美」。』蔣錫昌曰：「顧本成疏『順意爲美，逆心爲惡，』是成作美。二章『天下皆知美之爲美，斯惡已；』彼此並無美惡對言。傅本「善」作「美」，應從之。此文阿、何、惡、若爲韻，諸本「若何」作「何若」，亦應從之。』嚴可均曰：『相去何若，王弼或作「若何」，非。』王淮老子探義：唯之與阿、相去幾何。善之與惡、相去何若。王弼曰：「故續鳧之足，何異截鶴之脛。畏譽而進，何異畏刑。唯阿美惡、相去何若。故人之所畏、吾亦畏之，未敢待之以爲用也」。董思靖曰：「此故太上忘情，是非俱泯者之所爲，然學者直須於善惡不可名處著眼始得，若直以爲善與惡同耳，則是任天下至於惡而不之顧、豈理也哉」。案：唯與阿、猶是與否。此言是非善惡之差異，皆爲相對而非絕對者（參看本經第二章），既非絕對，則其「差異」在本質上皆屬有限，莊子所謂：「以道觀之，物無貴賤」（秋水篇）者、是也。然此特爲以「道」觀之所得之究竟了義，聖人以之應世，則主觀上必無是非善惡之分別執着（固執），而客觀上一切（因是因非」（莊子齊物論語）。方便行之，唯在從俗。故曰：「人之所畏、不可不畏」，言與論是非之必須服從，而不可固執己意。莊子所謂：「以俗觀之，貴賤不在己」者，即其義也。」嚴靈峯老子達解：「唯之與阿，相去幾何？言唯、阿應對之間，有何差別？善之與惡，相去若何？言善、惡相對，相因「天下皆知善之爲善，斯不善已。」「善者，吾善之；不善者，吾亦善之。」則善、惡有何不同？陳鼓應老子今註今釋：唯之與阿：「唯」，恭敬的答應，這是晚輩回應長輩的聲音。「阿」，怠慢的答應，這是長輩回應晚輩的聲音。「唯」、「阿」都是回應的聲音，「阿」的聲音高，「唯」的聲音低，在這裡用以表示上下或貴賤的區別。有人以爲「阿」是「訶」的借字，遂解釋爲責怒的聲音，這是誤解，有失老子原義。成玄英疏：「『唯』，敬諾也。『阿』，慢應也。」范應元說：「『唯』，恭應也。『阿』，慢應也。」

善之於惡：成玄英說：「順意爲善，違心爲惡。」成玄英的解釋眞是一語中的，世俗人羣所謂的「善惡」，往往只不過建立在「順意」、「違心」的心理基礎上。余培林老子讀本：唯之與阿，河上公曰：「同爲對應，而相去幾何？疾時賤質而貴文。」按「唯」與「阿」同爲應聲，「唯」是恭敬的應聲，「阿」是侮慢的應聲。人恭敬應我，則我必以爲榮，侮慢應我，則我必以爲辱，所以「唯阿」引申有榮辱、貴賤之意。善之與惡，成玄英曰：「順意爲善，違心爲惡。」這是說世人所謂的善惡，都是主觀的，而不是客觀的，是相對的，而不是絕對的。這種主觀的、相對的榮辱貴賤，是非善惡的價值判斷，往往因地而異。甲地認爲是的，乙地可能認爲非；前代認爲善的，後代可能以爲惡。如此說來，美醜善惡之間究竟有何差別呢？所以說：「相去未幾何」，「相去若何」。」張揚明老子斠證譯釋：「唯之與阿」：「唯」，喩疊切，諾也，見說文，慢應聲。又通訶。焦竑：「唯阿皆應聲，唯恭而阿慢也。」「相去何若」：王弼原著「若何」。河上、傅奕、景龍、吳澄各本均作「何若」。

我獨異於人，而貴食母。㉕

【斠補】王注：食母，生之本也。河上公注：食，用也；母，道也，我獨貴用道也。案第一章云：有名萬物之母。第五十二章云：天下又始，以爲天下母。旣得其母，以知其子；旣知其子，復守其母。五十九章云：有國之母，可以長久。此文食母，義不可曉，疑食當作得，即五十二章之得其母也。佚周書武寤解，王食無彊。朱駿聲云：王食，食字疑當讀爲德。孫詒讓斠補云：朱說是。德正字作悳，食隸書作㑥，二字形近而誤。此古籍德，恆誤食之證，德得古通。老子一書，亦恆叚德爲得。如二十三章：德者，同進德。王注：以則得爲訓，則本字作得，不作德，德乃得字之叚文，疑此古文本，亦以德代得，與廿三章之德同例。悳食形近，遂由悳字訛爲食母者，所以喩道本也。韓非子解老篇：述有國之母曰：所謂有國之母，母者，道也；道也者，生於所以有國之術，所以有國之術，故謂之有國之母。此解釋母字最古之詁也，河上注蓋本之。

【疏證】義案：甲本作「吾欲獨異於人，而貴食母。」乙本同。古本作「吾獨欲異於人，而貴食母。」吳澄道德眞經註：此一句，總結上文八節，自人之所畏，至我獨若遺四節，言人之爲學者，務多能，而我獨一無所能，自我愚人之心。至我獨頑似鄙四節，言人之爲學者，務多知，而我獨一無所知，此我之所以獨異於人，而我之所貴者，則大道之玄德也。玄德者，萬物資之以養，所謂萬物之母也，故曰食母。食母二字，見禮記內則篇，即乳母也。司馬氏曰：乳哺光和。」焦竑老子翼：「蘇子由云：道者，萬物之母；衆人徇物忘道，而聖人脫遺萬物，以道爲宗。譬如嬰兒，無所雜食，食於母而已。呂吉甫歪：夫磊聽思慮，道之所自而生者也，故於道爲子，而道則爲之母。衆人逐物役智，以資其視聽思慮，則養其子而已；而我則遺而去之，凡貴養母故也。故曰我獨異人，而貴食母。李息齋云：蓋我所異於衆人，識本達原，不流於末。是謂貴食母。王純甫云：蓋所絕者，世俗之學；而所貴者，食母之學也。母者，何也？德者，萬物之母，而道又德之母，則聖人所謂母，兼道德而言之也。食者，味之自養也。焦竑云：以衆皆逐其子，我獨貴其母，不能不與衆耳異耳。蓋性無善惡，而善惡萬法，皆從此而生，故謂之食母。」魏源老子本義：「我獨異於人，而貴食母。傅奕作我獨異於人，開元本作貴求食於母。自注云：舊無求於二字，予所加也。晁說之稱明皇本作兒貴於食於母，恐誤。然則豈我獨甘爲其賤，而異於人情乎？我固自有我之所貴，但與人不同耳。德者萬物之母，道又德之母，衆人逐物役智，以資其視聽思慮，則養其子而已。我獨遺而去之。味道德以自養，然則絕憂畏之學者，正所以貴食母之學也。而揚子雲謂人而絕學，雖無憂如禽何？豈知所以絕學之意者哉！澹泊然情欲未萌，如嬰兒未能咳笑之時，初不知外物之可樂也。乘乘然寄寓於物而不著於物也，衆人皆有求贏餘之心，我獨遺棄之，豈眞愚而如此沌沌然哉？蓋道以不足爲樂，而無有餘之心，是以人若昭察而我若昏悶也，如此則此心茫茫所向，如乘舟大海之中，漂浮而無繫著，即乘乘若無所歸之意。有以，有爲也。頑似鄙者，若遠鄙之民不識都邑也。食母。見禮記內則篇，即乳母也。貴食母者，即嬰兒未咳之義也。」王夫子老子衍：「我獨異於人，而貴食母。蘇子繇曰：譬如嬰兒，無所雜食，食於母而已。」

口目之用一，而所善者萬；心一，而口目之用萬；安能役役以奔其趣舍哉？其唯食於母乎！食於母者，不得已而有食，而未嘗有所不得已也。故荒未央者可盡，而頑鄙可居。雖然，其所食者虛也，因也。天下不畏不仁，而我不敢暴；天下畏不智，而我不敢迷。以雪遯者，唯恐以跡；以棘行者，唯恐以胃。蟺蜿輕微，而後學可絕；學可絕，而後生不損，而物不傷。」馬敍倫老子校詁：我獨欲異於人而貴食母。彭耜曰：纂微司馬並作而貴食母，蘇作兒貴食母，五注曹達眞葉清源黃手人幷作於人，作而貴食於母。焦竑曰：開元本作而求食於母。王昶曰：至元同開元。畢沅曰：河上公王弼無欲字，明皇作而貴求食其母，陳象古邵若愚同。馬端臨文獻通考稱晁氏云：明皇本作兒貴求食於母，今檢之，則未確也。陶紹學曰：王注曰：故曰我獨欲異於人，是王本亦有欲字，易順鼎曰：王冰上古天眞論注引作我獨異於人，而貴求食於母。張煦曰：呂等無欲字，作兒貴食母，林蘇趙作而貴求食於母。倫案：范彭寇張嗣成潘磻溪趙寫並作我獨異於人而貴求食於母。易州臧疏白吳趙無欲字，館卷無獨字，館本無求於二字。倫案：衆人皆有以至而貴食母，應移至衆人皆有餘而我獨若遺下，我愚人之心也哉上，此句當作衆人皆有異而我獨貴食母，蓋由後人不解異字之義而妄改也。觀本有作貴食於母及本或無欲字者，可以證知。至作兒貴求食於母者，又由不解食母之義而妄改也。此文衆人皆有餘，而我獨若遺。衆人皆有以，而我獨頑且。衆人皆有異，而我獨貴食母。辭例相同，義亦聯貫。異者，說文曰：分也。蓋非本義。金文、作[illegible]。（甲文亦有如此者）甲文文作[illegible]，即戴本字。說文曰：分物得增益曰戴，而古書言負戴，戴謂加於首上。[illegible][illegible]均從大而加物於首，手持之也，今西北及朝鮮猶有此俗，異戴古音同部，異爲分別之義所專。則別作戴字耳。異爲加物於首，故義爲增益。此文猶用其本義矣。石田羊一郎曰：此章錯簡殊多，今據各本參訂。倫案：右文舊爲第二十章。」陳柱老子註：我獨異於人，而貴食母，食母，生之本也。謂我獨貴生民之本，衆皆貴末飾之華也。此章諸『如』「若」等字，亦不可忽視。高亨老子正詁：我獨異於人而貴食母，德得古通。老子一書，亦恒假德爲得，惪食形近，遂由惪字訛爲食。母者所以喻道本也。韓非子解老篇，述有國之母曰：『所謂有國之母，母者道也。道也者生於所以有國之術。所以有國之術，故謂之有國之母。』此母字最古之詁也。」朱謙之老子釋譯：陶鴻慶曰：『傅奕本「我獨」下有「欲」字。據王注「我獨欲異於人」，是王所見本亦有「欲」字，而傳寫奪之。老子狀道之要妙，多爲支離惝怳之辭，或曰若、曰如、曰似、曰將、曰欲，皆此旨也。當以有「欲」字爲勝。』倫案：敦煌本、遂州本『獨』正作「欲」。嚴可均：『「而貴食母」，御注作「而貴求食於母」。』李道純曰：『「而貴食母」，或云「兒貴求食於母」，非。』

勞健曰：「食母」二字，范本誤從唐玄宗加字作「求食於母。」玄宗自注云「先无『求於』兩字，今所加也；」明非古本，范氏失於校正。」情牽案：此句諸家解多誤，惟蘇轍得其義曰：『譬如嬰兒，無所雜食，食於母而已。』又莊子德充符篇『豚子食於其死母』，郭注云：『食乳也』。此云『食母』，即食乳於母之意。又王羲之本『貴』下亦有『求』，此帖斷爲明皇增字後所作無疑。王淮老子探義：我獨異於人、而貴食母。河上公曰：「食、用也。母、道也。我獨貴用其道也」。案：此總結上文。老子言，我獨與世人相異，其所異者雖有四端（如上所述），至於其所以異者，不過一點：即我獨貴「食母」是也。食母者何、修道是也。世人舍本逐末，我獨反本復始。世人殉「物」，我獨求「道」。眞俗固自相反，天人本不同道。莊子天下篇稱老聃「澹然獨與神明居」，而爲「古之博大眞人」，蓋眞人之所以獨異於人者，唯在其能守其「眞」而反乎「天」也。所謂「守眞」而「反天」者，「食母」之謂也。嚴靈峯老子達解：我獨異於人，而貴食母。言我獨異於世人，而重在守道也。陳鼓應老子今註今譯：貴食母：以守道爲貴。「母」，指道。「食母」，資養萬物的『道』。「食母」兩字，歷來各家解說紛紛，下面摘引幾家較爲可供參考的註釋：王弼註：「食母，生之本也。」河上公註：「食，用也。母，道也」范應元說：「食者，養人之物，人之所不可無者也。母者，指道而言也。」蔣錫昌說：「依河上訓『食』爲『用』，尚不如據莊子訓『食』爲『養』之，尤合古誼。老子『食母』與莊子『食於天』誼同，皆謂養於道也。」余培林老子讀本：食母：按禮記內則篇：「大夫之子有食母。」註曰：「食母，乳母也。」本章的「食母」指「道」。「食」，養育的意思。「道」能生養萬物，故稱之爲「食母」。張揚明老子斠證譯釋：「而貴食母」：開元本作「貴求食於母。」范應元從之。勞健「玄宗自注云：『先无求於兩字，今所加也』。明非古本，范氏失於校正」。朱駿聲：「『食』字疑當爲『德』。」孫詒讓：「朱說是也。『德』正作『㥁』。隸書『㥁』『食』二字形近而誤」。揚明案：三氏蓋未明其義。「食母」之「母」，即有名萬物之母之母，母即氣也。「食母」即「服氣」；亦即「抱一守中」之義。「食」字不錯。」李純甫：「母者，何也？德者萬物之母；而道又德之母。則聖人所謂母，兼道德而言之也。食者味之以自養也。」揚明案：「母」萬物之母，即指陰陽未判的元氣，亦即道也。「食母」，即「守中」「抱一」，服氣、養氣之意。亦即抱道也。

二十一章　虛心

二十二章　益謙

二十三章　虛無

德者同於德(26)

【斠補】王注：得，少也：少則得，故曰得也。行得則與得同體，故曰同於得也。案據注文觀之，則王本作得，不作德。蓋得失對文，其義較長。後人蓋據河上本改之也。

【疏證】義案：甲乙本均無異文，古本作「得者同於德。」劉說是也。吳澄道德直經註：「德者同於德從事於道，謂以道爲事也。道者，有道之人。德者，有德之人。失者，庸下之人，所爲不能無失者也。同與莊子齊物論之齊相近，謂與之合一，不相非異也。惟因其自然而希言。故凡上等，次等、下等之人，皆視之一同，而無非異。蓋道者，德者，與我爲一，無所容言矣，至若失者，他人雖以爲失，彼則自以爲是，固亦有自然之是也。豈可不因其所是以是之，而迺妄言以非之哉！莊子曰：不言則齊，齊與言不齊，言與齊不齊也，故無言。亦老子希言自然，而玄同之意。」焦竑老子翼：「蘇子由云：夫苟從事於道矣，則其所爲合於道者，得道合於德者，得德不幸而失，雖失於所爲，然必有得於道德矣。呂吉甫云：夫唯不見其所以異，而與之同，則彼雖有以異我，而未嘗去我也。故曰同於道者，道亦德之；同於德者，德亦得之。焦竑云：從事於道，則自然矣。

自然則本無可得，亦復何失。無得無失，而隨世之得失。故爲得爲失，皆信其所至而無容心焉。」魏源老子本義：「德者同於德。道者、德者、失者，統言世上從事於學之人，有此三等也。全其自然之謂道，有得於自然之謂德，失其自然之謂失。同，猶尚書與治同道，與亂同事之同。得之猶從之，言爲道爲德爲失，初非生而分別，但人之從事於學者，所得各有不齊，是以各以類別耳。道本自然，人每以造作失之，無非自取。故王弼有云：以無爲爲君，不言爲教，而物得其眞，與道同體，故曰同於道。累少則得，行得則與德同體，故曰同於德。累多則失，行失則與失同體，故曰同於失，其說近之，而諸家解者皆以此爲至人玄同應物之旨，牽强不倫。惟傅奕古本義可徵耳。」王夫之老子衍：「德者同於德。凡道皆道，凡德皆德，凡失皆失。道德樂游於同，久亦奚渝？喜怒不至，何風雨之徑乎？」馬敍倫老子校詁：得者同於得。彭耜曰：司馬五注同於道上無道者二字。畢沅曰：諸本得並作德，古字得德通。史記項羽本紀吾爲若德，漢書作公得是已。河上公王弼德者同於德，失者同於失上，俱無從事句。陸德明音義有道者於道四字，云：河上於道者絕句，疑古河上本並無同字。又淮南道應訓引作從事於道者同於道，義較明絕，河上王弼於道者於得者於失者上並有同字，得之上並有樂字。惟失亦得之河上作失亦樂失之，王弼作失亦樂得之。紀昀曰：大典無樂字。嚴可均曰：御注無三樂字，餘與河上同。俞樾曰：王本作從事於道者，道者同於道，德者同於德，失者同於失。衍道者二字，其德者失者兩句，並蒙上從事之文而省。淮南道訓引不重道者二字可證，王注亦作故從事於道者同於道也。（易順鼎說同。）張煦曰：文津林同王弼，但無樂字，失亦得之，文津作失亦失之。倫案：此節各本多異。范作故從事於道者，道者同於道，德者同於德，失者同於失。同於道者，道亦得之；同於德者，德亦得之；同於失者，失亦得之。彭張嗣成張之象作故從事於道者，道者同於道，德者同於德，失者同於失，同於道者，道亦樂得之；同於德者，德亦樂得之；同於失者，失亦樂得之。寇趙吳三樂字，寇從事於道下並無者字。館本易州作故從事而道者，道得之；同於德者，德得（易州作德）之；同於失者，道失之。磻溪無從事於得者，從事於失者二句。得字作德，於道於得於失上，各有同字。趙寫同。臧疏作故從事於道者，道者同於道，道得之。同於德者，德亦得之，失者同於失。同於道者，道亦樂得之；同於德者，德亦樂得之；同於失者，失亦樂失之。成疏曰：從道，隨順也。事，世物也，言至得之人，即事，即理，即道，即物。故隨順世事，恒自處通，道得之猶得道也。爲行同於上德，上德亦自然符應而相會也。爲行同於失理之人，所以不能虛心宴會。而言道失者，猶失道也。以疏言覈之，則成本經文蓋作故從事於道者，道得之，同於德者，德得之；同於失者，道失之。與館本同。臧疏引蔡子晃曰：若舉事皆從於道，道則得之，則同道之用也。是蔡見經文作從事於道者，道得之，同於道。臧疏引王曰：順敎返俗，所爲從於道，兼忘衆累，與空虛合體，謂之同道，道則應之，是王本經文作故從事於道者，同於道，道得之，詳審各本，館本成爲近之，蓋老子古本當作故從事於道。同於道者，得道之，同於德者，德得之，同於失者，道失之。陳柱老子註：德者同於德。同，謂玄同，不分別，不矜異也。道德仁義禮，玄同則得之，分別矜異則失之。下篇失道而後德，失德而後仁，失仁而後義，失義而後禮，即此失字也。老子上道德，而下仁義禮，而又曰：『失者同於失。』失即指仁義禮也，然則老子之薄仁義禮，薄其自分別，自矜異耳，若本玄同之道，以從事焉，雖於道德爲失，而於仁義禮亦未嘗不樂得之也。高亨老子詁：「德者同於德，」謂從事於德者同於德也。莊子天下篇「以德爲本。」朱謙之老子釋譯：嚴可均曰：『古「得」「德」字通。「德之」即「得之」也。河上作「故從事於道者，道者同於道，德者同於德，失者同於失。同於道者，道亦樂得之；同於德者，德亦樂德之；同於失者，失亦樂得之。」御注，王弼無三「樂」字，餘與河上同。』俞樾曰：『按王本下「道者」二字，衍文也。本作「從事於道者同於道」，其下「德者」、「失者」蒙上「從事」之文而省，猶云「從事於道者，同於道，從事於德者，同於德；從事於失者，同於失也。」淮南子道應篇引老子曰：「從事於道者，同於道」可證古本不疊「道者」二字。王弼注曰「故從事於道者，……故曰同於道；」是王所據本，正作「故從事於道者，同於道」。』紀昀曰：「永樂大典無「樂」字，下二句同。』易順鼎曰：『王冰四氣調神大論篇注引此並無「樂」字。』羅振玉曰：『御注、英倫二本無「樂」字』情牽案：傅、范本亦無「樂」字。二『德之』、『德』字當作『得』。德、得雖古通，而此當作『得』。遂州本、館本均作『道得之』、『德得之』傅、范本亦作『得』，蓋此『得』與下『失』字相對成文。又首句『從事而道者』各本『而』均作『於』，義同。嚴靈峯老子達解：德者，同於德；從事於德者，下德之人；故其德與有德者同也。張揚明老子斠證釋譯：「故從事於道者」至「失亦得之」九句王弼原重「道者」，「得」上並有「樂」字。河上亦有「樂」字；「失亦失之」並作「失亦樂失之」。傅奕作「故從事於道者，道者同於道；從事於得者，得者同於得；從事於失者，失者同於失。於道者，道亦道之；於得者，得亦得之；於失者，失亦得之。」景龍作「故從事於道者．道德之。同於失者，道失之」。俞樾「按王本下『道者』二字，衍文也。淮南子道應篇引老子曰：『從事於道者，同於道』。可證古本不疊『道者』二字。王弼注：『故從事於道者，以無爲爲君，不言爲教，緜緜若存，而物得其眞，於道同體。故曰同於道』。是王所據本，正作「故從事於道者同於道。然以河上公注觀之，則二字之衍久矣」。揚明案：俞說是。據刪下「道者」二字。紀昀：「永樂大典無『樂』字。」嚴可均：「御注無三「樂」字。」易順鼎：「王冰四氣調神大論篇引此並無『樂』字。」羅振玉：「御注，英倫二本，無『樂』字。」張煦：「文津、林同王弼，但無『樂』字」。揚明案：傅奕、景龍並無『樂』字。考王注：「隨其所行，同而應之」，是王原無『樂』字之證。詳文理亦不宜有，故刪。」王淮：「此處章句錯誤，由來已久，觀河上，王弼所注，知兩漢以來，幾兩千年，不得其解。俞樾考得『道者』二字屬衍文，亦算有見。高亨引莊子天下篇文證明『失』字乃『天』字之誤，關係義理，其功不小。」揚明案：魏源之義較長，然猶有未詳盡之處。按莊子所謂『天』，便是自然。「德」是在天內的。秋水云：「牛馬四足謂之天；落馬首，穿牛鼻，是謂人」。又說：「天在內，人在外，德在乎天」。又說：「天无始終」。大宗師云：「夫道，有情有性，無爲無形；可傳而不可受，可得而不可見；自本自根，未有天地，自古以固存。神鬼神帝，生天生地。在太極之先而不爲高，在六極之下而不爲深，先天地生而不爲久，長於上古而不爲老」。可見莊子所說的道，是超乎一切至高無上的；而天是道生的；德是在乎天內的。故莊子雖然同時言道、德、天，而道、德、天却有等差。這正和老子一樣。老子之道，是化生萬物的，是無爲而無不爲的。而德却是爲之而有不爲。「無爲而無不爲，是純乎自然，是無是非善惡好惡之分，包含一切，其大無外的。

所以魏源說「全其自然」。「爲之而有不爲」，則有是非善惡好惡之分，是有限度，有選擇，有取捨的。魏源說：「有得於自然」。有得的對方是無得，所以有得只是全的一部分，如果用數字來分辨：那末道是第一等，德是第二等，所以老子說：「失道而後德」。還有第三等「失德而後仁」；第四等「失仁而後義」；第五等「失義而後禮」。魏源將道德失分爲三等，所以我說是對的但未詳盡。至於禮，老子認爲已是忠信之薄而亂之首，故失禮之後，老子便不忍言也不屑申論了。所以老子說「從事於道者同於道，德者同於德，失者同於失」。這個「失」，便是「失道」「失德」「失仁」「失義」的失—而高亨却認爲是「天的形近而譌，似乎是想入非非了。而王淮竟從而譽爲「其功不小」，失之。張說是也

二十四章　苦思

餘食贅行。(27)

【斠補】王注：若卻至之行，盛饌之餘也。案餘食之食，亦當作德。德與行對文。餘德者，駢衍之德也；贅行者，附屬之行也。五十四章云：修之於家，其德乃餘。亦本書餘德並言之證。蓋老子術尚簡易，故舍餘德贅行而不處。第二十章云：衆人皆有餘，而我獨若遺。此其證也。

【疏證】義案：甲作本「粽食贅行。」乙本同。古本無異文。「粽」食贅行：通行本「粽」作「餘」。說文未收，亦未見他書。隸書本同。吳澄道德眞經注：「食之不盡者、曰餘。肉之附生者、曰贅。物兼人與鬼神而言、自見、自是、自伐、自矜之人，若律之於自然之道，譬若食之已餘者，不當食，行之如贅者，不當行也。加多於常分，而不可用，幽顯之間有物，亦當惡之，而有道之人，不肯以此自處也。或曰行讀如形，古字通用。馬氏曰：棄餘之食、適使人惡，附贅之形，適使人醜。蘇氏曰：飲食有餘，則病。四體有贅，則累。」焦竑老子翼：「蘇子由云：譬如飲食，適飽則已，有餘則病。譬如四體，適完則已，有贅則累。呂吉甫云：夫俗人皆嗜之矣，而吾復取焉，是餘食也。性本無是，而特侈之，是贅行也。餘食贅行，物或惡之，則有道宜其不處也。李息齋云：學道而有自心，是爲餘食贅行。夫食者，適於飽；行者，適於事；旣飽之餘，芻豢滿前，唯恐其不持去；行不適事，雖仲子之廉，尾生之信，猶可厭也。故食之餘，與行之贅，此二者，物或惡之，有道者常行其所自然，故食不餘，行不贅。」魏源老子本義：「吳氏澄曰：蓋立與行，亦因其自然，或於自然之外而求益，跂焉跨焉，增高繼長，何異飄風驟雨之不能常久乎？彼內挾其自見自是之心，而外奮其自矜之習者，若律諸自然之道，何異食之餘，形之贅，同焉加多於當分之外哉？幽顯之閒，當有物惡之矣，物兼人鬼神而言。司馬光曰：行形古字通用，棄餘之食，適使人厭，附贅之形，適使人醜。」王夫之老子衍：「餘食贅行。行、形、通。心彌急者機彌失，是彌堅者非彌甚。前機已往，追而綴之，如食已飫而更設。從機未至，强而屬之，如形已具而更駢。道數無窮，執偏執餘以盡之，宜其憎乎物，而傷乎己也。馬叙倫老子校註：餘食贅行。易順鼎曰：行疑通作形。列子湯問：太形王屋。張注：形當作行。是形行固有通用者，司馬光、吳澄，並讀行爲形。倫案：館卷贅作餟，潘行作形。說文：餟，祭酹也。此蓋以聲通假。荀子富國篇曰：嚽菽飲水。注：嚽與啜同。是其例證。陳柱老子註：曰餘食贅行。此章言違反自然，嚴復謂反明二十二章之意。餘食者，食而病者也。贅行者，行而異者也。自見自是自伐自矜，皆害其前功，猶畫蛇添足，不惟無功，且以失酒矣。劉師培云：『食當爲德，德與行對。』柱謂食讀如尚書堯典『食哉』之食，孫星衍彼注云：『釋語，「食，僞也。」』僞與爲通，『餘爲』『贅行』，文正相對。高亨老子正詁：餘食贅行。按：莊子駢拇篇：「駢拇枝指，出乎性哉！而侈於德。附贅縣疣，出乎形哉！而侈於性。多方仁義而用之者，列於五藏哉！而非道德之正也。是故駢於足者，連無用之肉也。枝於手者，樹無用之指也。多方駢枝於五藏之情者，淫僻於仁義之行，而多方於聰明之用也。」依劉氏校釋，則老子所云「餘德贅行，」即莊子所云「仁義聰明」之類矣。其義固通。但余疑「行」當作「衣。」古文作仒，行作北，形近而譌。法言問道篇：「智用不用，益不益，則不贅虧矣。」司馬光注：「有餘曰贅。不足曰虧。」是贅亦餘也。餘食贅衣，猶言餘食餘衣。食有餘則飢者惡之。衣有餘則寒者惡之。故曰：「物或惡之。」此今諺所謂「一家飽暖千家怨」者也。老子不取乎此，故曰「有道者不處。」七十七章曰：「孰能有餘以奉天下，唯有道者。」可與此文相證。

朱謙之老子釋譯：嚴可均曰：「『其在道』王弼作『其在道也』，御注、河上作『其於道也』。」情牽案：『贅』字館本、遂州本作『餟，』非。方言十二『餟，魄也；』字林『餟，以酒沃也，祭也。』餟行無義，蓋音近而誤。王道曰：『行』當作「形」，「贅形」，形之附贅者，駢拇之類。」易順鼎曰：「『行』疑通作「形」，「贅形」即王注所云肬贅。肬贅可言形，不可言行也。列子湯問篇「太形王屋二山」，張湛注「形當作行」，是古書「行」「形」固有通用者。」蔣錫昌曰：『按唐李約道德眞經新注「如食之殘，如形之剩肉也；」宋林希逸道德眞經口義曰：「食之餘棄，形之贅疣，人必惡之；」宋陳景元道德眞經藏室纂微篇「猶棄餘之食，適使人惡；附贅之形，適使人醜；」是三書皆以「行」爲「形」。』情牽案：『行』讀作『形』是也。莊子駢拇篇『附贅縣疣，出乎形哉，而侈於性。』『贅』廣雅云：『疣也。』釋名云：『橫生一肉，屬著體也，一云瘤結也。』『縣』字一切經音義二十，文選陳孔彰爲袁紹檄豫州文注，並引作『懸』，附贅懸疣出乎形，故曰贅形。『贅行』當讀作『贅形』，古字通。情牽案：高亨其辨，但改字解經，難以使人致信，且以『贅衣』連文，非即餘衣義。廣韻霽部『贅』下云：『贅衣，官名也；』其不可與『餘食』對文也甚明。王淮老子探義：餘食贅行、嚴幾道曰：「餘食者，食而病者也；贅行者，行而累者也。自見自是，自伐自矜，皆害其前功，猶畫蛇之添足，不惟無功，且以失矣」。案：此總結上文、言以修道之立場觀之，「跂」與「跨」固非矣，而「自見」「自是」「自伐」「自矜」，亦顯然爲多餘不必要者，既非自然，便是醜惡，故爲衆人所惡，而有道者所不取也。嚴靈峯老子達解：曰餘食贅行。謂若自道觀之，猶如殘棄之食，多餘之擧；附贅懸疣，「物或益之而損」；「多則惑」也。餘食贅形：又曰：『佚周書武寤解，「王食無疆。」朱駿聲云：「王食，食字，疑當爲德。」孫詒讓斠補云：「朱說是，德正字作「悳」；「食」，隸書作「飠」；二字形近而誤，此古籍「德」誤爲「食」之證。』劉說是也，「食」當改作「德」；於義爲長。又：「行」字，駢拇枝指，侈於德；」故曰：「餘德」。附贅縣疣，出乎形；」故曰：「贅形」。二者皆「有餘於數」，莊子所謂：「此皆多駢旁枝之道，非天下之至正也。」故曰：「物或惡之，故有道者不處也。」諸說並是也，當據改正。陳鼓應老子今註今譯：餘食贅形。「贅形」，王弼本及其他通行古本都作「贅行」。「形」與「行」古字相通。但作「贅行」易生誤解，仍應改爲「贅形」。易說有理：「贅」可言於形，不可言於「行」。莊子駢拇篇早就說過：「附贅縣疣，出乎形哉」贅疣出乎形，則當以「贅形」連用。潘靜觀本「贅行」正作「贅形」。余培林老子讀本：餘食贅行。指棄餘之食，附贅之形。吳澄曰：「或曰行，讀如形，古字通用。張揚明老子斠證譯釋：「餘食贅行」：揚明案：釋文：「行、下孟反。」是行，應作行爲解。贅行，爲多餘之行爲。如畫蛇添足是。

二十五章　象先

字之曰道。(28)

【斠補】案韓非子解老篇：聖人觀其玄虛，用其周行，强字之曰道。則字上當有强字，與下强爲之名曰大一律，今本捝。又案牟子理惑論引，亦有强字。是東漢本尚未脫，今惟傅奕本上有故强二字。

【疏證】義案：甲乙本均無異文。古本作「故彊字之曰道。」劉說是也。吳澄道德眞經註：「字之曰道。此物無可得而名者，以其天地萬物之所共由，於是假借道路之道，以爲之字，字者名之副、而非名也。字不足以盡之，不得已而强名之曰大；至大莫如天，而天亦在道之內，則天未爲大也。此道其大無外，而莫能載焉。故大之一言，庶乎可以名之爾。」焦竑老子翼：「蘇子由云：道本無名，聖人見萬物之無不由也，故字之曰道。呂吉甫云：而視之不可見，聽之不可聞，搏之不可得，則其形不可得而見也，故吾不知其名而命之；其義可言也，故字曰道。李息齋云：然謂之獨立非獨立，謂之周行非周行，謂之天下母非天下母。吾皆莫知其名，字之曰道。」魏源老子本義：「字之曰道。字之上，傅奕有故强二字。字者，代名之謂；道者，取於無物不由也。」馬叙倫老子校詁：「故彊字之曰道。范應元曰：王弼同古本，河上公本上句無强字。彭耜曰：司馬達眞程作强名之曰大。畢沅曰：河上公王弼作字之曰道。張煦曰：呂等同王弼，彊作强。羅運賢曰：理惑論引字上有强字。倫案：范同此。惟彊字作强。范曰：王弼同古本，則王亦同此。河上注曰：見萬物皆從道生，故字之曰道，則河上有故字。成疏曰：取其通生之德，故字之曰道，是成亦有故字。周易集解一七干寶引彊字之曰道，則干見經文字上有彊字。各本無故彊二字，彊作强，後同。列子仲尼篇注引夏侯玄：引彊爲之名，則字作彊。館本易州及文選宣德皇后命注引强爲之名上有吾字，經幢作强名之曰大，文子道原篇引强爲之名在字之曰道上。倫謂此文當作故强爲之名曰大，强字之曰道。蓋上言有物混成，先天地生，寂兮其若晦，寥兮似無所止，不知物之名，以其寂寥，故强爲之名曰大。譬之於人，名之復字，則强字之曰道，道以行爲義，故下文曰道曰逝，逝曰遠，遠曰返。倫案：彊强並借爲勥。」陳柱老子本義：「字之曰道。傅奕本字上有强字，道本不可得道，而謂之道者，强字之耳。王弼曰：『吾所以字之曰道者，取其可言之稱最大也。』責其字定之所由，則繫於大，大有繫則必有分，有分則失其極矣，故强爲之名曰大。」高亨老子正詁：「字之曰道。按：據此可知名道曰道，始於老子。」朱謙之老子釋譯：碑本『吾强爲之名曰』字下，有『大』字，漫漶不明，當據他本補之。又此句各本無下『吾』字，疑衍。范本『字』上有『故强』二字，傅『强』作『彊』。范應元曰：『王弼同古本，河上本无「强」字，今從古本。』易順鼎曰：『按周易集解券十七引干寶曰：「老子曰：吾不知其名，强字之曰道；」「字」上有「强」字，與牟子引同。』蔣錫昌曰：『范謂王弼同古本，則范見王本「字」上有「强」字。莊子則陽郭注「而强字之曰道」，是郭本亦有「强」字，以理而推，大既强名，則道亦强字，「字」上有「强」字者，是也。』王淮老子探義：字之曰道。高亨曰：「道既字之曰道，不得又名之曰大。本書及莊子等書亦無名道曰大者，大、逝、遠、反、皆道之形容，而非道之稱謂，則『名』當作『容』，明矣」。朱謙之曰：「返者，夫物云云各歸其根也。蓋形容道體，大不足以盡之，故名之曰逝。廣雅釋詁『逝、行也』論語『逝者如斯夫』，皇疏『往去之辭也』。逝又不足以盡之，故又名曰遠，說文『遠、遼也』，爾雅釋詁『遠、遐也』，國語注『謂非耳目所及也』，然有往必有反，故又曰返也，返、說文『還也』，廣雅釋詁『返、歸也』。返、則周流不息矣」。案：此言萬物皆爲道（自然生化之理）所生，故道可以爲天下母。然道之本體虛無，無形而不可名（本經三十二章：「道常無名」，四十一章：「道隱無名」）。方便從權，姑字之曰「道」。復次就道之作用方面，强爲之容，則「廣大」、「流行」、「深遠」、「反復」，皆道之作用在其全幅活動過程中所呈現之特徵也。約而言之：道之作用不外「擴散」、「收斂」二端，一闢一翕、一往一復。佛氏所謂：「流轉」「還滅」者，亦其義也。（此處描述之作用老與活動，亦即歸納萬物之現象與活動也）。嚴靈峯老子達解：字之曰「道」；「道常無名」，道之爲名，所假而行，故曰：吾不知其名，字之曰「道」也。按：第一章：「道可道，非常道；名可名，非常名。」十四章：「繩繩不可名。」莊子則陽篇：「道之爲名，所假而行。」知北遊篇：「道不當名。」道既不可道，不當名，所假而行；則當「强」爲之「字」，「强」爲之「名」。依上各家說，「字」上當補一「强」字。」嚴靈峯馬王堆帛書老子試探：劉子仲尼篇何晏无名論引夏侯玄曰：「道本无名，故老氏曰：「彊爲之名。」」陳鼓應老子今註今譯：强字之曰道：「字」上通行本缺「强」字。傅奕本、李約本、范應元本有「强」字。依上所說，可見王弼本原有「强」字，因抄寫缺漏，根據傅奕本「字」上應補「强」字。張揚明老子斠證譯釋：「字之曰道」：魏源：「道不足以盡之，故又强名之曰大。乃自大而言其遠大，則天地莫能盡。言其反，則又具之人身而各足」。朱謙之：「大不足以盡之，故名之曰逝。逝又不足以盡之，故又名曰遠。然有往必有反，故又曰返也。返則周流不息矣。」揚明案：反與返同。

二十六章　聖德

輕則失本，躁則失君。(29)

【斠補】王注：輕，不鎭重也。失本，爲喪身也；失君，謂失君位也。兪云：河上本作輕則失臣。注云：王者輕淫，則失其臣。竊謂兩本均誤，永遠大典作輕則失根，當從之。案韓非子喻老篇曰：邦者，人君之輜重也；主父生傳其邦，此離其輜重者也。故雖有代雲中之樂，超然已無趙矣。主父萬乘之主，而以身輕於天下，無勢之謂輕，離位之謂躁。是以生幽而死，故曰輕則失臣，躁者失君，主父之謂也。據韓非子此文，則老子古本當作臣。河上本所據，蓋不誤也。後人據上文重爲輕根，靜爲躁君二語，疑此亦根君對文，遂改臣爲根，本爲作根，本旁注之字，刋王本者，據以入正文。兪轉以作根爲是，非也。

【疏證】義案：甲本作「巠則失本，趮則失君。」乙本作「輕則失本，趮則失君。」古本無異文。「趮」則失君：通行本「趮」作「躁」。說文：「趮，疾也。从走，喿聲。」字亦作「躁」。廣雅釋詁：「躁，擾也。」一切經音義十四引國語賈注：「躁，擾也；亦動也。」韓非子喻老篇：「離位之謂躁。」又引老子：「輕則失臣，躁則失君。」管子心術篇：「趮者不靜。」蓋用古字。現存本無有作

「躁」者。」吳澄道德眞經註：「輕則失根，躁則失君。有輕而無重，則失其輕之根；有動而無靜，則失其躁之君。」焦竑老子翼：「蘇子由云：君輕，則臣知其不足賴；臣躁，則君知其志於利。故曰輕則失臣，躁則失君。呂吉甫云：蓋輕則任臣之勞而代之，而臣則無爲，而與上同道，則不臣，不臣則是失臣也。躁則忘君之逸，而爲天下用，則君亦有爲而與下同道，則不主，不主則是失君也。故曰輕則失臣，躁則失君。李息齋云：蓋輕者，役其心淺；而躁者，役其心深。輕之失，不過失於所輕而止；躁之失，則中君內擾，失靜之全。故輕則失臣，躁則失君。由上可見，劉說是也。李宏甫云：有輜重，則雖終日行，而不爲輕。何也？以重爲之根也。常燕處，則雖榮觀，而不爲躁。何也？以靜爲之君也。故輕則失重根，躁則失靜君。」魏源老子本義：「輕則失根。躁則失君。失根，釋文作失本，河上公作失臣，此從永樂大典王弼本。」根本必重於枝葉，君上必靜於臣下。故取以喩也。躁者動之甚也，車行日五十里，師行日三十里，以輜重在後，不敢遠離，是輕之本乎重也。雖有榮華游觀之地，而不及超然燕處，是動以靜爲主也。故君子於天下事，必持重而主靜。韓非子云：制在己曰重，不離位曰靜，重則能使輕，靜則能制躁。此之謂也。李氏贄曰：有輜重則雖終日行而不爲輕，何則？以重爲之根也。有燕處則雖有榮觀而不爲躁，何則？以靜爲之君也。故輕則失重根，躁則失靜君。呂氏惠卿曰：凡物輕者先感，重者後應，故本能制末，靜者御物，躁者御於物，故靜能君躁，雖行動居處之間，猶不能離此理。況任重道遠以觀天下者，而可不靜且重乎？蓋感而後應，不得已而後動，則重矣。爲而無爲則靜，苟其動常在於不得已之際，而不能無爲，則是以輕天下而不重，不重則躁而不能靜矣。王夫之老子衍：

「輕則失根，躁則失君。有根則有莖，有君則有臣。雖然，無寧守其本乎！一息之頃，衆動相乘，而不能不有所止。道不滯於所止，而因所止以觀，則道之游於虛，而常無閒者見矣。惟不須臾忍，而輕以往，則應在一而違在萬，恩在一隅而怨在三隅，倒授天下以柄，而反制其身。故夏亡於牧宮之造，周衰於征漢之舟。以仁援天下而天下溺，以義濟天下而天下陷，天下之大，盪之俄頃，而況吾身之內僅有之和乎？」馬叙倫老子校詁：「陸德明曰：河上作臣。范應元曰：本字嚴遵王弼同古本，河上作臣，與前文不相貫，宜從古本。焦竑曰：龍興碑作失本。王昶曰：開元至元本作臣。紀昀曰：大典本作根。俞樾曰：王作本，河上作臣，均誤。大典作根，當從之。此首曰重爲輕根，靜爲躁君，故終之曰：輕則失根，躁則失君。王作本者，本與根一義耳。河上作臣。殆因下句失君之文而肊改耳。張煦曰：呂等本作臣。倫案：范張之象同此，各本及治要引並作臣。成疏曰：忠良竄匿，失臣也。是成亦作臣。尋韓非喻老引此說主父之事曰：無勢之謂輕，離位之謂躁，輕躁義非絕異，君臣不得對舉，今作臣者，後人據誤本老子改之耳。老子本作根，傳寫脫譌成木，後人改爲本以就義，亦有作艮者，後人以形近改爲臣，以就下句君字，其實以根韻君，下二句申上二句之義耳。倫案：右文舊爲第二十六章。」陳柱老子註：「本字當從俞樾說，據永樂大典本改作根，與君韻。」高亨老子正詁：「本，」河上本作「臣」，韓非子喩老篇引同，明太祖本永樂大典本並作根。按：兪說近之。但余疑此文當作「輕則失臣，躁則失民。」河上本臣字，韓非子引同，可證古本如此，原不誤也。民作君者，蓋形近而譌。輕則失臣，躁則失民者，言輕則其臣思篡，躁則其民思叛也。與前文「重爲輕根，靜爲躁君，」一本非反正相明。臣民諧韻。

朱謙之老子釋譯：嚴可均曰：『「輕則失臣」王弼作「失本」，大典作「失根」。』情牽案：此文當作『輕則失根，躁則失君；』與上首句『重為輕根，靜為躁君；』相對成文。遂州本、傅、范本『失臣』均作『失本』。畢沅曰：『王弼同河上公作「輕作失臣」』范應元曰：『「本」字嚴遵、王弼同古本，河上公作「輕則失臣」，與前文不相貫，宜從古本」。』又永樂大典王弼本作『輕則失根』吳澄、焦竑、李贄及及釋德清諸本，同此。至君臣對立之文，則為後之尊君者所妄改，當非老子本文。王淮老子探義：輕則失根、躁則失君。河上公曰：「王者至尊、而以身行輕躁乎？疾時王奢恣輕淫也」。又曰：「治身躁疾則失精神也」。李息齋曰：「奈何萬乘之君，不自量其重，而徒以身驅馳於天下之細故，若以細故自嬰、則一物足以役之矣，又何足以宰制天下邪」。案：此承上文而反言之，謂人君治國御世，不可以自失其「重」與「靜」，失其重靜，則輕淫躁動，輕浮躁動，則失其為君之主體，而不可以為萬民之本與天下之主矣。故曰：「輕則失根、躁則失君」。又：本經十三章曰：「故貴以身為天下者，則可以寄於天下，愛以身為天下者，乃可以託於天下」，自貴自愛者，持「重」守「靜」而不「輕躁」之謂也，其義可與此章互相發明。嚴靈峯老子達解：輕則失本、躁則失君。言輕者不能靜定，躁則易於妄動；皆失道之根本也。躁則失君，按：四十五章：「靜勝躁，寒勝熱，清靜為天下正」諸句，疑當在此下。嚴靈峯馬王堆帛書老子試探：「淮南兵略：故靜為躁奇。」陳鼓應老子今註今譯：根：王弼本原作「本」。河上公本及及眾多古本作「臣」。作『本』，可通。作『臣』講，則大誤。根據永樂大典和俞樾的說法，改正為『根』。以便和首句相應。吳澄本，憨山本，正作「根」。蔣錫昌說：「『輕則失根，躁則失君。』言人君縱欲自輕，則失治身之根；急功好事，則失爲君之道也。」余培林老子讀本：根，王弼本原作「本」，河上公本作「臣」。俞樾曰：「王作『本』，河上公作『臣』，均誤。大典作『根』，當從之。此首曰『重爲輕根，靜爲躁君。』故終之曰：『輕則失根，躁則失君。』」按俞說極是，今據改。」張揚明老子斠證譯釋：「輕則失根」：王弼「根」原作「本」，釋文同。河上作「失臣」。俞樾：「王弼所據作失本者，本與根一義耳；而弼不曉其義，以失本爲喪身；則曲爲之說矣。至河上公作失臣，殆因下句失君之文而臆改耳。」揚明案：俞說是。焦竑作失根，注云：「今從王輔嗣本」，是王原作失根之證。魏源亦作失根。據改。據帛書，當作失本。

二十七章 巧用

是以聖人：常善救人，故無棄人；常善救物，故無棄物。(30)

【斠補】案淮南子道應訓引老子作人無棄人，物無棄物，則上句故字下，當有人字；下句亦當有物字，今本均脫，當從淮南補。傅奕本與淮南同。

【疏證】義案：甲本作「是以聲人，恆善怵人，而无棄人；物无棄財。」乙本作「是人取人，恆善怵人，而无棄人，物无棄財。」古本作「是以聖人，常善救人，故人無棄人；常善救物，故物無棄物。」劉說是也。恆善「怵」人：現行本「怵」作「救」。說文：『救，止也。從攴，求聲。』廣雅釋詁二：『救，助也。』朱駿聲曰：『漢書多以「怵」爲之。』吳澄道德眞經註：「聖人之救人救物，以不救爲救，亦苦上文所譬，以不爲其事爲善也。蓋有所救者，必有所棄，假使所救者百千萬人，百千萬物，然此百千萬之外，皆棄而不及救者也。聖人之善於救者不然，一皆無所救，無所救則亦無所棄矣。不見其爲救此而棄彼也，故無一人是棄而不救之人，無一物是棄而不救之物，襲者如以外衣掩蔽其內衣，儻救人救物之功，彰彰而明，天下皆見其救之，不謂之善救矣。必使無救之迹，掩蔽其所可見，而衆莫能知，故曰襲明。善救人，善救物，與善行、善言、善計、善閉、善結、凡七善字，有道者謂之善，世俗不知其善也。蓋世俗以能爲其事爲善，有迹可見，有名可稱，而與不善爲對。有道者，以不爲其事爲善，泯然無迹，渾然無名，而無與爲對者也。焦竑老子翼：「蘇子由云：聖人之於人，非特容之，又善救之；我不棄人，而人安得不歸我乎？夫救人於危難之中，非救之大者也。方其流轉生死，爲物所蔽，而推吾至明以與之，使暗者皆明，如燈相傳相襲而不絕，則謂善救人矣。呂吉甫云：聖人唯能體道以善。此五者，是以常善救人，而無棄人；常善救物，而無棄物矣。何則？此五者，性命之理所同然者也。程俱云：善行、善言、善計、善閉、善結，皆常善也。故能救人無棄人，救物無棄物。有爲之善，其能爾乎？李息齋云：聖人每以眞常救之：以眞常救人，則人無棄人；以眞常救物，則物無棄物。李宏甫云：自謂有法，可以救人，是棄人也。聖人無救，是以善救。」魏源老子本義：是以聖人常善救人，故人無棄人；常善救物。故物無棄物。他本兩故字下，無人物二字，此從淮南子故人故物，傅奕本同。吳氏澄曰：善行，善言，善計，善閉，善結，善救人，善救物，此七者，聖人不可名之善也。善人不善人二者，此常人兩可名之善不善也，不彰其不可名之名者，是謂襲明，不分其兩可名之名者，是謂要妙。蓋善行者以不行爲行，善言者以不言爲言，善計、善閉、善結者，以不用爲用，則聖人之救人救物，亦以不救爲救，既以不救爲救，則無救之之迹，常若什襲掩蔽而衆莫能知者，故曰襲明，非若世俗以能爲其事爲善，有迹可見。有名可稱，而與不善爲對也。是故有此之善，則必形彼之不善，而師資起矣，其去聖人善救之妙用遠矣。李氏贄曰：自謂有法可以救人，是棄人也，聖人無救，是以善救，然則無關者善閉，無約者善結，無策者善計，無謫善言，無迹善行可知矣。蘇氏轍曰：乘理而行，故無迹，時然後言，故言滿天下無口過。萬物之數陳於前，不計而知，安用籌算，全德之人，其於萬物如母之於子，雖縱之而不去，故無關而能閉，無繩而能約，彼挾策以計，設關持繩以御物，則力之所及者少矣。聖人之於天下，非特容之，又兼救之，我不棄人，而人安得不歸我乎？源案：蘇解襲明爲傳襲之襲，與釋氏傳燈同旨，今不取。

馬敍倫老子校詁：「是以聖人常善救人，故人無棄人。范應元曰：人無棄人，嚴遵同古本。澎耜曰：葉故作而。畢沅曰：河上公王弼作故無棄人。張煦曰：呂等同王弼。倫案：范同此，棄作弃，下同。藏疏易州羅卷（羅卷凡五殘卷。其三卷起此章以字，止第三十六章張字，舘本止此章是字，適與羅第三卷相接，審覈筆迹，亦是一卷。）故並作而，成於四十九章德善矣疏內引此亦作而，各本並無故下人字。常善救物。故物無棄物。晁說之曰：傅奕曰：是以聖人至棄物，古無此，獨河上有之。陶紹學曰：以下與上文意不相屬，宜退在六十二章人之不善何棄之有下。張煦曰：呂等作故無棄物。倫案：范同此。各本無故下物字。羅卷故字處殘，不審仍作而字否？舘本易州故作而，下句無二物字。又案陸於此下至章末無音義，而出所好呼報反、裕羊注反、長丁丈反三音，均不見今經注，是此章有脫錯之證。晁說之疑王本無此四句，然弼注文甚明，倫謂六十二章人之不善何棄之有兩句，乃此章之文，當在故善人者上，而此文並是謂襲明一句，蓋別章錯簡，或有脫譌，淮南道應訓明引老子曰：人無棄人，物無棄物，是謂襲明。則不得謂經無此文也。」陳柱老子註：「是以聖人常善救人故無棄人；常善救物，故無棄物。嚴復云：管夷吾得此，故能下令如流水之源，又能因禍以爲福，轉敗以爲功。」高亨老子正詁：是以聖人常善救人，故無棄人；

常善救物，故無棄物。按：是以二字衍文，蓋後人所加。廣雅釋詁：「襲重也」襲明謂聖人與人物之德皆明也。朱謙之老子解釋：嚴可均曰：『「而无棄人」各本「而」作「故」，下句亦然。』孫鑛古今本考正曰：『「常善救人」四句，一本無。「故」一作「而」。』晁說之曰：『「常善救人，故無棄人；常善救物，故無棄物；」獨得諸河上公，而古本無有也，賴傅奕辨之爾。東條一堂曰：『按傅奕曰「是以」至「棄物」二十字，獨得諸河上本，而古本無有。」晁說之跋舉此說以駁王氏。予始以爲信，然後檢淮南子道應訓引老子曰：「人無棄人，物無棄物，是謂襲明；」以此觀之，傅奕古本，亦不足爲正。』王淮老子探義：是以聖人常善救人，故無棄人；常善救物，故無棄物。釋憨山曰：「聖人處世，無不可化之人，有教無類，故無棄人。無不可爲之事，物各有理，故無棄物。物猶事也。如此應用，初無難者，不過承其本明，因之以通其蔽耳。故曰襲明。襲、承也，猶因也。莊子庖丁游刃解牛，因其故然，動刀甚微，劃然已解，意出於此。觀留侯躡足附耳，因偶語而乞封，借四皓而定漢，以得老氏之用。故其因事處事如此之妙，可謂善救者也，其他孰能與之。」案：「上文既明聖人「道」與「德」。聖人之道法「自然」、德配「天地」、自然：無不爲、無不然；天地：無不覆、無不載，聖人法自然、則天地，故其視天下之人，無不可救者（天下無不中用之人）、故無棄人也；視天下之物無不可救者（天下無不中用之物）、故無棄物也。聖人「精神」之廓然大公，由「德性」之兼容並蓄，而其德性之所以能兼容並蓄，乃由「智慧」之活潑通達。何以知其然，蓋唯有活潑而通達之智慧，乃能知「道」而法「天」，故曰：「襲明」。襲者，因也、明者、智也。莊子齊物論所謂：「莫若以明」者，即其義也。嚴靈峯老子達解：是以聖人常善救人，故無棄人。言聖人不求備於人，因材施教；無不可化之人。「善人者，不善人之師；不善人者，善人之資。」常善救人也。「善者，吾善之；不善者，吾亦善之」；故無棄人也。常善救物，故無棄物。言聖人順物之性，「以輔萬物之自然」；常善救物也。萬物並育而不相害，牛溲馬勃皆可爲用；故無棄物也。陳柱曰：『六十二章「人之不善何棄之有」二句，當在此章「是以聖人常善救人」句上。』六十二章「人之不善何棄之有」當依馬說，移此「故無棄物」句下，「故善人者」句上。嚴靈峯馬王堆帛書老子試探：「說文無「㤹」字。集韻：「㤹，渠尤切，音求；怨咎也，本作「咎」。」疑此乃古字，許氏失收，並同聲叚借。現行本無有作「㤹」者。隸書本同。「而無棄人，物無棄財」：「而無棄人」下，脫「常善救物」四字。（按：晁說之云：『弼知「佳兵者不祥之器」至於「戰勝以喪禮處之」，非老子之言。乃不知「常善救人，故無棄人；常善救物，故常棄物」，獨得諸河上公，而古本無有之，賴傅奕能辯之爾。』（「物無棄財」：現行本「財」作「物」。張揚明老子斠證釋譯：傅、范作「故人無棄人」「故物無棄物」。淮南道應訓引同，惟無「故」字。景龍、館本「故」作「而」。嚴靈峯從馬說。而將「是謂襲明」一句遺出。揚明案：本章及六十二章，文理並無不相銜接之處，任意割裂拼湊，均所不宜。陶、馬、嚴三家均不取。」

故善人者，不善人之師；不善人者，善人之資。(31)

【斠補】王注：資，取也。善人以善齊不善，以善棄不善也。河上注：資，用也。人行不善，聖人猶教導使爲善，得以資用也。案二說均非古義。韓非子喻老篇曰：周有玉版，紂令膠鬲索之，文王不與；費仲來求，因與之。是膠鬲賢，而費仲無道也。周惡賢者之得志也，故予費仲。文王擧太公於渭濱者，貴之也；而資費仲玉版者，是愛之也。故曰：不貴其師，不愛其資，雖知大迷，是謂要妙。又淮南子道應訓，引楚子發用偸者事，申論之曰：無細而能薄，在人君用之耳。故曰：不善人，善人之資也。據此二文觀之，則資者，利而用之之謂也。以不善，乃善人所利用，老子本義蓋若此。

【疏證】義案：甲本作「故善□□□之師」，不善人，善人之齎也。」乙本作「故善=人=之師，不善人，善人之資也。」古本無異文。不善人善人之「齎」也：通行本「齎」作「資」。說文：『齎，持遺也。从貝，齊聲。』廣雅釋詁三：『齎，持也。』按：周禮天官，外府：『齎，賜與之財用。』又說文：『資，貨也。从貝，次聲。』廣雅釋詁四：『資，用也。』朱駿聲曰：『叚借爲「齎」』。楚語：「若資東陽之盜。」注：「『賂』也」按：荀子大略篇：『齎盜糧。』吳澄道德眞經註：善人，謂善於其事之人。不善人，謂不善於其事之人。師者，人所尊，事以爲法者。資者，如以財貨給人俾人，藉之賴之，而得以有所成者。彼善而此不善，以彼之善，與此之不善者相遼，而人灼見此之不及彼，則彼人之善，可謂此不善人之師矣。彼不善，而此善，以彼之不善，與此之善者相形，而人遂見此之過於彼，則彼人之不善，廼爲此善人之資也。謂因彼之不善，以成此之善名，故曰資言。善不善之名對立，豈有道之世哉？下文言有道者，欲使世之人，不以善名，亦不以不善名也。」

焦者老子翼：「呂吉甫云：唯其善救也，故善人，不善之人師；不善人，善人之資。李息齋云：惟人無善無不善，故善人不善人之師，言不善人之可以爲善人也。不善人，善人之資，言不善人之本同善人也。」魏源老子本義：「不善人之師。不善人善人之資。善人不善人下，傅奕各有者字。夫世不藏其明者，救一人則己欲居其功，而好爲人師，人有可棄，輒顯刑其罪而幸爲己利，是皆不善救人，所以多棄人也。有道者之天明，旣藏而不露，則不好爲人師，不欲以善自名也，不利他人以爲己資，不欲名人之爲不善也，如此則己雖大智，而渾然無所分別，不啻大迷，故人之視之者，亦忘乎彼之爲善，己之爲不善，此所以爲其轉移而不自知，是眞聖人襲明之妙用，至要不煩，而至妙不測者也。」馬敍倫老子校詁：「故善人者，不善人之師。紀昀曰：大典無者字，下同。畢沅曰：陸希聲無者字，下同。嚴可均曰：御注無者字。張煦曰：開元呂林趙無者字，下同。易順鼎曰：衆經音義二十三引無者字，下同。羅運賢曰：初學記十八引作善人不善人之師，治要引無此二句，句末幷有也字。倫案：臧疏易州羅卷館本無故者二字，范彭寇張嗣成二趙吳潘磻溪及孫盛老子疑問反訊引並無者字，下同。白張之象及治要引同此。治要師下有也字，下同。後漢書廉范傳注引者字作爲，下同。儒林傳注引同此，師下有也字。不善人者善人之資。倫案：館本及淮南道應訓引此句無者字，資下有也字，後漢書儒林傳注引資下有也字。石田羊一郎謂此句下挩人之不善何棄之有二句，倫疑此二句注文。陳柱老子註：「故善人者，不善人之師；不善人者，善人之資。馬其昶云：『見不善非徒以爲戒，又必敎之使善，然後吾之善量足，是不善人正善人爲善之資。』」朱謙之老子釋譯：嚴可均曰：『「善人」御注、大典作「故善人」，河上作

「故善人者。」」「不善人」河上「善人」下有「者」字。』蔣錫昌曰：『淮南道應訓引下句作「不善人、善人之資也；」是淮南所見本無二「者」字，有二「也」字。王注：「故不善人，善人之所取也；」似王本與淮南同。』王淮老子探義：故善人者不善人之師、不善人者善人之資。河上公曰：「資、用也。人行不善，聖人猶教導爲善，得以給用也」。又曰：「能通此意，是謂知微妙要道也」。嚴幾道曰：「人二、善不善而已。吾能貴愛之，天下尚有棄者乎」。案：此承上文言誠能法天地自然之無私無執，以表現兼容並蓄之「德慧」，人無分於賢愚智不肖，聖人皆懷之，是乃知「道」之要妙，故能「體物而不遺」也。嚴靈峯老子達解：故善人者，不善人之師。師者，人所尊事以爲法者；「聖人抱一，爲天下式」也。不善人者，善人之資。資者，人賴之有所成也；「貴以賤爲本」也。陳鼓應老子今註今譯：「資：取資，借資的意思。」余培林老子讀本：「資借鏡。」張揚明老子斠證譯釋：景龍、羅卷、館本無「故」字，景龍、開元、呂、陸、臧疏、范、彭、寇、張嗣成、二趙、吳、潘、礄溪並無「者」字。據帛書，無「者」字是也。

二十八章　反　樸

爲天下谿。⑶2)

【斠補】案淮南道應訓作以爲天下谿，則古本似有以字。淮南子道應訓作其爲天下谿，蓋訓其爲乃，所據乃別本。

【疏證】義案：甲本作「爲＝天＝下＝雞。」乙本同。古本無異文。說文：雞，以隹奚聲。谿，从谷奚聲。則雞谿爲音通叚耳。焦竑老子翼：「蘇子由云：知性而爭，心止，則天下之爭先者，皆將歸之。如水赴谿，莫有去者。呂吉甫云：知其雄，守其雌，則篤靜致柔，而不倡者也，故爲天下谿。李息齋云：雄動而作，雌靜而處；動必歸靜，雄必歸雌，故爲天下谿。王純甫云：雌雄以剛柔言，黑白以明晦言，榮辱以貴賤言。谿谷在下，衆流所歸也。」魏源老子本義：「李氏嘉謨曰：雄動而倡，雌靜而處，動必歸靜，故爲天下谿。」馬敍倫老子校詁：「爲天下谿。紀昀曰：大典此節在復歸於無極之後。倫案：羅卷館本臧疏不重爲天下谿一句，易州常德作常得，下同，館本嬰作𡣻。倫案：離借爲漓。」陳柱老子註：「爲天下谿，王弼曰：『雄，先之屬；雌，後之屬也，知爲天下之先者，必後也，是以聖人後其身而身先也。谿不求物，而物自歸之，嬰兒不用智，而合自然之智。」」朱謙之老子釋譯：嚴可均曰：「『爲天下蹊』各本作「谿」，釋文「谿或作溪」。」羅振玉曰：『景福本亦作「溪」，景龍本作「蹊」，敦煌本作「奚」，下並同』。情牽案：作「奚」是也。莊子天下篇、淮南道應訓引作『谿』，此或後人以老子誤字改之。『谿』玉篇『詰難切，與溪同；』說文『谿、山瀆無所通者，从谷奚聲；』此雖可說爲表卑下之德，但與下文『爲天下谷』義重。若作『蹊』，則更無義。案敦煌丁本作『奚』，『奚』乃古奴僕之稱。周禮天官序官奚三百人，注：『古者從坐男女沒入縣官爲奴，其少才知以爲奚。』『爲天下奚』，猶今言公僕，與知雄守雌之旨正合。王淮老子探義：爲天下谿。河上公曰：「雄以喻尊，雌以喻卑，人雖知自尊顯，當復守之以卑微，去雄之强梁，就雌之柔和，如是則天下歸之如水流入深谿也」。又曰：「人能謙下如深谿，則德常在不復離於己」又曰：「常復歸志於嬰兒，蠢然而無所知也」。王弼曰：「雄、先之屬，雌、後之屬也。知爲天下之先也必後也。是以聖人後其身而身先也。谿不求物，而物自歸之。嬰兒不用智而合自然之智。」呂吉甫曰：「雄動而雌靜，雄剛而雌柔，雄倡而雌和。知其雄、守其雌，則篤靜致柔，和而不倡者也。故爲爲天下谿，谿之爲物，受於谷而輸於江海，受而不拒，輸而不積，物之能通而無忤者也，能通則常德不離矣」。案：「雄」與「雌」是「性別」，此以生物言，喻修道有德者內在「精神」之特性。所謂「知其雄、守其雌」者，言其精神之柔弱虛靜也。本經十六章：「致虛極、守靜篤」，六十一章：「天下之牝，牝常以靜勝牡」，七十六章：「柔弱者生之徒」，即其義。所謂：「爲天下谿、常德不離」者，言其虛「心」弱「志」，與物無對，而全其「神」也。且唯其能虛「心」弱「志」而貴其「柔靜」，故其「神」日全，而復「歸」

於「嬰兒」也。嚴靈峯老子達解：知其雄，守其雌；爲天下谿。言知雄之躁動，寧守雌之虛靜；執後容物，居天下之下流，故能爲天下谿也。嚴靈峯馬王堆帛書老子試探：小篆本作爲天下「溪」，通行本「溪」作「谿」。溪，按：廣韻、集韻、韻會：『並與「谿」同。』說文：『山瀆無所通者也。从谷、奚聲。』爾雅釋水：『水注川曰「谿」。』莊子天下篇：（老聃）曰：「知其雄，守其雌；爲天下谿；知其白，守其辱，爲天下谷。」陳鼓應老子今註今譯：谿，同溪，山中的流水。范應元說：「爾雅：水注川曰谿。」余培林老子讀本：谿，與「溪」同，山澗。與下文「爲天下谷」的「谷」字，同喻虛空卑下。」張揚明老子斠證譯釋：「爲天下谿」：景福、羅卷作「溪」。景龍、館本作作「蹊」。敦煌作「奚」。朱謙之：「作奚是也。奚乃古僕之稱。爲天下奚，猶今言公僕，與知雄守雌之旨正合」。揚明案：朱說頗具創見，錄之備參。谿，谷義。乃正詁。河上公：「人能謙下如深谿，則德常在，不復離於己。人能爲天下谷，德乃止於己」。王弼：「谿不求物，而物自歸之。」蘇轍：「如水之赴谿，莫有去者。曠兮如谷之虛，物來而應之。德足如此，純性而無雜矣」。呂吉甫：「谿之爲物，受於谷而輸於江海。受而不拒，輸而不積，物之能通而無忤者也。能通則常德不離矣」。馬敍倫：『谿，山陵無所通者；谷，泉出通川者。老子以谿喻無有能入；谷喻無所不出」。揚明案：谿，爾雅釋水：「水注川曰谿」。疏：「杜預曰：『谿亦澗也』。李巡曰：『水出於山入於川曰谿』。宋均曰：『有水曰谿，無水曰谷』。」廣韻：「谿，或作　、溪。」谷，公羊傳僖三年：「桓公曰：無障谷」。注：「水注川曰溪；注溪曰谷」。河上、王、蘇是。」

二十九章 無爲

天下神器，不可爲也；爲者敗之，執者失之。(33)

【斠補】王注：萬物以自然爲性，故可因而不可爲也，可通而不可執也。物有常性，而造爲之，故必敗矣；物有往來，而執之，故必失矣。案據王注觀之，則本文不可爲也，當有不可執也一語。文子引老子曰：天下大器也，不可執也，不可爲也；爲者敗之，執者失之。

【疏證】義案：甲本作「□□□器也，非可爲者也；爲者敗之，執者失之。」乙本作「夫天下神器也，非可爲者也；爲者敗之，執之者失。」古本作「夫天下神器，不可爲也；爲者敗之，執者失之。」淮南原道「夫」作「故」。劉說是也。吳澄道德眞經註：「天下者，至大之器，有神司之，不可以智力有爲而得。敗，謂不成也，彼以智力得之者，欲成其事，而其事反不成，謂不能得天下之歸服也。故曰：爲者敗之。未得天下而取天下者，固不可以有爲而得，既得天下，而守天下者，亦不可以有心而留。譬如寶器，若常執之在手，不須臾舍，惟恐其或失者，反不能保其不損隊而失也。故曰：執者失之。」焦竑老子翼：「蘇子由云：至於天下之大，有神主之；不待其自歸則叛，不聽其自治則亂矣。呂吉甫云：天下之爲器，神器也。唯神道可以御神器，神無思也，無爲也，而爲之則御之，非其道矣，故不可爲也。爲者所以求成，而適足以敗之；執者所以求得，而適足以失之也。李息齋云：由不知道者，以天下爲實有，而我始君之。於是以有爲撓之，以有物執之；而不知其所爲者，反足以敗之；其所執者，反足以失之。」魏源老子本義：天下神器，不可爲也。天下上，傅奕有夫字，永樂大典本器下有也字。爲者敗之。執者失之。碑本，兩者字俱作故字。焦氏竑曰：取如左傳取我田疇而伍之，史記取高皇帝約束而紛更之之取。源案：巳語詞。爲，謂作爲也。執，謂把持也。譬如陶器，不因其自然而强欲其成，必致窳敗。譬如執寶，把持不肯釋手，惟恐其失，而反或隳墜，而況天下之器神器乎？神器者，天命人心，去就靡常，不可人力爭，故神之也。行者不期物之隨，而或自隨之，是不爲者未嘗不得，呴本期物之受，或反不受而吹之，是爲者反未必得也。或强以自固，而有時自羸，或載之甚安，而不意忽隳，是執之者，未必不失也。是以聖人之待物，則去其巳甚，而不敢過求，持己，則去其奢泰，而不敢過望。是以爭競與盛滿之患，不生於心，未嘗謀物而物自歸之，未嘗留物自不去也。王夫之老子衍：「天下，神器，天下雖器也，神常流盪之。不可爲也。爲者敗之，執者失之。天下在我，吾何取？我在天下，吾何爲？天下如我，吾何欲？我如天下，吾何執？以天下測天下，天下神。以天下遇我，天下不神。不神者使其不神，而天下亂。神者使其不神，而我安。故窮天下以八數，而去我之三死，則炎火焚林而可待其寒，巨浸滔天天而可視其暵。水火失其威，金石喪其守，況有情之必窮、而有氣之必縮者哉？」馬敍倫老子校詁：夫天下神器，不可爲也，爲者敗之，執者失之。范應元曰：夫字阮籍同古本。焦竑曰：碑本爲者作爲故。紀昀曰：大典器下有也字。畢沅曰：河上公王弼無夫字。文選干寶晉紀總論注引文子引老子曰：天下大器也，不可執也，不可爲也，正有此一句。（易順鼎同）。張煦曰：呂等無夫字。羅運賢曰：治要引作執者失也。倫案：劉說是也。彭耜引黃茂材曰：天下神器，不可爲也，不可執也，至於人身獨非神器乎？是黃見本有此一句，淮南原道訓有天下至失之十六字，蓋本此文。無不可執也一句，疑一本老子脫此一句，或後人以誤本老子改淮南也。六十四章是以聖人無爲故無敗無執故無失十四字，當在此下，范夫字同此。石田羊一郎依劉說，又依余說於執者失之下，增是以聖人無爲故無敗無執故無失。各本及文選東京賦注、西征賦注、勸進表注、豪士賦序注、三國名臣序贊注、王命論注、五等論注、石闕銘注、後漢書公孫述傳注、翟酺傳注、崔駰傳注、孔融傳注引，並無夫字，羅卷館本易州無也字，治要引失之作失也。陳柱老子註：天下神器，不可爲也，爲者敗之，執者失之。老子以天下爲神器，猶斯賓塞以國羣爲有機體也。（嚴復說）不可爲者，王弼云：『萬物以自然爲性，故可因而不可爲也，可通而不可執也』夫爲國亦若是而已。時乎皇則皇，時乎帝則帝，時乎王則王，時乎伯則伯，時乎立憲則立憲，時乎共和則共和，當其勢之至，唯有因之通之而已。若非至其時而早爲之，或既至其時而固執之，其爲敗與失，必不能免，何也？違乎自然之則也。高亨老子正詁：：天下神器，不可爲也。爲者敗之，執者失之。易順鼎曰：『不可爲也』下當有『不可執也』一句。請舉三證以明之。文選干令升晉紀總論注引文子稱老子曰：『天下，大器也，不可執也，不可爲也，爲者敗之，執者失之』其證一王注云：『故可因而不可爲也，可通而不可執也。』王注有，則本文可知。其證二。六十四章云：『爲者敗之，執者失之，是以聖人無爲故無敗，無執故無失。』無爲即不可爲，無執即不可執。彼文有，則此文亦有。其證三。蓋有『執者失之』一句，必先有『不可執也』一句，明矣。」劉師培說略同。馬如龍曰：「彭耜引黃茂材曰：『天下神器，不可爲也，不可執也，至於人身，獨非神器乎！』是黃所見本有此一句。」按：此說是也，當據補。朱謙之老子釋譯：嚴可均曰：『「神器」大典「器」下有「也」字，「不可爲」各本「爲」下有「也」字。』情牽案：遂州、景福、敦煌三本均無『也』字，又『天』字上，傅、范本有『夫』字，河上公、王弼無，范應元曰：『「夫」字阮籍同古本。』馬敍倫曰：『彭耜引黃茂材曰：「天下神器不可爲也，不可執也，至於人身，獨非神器乎？」是黃見本有此一句。』情牽案：『爲者敗之』二句，又見第六十四章。鶡冠子備知篇曰：『故爲者敗之，治者亂之』，當亦本此。王淮老子探義：天下神器不可爲也，爲者敗之、執者失之。王弼曰：「萬物以自然爲性，故可因而不可爲也，可通而不可執也。物有常性而造爲之，故必敗也；物有往來而執之，故必失矣」。司馬光曰：「爲則傷自然，執則乖通變」。釋憨山曰：「强秦力能併吞六國，統一天下，是爲之也；且誓云一世以至萬世，是執之也。故不旋踵而敗，二世而亡，豈非爲者敗之，執者失之之驗歟」。案：上文言取（得）天下之必須由於「不得已」，重點在論「取」天下之道。此處申言治（享）天下之不可有「爲」有「執」，重點在論「治」（享）天下之道。所謂「天下神器」者，謂天下至神至聖之「名器」，即天子之名號是也。具體言之，則指「帝位」與「政權」而言。老子以爲既有天子之名號，以居其位而行其政。須知一切原非得已；取（得）之既非有心有爲，治（享）之尤須無心無爲。苟「有爲」以「治」之，則必將干擾，而政治不能清靜自然矣。苟「有心」以「享」之，則必將執着，而政權不能天下爲公矣。凡此皆非道之所行，故終敗之失之也。」嚴靈峯老子達解：天下神器，不可爲也。言神器器大寶，不可以有爲多事而致之也。爲者敗之，執者失之。「道常無爲」，有爲必敗；「不知常妄作，凶」也。「持而盈之，不如其已」，執持不放，則必失之也。馬敍倫曰：『劉說是也。彭耜引黃茂材曰：「天下神器，不可爲也，不可執也；至於人身，獨非神器乎？」」是黃見本有此一句。』以上諸說並是也。當據王注及文子，在「不可爲也」下增「不可執也」一句。陳鼓應老子（今註今譯：天下神器：天下是神聖的東西。「天下」指天下人。河上公注：「器，物也，人乃天下之神物也；神物好安靜，不可以有爲治。」嚴靈峯先生說：「神器，猶神物也。言其至貴重者也。」不可執也：王弼本原缺這一句，根據劉師培的說法增補。劉師培和易順鼎的說法可信，因據文子和王弼註文，在「不可爲也」句下，增「不可執也」。（是以聖人無爲，故無敗；無執，故無失。）：這原是六十四章的文字，疑是錯簡誤入六十四章。根據奚侗的說法，移回這裡。余培林老子讀本：「神器，神聖貴重的器物。王弼曰：「神，無形無方也。器，合成也。無形以合，故謂之神器也。」執，固執己見。不可執也，王弼本原無此句，劉師培之說極是，今據之增補。」張揚明老子斠證譯釋：「天下神器」：傅「天」上有「夫」字。永樂大典「器」下有「也」字。范應元：「夫字阮籍同古本」。揚明案：各本及文選東京賦注、西征賦注、勸進表注、豪士賦序注、三國名臣序贊注、王命論注、五等論注、石闕銘注、後漢書公孫述傳注、翟酺傳注、崔駰傳注、孔融傳注引，並無「夫」字。「不可執也」：王弼本原無此句。揚明案：劉師培同。馬敍倫亦謂「劉說是也。彭耜引黃茂材曰：『天下神器，不可爲也，不可執也。至於人身獨非神器乎？』

是黃見本有此一句。六十四章『是以聖人無爲故無敗，無執故無失』十四字，當在此下。石田羊一郎依劉說，又依余說，增。」是應增「不可執也」一句。蓋易、劉、馬自是確論也。惟六十四章「是以聖人」兩句，仍以不移爲是，詳該章章句校證。「爲者敗之，執者失之」：焦竑：「碑本『者』作『故』。」「天下神器」：王弼：「神，無形無方也，器，合成也。無形以合，故謂之神器也」。俞樾：「爾雅釋詁：『神，重也。』神器爲重器。成器爲大器（指六十七章）。二者並以天下言」。揚明案：三說並通。故神器應爲無形以合而人心所繫的重器。「不可爲也，不可執也」：王弼：萬物以自然爲性，故可因而不可爲，可通而不可執也」。「爲者敗之，執者失之」：王弼：「物有常性，而造爲之，故必敗也；物有往來，而執之，故必失也。」

其事好還。⑶④

【斠補】王注：有道者，務欲還反無爲。河上注：自責不怨人也。案好與孔同。爾雅釋器：肉倍好謂之璧。好即孔也，好孔雙聲同轉。還者，說文云：復也。爾雅釋詁：還，返也。還義與旋圜、環斡相同，即循環周轉之義也。好還者，假好爲孔，孔義同甚，猶詩之孔云孔嘉，書之孔殷也。還，指旋回倚伏言。文選西征賦云：事回泬而好還。彼以好還與回泬並言，則好還爲旋回之義，蓋古訓也。

三十章　儉　武

【疏證】義案：甲乙本皆殘闕，古本無異文。吳澄道德眞經註：王氏曰：以道佐人主，尙不可以兵强天下，况人主躬於道者乎？蘇氏曰：聖人用兵，皆出不得已，非不得已而欲以强勝天下，雖或能勝，其禍必還報之。楚靈齊湣，秦皇漢武，或以殺其身，或禍其子孫，人之所毒，鬼之所疾，未有得免者也。」焦竑老子翼：「呂吉甫云：人主者，無爲者也；佐人主者，有爲者也。取下不能無事，而爲之不已，兵弊，至於以兵强之。雖佐人主者，任在於有爲，猶爲不以道也，况於主道之無爲乎？所以然者，以其事好還而已。李息齋云：殺人之父，人亦殺其父；殺人之兄，人亦殺其兄，是謂好還。李宏甫云：「天道好還，而以兵強，佐人主者，不知道者也。」馬敘倫老子校詁：其事好還。魏錫曾曰：御注脫好還二字。倫案：爾雅之孔，為空之借。此當如字讀。陳柱老子註：此反對侵略主義之說也。佐，景龍碑作『作』，主詞雖異，意無大異也。觀於近日德國之敗，其好還者驗矣。高亨老子正詁：其事好還。按劉說是也。爾雅釋言：「孔甚也。」孔訓甚，則好亦可訓甚。呂氏春秋精諭篇：「夫子之欲見溫雪伯子，好矣。」好者甚也。今俗謂甚大曰好大，甚長曰好長，甚遠曰好遠，甚快曰好快，殆亦古之遺言耳。還疑借為⿵門戈，⿵門戈，凶危也。說文：「⿵門戈，試力士錘也。從門從門從戈。讀報縣。」「試力士錘」之訓，與「從門從戈」不合。余謂　本係凶危之義。從門從戈，謂執戈而門，蓋兵凶器戰危事也。還⿵門戈古音近，通用。說文：「⿸广戈屋牝瓦下，從廣广省聲。讀若環。」即其左證。⿵門戈讀若縣，今北方謂危曰縣，（縣並讀平聲。）即⿵門戈字之音矣。其事好還者言其事甚凶危也。下文「師之所處，荊棘生焉。大軍之後，必有凶年。」即申明凶危之指。朱謙之老子釋譯：魏稼孫曰：「御注脫『好還』二字，嚴失校。」情牽案：『還』釋文『音旋』，范應元云：『還，句緣切，經史旋、還通。』案『其事好還』謂兵凶戰危，反自為禍也。王淮老子探義：其事好還。王弼曰：「為始者務欲立功生事，而有道者務欲還反無為，故云其事好還也」。呂吉甫曰：「以道服天下者，則天下莫敢不服，而以兵強天下，亦將阻兵而抗我矣」。李息齋曰：「兵之不勝、其害未易一二數。使幸而勝，其殺氣之應，地不能使之生，天不能使之和，故荊棘生於屯戰之所，飢饉起於軍旅之後，則其不勝者可知矣」。案：老子論道以「自然」為宗，論政以「清靜無為」為主，故原則上老子反對戰爭。所謂「以道佐人主者，不以兵强天下」，以「道」佐人主，是正面的積極主張；不以「兵」强天下，是反面的消極主張。正反兩面對顯，義理非常清楚。後世孟子貴「德」賤「力」之思想與老子此處貴「道」賤「兵」之思想在脈絡上是一貫的，同樣皆具有永恆的價值，實爲人類之崇高理想。其次、老子之反對戰爭、除了原則上之理由，亦有其事實上之理由：此即戰爭行爲之後果問題。一切戰爭之後果不外兩種，一爲引生不斷之報復，所謂「寃家宜解不宜結」，故曰：「其事好還」。二爲產生社會之毀滅，所謂「人禍」，故曰：「師之所處，荊棘生焉，大軍之後，必有凶年」。嚴靈峯老子達解：其事好還。言用兵之事，勝敗更迭；因果報應，如循環也。陳鼓應老子今註今譯：其事好還：用兵這件事一定會得到還報。林希逸說：「我以害人，人亦將害我，故曰其事好還。」蔣錫昌說：「此謂用兵之事，必有不良之還報；下文所謂『師之所處，荊棘生焉；大軍之後，必有凶年』也。」余培林老子讀本：其事好還，謂用兵一事極易還旋報復。張揚明老子斠證譯釋：「其事好還」：釋文：「好，呼報反。還，音旋。」王弼：「爲强（見勘誤）者務欲立功生事，而有道者務欲還返無爲；故云：其事好還也揚明案：李氏義長。

三十一章 偃武

夫佳兵者，不祥之器，物或惡之，故有道者不處。君子居則貴左，用兵則貴右。兵者，不祥之器，非君子之器，不得已而用之，恬淡爲上。勝而不美，而美之者，是樂殺人。夫樂殺人者，則不可以得志於天下矣。吉事尚左，凶事尚右；偏將軍居左，上將軍居右，言以喪禮處之。殺人之衆，以哀悲泣之；戰勝，以喪禮處之。(35)

【斠補】案此節王本無注，而古注及王注，恆混入正文。如不祥之器，非君子之器二語，必係注文，蓋以非君子之器，釋上不祥之器也。本文當作兵者，不得已而用之，兵者以下九字，均係衍文。又吉事尚左以下，至言以喪禮處之，此五句者，亦係貴左貴右及末語注文，惟注中復有脫文耳。河上公於不祥之器二語，於言以喪禮處之諸語，均加注釋。所據之本，蓋在注文攙入正文後，益可證河上注之後於王注矣。

【疏證】義案：甲本作「夫兵者，不祥之器□，物或惡之，故有欲者弗居。君子居則貴左，用兵則貴右，故兵者，非君子之器也。□□不祥之器也，不得已而用之，銛龐爲上，勿美也，若美之，是樂殺人也。夫樂殺人，不可以得志於天下矣。是以吉事上左，喪事上右；是以便將軍居左，上將軍居右，言以喪禮居之也。殺人衆，以悲依立之；戰勝，以喪禮處之。」乙本作「夫兵者，不祥之器也，物或亞（下缺十字）（子）居則貴左，用兵則貴右。故兵者，非君子之器。兵者，（不祥□器也），不得已而用之，銛龐爲上。勿美也，若美之，是樂殺人也。夫樂殺人，不可以得志於天下矣。是以吉事（下缺五字）（右），是以偏將軍居左，而上將軍居右，言以喪禮居之也。殺（下缺五字）立之；單朕，而以喪禮處之。」古本作「夫兵者，不祥之器，物或惡之，故有道者不處。是以君子居則貴左，用兵則貴右。兵者，不祥之器，非君子之器，不得已而用之，以恬憺爲上，故不美也。若美，必樂之，樂之者，是樂殺人也。夫樂殺人者，不可以得志於天下矣。故吉事尙左，凶事尙右；是以偏將軍處左，上將軍處右，言居上勢，則以喪禮處之。殺人衆多，則以悲哀泣之；戰勝者，則以喪禮處之。」以悲「依」立之：通行本「依」作「哀」。說文：『哀，閔也。從口，衣聲。』廣雅釋詁二：『哀，痛也。』又釋訓：『哀，悲也。』此假字之下部爲之。現存本無有作「依」者。以悲依「立」之：通行本「立」作「泣」。說文：『⿰立隶，臨也。從立，隶聲。』亦作「涖」，作「泣」。爾雅釋詁：『涖，視也。』朱駿聲曰：『古者「立」、「位」同字，古文春秋經：『公即位，爲「公即立」。』此假字之下部爲之。現存本無有作「立」者。「單」朕：通行本：「單」作「戰」。說文：『戰，鬥也。從戈，單聲。』按：此假左偏旁字爲之。傅奕本、景龍碑本、范應元本等，有作「陣」者。現存本無有作「單」者。吳澄道德眞經註：夫佳兵者，不祥。物或惡之，故有道者不處也。佳，猶云嘉之也。不祥，謂無吉慶，而有凶災也。不處，謂不肯以此處身也。君子居則貴左，用兵則貴右。此指言不處之實，不處平日所貴之位，而處所不貴之位，不肯於用兵之位，處身也。兵者不祥之器，非君子之器，不得已而用之，恬淡爲上，勝爲不美。謂其殺人，迺凶災之器，非吉慶人所用之器也。恬者，不歡愉。淡者，不濃厚，非其心之所喜好也。爲上，謂不好用兵，迺爲可尙也。勝而不美，謂兵雖得勝，亦不肯以爲美事。美之者，是樂殺人也。樂殺人者，不可以得志於天下矣。此推言不美，若以戰勝爲美事，是以殺人爲樂也。不可以得志於天下，要終而言之，以示戒。吉事尙左，凶事尙右，偏將軍處左，上將軍處右。此又申言上文不處之意。殺人衆多，以悲哀泣之，戰勝以喪禮主之。此又申言上文不美之意。」

焦竑老子翼：「蘇子由云：以之濟難，而不以爲常，是謂不處。呂吉甫云：兵而佳之，是乃器之不祥，而物之或惡也，是以有道者不處。故君子居則貴左，用兵則貴右，其所貴異乎平居之時，則是固以不祥之器處之，而非君子之器也，非所以佳之也。必不得已而用之，恬惔爲上，故勝而不美也，非所以佳之也。天將救之以慈衞之慈者，天下所以樂推而不厭也。則殺人者，豈其樂哉！而美之，則是樂殺人也。樂殺人者，不可得志於天下也。故吉事尙左，凶事尙右；偏將軍處左，上將軍處右，言以喪禮處之。殺人衆多，以悲哀泣之；戰勝，以喪禮處之。夫以喪禮處之，則是不祥之器，而不美之可知也；以悲哀泣之，則是不樂殺人也可知已。李息齋云：兵不可佳而佳，猶人不可殺而殺，故不樂殺人，然後可以言兵。孫吳之論兵，審虛實，辨奇正，其言詳矣。然虛實奇正之本，孫吳未必知之也。老氏曰：恬憺爲上，勝而不美。夫以恬淡言兵，誠若不類，然不知恬淡則靜，靜者勝之本也。狂躁則動，動者敗之基也。梁襄問孟子曰：天下惡乎定？曰定於一。曰孰能一之？曰不嗜殺人者能一之。使果不嗜殺人，則定天下有不難者。自古及今，不嗜殺人者必興，嗜殺人者必亡；嗜殺人而暫成者有已，未有嗜殺人而多歷年者也。故君子戰勝，以喪禮處之；不祥之器，有道者不處。」魏源老子本義：「夫佳兵者不祥，物或惡之，故有道者不處也。不祥下，他本有之器二字，傅本佳作美，不處下無也字。君子居則貴左，用兵則貴右。君子上，傅奕有是以字。兵者不祥之器，非君子之器，不得已而用之，恬憺爲上，勝而不美，而美之者是樂殺人，夫樂殺人者，則不可以得志於天下矣。恬憺爲上以下六句，傅奕本以恬憺爲上，故不美也，若美必樂之，樂之者是樂殺人也，夫樂殺人者，不可以得志於天下矣。釋文云：恬或作括，憺或作惔，又作恢。碑本得志作得意，無矣字。吉事尚左，凶事尚右，是以偏將軍居左，上將軍居右，言以喪禮處之。吉事上，傅奕有故字。偏將軍上，王弼河上無是以二字。兩居字，傅並作處，各本作言居上勢，則以喪禮處之。王弼河上無居上勢則四字，今從之。殺人衆多，以悲哀泣之。衆多，河上王弼作之衆，傅奕衆多下有則字。悲哀王弼作哀悲。戰勝則以喪禮處之。戰勝下，傅奕有者則二字，處之吳澄作主之。晁氏說之曰：王弼老子注，謂兵者不祥之器以下至末，皆非老子本文。王氏道曰：自兵者不祥之器以下，似經注相間，疑古人之義疏，混入經文者。姚氏鼐曰：物壯則老十二字，當爲衍文。以在下篇心使氣日强之下，故誦者誤入此勿强句下也。源案王弼此章句已闕，晁氏生宋初，故又及見之，但文句相沿已久，今並仍其舊。古佳字無訓美者，或謂當是惟字之省。祀按：王石臞言：夫佳乃夫惟之誤，惟字爛脫左小，遂寫誤而爲佳，其說艮是。然漢人已有佳兵不祥之語，則作佳兵亦古本也，或謂當用廣雅佳勞也之訓，義皆可通，然傅奕本直作美兵，則是以佳爲嘉之借文。」王夫之老子衍：言居上勢，則以凶禮處之；殺人衆多，以悲哀泣之；與其悲之於後，何如忘之於先；與其以凶禮居功，何如以吉道處無功之地。不能先機，不能擇吉，不能因閒以有餘，所謂「彼惡知禮意」者也。**馬叙倫老子校詁**：「夫美兵者，不祥之器。**畢沅曰**：河上公王弼美並作佳，陳象古無者字。**紀昀曰**：一本無者，大典無之器二字。**王念孫曰**：王弼本作佳兵，佳當作隹，字之誤也。隹古唯字，上言夫唯，下言故，文義正相承。八章、十五章、二十二章，皆如此。**張煦曰**：文津蘇無者字。**倫案**：美各本作佳，宋河上無者字，吳無之器二字，史記倉公傳引作美好者不祥之器，書鈔一一三引作佳兵者不祥之器也。石田羊一郎以美兵者不祥之器爲衍文。物或惡之，故有道者不處。**倫案**：或爲咸譌，羅卷館本易州無者，吳句末有也字，此十字乃因二十四章錯簡而複出者，成於此二句無疏，是成無此文。石田羊一郎以此二句爲衍文。是以君子居則貴左，用兵則貴右。**范應元曰**：河上本無是以二字。**彭耜曰**：纂微司馬曹陳黃並無是以二字。**張煦曰**：蘇呂趙無是以二字，石田羊一郎以此二句爲衍文。**倫案**：寇張嗣成吳臧疏羅卷館本易州趙寫無是以二字。尋義二句，當在不可以得志於天下矣下。兵者，不祥之器，非君子之器。**王純甫曰**：此章自兵者不祥之器以下，似古之義疏渾入於注者，詳其文義可見。**焦竑曰**：一無君子下之器二字。**紀昀曰**：自兵者不祥之器至言以喪禮處之，似有注語雜入，但河上公注本及各本俱作經文。**倫案**：文子微明篇引作非君子之寶，又案紀劉之說是也。文子上仁篇引曰：兵者，不祥之器，不得已而用之。釋慧皎高僧傳八義解論曰：兵者，不祥之器，不獲已而用之。蓋老子本文作夫唯兵者不祥之器，不得已而用之。物或兩句係二十四章錯簡，君子兩句乃下文而錯在上者，非君子之器，則正釋不祥之器也。不得已而用之，以恬憺爲上。陸德明曰：恬，本或作栝，澹，本亦作惔。河上公作恢，簡文恬淡，彭耜曰：林淡或作然。紀昀曰：恬淡，河上公作恬惔。一本作恬憺，又作恬然。畢沅曰：簡文作恬澹，河上公王弼並作恬憺，亦並無以字，蘇靈芝書憺作淡。盧文弨曰：今作恬惔，易州石刻同。說文，惔，憂也，非此。恢亦形近而誤。張煦曰：蘇作恬澹，各本作恬淡，各本無以字。倫案：各本無以字。宋河上臧疏易州羅卷及治要引澹並作惔，各本作淡，當從此。石田羊一郎以以恬憺爲上一句爲衍文。倫案：恬，說文作怗，安也。故不美也，若美必樂之。彭耜曰：纂微司馬蘇曹陳程並只作勝而不美，紀昀曰：大典作勝而不美美之者，畢沅曰：諸本無此二句，只作勝而不美四字。嚴可均曰：御注作勝而不美而美之者。張煦曰：呂等同御注。倫案：彭同此，范必上有之字，羅卷館本無也字，易州無也必樂三字，吳作勝而不美美之者，臧疏作勝而不美若美之者，各本並作勝而不美而美之者，磻溪此四句作勝而不美而美之者是樂殺人。參校各本，當作故勝而不美也，若美之必樂之。石田羊一郎作故勝而不美也，若美之必樂之。樂之者，是樂殺人也。彭耜曰：纂微蘇曹陳程並作而美之者是樂殺人，司馬同，而作若，亦無也字。紀昀曰：大典人下有也字。畢沅曰：諸本作而美之者是樂殺人。嚴可均曰：御注作是樂殺人。張煦曰：呂等同御注，林人下有也字。倫案：彭范同此，經幢館本易州殺作煞，下同，各本並作是樂殺人，無樂之者也四字，惟寇吳潘有也字，當從此。夫樂人殺人者。彭耜曰：纂微司馬蘇五注，曹達眞陳葉清源程邵上並有夫字。紀昀曰：大典無夫字。畢沅曰：諸本無上人字。張煦曰：呂等無上人字。倫案：彭吳無夫字，各本無上人字，易州羅卷館本並無下人字，焦竑引古本作夫樂人之殺人者，當作夫樂殺人者。不可以得志於天下矣。彭耜曰：纂微蘇曹陳清源程並無矣字，司馬可下有以字。王昶曰：至元同開元，邢州志作意，無矣字。紀昀曰：大典無則字。畢沅曰：諸本句上有則字。嚴可均曰：御注無以矣二字。張煦曰：蘇葛不上有則字，呂林無以字。倫案：范吳同此，臧疏易州磻溪羅卷館本無以矣二字，彭寇二趙張嗣成白無以字，易州羅卷志作意，張之象不上有則字。故吉事尚左，凶事尚右。彭耜曰：司馬五注達眞葉清源吉上並有故字，陳吉事下有者字。張煦曰：開元呂蘇葛趙無故字。石田羊一郎曰：此文以下甚淺露，疑注者所加。倫案：范白羅卷臧疏故字同此，各本無，治要引兩尙字作上，羅卷館本凶作喪。是以偏將軍處左，上將軍處右。彭耜曰：纂微司馬蘇曹陳並無是以字。紀　曰：大典處作居，無是以二字。畢沅曰：河上公王弼無是以二字，處作居。譚獻曰：偏將軍至喪禮處之三句注文誤入，易州石刻及御覽引皆無。魏錫曾曰：御注無是以二字。張煦曰：呂蘇葛無是以二字，處作居。羅運賢曰：御覽二七〇引有是以二字。倫案：故吉事尚左至言以喪禮處之五句，皆是以君子居則貴左用兵則貴右注文誤入者也，范同此，羅卷館本易州彭二趙有是以二字，各本無，彭臧疏寇張嗣成吳及後漢書光武紀注引治要引處字同此，羅卷館本易州白趙張之象作居。周易集解三引崔　曰：偏將軍居左，蓋本此文，是崔本作居。言居上勢則以喪禮處之。彭耜曰：纂微司馬蘇曹陳並無居上勢則四字，程勢作世。紀昀曰：大典無此句。畢沅曰：河上公王弼無居上勢則四字。嚴可均曰：御注作言以喪禮處之，此蓋注語羼入正文，易州無此句。易順鼎曰：王弼獨於此章無注，晁景迂疑王以此章非老子之言，然此章語頗冗複，疑有古注誤入正文，言以喪禮處之，觀一言字即似注家之語。張煦曰：呂葛無居上勢則四字。倫案：范彭同此，各本並無居上勢則四字。石田羊一郞以此句爲衍文，倫謂此注文。畢沅曰：勢應作埶。倫案：勢字是，埶爲樹藝本字。殺人衆多。畢沅曰：河上公王弼作殺人之衆。張煦曰：蘇葛作殺人之衆。倫案：白張之象作之衆。成疏曰：殺謂敵人，疑成亦作之衆，各本及治要引同此。則以悲哀泣之。紀昀曰：哀悲各本俱作悲哀。畢沅曰：諸本無則字。羅運賢曰：泣者莅之譌。張煦曰：呂葛蘇林無則字。倫案：各本無則字，趙寫同此。張之象作哀悲，各本同此。泣字羅說是，本字作⿰立隶。戰勝者則以喪禮處之。彭耜曰：纂微司馬蘇五注曹陳達眞清源程邵勝下並有則字。畢沅曰：諸本無者則二字。譚獻曰：昔人云：大兵之後必有凶年八字，注文誤入，予以偏將軍居左上將軍居右言以喪禮處之三句亦注文。張煦曰：呂等無者字，林蘇並無則字。羅運賢曰：御覽二七〇引作戰勝以喪禮處之也。石田羊一郞曰：此章有脫誤，有重出，有錯簡，有古注語羼入。倫案：范同此。寇二趙臧疏及治要引並有則字，各本無者則二字，趙寫磻溪無者字，易州喪作哀。吳處作主。倫案：故吉事尙左以下文甚淺露，不似老子之文，疑注者所加。又案右文舊爲第三十一章，經注錯亂，李慈銘、陶紹學皆有訂誤，附記於左。「夫佳兵不祥，物或惡之，故有道者不處。君子居則貴左，用兵則貴右，勝而不美，而美之者，是樂殺人，夫樂殺人者，不可得志於天下矣。殺人衆多則以悲哀泣之，戰勝者則以喪禮處之。」（王弼注曰：兵者，不祥之器，非君子之器也，不得已而用之，以恬淡爲上，故不美也，若美必樂之，樂之者，是樂殺人也，故吉事尚左，凶事尚右，偏將軍處左，上將軍處右，言居上勢，則以喪禮處之。）右李慈銘訂。「夫佳兵者，不祥之器，物或惡之，故有道者不處。（兵者不祥至而用之三句注文在此。）君子居則貴左，用兵則貴右。（吉事尚左二句注文在此。）偏將軍居左，上將軍居右，（言居上勢二句注文在此。）戰勝以喪禮處之。（殺人之衆二句注文在此。）恬惔爲上，勝而不美，而美之者，是樂殺人，夫樂殺人者，則不可以得志於天下矣。」右陶紹學訂。陳柱老子註：佳，當從王念孫說作『隹』。隹，古唯字也。此亦暢發非戰主義。美之者是樂殺人，孟子所謂善戰服上刑也。孟子曰：『不嗜殺人者能一之。』夫樂殺人者，是嗜殺人也，烏能一之！自吉事尚左以下，文意淺陋，不類老子當是上文『君子居則貴左，用兵則貴右』之舊注，而誤入正文者。高亨老子正詁：夫佳兵者不祥之器。王念孫曰：「佳當作隹，字之誤也。八章云：『夫唯不爭故無尤。』十五章云：『夫唯不可識，故強爲之容。』又云：『夫唯不盈，故能蔽不新成。』二十二章云：『夫唯不爭，故天下莫能與之爭。』皆其證也。古鐘鼎文唯字作隹，石鼓文亦然。又夏竦古文四聲韻載道德經唯字作隹，據此今本作唯者，皆後人所改，此隹字若不誤爲佳，則後人亦必改爲唯矣。」物或惡之，故有道者不處。君子居則貴左。用兵則貴右，兵者不祥之器，非君子之氣，不得已而用之。恬淡爲上，勝而不美。而美之者是樂殺人。夫樂殺人者，則不可以得志於天下矣。吉事尚左，凶事尚右。按逸周書武順篇：「吉禮左還，順天以立本。武體右還，順地以利兵。」詩裳裳者華：「左之左之，君子宜之。右之右之，君子有之。」毛傳：「左陽道，朝祀之事。右陰道，喪戎之事。」並與老子此文相合。偏將軍居左。上將軍居右。言以喪禮處之。

按言疑當作立，形近而譌。大戴禮曾子立事篇：「君子未問則不言，」荀子大略篇言譌作立，韓非子外儲說右篇：「問有所言」戰國策秦策言譌作立，並立言互誤之證。立古以爲位字。謂「偏將軍居左，上將軍居右」，其位乃以喪禮處之也。殺人之衆，以哀悲泣之。「之衆」傳本作「衆多」。羅運賢曰：「泣者蒞之譌。（六十章，以道蒞天下）。字當作𨽻。說文『臨也。』『𨽻之』與下文『處之』正同。」按：「泣」叚爲『𨽻』。古書多作「莅」。涖蒞並說文所無。戰勝以喪禮處之。

按本章文有竄誤，一見即知，先儒校訂，以意刪移，羌無依據。茲不臚舉。余謂「兵者不祥之器，不得已而用之，恬淡爲上，勝而不美，而美之者，是樂殺人。夫樂殺人者，則不可以得志於天下矣。」四十八字應在章首。厥證有二：此四十八字移在章首，則其文爲「兵者不祥之器，非君子之器，不得已而用之。恬淡爲上，勝而不美，而美之者是樂殺人。夫樂殺人者，則不可以得志於天下矣。夫佳兵者不祥之器，物或惡之，故有道者不處。君子居則貴左，用兵則貴右，吉事尚左，凶事尚右，偏將軍居左，上將軍居右，言以喪禮處之，殺人之衆，以哀悲泣之，戰勝以喪禮處之。」文理清晰，辭意貫達，而「居則貴左，用兵則貴右，」適與「吉事尚左，凶事尚右，偏將軍居左，上將軍居右，」相聯，尤爲天衣無縫，其證一也。夫佳當作夫隹，即夫唯，塙無可疑。老子全書夫唯二字皆用作承上之詞，無用作起語之詞者。二章曰：「功成而弗居，夫唯弗居，是以不去。」八章曰：「水善利萬物而不爭，夫唯不爭，故無尤。」十五章：「古之爲道者，微妙玄通，深不可識。夫唯不可識，故强爲之容。」又曰：「保此道者不欲盈。夫唯不盈，故能蔽不新成。」五十九章曰：「治人事天莫如嗇。夫唯嗇，是謂早服。」六十七章曰：「天下皆謂我道大，似不肖。

夫唯大，故似不肖。」七十一章曰：「知不知，不知知，病。夫唯病病，是以不病。」皆其例也。然則本章「兵者不祥之器」云云，應在前，「夫唯兵者不祥之器」云應在後，亦塙無可疑。其證二也。朱謙之老子釋釋：嚴可均曰：『河上無「者」字，不祥之器」，大典無「之器」二字。』情牽案：『佳』字傅奕本作『美』，室町本作『飾』，史記倉公傳引作『美好者，不祥之器。』皆爲望文生義。宋翔鳳曰：『夫佳兵者不祥之器，按「佳兵」當是「作兵」，大戴禮用兵篇曰「用兵者其由不祥乎！」又「公曰：蚩尤作兵與，子曰否。蚩尤庶人之貧者，何器之能作？」此「作兵」之證。或以「佳」爲「佳」，古字通「惟」，篆文「佳」與「作」相近，與「佳」遠，不當作佳。』情牽案：『作兵』義亦不明，作佳是也。大德三年陝西寶鷄縣磻溪宮道德經幢佳」字正作「佳」，可證。（見古道德經校刊拓本）又「之器」二字，吳澄本，吳勉學本均無。王念孫曰『釋文「佳，善也，」河上云「飾也。」念孫按「善」「飾」二訓，皆於義未安。古所謂兵者，皆指五兵而言，故曰「兵者不祥之器。」若自用兵者言之，則但可謂之不祥，而不可謂之「不祥之器」矣。今按「佳」當作「佳」字之誤也。「佳」古「唯」字也。（「唯」或作惟」，又或作「維」）唯兵爲不祥之器，故有道者不處。上言「夫唯」，下言「故」，文義正相承也。八章曰：「夫唯不爭，故無尤；」十五章云：「夫唯不可識，故强爲之容；」又云：「夫唯不盈，故能蔽不新成；」二十二章云：「夫唯不爭，故天下莫能與之爭；」皆其證也。古鍾鼎文「唯」字作「佳」，石鼓文亦然。又夏竦古文四聲韻載道德經「唯」字作「⿰止隹」。據此，則今本作「唯」者，皆後人所改，此「佳」字若不誤爲「佳」，則後人亦必然改爲「唯」矣。』阮元曰：『老子「夫佳兵者，不祥之器」：「佳」

爲「隹」（同惟）之訛。老子「夫惟」二字相連爲辭者甚多，若以爲佳，則當云不祥之事，不當云器。」（經傳釋詞序）嚴可均曰：『各本「道」下有「者」字，大典「處」下有「也」字。』羅振玉曰：『景龍、敦煌二本均無「者」字。』情牽案：陳象古道德眞經解無此二句。中井履軒曰：『古人皆貴右，故下降曰左遷，殊無貴左之證，至漢猶然。及其後官貴左者，自五胡猾夏始也。胡則貴左，其俗云。』（老子雕題）情牽案：此說非也。左傳桓八年『楚人尙左，』與老子君子居則貴左，吉事尙左之俗相合。又遂州本作『貴佐』，乃『左』字之誤。又傅、范本『君子』上有『是以』二字，王義之、室町本同。王道曰：『此章自「兵者不祥之器」以下，似古義疏語，而傳習之久，混入於經者也，詳其文義可見。』紀昀曰：『案自「兵者不祥之器」至「言以喪禮處之」，似有注語雜入，但河上公注本及各本俱作經文，今仍之。』嚴可均曰：『御注作「恬淡」，河上作「恬恢」，王弼作「恬澹。」』羅振玉曰：『「恬」釋文本或作「栝」，「澹」今王本作「淡」，與御注本、廣明本同。河上本作「恢」，簡文及景龍、敦煌本均作「惔」。』情牽案：遂州本亦作『惔』，傅本作『憺』，釋文出『澹』云『「澹」本亦作「惔」。』畢沅曰：『說文「憺，安也；从心詹聲。」「惔，憂也；从心炎聲。」詩曰：「憂心如惔，」據之則作「惔」者非。』嚴可均曰：『「故不美，若美之」，御注、河上、王弼作「勝而不美、而美之者；」大典無「而」字。「是樂煞人」各本作「殺人」，大典「人」下有「也」字。』羅振玉曰：『「勝而不美」景龍本、敦煌本均作「故不美」。「而美之者」景龍本作「若美之」，敦煌本作「若美必樂之」。「是樂殺人」景福本「人」下有「也」字。』情牽案：傅本各句作『故不美也，若美必樂之，樂之者，是樂殺人也。』范本『若美』下有『之』字，餘同。

室町本作『勝而不美也，而美之者，是樂殺人也。』遂州本同敦本，但『煞』字同傅本作『殺』，敦本作『煞』。案『煞』此石俗字也。廣韻曰：『「煞」俗「殺」字，此字見於白虎通。』又河上、王弼作『勝而不美』，有『勝』字義優。李道純曰：『「勝而不美」或云「故不美也」，非』。又中都四子本『勝而不美』下，無下二句。嚴可均曰：『「不可得意於天下」御注作「得意」，河上、王弼作「則不可以得志於天下矣」，大典無「則」字。』羅振玉曰：『王本「夫樂殺人者則不可以得志於天下矣，」景龍本、敦煌本均無「人」字。與御注三本均無「則」字、「以」字。又與英倫諸本均無「矣」字。「得志」景龍、敦煌二本「志」均作「意」。』情牽案：遂州本此句作：『夫樂之者不可得意於天下，』傅本作：『夫樂人殺人者，不可以得志於天下矣。』范本同傅本，唯無第一『人』字。嚴可均曰：『「故吉事尚左」各本無「故」字。「居左」御注、大典作「處左」，下「居右」亦作「處右」。』魏稼孫曰：『「是以偏將軍」御注無「是以」二字。』羅振玉曰：『景龍、敦煌二本「吉」字上有「故」字，景福本「尚」作「上」，下同。「凶」敦煌本作「喪」，「尚右」下景龍、敦煌二本均有「是以」二字。』情牽案：河上、王弼無『是以』二字，王羲之，傅、范本有。又傅、范、『居』並作『處』。嚴可均曰：「河上、王弼作「殺人之衆」，此句上，御注、河上有「言以喪禮處之」六字，蓋注語羼入正文，此與大典皆無。』易順鼎曰：『王弼本獨此章無注。晁景迂遂疑王弼此章爲非老子之言。今按此章乃老子精言，與下篇「抗兵相加，哀者勝矣」同意，不解晁氏何以爲此謬論也？惟此章語頗冗複，疑有古注誤入正文，「言以喪禮處之」，觀一「言」字，即似注家之語。』譚獻曰：『昔人云：「大兵之後，必有凶年」八字，注文誤入；予以爲「偏將軍居左，上將軍居右，言以喪禮處之」三句亦注文。「言以喪禮處之」句，易州石本及御覽引皆無。」嚴可均曰：『「悲哀」王弼作「哀悲」。』情牽案：道藏王本作『悲哀』，可據訂正。又『泣』一說當作『涖』。羅運賢曰：『按「泣」當爲「涖」之訛。說文無「涖」字，蓋即「𨽻」。（本書三十二章及周官左傳莊子並有「涖」字，說文蓋遺而未收，涖𨽻古同。淮南俶眞訓注引老子「以道涖天下，」「涖」正作「𨽻」。）說文「𨽻，臨也；」「涖之」與下句「處之」一律。申鑒政體「好惡以章之，喜怒以涖之，哀樂之[illegible]之；」與「以哀悲涖之，」文法正通。』嚴可均曰：『「哀禮」各本作「喪禮」。』情牽案：道藏張太守彙刻四家注，此章末引王弼注『疑此非老子之作也』一句，今諸王本皆佚，知弼有所疑，故獨無注。河上本於『兵者不祥之器』至『言以喪禮處之』諸句，均加注釋，所見之本同，而見解不同，不可以此遂謂河上注之後於王注也。此章雖多古注竄入之處，惟其中如：『夫佳兵者不祥之器』；『殺人衆多，以悲哀涖之』；『戰勝，以哀禮處之』等語，皆千古精言，非老子不敢道、不能道，今試刪其冗復，訂定經文如次：「夫佳兵者，不祥之器，（兵者不祥之器，非君子之器。）物或惡之，故有道者不處。（不得已而用之，恬淡爲上。）君子居則貴左，用兵則貴右。（吉事尚左，凶事尚右，是以偏將軍居左，上將軍居右。）殺人衆多，以悲哀涖之。（勝而不美，若美之，是樂殺人。夫樂殺者，不可得意於天下。）戰勝以哀禮處之。（言居上世，則以喪禮處之。）」情牽案：王羲之本，傅、范本『言以喪禮處之』，『言』下有『居上勢則』四字。程大昌易老通言引『勢』作『世』，疑爲古注，今據補。王淮老子探義：夫佳兵者不祥之器。案：此句傅奕本作「夫美兵者不祥之器」，日人石田羊一以爲衍文，甚是。物或惡之，故有道者不處。朱謙之曰：「陳象古道德眞經解無此二句」。案：此兩句當删。（君子居則貴左，用兵則貴右）。案：兩句文義上下無所屬，當是注語錯入經文，馬氏以爲經文當在「不可以得志於天下矣」下，恐未必然。兵者不祥之器，（非君子之器）不得已而用之。恬淡爲上，勝而不美，是樂殺人。夫樂殺人者，則不可以得志於天下矣。案：此處「非君子之器」句當删，老子全書稱「士」、稱「聖人」，稱「大丈夫」從無稱「君子」者，顯係後人注語，又老子本章原文唯在此一節，上文由篇首「夫佳兵者不祥之器」至「用兵則貴右」，皆注文或錯簡，當删。下文「吉事尚左」至篇末「戰勝以喪禮處之」，則全係古注義疏，亦當整個删去。復次，本章重點思想同於上章：老子論「兵」，以「不用兵」爲究竟；論「用兵」，則以「不得已」爲第一義。正如老子論「政」，以「不從政」爲究竟；論「從政」，則亦以「不得已」爲第一義。貴愛其身則可以寄託天下，豈有殺人而可以得志於天下者乎？（吉事尚左，凶事尚右，偏將軍居左，上將軍居右，言以喪禮處之，殺人之衆以悲哀泣之，戰勝以喪禮處之）。馬敍倫曰：「石田羊一郎曰：『此文以下甚淺露，疑注者所加』」。（案：所疑甚是，自「吉事尚左」以下至末句「戰勝以喪禮處之」，當一併删去）。羅運賢曰：「泣，當爲涖之訛。說文無涖字、蓋即埭也」。案：本章文句錯亂，經注相混，王弼本老子於此章無一字爲注，尤足啓人疑竇，而發人深省。朱晴園曰：「道藏張太守彙刻四家注，此章末引王弼注『疑此非老子之作也』一句，今諸王本皆佚，知弼有所疑，故獨無注」。今案：本章經注相混，而所混入之注必爲先於河上公與王弼之古注。河上不察，一併注之；王弼有疑，故獨無注。至於章句校訂，類皆文獻不足，而以意删移，然此實亦無可奈何之事，

（前人所校詳見馬敍倫老子校詁，朱謙之老子校釋及嚴靈峯老子衆說糾繆「佳兵不祥」章訂正）。茲據以上所校，將本章刪定如左，並附錄老子七十四章以爲參考。㈠「兵者不祥之器，不得已而用之。恬淡爲上，勝而不美，而美之者，是樂殺人。夫樂殺人者，則不可以得志於天下矣」（刪定老子三十一章）。㈡「民不畏死，奈何以死懼之，若使民常畏死，而爲奇者，吾得執而殺之，孰敢。常有司殺者殺，夫代司殺者殺，是謂代大匠斲。夫代大匠斲者，希有不傷其手矣」。（老子七十四章）。觀此刪定之老子三十一章，在文章句法上，其行文與老子七十四章極爲類似，古樸精簡，直老氏之文矣。復次，老子書中從無稱「君子」者，而「偏將軍」之名，似亦非老子之時所宜有，更以老子思想言之：原則上反對用兵，上章所謂「不以兵强天下」，而事實或用之，則所謂「不得已而用之」者是也，然亦僅只於此，豈有數數然以用兵「貴右」相教示，以殺人之衆「悲哀泣之」，戰勝「喪禮處之」相訓勉之理？況老子論兵曰：「吾不敢爲主而爲客」，又曰：「抗兵相加，哀者勝矣」（並見六十九章），然則何得有「貴右」之言？論禮曰：「夫禮者忠信之薄而亂之首」（三十八章），然則少得有「悲哀泣之」、「喪禮處之」之言？準此，凡本章所刪者，可信其確非老子之原文，以其非老子之思想也。雖然，「文章千古事，得失寸心知」，見仁見智，豈必相同？而知我罪我，非所計矣。」嚴靈峯老子達解：夫佳兵者，不祥之器。言兵器之佳善者，非祥瑞之器物也。物或惡之，故有道者不處。言兵者凶害之物，有所動必有所傷，世人無不憎惡之者；所以有道之人，不忍爲之也。君子居則貴左，用兵則貴右。君子之人，居處則以左方爲貴；用兵則以右方爲大。兵者不祥之器，非君子之器；不得已而用之。兵，凶器也，非君子之人所宜用，迫而後應；故曰：不得已而用之。恬澹爲上。言用兵以安靜爲上也。勝而不美，而美之者，是樂殺人。言雖戰而得勝，實非美事；而以戰勝爲美事者，乃愛好殺人者也。夫樂殺人者，則不可以得志於天下矣。夫天下惟不嗜殺人者能一之，愛好殺人者，其不得志於天下可知也。吉事尚左，凶事尚右。因「居則貴左」，故喜事，以左方爲主；不吉之事，以右方爲主。偏將軍居左，上將軍居右。因「用兵貴右」，所以副將居於左方，卑而居陽；以其不主殺也。主將居於右方，尊而居陰，以其主殺也。言以喪禮處之。言處理兵事，以處理喪祭之禮行之。殺人之衆，以哀悲泣之。爭地以戰，殺人盈野。謂殺人衆多，用悲哀之情而哭泣之也。戰勝，以喪禮處之。夫佳兵者不祥之器。王道曰：『按：此章自「兵者不祥之器」以下，似古義疏語而傳習之久，混入於經者。詳其文義可見。』奚侗曰：『本章文誼多複疊而不聯貫，疑古注孱入正文。』紀昀曰：『自「兵者不祥之器」至「言以喪禮處之」，似有注語雜入；但河上公注本及各本俱作經文。』蔣錫昌曰：『按：道德眞經集註（明皇、河上公、王弼、王雱註。）引弼曰：「疑此非老子之作也。」據此，可以推知四事：一、今王本脫此八字；當增於本字之末。二、本章弼注，除此八字外，當不再有注。三、晁說之謂弼知「佳兵者不祥之器」，至於「戰勝以喪禮處之」，非老子之言，即據此句弼注而來。四、本章經文極蕪雜，或全部非老子之作，或一部與古注孱混。』按：敦煌寫本、顏師古玄言新記明老部第卌一佳兵章云：『「嫌此非老子所作。」而不見引證明所出，尋文子篇內，頗有其旨；是老子所說，亦當非虛。又以八十一章爲數，則「佳兵」理不可闕；今既用王注，且而不論。』王本除此章無注外，六十六章亦無注文。惟以上諸說，雖互有短長；然均不得要領；茲分別詳述於後。日本釋敬雄引邵弁曰：『「佳」當作「甲」，聲近而誤也。』又曰：『「兵者不祥之器，非君子之器；不得已而用之，恬澹爲上。勝而不美，而美之者，是樂殺人也；夫樂殺人者，則不可以得志於天下矣。故吉事尚左。凶事尚右；偏將軍居左，上將軍居右，言處上勢，則以喪禮處之；殺人衆多，以悲哀泣之；戰勝以喪禮處之。」九十四字，蓋舊注渾入本文。』中井積德曰：『「佳」字疑衍。』按：依老子文例，凡用『夫唯』二字者，皆係承上接下之文。第八章上文有：「水善利萬物而不爭」句；十五章上有「深不可識」句；又有：「保此道者不欲盈」句；即二十二章上有「不自矜故長」句。且全書八十一章中，亦無一章用「夫唯」作起句之文者。疑「佳」字乃古文「用」字之闕壞，形近而訛也。古文「佳」作「隹」；「用」作「用」；形極近似易誤也。蓋下文云：「用兵則貴右，」「不得已而用之；」此兩「用」字，俱係應上文「夫用兵者」而言也。說文：「佳」字，段注云：『老子，「佳兵者不祥」；』是所據本亦無「之器」二字，倘下有「之器」二字。則上「者」字當衍；正如王氏所云：『若自「用兵者」言之，則但可謂「不祥」；而不可謂之「不祥之器」，反之，若指「五兵」而言，則當云：「兵者不祥之器」。』乃有「之器」二字矣。吳澄本、明太祖本、永樂大典本「不祥」下均爲「之器」二字，依義似當刪去。又：「用兵者不祥」，既「不祥」，而又從而「用」之；故曰：「不得已」也。觀下文，足證此首句當作：「夫用兵者不祥。」又：禮記大戴記：「用兵」：『公曰：「用兵者，其由不祥乎」！』疑此亦據古本老子文也。是「佳」字似當作「用」爲是。四十六章：「天下無道，戎馬生於郊。」三十章：「師之所處，荊棘生焉；大軍之後，必有凶年。此皆「用兵者不祥」之證也。

物或惡之，故有道者不處。陳杜曰：「物或惡之，故有道者不處。」十字，乃二十四章錯簡，今刪。」馬、陳二說並是也。按：陳象古本正無此二句，疑當刪去。不得已而用之馬叙倫在上文云：「此句當移上「夫用兵者不祥」句下，並在「是以君子居則貴左，用兵則貴右」二句之上。」蔣錫昌曰：「按：穀梁僖公二十六年注：「兵不祥之器，不得已而用之。」所引與文子上仁篇同，惟少一「者」字耳。」似當從馬說改正。君子居則貴左，按：傅奕本、道藏本、林希逸本、范應元本在「君子」上均有「是以」二字，觀上下文語氣，疑當有此二字，應據補。兵者不祥之器，非君子之器。按：此二句乃上文「兵者不祥」一語之注文，羼入正文，當依劉說刪去。恬澹爲上。按：此句與上下文誼俱不相應，疑係六十章錯簡，當從之。並在「治國若烹小鮮」一句下。李慈銘校，刪去此一句，是也。並移補六十章本文。又：「澹」字，武英殿本、浙局本並作「淡」。廣韻：「淡，水貌也。」成作「澹」。陸德明音義：「澹，又音淡」，字同。吉事尚左，凶事尚右；偏將軍居左上將軍居右言以喪禮處之殺人之衆以悲哀泣之　奚侗曰：「「殺人之衆」四語，必非老子本文；即係古注　入；亦極鄙淺，當刪去。古以喪禮處兵事，不必戰勝也。」諸說並是，但有不盡然者。按：「吉事尚左，凶事尚右；偏將軍居左，上將軍居右」諸句，乃「君子居則貴左，用兵則貴右」二句之注文。「言以喪禮處之，殺人之衆，以悲哀泣之」諸句，乃「戰勝以喪禮處之」一句之注文也。景龍本、李榮本、强思齊本、明太祖本，永樂大典本，俱無「言以喪禮處之」一句，其爲注文　入正文明甚。劉辰翁本作：「言居上勢，則以喪禮處之；殺人衆多，則以喪禮處之；戰勝以喪禮主之。」其文更贅矣。戰勝以喪禮處之。按：莊子大宗師篇：「故聖人之用兵也，亡國而不失人心。」此即「不得已而用之」之意。孫子謀攻篇：『是故百戰百勝，非善之善者也；不戰而屈人之兵，善之善者也。故上兵伐謀，其次伐交，其次伐兵，其下攻城；攻城之法，爲「不得已」。』惟「不得已」，故「戰勝以喪禮處之」也。依上下文誼，疑此句當在「用兵則貴右」句下，並在勝而不美」諸句之上也。按：本章原本經文與注文相間，似當如下文：經文：「夫用兵者，不祥；不得已而用之。」注文：「兵者，不祥之器；非君子之器。」經文：「是以君子居則貴左，用兵則貴右；戰勝，以喪禮處之。」注文：「吉事尚左，凶事尚右；偏將軍居左，上將軍居右；言以喪禮處之，殺人之衆，以悲哀泣之。」經文：「勝而不美，而美之者，是樂殺人；夫樂殺人者，則不可以得志於天下矣。」嚴靈峯馬王堆帛書老子試探：「夫兵者不祥之器□」：隸書本作『夫兵者不祥之器也。』諸本「兵」上並有「佳」字。惟傅奕本、道藏本「佳」俱作「美」。日本中井積德曰：『「佳」字疑衍。』說文與帛書本合。明太祖本、吳澄本、永樂大典本，並無「之器」二字。王念孫曰：『古所謂兵者，皆指五兵而言；故曰：「兵者不祥之器」；若自用兵者言之，則但可謂之「不祥」，而不可謂之「不祥之器」矣。』王說是也。各本皆有「佳」字，即或作「美」，終非無故。疑「佳」乃「用」字形近而譌，而下又衍「之器」二字。荀子儒效篇：『偃五兵』，楊倞注：『矛、戟、鉞、楯、弓矢。』執此凶器以凌人，不過匹夫之勇；即足以殺人，爲數有限。此下文云：『殺人衆』，諸本並作『殺人衆多』；殺人衆多』，惟「用兵」者能之。故上章云：『師之所處，荊棘生焉；大事之後，必有凶年。』又大戴禮記用兵：『公曰：「用兵者，其由不祥乎！」』蓋出自古本老子。疑此句當作『夫用兵者不祥』，方合殺人『衆多之意』。」小篆本：

「故有欲者弗居。」「欲」字誤，當作「道」。淮南道應：「兵者，凶器也。」劉向新序雜事：「兵者，國之凶器也。」陳鼓應老子今註今譯：佳：「美好」，「美利」，「銳利」的意思。「佳兵」是指銳利的兵器。「佳」字通常有兩種解釋：㈠「佳」字是「惟」字的誤寫。「惟」（唯）古字是「隹」，後人誤寫「佳」。㈡「佳」是美好的意思。如蔣錫昌說：「『佳兵』，美利之兵器也。」（陳榮捷先生的老子英譯，正將「佳兵」譯成"Fine weapons"）。盧文弨對於王念孫的說法加以批評：「或曰：『佳』乃『唯』字之文脫耳。『唯』古文作『隹』，故譌爲『佳』也。曰：是不然。老子之凡云『夫唯』者衆，其語勢皆不若是也。今一一而數之曰：『夫唯不居，是以不去；』曰：『夫唯不爭，故無尤；』曰：『夫唯不盈，故能敝不新成；』曰：「夫唯不爭，故天下莫能與之爭；』曰：『夫唯道，善貸且成；』曰：『夫唯嗇，是謂早服；』曰：『夫唯病病，是以不病；』曰：『夫唯不厭，是以不厭；』曰：『夫唯無以生爲者，是賢於貴生。』足九見矣。今曰：『夫唯兵者，不祥之器，』類乎？不類乎？上章雖言兵，而此章義本不相屬，文又不相類，不得謂之承上文也。承上文，則語勢當緊，而此下乃云：『物或惡之，』其節舒緩，與上所引，亦皆不類也。若云『佳』爲古文『唯』字，豈九處皆從今文，而此一字獨爲古文乎。」（抱經堂文集，佳兵者不祥解）當代有許多解釋者，採用了王念孫的說法。但是王說被盧文弨從老子用文的慣例和行文的語勢上加以反駁，理由非常充分，盧說當可信。物或惡之：人所怨惡。「物」，即人。「君子」居則貴左，用兵則貴右：古時候的人認爲左陽右陰，陽生而陰殺。後文所謂「貴左」，「貴右」，「尚左」，「尚右」，「居左」，「居右」都是古時候的禮儀。恬淡：安靜。吳澄說：「『恬』者不歡愉，『淡』者不濃厚。謂非其心之所喜好也。」悲哀：王弼通行本作「哀悲」。古本多作「悲哀」。傅奕本，河上公本，釋文，顧歡本，蘇轍本，林希逸本及其他衆本都作「悲哀」。蔣錫昌說：「『哀悲』當據道藏王弼本改作『悲哀』。」泣：有兩種講法：㈠哭泣。這是通常按字面的解釋。㈡『泣』是『莅』字的誤寫。「蒞」，「莅」，「涖」同字，蒞臨，有參加的意思。羅運賢說：「『泣』當爲『涖』之訛。說文無『涖』字，蓋即埭也。」（老子餘義、引自朱晴園老子校釋）余培林老子讀本：從老子用字的慣例來看，盧文弨的說法非常有理。傅奕本作「美兵者不祥之器。」史記扁鵲倉公列傳引作「美好者不祥之器。」「佳」與「美」意同。是此字當仍應作「佳」。君子居則貴左，用兵則貴右：左陽而右陰，陽生而陰殺，所以君子平居以左爲大，用兵則以右爲大，是因爲用兵主殺的關係。又這兩句也是衍文，當刪。恬淡：心平氣和。美：誇耀驕傲。泣：高亨以爲當作「立」，極是。古「立」，「莅」通用，史記范睢傳：「明主立政」，索隱曰：「戰國策立作　」。此處「立」字應作「莅」字解。言以喪禮處之：此句以「言」字發端，完全爲註釋語氣，足證是註文混入。本章有很多註文混入正文，使得文句錯亂，文義不明。王淮以爲自章首「夫佳兵者」至「用兵則貴右」五句，及自「吉事尚左」至章末「戰勝以喪禮處之」八句，皆爲衍文，應全部刪去。玆抄錄其刪定後的文句如下，以供參考：「兵者不祥之器，不得已而用之。恬淡爲止，勝而不美，而美之者，是樂殺人。夫樂殺人者，則不可以得志於天下矣。」張揚明老子斠證譯釋：本章因經注混雜，各本不同，王弼原作：「夫佳兵者，不祥之器。物或惡之，故有道者不處。君子居則貴左，用兵則貴右。兵者不祥之器，非君子之器。不得已而用之，恬淡爲上。勝而不美，而美之者，是樂殺人。夫樂殺人者，則不可以得志於天下矣。吉事尚左，凶事尚右；偏將軍居左，上將軍居右；言以喪禮處之。殺人之衆，以哀悲泣之；戰勝，以喪禮處之。」傅奕本作：「夫美兵者，不祥之器。物或惡之，故有道者不處。是以君子居則貴左，用兵則貴右。兵者，不祥之器，非君子之器。不得已而用之，以恬澹爲上。故不美也。若美，必樂之。樂之者，是樂殺人也。夫樂殺人者，不可以得志於天下矣。故吉事尚左，凶事尚右。是以偏將軍處左，上將軍處右。言居上勢，則以喪禮處之。殺人衆多，則以悲哀泣之。戰勝者，則以喪禮處之。」景龍本作：「夫佳兵者，不祥之器，物或惡之，故有道不處。君子居步貴左，用兵則貴右。兵者不祥之器，非君子之器，不得已而用之。恬淡而上。故不美，若美之，是樂煞人。夫樂煞者，不可得意於天下。故吉事尚左，凶事尚右。是以偏將軍居左，上將軍居右。煞人衆多，以悲哀泣之。戰勝以哀禮處之。」其他各本，雖各有不同，大致不近於王，則近於傅，或近於景龍；而無一本完全相同者。章句雜亂，爲全書所僅見。魏晉以來，各家一致認爲係經注錯雜；晚清的李慈銘、陶紹學及近人高亨、朱謙之、王淮、嚴靈峯均有新訂章句。字句亦多有不同見解。經參照各家版本及見解，細心斟理，訂正如上。「夫隹兵者」：隹，同唯，夫隹即夫唯。「恬澹爲上」：安靜也。莊子天道：「虛靜恬淡」。「以悲哀沚之」：經典莅字或作沚，注家皆曰臨也。見說文段注。詩小雅：「方叔沚止。鄭良樹老子論集：「『夫佳兵者，不祥之器。』關於『佳』字的解說，自河上公以下，無慮十多家，有的解釋爲『善』『美好』，有的解釋爲『作』等等。帛書老子作『夫兵者，不祥之器』，根本就沒有『佳』字，大概古本老子，一本作『夫兵者』，一本作『隹兵者』，『夫』與『隹』皆虛字助辭（隹，今作『唯』），其後『隹』改作『佳』，鈔者乃合爲『夫佳兵者』，於是，這句話糾纏了千多年，還無法講得清楚。从帛書的立場來看，這個『佳』字是多餘的文字。（論帛書本老子）其推理甚是。」

三十二章　聖德（闕）

三十三章　辯德（闕）

三十四章 任 成

萬物恃之而生而不辭。(36)

【斠補】王注：萬物皆由道而生，既生而不知其所由。河上注：恃，待也。案此文不辭，與第二章不辭同，當從畢說作始。又文選辨命論李注引恃作得，證以文子道原篇，萬物恃之而生，莫之知德之文，則當以作恃爲允。

【疏證】義案：甲本殘闕。乙本未見此語。古本作「萬物恃之以生而不辭。」吳澄道德眞經註：萬物恃之以生而不辭。恃，賴也。生，謂春生之始，萬物賴道以生，而道則無言。前章云：萬物作而不辭是也。焦竑老子翼：「蘇子由云：世有生物而不辭者，必將名之以爲己有；世有避物而不有者，必將辭物而不生。生而不辭，成而不有者，唯道而已。呂吉甫云：凡物之大者，則不可名於小，小則不可名於大。是道也，以其可以左右也，故萬物恃之以生而不辭。」魏源老子本義：「萬物恃之以生而不辭。氾，傅奕作汎。以生，河上王弼作而生。萬物恃之以生而不辭，此指道之費者而言，所謂用之廣也。功成不名有，此指道之隱者而言，所謂體之微也。惟其體之微，故有衣養萬物之功，而不名有，返之於無形無名，斂之不盈毫末矣。惟其用之廣，故萬物恃之以生者，咸歸往而浩浩，不知其專主，極之並育不害。其量可彌六合矣。蘇氏轍曰：世有生物而不辭者，則將名之以爲己有，世有避功而不有者，則必辭之而不生，生而不辭，成而不有者，惟道而已。呂氏惠卿曰：惟其功成不居，故不爲主而常無欲，無欲則妙之至者也，可名於小矣。惟其萬物恃之以生，故皆歸焉而不知主，則容之至者也，可名於大矣。」馬叙倫老子校詁：萬物恃之以生而不辭。紀昀曰：大典作以生。畢沅曰：河上公王弼作而生。易順鼎曰：文選辨命論注引恃作得。又引王注曰：萬物得道而生，則王本恃作得，今作恃者，乃得字之誤。倫案：各本並同此。羅卷無之字，恃字，易說是也。莊子天地篇曰：物得以生謂之德。賈子道德說曰：所以得生謂之德，並可爲此文當作得之證，文子蓋本之淮南原道訓，所謂待而後生，莫之知德；待之後死，莫之知怨。恃爲待字之譌。又案此句及下句錯入二章，是以聖人處無爲之事，行不言之教下。彼章王弼無注，是錯誤在王之後，彼章此句作萬物作而不爲始，王本作萬物作焉而不辭，詳其辭例，尤爲可證，蓋得譌爲恃，恃作形近，又誤爲作，讀者以作之而生，義不可解，又以辭字古或作辝，爛脫成台，因增女爲始，以與作對，不始義亦不善，則仿此章下文萬物歸焉而不爲主，改爲萬物作而不爲始，有辭字未壞者，故作萬物作焉而不辭。（傅無焉字者，范應元本萬物歸焉而不知主，亦無焉字，或依三十八章弼注改也。）詳義當作萬物得之以生而不辭。」陳柱老子註：萬物恃之而生而不辭，此言大道氾濫，無所不至。綿綿若存，用之不勤，故萬物恃之而生而不辭。高亨老子正詁：萬物恃之而生而不辭。「而生」傅本作「以生。」朱謙之老子釋譯：嚴可均曰：『「以生」河上作「而生」。』羅振玉曰：『景龍、御注、敦煌、英倫諸本「而」均作「以」。』情牽案：

劉孝標辨命注引亦作『以生』，大典本，傅、范本同。易順鼎曰：『文選辨命注引作「萬物得之以生而不辭」；又引王注云：「萬物皆得道而生，」則今本「恃」乃「得」之誤。』

王淮老子探義：萬物恃之而生而不辭、李息齋曰：「萬物非道不生，而道未嘗言其能也，萬物非道不成，而道未嘗自名其功也，萬物非道不養，而道未嘗自以爲主也」。易順鼎曰：「文選辨命注引『功成而不有、愛養萬物而不爲主』，按下又連引王注，則所爲王本無疑矣。今王本『功成不名有』，當爲『功成而不有』，名字衍」。案：「萬物恃之而生而不辭」，不辭、當作「不爲始」，詳見本經第二章。此兩句就道之「作用」喻道之「精神」偉大無私。前句謂道創生萬物（在天地之先），但却不自以爲先天超越（不爲始），後句謂道愛養萬物（爲天下之母），但却不對萬物支配主宰（不爲主），此與西方上帝之先天超越，對萬物可任意支配主宰如舊約中所述者，精神迥然不同。嚴靈峯老子達解：萬物恃之而生而不辭，言萬物賴道而生，而不自言說也。天何言哉！四時行焉，百物生焉，天何言哉！易順鼎、馬叙倫二說並是也。按：三十九章：「萬物得一以生。」則「恃」當作「得」，蓋形近致誤也。當據辨命論及王注改正。陳鼓應老子今註今譯：以：王弼本原作「而」字。傅奕本，景龍本，釋文，顧歡本，李約本，強思齊本，王雱本，敦煌丁本，蘇轍本，林希逸本，范應元本及衆多古本「而」字都作「以」字，因據傅奕本改。辭：有幾種解釋：㈠言辭；稱說。㈡推辭。㈢主宰。余培林老子讀本：不辭：傅奕本、敦煌本、范應元本皆作「不爲始」，畢沅曰：「古始辭聲同，以此致異。」按十七章王弼注：「大人在上，居無爲事，行不言之教，萬物作焉而不爲始。」當引自本章。由此看來，王弼本原也作「不爲始」。「不爲始」，就是因應無爲的意思。張揚明老子斠譯釋：「萬物恃之而生而不辭」：傅奕、景龍、御注、敦煌、英倫均作「以生」。易順鼎：「文選辨命論注引『恃』作『得』。又引王注曰：『萬物得道而生』。則王本恃作得；今作恃者，乃得字之誤。」揚明案：王注原文爲：「萬物皆由道而生」，「萬物得道而生」一句，全書無此語。所引不知所據。易氏遽信不疑而據以改經，未免貿然從事。劉師培云：「文選辨命論注引『恃』作『得』，證以文子道源篇『萬物恃之而生，莫之知德』，則作『恃』爲是。」故原文不錯。但劉又云：「此文『不辭』與二章同，當從畢說作『不爲始』」。案「不辭」應依舊不改。

三十五章　仁德（闕）

三十六章　微　明

柔弱勝剛强。(37)

【斠補】河上注：柔弱者久長，剛强者先亡。按韓非子喻老篇云：處小弱而重自卑，謂損弱勝强也。是老子古本柔當作損，强上無剛字，弱即小弱，損即自卑，言以自卑及小弱勝强也。其作柔弱者，柔亦自卑之、，乃後人旁記之文，以柔釋損，嗣遂易損爲柔。淺儒以弱强對文，因於强上增剛字，以示剛柔對文，非古本也。

【疏證】義案：甲本作「友弱勝强」。乙本作「柔弱勝强。」古本作「柔之勝剛，弱之勝强。」甲乙本皆無剛字，劉說是也。吳澄道德眞經注：「柔勝剛弱勝强。彼剛，而我欲以剛勝之；彼强，而我欲以强勝之，不亦難乎？我以柔弱自處，則剛强者不我忌也，而終於能勝之。何哉？蓋與之相反，而使之不可測知故也。蘇氏曰：天下之剛强，方相傾軋，而吾獨柔弱以待之，及其大者傷，小者死，而吾以不校，坐待其斃，此所以勝也。然聖人豈有意爲此，以待勝物哉？知勢之自然，而居其自然爾。」焦竑老子翼：「蘇子由云：聖人知剛强之不足恃，故以柔弱自處。天下之剛强方相傾相軋，而吾獨柔弱以待之，及其大者傷，小者死，而吾以不校，坐待其斃，此所謂勝也。

呂吉甫云：然則能歙之、張之、弱之、强之、廢之、興之、奪之、與之者，無形而柔弱者也。爲其所歙、所張、所弱、所强、所廢、所興、所奪、所與者，有形而剛强者也。則柔弱之勝剛强也明矣。王元澤云：易曰：尺蠖之屈，以求信也；龍蛇之蟄，以存身也。見形，則知剛强之制柔弱；識理，則悟柔弱之勝剛强。至人深達微明之義，故謙而不亢，沖而不盈；不與物爭，而亦莫能與之爭也。李息齋云：聖人歙心弱志，廢情奪欲之道，微而難見故曰是謂微明。此之微明，旣柔且弱，而能勝天下剛强之欲，以其不離道母也。王純甫云：將然者，雖未形；已然者，則可見。能據其已然，而逆　其將然，則雖若幽隱，而實至明白矣。故曰是謂微明。柔之勝剛，弱之勝强，正此理也。」魏源老子本義：「柔勝剛，弱勝强。柔勝二句，王弼河上作柔弱勝剛强，傅奕兩勝上各有之字。此言君子待小人之術也。柔勝剛，弱勝强，是其本旨。魚與利器，皆喻也。蓋將欲如彼者，殺機也。必固如此者，密用也。魚不可脫於淵，喻必然之密用不可失。失則非柔弱矣。利器不可示人，以喻將然之殺機不可露，露則不善用其剛强矣。水最柔弱，人之有道，如魚之有水，兵器最鋒利，事之有機，如國之有利器。柔弱者其體，剛明者其用，然魚無一時可離於水，此聖人柔道藏身之固，而守以終身者也。利器有用有不用，此聖人智勇深沈之機，而愼於臨時者也，非明不能見，非微明不能守，故切譬以明之。蓋惡不積不足以滅身，聖人待小人，常因天道之自然，而不費人力。若太王事獯鬻，文王事昆夷，句踐事吳，以及張良之待秦項，漢文帝之待佗濞，亦皆是也。是故有權宜以待小人，如有網罟以待禽獸，亦自然之理，如必以徑情直行爲得，則是伏義不應作網罟，行軍不應好謀而成也。尺蠖伸以求伸，龍蛇蟄以存身。天之道，人之理，物之勢，未有不如此者，與易之消息盈虛一理也。」馬敍倫老子校詁：「柔之勝剛，弱之勝彊。彭耜曰：蘇無二字，纂微司馬曹陳，並作柔弱勝剛强。紀昀曰：大典作柔勝剛弱勝强。畢沅曰：河上公王弼作柔弱勝剛强。嚴可均曰：御注作柔弱勝剛强。王昶曰：至元同開元。張煦曰：林無二字，各本同王弼。倫案：范彭同此，張嗣成吳潘易州無二之字，磻溪白寇二趙臧疏館本及文選座右銘注引，並作柔弱勝剛强。又案柔之兩句，乃七十八章錯簡，石田羊一郎依余刪。」陳柱老子註：「柔弱勝剛强，故唯自守柔弱，使人不得而張之，不得而强之，則可以無禍矣，故曰柔弱勝剛强。高亭老子正詁：「柔弱勝剛强。此句景龍碑作「柔勝剛，弱勝强。」：按作「柔勝剛，弱勝强」是也。七十八章曰：「弱之勝强，柔之勝剛，天下莫不知，莫能行。」即其左證。當據改。朱謙子老子釋譯：嚴可均曰：『大典與此同。御注、河上、王弼作「柔弱勝剛强」，傅奕作「柔之勝剛，弱之勝强」。』情牽案：王羲之本、彭耜本、范本與傅本同。七十八章碑本作『弱勝强，柔勝剛。』文與此倒置。王本作『弱之勝强，柔之勝剛：』傅本作「柔之勝剛，弱之勝彊；」均分二句。李道純曰：『「柔弱勝剛强」分二句，非。』王淮子探義：柔勝剛、弱勝强（王弼本作「柔弱勝剛强」）案：反者道之動，弱者道之用，兩者皆自然之道也。道之動，以退爲進；道之用，以柔勝剛。上文所述：「將欲翕之，必故張之。將欲弱之，必故强之。將欲廢之，必故擧之。將欲奪之，必故與之」，即是以柔勝剛，以弱勝强之道術運用。何則？蓋張之、强之、擧之、與之，皆損己示弱，助人好强之所爲，其終則能翕之，弱之、廢之、奪之、此非柔弱勝剛强乎？復次、柔弱勝剛强，在老子思想中，實爲一普遍之原理，了解此一原理，固不限於一事一物，運用此一原理，尤不限一方一所，此其所以爲普遍之原理也。可參看本經第二十二、二十八、四十、四十三、六十八、六十九、七十及七十八諸章。嚴靈峯老子達解：「柔弱勝剛强，天下有常勝之道，有常不勝之道；常勝之道曰柔，常不勝之道曰剛。「柔弱者，生之徒；堅强者，死之徒」；故柔勝剛也。」嚴靈峯馬王堆帛書老子試探：小篆本作「⿱𢆶土弱勝强」。通行本「⿱𢆶土」作「柔」。說文未收，亦未見他書。隸書本作「柔」。張揚明老子斠證釋譯：「柔弱勝剛强」：王羲之、傅、范、彭並作「柔之勝剛，弱之勝强」。景龍、蘇轍、大典、魏源，無二「之」字。河上、御注、纂微、司馬、曹、陳、臧疏、白、寇、二趙、館本、磻溪各本，均同此。李道純：「柔弱勝剛强，分二句，非。」

魚不可脫於淵，國之利器，不可以示人。(38)

【斠補】王注：利器，利國之器，示人任刑也。案韓非子喩老篇述此義曰：勢重者，人君之淵也。君人者，勢重於人臣之間，失則不可復得也。簡公失之於田成，晋公失之於六卿，而邦亡身死。故曰：魚不可脫於深淵。賞罰者，邦之利器也，在君則制臣，在臣則勝君。君見賞，臣則損之以爲德；君見罰，臣則益之以爲威。人君見賞，而人臣用其勢；人君見罰，而人臣乘其威。故曰：邦之利器，不可以示人。內儲說下六微篇曰：故君先見所賞，則臣鬻之以爲德；君先見所罰，則臣鬻之以爲威。故曰：國之利器，不可以示人。據此文觀之，則利器即賞罰，示即見。見者，指人君顯露將賞將罰之義，而爲臣下所窺也，不以示人，即賞罰之意，不爲臣下所窺。韓非子七道篇曰：君無見其意，君見其意，臣將自表異，與此互明。魚不可脫於淵，亦謂爲臣下者，不可使脫離人君之勢。古本淵上當有深字，國當作邦。蓋漢初重老子，因避高祖諱，故邦字咸改爲國也。又說苑君道篇，引示作借，蓋亦別本。

【疏證】義案：甲本作「魚不□□□□，邦利器，不可以視人。」乙本作「魚不可說於淵，國利器不可以示人。」古本作「魚不可侻於淵，邦之利器，不可以示人。」莊子胠篋篇、淮南道應篇、韓詩外傳、後漢書翟酺傳、三國志蜀志許靖傳引文無異文。邦利器不可以「視」人：通行本「視」作「示」。說文：『天垂象，見吉凶，所以示人也。』按：漢書趙充國傳：『敕視諸羌』以「視」爲之。又說文：『視，瞻也。从見，示聲。』朱駿聲曰：『漢書多以「視」爲「示」，古通用字』。現存本無有作「視」者。魚不可「說」於淵：通行本「說」作「脫」。說文：『說，釋也。一曰積說也。从、兌。兌亦聲。』釋名釋言語：『說，述也。』又說文：『脫，消肉臞也。从肉，兌聲。』廣雅釋詁三：『脫，離也。』義不相關，疑同聲叚借字。現存本無有作「說」者。吳澄道德眞經註：「魚脫於淵，見其易制，而爲人所取。國之利器，以示人，以見其爲利，且將效之，或求過之，而我之利者，不足以爲利矣。不脫於淵，不以示人，則不可測知，所謂微明也。」焦竑老子翼：「蘇子由云：魚之爲物，非有爪牙之利，足以勝物也。然方託於深淵，雖强有力者，莫能執之。及其脫淵而陸，則蠢然一物耳，何能爲哉！呂吉甫云：人之不可以離柔弱，猶魚之不可以脫於淵。魚脫於淵，則獲；人離於柔弱，則死之徒而已矣。天下之至柔，馳騁天下之至堅，無有入於無間，馳騁天下之至堅而入於無間，則器之利者也。操利器以馭天下國家，則其所以圖回運動者，常在於無窮之際，安可使知其所自來哉！故曰國之利器，不可以示人。王元澤云：魚巽伏柔弱，而自藏於深渺之中，以活身者也。李息齋云：若離道母，則如魚之脫於淵。魚既不可脫於淵，則國之利器，亦不可示人。王純甫云：何謂微而明？韜此理以自養，靜深斂退，優游自得，如魚之不脫於淵是也。何謂明其微炫此理？以示人啓釁招尤，借寇誨盜，如以邦之利器示人是也。」魏源老子本義：「魚不可脫於深淵。脫，傅奕作悅。各本無深字。邦之利器，不可以借人。各家邦作國，避漢諱改也。此章皆從韓非子。惟末句借字，各家皆作示，此從說苑君道篇所引。或曰：示人當從說苑作借人，蓋予奪翕張之術，聖人以除暴銷惡，而小人亦借之以行其私。陰符經云：其盜機也，天下莫能見莫能知，君子得之固躬，小人得之輕命，此不可借人之謂。蘇氏轍曰：未嘗與之而遽奪，則勢有所不極，理有所不足，勢未極則取之難，理不足則物不服，此其極深研幾，與管仲孫武無異。蓋聖人乘理而世俗用智也，乘理如醫藥巧於應病，用智如商賈巧於射利。是故天下之剛强相傾相軋，而吾獨以柔弱之，及其大者傷，小者死，而吾以不校坐待其斃，聖人豈有意爲此以勝物哉。知勢之自然，而居其自然耳。魚之爲物，非爲爪牙之利足以勝物也，然方託於深淵，雖强有力者莫能制之，聖人居柔弱，而剛强莫爲傷，亦猶是也。非徒莫能傷，又將以全制其後，此不亦天下之利器也哉。彼衆人烏得而知之？王氏道曰：造化有消息盈虛之運，人事有吉凶倚伏之理，故物之將欲如彼者，必其已嘗如此者也。將然者未形，已然者可見，能據其已然而逆睹其將然，非微明不能，然微而明可也，明其微不可也。莊子胠篋篇：實明此意，蓋聖人用之，則爲大道，奸雄竊之，則爲縱橫捭闔之術，其言有甚於兵刃也，故聖人不以利器示之。吳氏澄曰：老子言反者道之動，又謂玄德深矣遠矣，於物反矣。其道大抵與世俗之見相反，故借此數者相反之事爲譬，而歸於柔勝剛弱勝強之旨。孫吳申韓之徒，用其權術陷人於死而不知，論者以爲皆原於老氏之意，遂謂天下誰敢受老氏之與者哉？是亦立言之弊，故邦之利器不可以示人，老子以自言之矣。」王夫子老子衍：「魚不可脫於深淵，邦之利器不可以示人。李息齋曰：此聖人制心奪情之道。函道可以自適，抱道可以自存，其如魚之自遂於淵乎！有倚有名，唯恐不示人，則道滯而天下測其窮。無門無毒，物望我於此而已。不以此應之，則天下其無如我何矣。無如我何0而天下奚往？是故天下死於道，而道常生天下，用此器也。」馬敍倫老子校詁：「魚不可侻於淵。范應元曰：傅奕曰：侻，別本作脫。畢沅曰：河上公王弼並作脫，古無侻字，作脫者是。莊子說苑作脫。倫案：淮南道應引至不可以示人，范同此，各本及淮南道應訓引作脫，韓非喻老篇引淵上有深字。倫案：侻當作奪。說文曰：奪，手持隹失之也。邦之利器不可以示人。范應元曰：邦，一作國。彭耜曰：陳無以字。畢沅曰：韓非喻老篇亦作邦，河上公王弼及莊子胠篋篇、後漢書翟酺傳引，並作國。說苑君道篇引作國之利器不可以借人。石田羊一郎曰：是以聖人其不欲見賢邪句在七十八章，今還於此。文理固完，韵亦叶。倫案：范邦字同此，各本及淮南道應訓，荀子名正篇楊注，淮南主術訓高注，文選關中詩注，後漢書杜篤傳引，並作國。館本易州之作有。易州及後漢書翟酺傳注引無以字，淮南主術訓高注引示作假。倫案：右文舊爲第三十六章。」陳柱老子註：「魚不可脫於淵，國之利器，不可以示人。此微明之詐術，乃聖知之遺存，故莊子胠篋篇釋之曰：聖人不死，大盜不止；雖重聖人以治天下，則是重利盜跖也，故曰魚不可脫於淵，國之利器不可以示人，彼聖人者，天下之利器也，非所以明天下也。蓋自聖知之術明於天下，而聖知之用乃廢，猶魚之脫於淵矣。」高亨老子正詁：魚不可脫於淵。國之利器不可以示人。按：示疑當訓賜。荀子賦篇：「皇天隆物，（王念孫讀書雜志讀隆爲降，是也。）以示下民，（王念孫云：『示本作施，俗言之誤，』非也。）」示義與此同。魚脫於淵則死，君失國之利器則亡。舊讀示爲觀示之示，似誤。朱謙之老子釋譯：情搴案：傅、奕本『脫』作『侻』。畢沅曰：『河上公、王弼並作「脫」古無「伐」字，作「脫」者，是。莊子說苑作「脫」。』蔣錫昌曰：『後漢書魏囂公孫述列傳曰：「要之，魚不可脫於淵」，所引同此。惟注云：「老子曰：魚不可脫於泉，脫失也；失泉則涸矣。」又翟酺傳注引「淵」亦作「泉」，是古本「淵」或作「泉」也。』情搴案：作『泉』非也。此章淵、人爲韻，宜作『淵』。『泉』字乃唐人避高祖諱，改『淵』爲『泉』。韓非喻老篇『故曰：魚不可脫於深淵；』王先愼曰：『深字衍，唐避淵改深，後人回改，兼改深字耳。』今案：唐人避諱多改淵爲深，則亦可改淵爲泉也，唯『淵』字是故書。嚴可均曰：『「國有」各本作「國之」，「可示」各本作「可以示」。』情搴案：韓非喻老引『邦之利器』，六微篇引『邦』作『國』，『國』字是也。莊子胠篋篇、淮南道應訓、荀子正名篇楊倞注，淮南主術訓高誘注，文選關中詩李善注，後漢書翟酺傳、杜篤傳均引作『國』。又說苑君道篇引作『國之利器，不可以借人；』據此知宜作『國』不作『邦』。王先愼、劉師培謂『國』字爲『邦』字諱改，於他章則然，此則不可一概論也。又說苑君道引作『不可以借人』，此與六韜守土篇『無借人利器，借人利器則爲人所害，而不終其世；』均用『借』字。又淮南主術訓『有愚質者，不可與利器；』高誘注引老子曰：『國之利器，不可以假人；』假亦借也，疑老子古本有『借』字者。

王淮老子探義：魚不可脫於淵、國之利器不可以示人。河上公曰：「利器、權道也。治國權者不可以示執事之臣也，治身道者不可以示其人也。」王純甫曰：「聖人用之則爲大道，姦雄竊之，則爲縱横捭闔之術，其害有甚於兵刃也，故聖人喻之以利器也」。案：此章歷來誤解多，自韓非以「勢重」爲人君之「淵」，以「賞罰」釋「利器」（見喻老篇），而老子之原意遂闇而不明，鬱而不發。蓋老子之原義耑在說明人君之存身治國必有其「道」。苟失其「道」，則國不治而身不存矣。然人君之存身治國所必具者，究爲何「道」？就本章言之：即上文所謂之「微明」是也。微者、深微。明者、智慧。微明者、深微要妙之智慧也。人君以之「存身」，以之「治國」，然後身存國治。抑更進而言之：儒者論君道以「德」爲主，而以「德教」爲用；老氏論君道以「智」爲主，而以「道術」爲用，此其所以異。然老子之道術，必非陰謀權術，韓非雖老聃之高弟，實亦李耳之罪人，幾微彷彿之間，君子必有辨焉。」嚴靈峯老子達解：魚不可脫於淵。吞舟之魚，蕩而失水；則螻蟻能困之。魚失水則死，故不可脫於淵也。國之利器，不可以示人。舉凶器以示人，即以兵强示天下也；蓋「兵器則不勝」，故不可示人也。「柔弱勝剛强，魚不可脫於淵，國之利器，不可以示人。」按：此數句與上文誼不相屬，疑係他章錯簡；當在六十八章：「天下莫能知莫能行」句下。陳鼓應老子今註今譯：利器：有幾種說法：一說利器指權道（如河上公）；一說利器指賞罰（如韓非）；一說利器指聖智仁義巧利（如范應元）。示：炫耀。余培林老子讀本：魚不可脫於淵：韓非子內儲說下曰：「勢重者，人主之淵也；臣者，勢重之魚也。魚失於淵，而不可復得也；人主失其勢重於臣，而不可復收也。」按「淵」是魚生存之本，以喻謙下、柔弱爲人主治國之本。韓非以勢重喻淵，以臣喻魚，似未得其旨。利器：河上公曰：「利器，權道也。治國也，不可以示執事之臣。」按五十七章曰：「民多利器。」河上公曰：「利器也，權也。」河上公釋利器爲權，似較韓非爲賞罰爲長（內儲說下）。張揚明老子斠證譯釋：「魚不可脫於淵」：傅、范「脫」作「侻」。畢沅：「古無『侻』字。作『脫』者是。莊子，說苑作『脫』」。韓非喻老引「淵」上有「深」字。魏源從之。各本皆無。蔣錫昌引後漢書隗囂、公孫述列傳注云：「老子曰：魚不可脫於泉」。又翟酺傳注引，「淵」亦作「泉」。故疑古或作「泉」。按韓非喻老：「魚不可脫於深淵」王先愼注：「深字衍。唐避淵改深，後人改回，兼用深字耳」。朱謙之云：「康人避高祖諱，改『淵』爲『深』，則亦可改淵爲『泉』。唯『淵』字是故書。作『泉』非也」。「國之利器，不可以示人」：韓非子及傅、范作「邦」。魏源從之；末句並從說苑君道篇作「借」。魏源：「各家邦作國，避漢諱改也」。揚明案：朱謙之歷引韓非六微，莊子胠篋，荀子正名楊注，淮南道應、主術高誘注，文選關中詩李善注，後漢書翟酺傳、杜篤傳，均引作『國』；並謂王先愼、劉師培謂「國」字爲「邦」字諱改，於他章則然，此則不可一概而論。故作「國」字是。」「魚不可脫於淵，國之利器，不可以示人」：蘇轍：「未嘗與之遽奪，則勢有所不極，理有所不足。勢不極則取之難，理不足則物不服。然此幾於用智也，與管仲孫武無異。聖人與世俗，其迹固有相似者也。聖人乘理，而世俗用智。乘理如醫藥，巧於應病；用智如商賈，巧於射利。聖人知剛强之不足恃，故以柔弱自處。天下之剛强，方相傾相軋，而吾獨柔弱以待之。及其大者傷，小者死，而吾以不校坐待其斃，此所謂勝也。雖然，聖人豈有意爲此以勝物哉？知勢之自然而居其自然耳。魚之爲物，非有爪牙之利足以勝物也，然方託於深淵，雖强有力者莫能執之，及其脫淵而陸，則蠢然一物耳，何能爲哉！聖人居於柔弱，而剛强者莫能傷。非徒莫能傷也，又將以全制其後，此不亦天下之利器也哉？」

三十七章 爲政（闕）

下篇 老子德經

三十八章 論德

上禮爲之而莫之應，則攘臂而扔之。(39)

【斠補】王注：直不能篤，則有游飾修文禮敬之者，尚好修敬校責往來，則不對之間，忿怒生焉。

案韓非子解老篇云：禮者，所以情貌也，羣義之文章也，君臣父子之交也，貴賤賢不肖之所以別也。中心懷而不諭，其疾趨卑拜而明之。實心愛而不知，故好言繁辭以信之。禮者，外節之所以諭內也。故曰：「禮以情貌也。」凡人之爲外物動也，不知其爲身之禮也。衆人之爲禮也，以尊他人也，故時勸時衰。君子以爲禮，以爲其身，以爲其身，故神之爲上禮，上禮神則衆人貳，故不能相應，不能相應，故曰：「上禮爲之而莫之應。」衆人雖貳，聖人之復恭敬盡手足之禮也不衰，故曰：「攘臂而仍之。」據此文觀之，則扔當作仍。仍，因之，即不衰之誼。攘臂者，攘與讓同，謂寧其肢體，習爲遜讓，即復恭敬盡手足之謂也。此言民雖不應，而聖人行禮，猶復沿而不改，與六十九章攘無臂不同，非忿爭也。又據韓非此文，則古本此句以上當有禮以情貌四字。

韓非子解老、喩老二篇，凡用故曰者，均老子本文。執此以推，知彼四字，乃老子脫文也。

【疏證】義案：甲本作「上禮（下缺八字），攘臂而乃之。」乙本作「上禮爲之而莫之應也，則攘臂而乃之。」古本作「上禮爲之而莫之應則攘臂而仍之。」劉說非也。攘臂而「乃」之：通行本「乃」作「仍」。畢沅曰：「「仍」，王弼作「扔」。按：說文解字：「扔，亦因也。」」說文：「仍，从人，乃聲也。」又：「仍，捆也，从手，乃聲。」陸德明釋文：「引也，因也。」河上公作「仍」，注「仍引」。范應元本作「扔」，曰：王弼與古本同引音辯云：「引也。」吳澄道德眞經注：此專言義上禮者，在禮之上，義也。攘，卻也，猶言捋也。仍，就也，義不足感人，故爲之而莫之應。人不來就我，則我將往就人矣。故將卻其袂於臂，以行而就之也。甚言其勞拙之狀。」焦竑老子翼：「蘇子由云：自德以降而至於禮，聖人之所以齊民者極矣。故爲之而不應，則至於攘臂而强之。呂吉甫云：上禮爲之而莫之應，則攘臂而仍之，以其往而不來，雖不以禮繼之，猶不爲非禮，以禮之理固如是也。李息齋云：禮者，理也。以禮理物，苟莫之應，而吾必欲理之，則有攘臂而仍之者。李宏甫云：至於失義而後禮，則所以爲之者極矣。故爲而不應，則至於攘臂。」魏源老子本義：「則攘臂而扔之。扔仍同，諸本或作仍。攘，古讓字。扔，古通作仍字。言再推讓而就之也。」馬敍倫老子校詁：「范應元曰：之應，一作知應。扔字，王弼同古本，世本作仍。紀昀曰：扔，各本俱作仍。劉師培曰：據韓非解老篇則古本此句上有禮以貌情四字。倫案：劉說非也。增此四字，辭義不安矣。顧廣圻謂韓非故曰禮以貌情也曰字衍文，是也。仍，各本同此，范作扔，石田羊一郎删句末之字。倫案：攘借爲纕。說文曰：纕，援臂也，仍扔音義同。說文曰：「扔，捆也。捆，就也。」陳柱老子詁：「上德無爲句，當從兪說據韓非子改作『上德無爲而無不爲，』如天地之生物，無爲也，而萬物無不成，是無不爲也。下德爲之而有以爲者，帝皇之施德於民，原欲使民戴己，是有以爲也。上仁爲之而無以爲者，如見嫂溺則不禁援之以手，而不及計較其合禮與否是也。仁者，人也。其字從二人，謂爲人而非爲己也，一有計較之心，則救與不救，必審乎宜與不宜，是不免爲己矣，此上義爲之而有以爲也；義者，宜也，其字从羊我，羊者善也，謂當審於己，宜與不宜，善與不善。仁義行，則有德之之心矣，德之之心無所表見，故聖知復爲禮以表之，其始也莫之應，聖智仍恭讓其手足而爲之，於是久之而民遂相率而循於禮，則禮之有爲益甚矣。仁義與禮，言上不言下者，上者如是，則下者可不言而喻矣。」高亨老子正詁：陸德明曰：「扔，引也。」馬如龍曰：「攘借爲纕說文曰：『纕，援臂也。』」按：古人攘臂，援其袂而纏以繩，故其本字作纕从系。說文：「絭纕，臂繩也，」是其證。或上捲其袂而不纏繩，廣韻：「揎袂出臂曰攘」是也。孟子盡心篇：「馮婦攘臂下車。」莊子人間世篇：「支離疏攘臂於其間。」呂氏春秋知分篇：「次非攘臂袪衣。」戰國策齊策：「交游攘臂而議於世。」淮南子兵略篇：「陳勝興於大澤，攘臂袒右。」可證攘臂古代習用語也。陸訓扔爲引，是也。廣雅釋詁：「扔，引也。」攘臂而扔之者，謂攘臂以引人民使就於禮也。「朱謙之老子釋譯：畢沅曰：『「仍」』王弼作「扔」，案說文解字「仍因也」，扔亦因也，夏時有扔祇是此字。』情牽案：御注、遂州、邢玄、景福、慶陽、磻溪、樓正諸石本，嚴遵、傅奕、奈卷、室町、顧、彭諸本皆作『仍』，范本作『扔』，作『扔』是也。廣雅曰：「扔，引也；」，廣韻曰：『扔，强牽引也；』扔與仍音義同，但『扔』字从手，與攘臂之義合。范曰：『揎袖出臂曰攘，「扔」字王弼與古本同，世本作「仍」，今從古本。』王淮老子探義：此言君德益衰，仁義且不足爲用，乃以禮法爲事：禮以約之，法以繩之。人君以「禮法」治國較之「道德」無爲之君，固相去甚遠；較之「仁義」善政之君，亦等而次之，此君德之每況愈下，戰國七雄之君是也。及其「禮法」不足以爲用（教之不聽，令之不從），則上下相違，其勢非以「刑罰」懲之不可矣。故曰：「上禮爲之而莫之應，則攘臂而扔之」。蓋下乖則上怒，勢必攘臂捲袖，將之引歸繩墨，而以刑罰制裁之矣。」嚴靈峯老子達解：「失義而後禮」，禮相僞也，禮尚往來，施而不報，上下忿爭；則出臂以相摧引，强民行之也。上禮爲之而莫之應：范應元曰：『「之應」一作「知應」。』按：疑「之」字乃古文「不」之倒誤作[illegible]，與古文㞢字形近而訛；「應」亦係「爲」字之形譌。原文當作「不爲」兩字。王弼注：「直不能篤，則游飾修文。」莊子知北遊篇：「禮相僞也。」成玄英疏：「夫禮尚往來，更相浮僞；華藻亂德，非眞實也。」又：郭象注「禮者，道之華而亂之首也」句云：「禮有常則，故矯效之所由生也。」成疏：「棄本逐末，散樸爲澆；道喪淳漓，遠於行禮。」淮南子氾論訓：「故禮者，實之華，而僞之文也。」韓非子解老篇：「禮繁者，實心（必）衰。」言繁文縟節，無所不爲；去無爲遠矣。故曰：『上禮爲之而「莫不爲」也。』疑原文當如此。則攘臂而扔之：此句韓非子解老，王弼注皆盡穿鑿，無有是處。按：莊子馬蹄篇：「摘僻爲禮，而天下始分矣。」陸德明釋文引李頤注：「糾摘邪辟而爲禮也。」又引崔譔注：「摘辟多節。」郭嵩燾曰：『「摘僻」當作「摘擗」。』楚辭王注：「擗，折也。」摘者，取之；擗者，分析之；謂煩碎也。』疑「上禮」句原有古注作「摘僻爲禮」。因闕壞，致「摘」、「僻」二字分開，作：『才』、『啇』、『辟』、『亻』；後人不察，逐妄據六十九章「攘無臂扔無敵」句加以修改補足；乃成「攘臂而扔之」句矣。此句，當係衍文；似應删去。嚴靈峯馬王堆帛書老子試探：帛書老子釋文作「扔」，韓非子解老作「仍」，今改从韓非本。此叚右偏旁字爲之。隸書本同。按帛書老子甲乙本皆作「乃」，嚴說作「扔」者，非也。高亨云：「今本第卅八章：『則攘臂而扔之。』帛書篆、隸兩本『扔』均作『乃』。按『乃』篆文作ろ，是古繩字，象形。（說文解『乃』字誤，不錄。）說文：『扔，捆也，从手，乃聲。』廣雅釋詁：『扔，引也。』據此，今本作『扔』，是用本字，帛書作『乃』，是用借字。」其說是也。陳鼓應老子今註今譯：攘臂而扔之：伸出手臂來使人們强就。林希逸說：「『扔』，引也。民不從强以手引之，强掣拽之也。只是形容强民之意，故曰『攘臂而扔之』。」余培林老子讀本：攘臂而扔之、「攘臂」，舉臂。「扔」，引。謂伸手引人使之就於禮。張揚明老子斠證補譯釋：「扔」：各本均作「仍」。范應元：「王弼同古本」。揚明案：扔與仍音義同。見說文。「攘臂而扔之」：釋文：「攘，若羊反。臂，必寐反。扔，人證反。又音仍。引也。因也。字林云：『就也。數也。原也。』」揚明案：攘臂，高說是。扔，說文：「捆也。捆，就也。就，廣韵：『成也，迎也，即也』。」又北方稱抛物曰扔。老子楚人，故宜從前義。蓋攘臂而扔之者，是爲之而莫之應，乃揎袂出臂而迫近之；有怒形於色向人責問之意。故曰：「夫禮者忠信之薄，而亂之首」。是過此則亂矣。故禮經解云：「夫禮禁亂之所由生，猶坊止水之所自來也」。故不能作「引人使就禮」解。如「攘臂引人使就於禮」，則是非禮。」

故失道而後德，失德而後仁，失仁而後義，失義而後禮。⑷⓪

【斠補】王注：不能無爲，而貴博施；不能博施，而貴正直；不能正直，而貴飾敬。河上注：道衰而德化生，德衰而仁愛見，仁衰而分義明，義衰則施禮聘，行玉帛。案韓非子解老篇云：道有積，而德有功；德者，道之功；功有實，而實有光。仁者，德之光；光有澤，而澤有事。義者，仁之事也。事有禮，而禮有文，禮者，義之文也。故曰：失道而後失德，失德而後失仁，失仁而後失義，失義而後失禮。據此文觀之，則王本、河上本，均脫四失字。老子之旨，蓋言道失則德從，德失則仁從，仁失則義从，義失則禮從，後失者從之而失也。觀韓子所解，以爲德屬於道，仁屬於德，義屬於仁，禮屬於義，其旨可見。如王注、河上注之說，蓋謂道失斯有德，德失斯有仁，仁失斯有義，義失斯有禮，與韓非子義殊。

【疏證】義案：甲本作「故失道而后德，失德而后仁，失仁而后義。（下缺）」乙本作「故失道而后德，失德而句仁，失仁而句義，失義而句禮。」古本無異文。故失道而「后」德：通行本「后」作「後」。說文：『后，繼體之君也，象人之形，施令以告四方；故　之从一口。發號者，后也。』釋名釋親屬：『天子之妃曰后，后後也。』又：『後，遲也。从彳、幺，夂者，後也。』朱駿聲曰：『「后」，叚借爲「後」』，禮記大學：「知止而后有定。」」焦竑老子翼：「嚴君平云：向帝王根本，道爲之元，德爲之始。道失而德次之，德失而仁次之，仁失而義次之，義失而禮次之，禮失而亂次之。

凡此五者，道之以一體，而世主之長短也。呂吉甫云：上仁、上禮、上義猶如此，則其下者不論而見矣。由是觀之，失道而後德，失德而後仁，失仁而後義，失義而後禮，豈虛言哉！李息齋云：蓋不可得謂之道，可得謂之德，德在人謂之仁，仁不失其宜謂之義，義以正物謂之禮。故失道而德，失德而仁，失仁而義，失義而禮，自然之次也。」魏源老子本義：「故失道而後德，失德而後仁，失仁而後義，失義而後禮。韓非子四而後下。俱有失字。仁義禮智皆下德，故皆言上而不言下，蓋推極言之，以明其分際也。上德近乎道，故無爲而無不爲。上仁近乎德，故爲之而無以爲。至義，則雖其上者，亦眞下德矣，故爲之而有以爲。禮則又德之下者，故爲之莫應，又推讓而就之。此不失德而無德之極也。」吳氏澄曰：「老子上篇首章分言道德，而未明言之，下篇首章乃分言道德仁義禮智，皆宗旨所在也。蓋吾儒以道德爲統名，分言之則爲仁義禮智，皆得於天爲性之固有，初無精粗之別也。老子則以道爲無名，德爲有名，自德而爲仁義禮智，每降愈下，故此章以德之近道者爲上德，仁之近德者爲上仁，義之近仁者爲上義，禮之近義者爲上禮。又於禮之後言前識，以智爲下也。其以厚薄華實爲言，蓋道猶木之實，生理在中，胚胎未露。既生之後，則德其根，仁其幹，義其枝，禮其葉，而智其華也。道實智華，實實而華虛，德根禮葉，根厚而葉薄，故曰禮者忠信之薄，前識者道之華，而大丈夫寧守此道德之厚實，而去彼禮智之華薄也。王氏弼曰：失道而後德，極下德之量，至於上仁而止，雖以無爲爲用，不能以爲無爲爲體也，以無爲爲用，猶得其母，故已不勞而物自理，下此以往，則不能無爲而貴博施，不能博施而貴正直，不能正直而貴飾敬。夫仁義發於內，而爲之猶僞，況務外飾可久乎？夫仁德之厚，非用仁之所能也，義行之正，非用義之所成也，禮敬之清，非用禮之所濟也。苟得其爲功之母，載之以大道，鎮之以無名，則志無所營，事用其誠，仁義禮敬皆道也。苟舍母而用其子，棄本而適其末，名則有所分，形則有所止，雖極其大，必有不周，雖盛其美，必有憂患，太上所不取矣。蘇氏轍曰：德有上下，而仁義有上無下何也？下德在仁義之間，而仁義之下者不足復言故也。忠信之人，可以學禮，禮立而忠信之美，發越於外，其中竭而無餘。故在上者爲之而下不應，至於攘臂而强之，强之而又不應，將刑罰生而兵甲起，則徒作而無術矣，是忠信之薄而亂之首也。焦氏竑曰：首亂始愚，極言禮智流弊所至耳。莊子擧老子此語而論之曰：匿而不可不爲者事也，遠而不可居者義也。親而不可不廣者仁也，節而不可不積者禮也，中而不可不高者德也，一而不可不易者道也，是數者雖有上下先後之異，而以聖人用之皆道也，如此則豈復有彼此去取邪？」馬叙倫老子校詁：「畢沅曰：韓非解老篇四下並失字。張煦曰：葛作失德而後德，蘇後作后。羅運賢曰：意林引無此句。倫案：孔穎達禮記正義引同此。後漢書崔駰傳注引無四而字，朱穆傳注引有，輔行記一之三引更有失禮而後智？失智而後信兩句。然各本及莊子知北遊引並同此，又誼義亦不當有此兩句及四失字。」陳柱老子註：「道本無名，至德則已有名矣。德者，萬物同焉皆得，而不知其所以得之謂也，——此指上德，下德同於上義，不得謂之德矣，故曰不德。——及其得而有不能同焉者，則大小多寡苦樂之事以起，而後救災濟難之事以興，如嫂不溺則無救之之仁，必待其溺而後有救之之仁也，故曰失德而仁。宜與不宜，計較之心既生，則所爲之仁，亦不過爲己，故曰失仁而後義。禮者，又仁義之表也，譬如父母，以物給子，則子不必揖讓以謝，若在君臣朋友，則揖讓之禮生矣；又父母以物給子，必不念報答，若在君臣朋友，則報答之禮生矣，故曰失義而後禮。」王淮老子探義：「王弼曰：「夫大之極也，其唯道乎。自此以往，豈足尊哉。故雖盛業大富，而有萬物，猶各得其德。雖貴以無爲用，不能捨無以爲體也。不能捨無以爲體，則失其爲大矣。所謂失道而後德也。以無爲用，德其母，故能已不勞焉，而物無不理，下此以往，則失用之母，不能無爲而貴博施，不能博施而貴正直，不能正直而貴飾敬，所謂失德而後仁，失仁而後義，失義而後禮也」。案：此總承上文言道、德、仁、義、禮、法之演變，固爲君德之每況愈下，從另一方面看，亦爲時代精神之逐步墮落。先秦諸子論政，在基本上是一種理想主義之態度，孔孟推尊堯舜，墨翟效法大禹，農家遠推神農，老莊憧憬黃帝。皆寄政治社會之「理想」於人類歷史之上古，而欲托古以改制。其中老莊因爲其理想想主義實奠基於自然主義，故思古之幽情最爲强烈，而對於現實之歷史社會，多採取負面之看法。本章可視爲老子之歷史哲學——墮落的歷史觀。嚴靈峯老子達解：道不可得，故「失道而後德」；道衰而德化生也。道不可致，故「失德而後仁」；德衰而仁愛見也。仁不可至，故「失仁而後義」；仁衰而義分明也。義不可期，故「失義而後禮」；義衰而禮制興也。詐僞萌生；而每下愈況也。失義而後禮：按：此句有脫文。二十三章自「從事於道者」至「信不足焉有不信焉」止，當係此處錯簡，應在此下；並在『夫禮者忠信之薄』句上。惟當删「道者」二字，並在「信」字上補一「忠」字，删去下「焉」字。嚴靈峯馬王堆帛書老子試探：「莊子知北遊：故曰：失道而後德，失德而後仁，失仁而後義，失義而後禮。禮者，道之華而亂之首也。」張揚明老子斠證譯釋：「故失道而後德」四句：韓非解老，四

「而」下均有「失」字。「道，德，仁，義，禮，智」：莊子知北遊：「道不可致，德不可至，仁可爲也，義可虧也，禮可僞也。故曰：失道而後德，失德而後仁，失仁而後義，失義而後禮。禮者道之華，而亂之首也。故曰：爲道者日損，損之又損，以至於无爲，无爲而无不爲也」。天地：「无爲爲之之謂天，無爲言之之謂德，愛人利物之謂仁。」刻意：「心不憂樂，道之至也」。馬蹄：「道德不廢，安取仁義？毀道德以爲仁義，聖人之過也」。韓非解老：「德盛之謂上德。道有積而德有功，德者道之功。仁者，謂其中心欣然愛人也。生心之所不能已也。非求其報也。義者謂其宜也。宜而爲之，故曰上義爲之而有以爲也。禮者，所以貌情也。外飾之所以喻內也。先物行，先禮動之謂前識。前識者，無緣而忘意度也。（先愼：（忘與妄通）」。淮南齊俗訓：「率性而行謂之道，得其天性謂之德，性失然後貴仁，道失然後貴義，是故仁義立而道德遷矣。禮樂飾則純樸散矣。王弼：「德者得也。何以得德？由乎道也。何以盡德？以無爲用，則莫不載也。是以上德之人，唯道是用。不德其德，無執無用。故能有德而無不爲。不求而得，不爲而成，故雖有德，而無德名也。下德求而得之，爲而成之，則立善以治物，故德名有焉。求而得之，必有失焉。爲而成之，必有敗焉。善名生則有不善應焉，故下德爲之而有不爲也（從勘誤）。無以爲者，無所偏爲也。凡不能無爲而爲之者，皆下德也，仁義禮節是也」。吳澄：「吾之所謂道、德、仁、義、禮、智，以其天地人物之所共由者曰道，以其人物之所得於天地者曰德。德其統名，分言則四。得天地生物之元以爲德，而溫然慈愛者，曰仁。得天地收物之利以爲德，而截然制裁者，曰義。得天地長物之享以爲德，粲然文明者，曰禮。得得天地地藏物之貞以爲德，而渾然周知者，曰智。老子則以道爲無名，德爲有名，自德而爲仁、義、禮、智，每降愈下。故此章之等，以道爲一，在德之上，故曰上德。以德爲二，在仁之上，故曰上仁。以仁爲三，在德之下，義之上，故曰下德上義。以義爲四，在禮之上，故曰上禮。而總名之曰：失道而後德，失德而後仁，失仁而後義。又繼之曰：失義而後禮；以禮爲五也。又先言失禮，而後言前識；以智爲六也。擬諸易卦之六位，則道初，德二，仁三，義四，禮五，智六。道實智華，實實虛華。……」吳康著老莊哲學於第三章人生哲學中摘引吳澄「吾之所謂道德仁義禮智」至「渾然周知者曰智」一段，而加以引申云：「而德之有町畦藩籬，可以指數者，則有慈愛之仁，制裁之義，文明之禮，周知之智；此等悉是善行，非貶貶損之目。草廬（吳澄）之說，蓋得其旨。故所謂失者，應是『徙』義。遷徙移動之謂失，由道之本體而遷徙移動，發施功能，是之謂德。故曰失道而德。猶言徙於道之謂德。譬水也，徙於源之謂流。譬木也，徙於根之謂幹。言離去其根源則爲別名也。仁、義、禮等爲德行之次第，故歷擧之以爲名，非貶損之義也」。揚明案：吳澄雖說「德其統名，分言則四」；而他的原意，並非「徙」義。所以他接著說：「自德而爲仁義禮智，每降愈下。故此章之等，以道爲一，在德之上，故曰上德。以德爲二，在仁之上，故曰上仁。以仁爲三，在德之下，義之上，故曰下德上義。以義爲四，在禮之上，故曰上禮。……以禮爲五也。又先言失禮，後言前識，以智爲六也」。這與各家所釋，大致相同。惟釋「上仁」爲「德」，「上義」爲「仁」，「上禮」爲「義」，則爲其獨特之見。但本章明明說「上禮爲之而莫之應，則攘臂而扔之」，下文又說「夫禮者，忠信之薄而亂之首」。因其「攘臂而扔之」，所以爲「亂之首」。這分明是扣住「禮」

說的，怎麼說是「義」呢？「上禮」既不能說是義，則「上義」當然不是「仁」，「上仁」也當然不是「德」了。其所謂「上仁」「上義」「上禮」，當然以蘇、魏之說爲是。老子之所謂「道」，是純乎自然的。故說「道法自然」。道是包羅萬有的，故說「可以爲天下母」。故說「道生一，一生二，二生三，三生萬物」。「德」是道發之於外的，故說：「修之於身，其德乃眞」。所以老子常將道德並列。如五十一章：「是以萬物莫不尊道而貴德。道之尊，德之貴，夫莫之命而常自然。故道生之，德畜之。」所以上德便是道的表現，是純乎自然的。所以說「含德之厚，比如赤子（五十五章）。所以上德無爲而無不爲。證以三十七章「道常無爲而無不爲」，道德互爲表裏，絲毫不爽。「下德」便次於道了。因爲下德是爲之而有不爲的。爲之而有不爲，則已有人欲摻雜其中了。但下德是包括仁義禮智而言的，仁義禮智都只是德中的一部分了；不過也還有等差之分。上仁近於德，孟子說：「仁者愛人」，是出於一片惻隱的慈愛之心。韓愈說：「博愛之謂仁」，是其慈愛之心非常廣泛，非常博大。故老子說：「天將救之，以慈衞之」。（六十七章）所以「仁」，是德中最好最大的一部分。其次是義，韓愈說：「行而宜之之謂義」，故「義」是考慮後認爲適宜才去做的，所以是「爲之而有以爲」。「有以爲」便是有條件：有作用，有目的，有企圖，是有所爲而爲的；而且擇焉而爲，能爲的事當然也就比較少了。所以義的範圍已小於仁，而人爲的成分却較仁爲甚。至於「上禮」，雖近於義；既要權衡事之所宜，又要發而中節，且拘拘於情貌，斤斤於文采，距離樸質當然更遠，其不失本性者幾希矣。何況執禮而行，必求結果，也必責人以禮，故「爲之而莫之應，則攘臂而扔之」，顯有怒於形色向人責問之意。故爲「忠信之薄，而亂之首」。「前識」，更是對未發的問題，妄事猜測，預爲研求探討，而欲制之機先。這便是純乎人爲，而天性完全泯滅了。這是「有爲」，是「揣而銳之」。至此，則不免人欲橫流，勾心鬥角，各逞智巧以爭利避害，進而損人利己。故曰「道之華，而愚之始」。故曰「爲者敗之」。所以道、德、仁、義、禮、智，是有等差的。是每降愈下的。而不是徙移的！正和水一樣：愈長愈分，愈分愈小。故主幹可作棟樑，而枝條柔能繞指了。」

三十九章　法本

地無以寧，將恐發。⑷

【斠補】河上注：將恐發泄不爲地。案以泄訓發也，發讀廢。說文：廢，屋頓。淮南子覽冥訓：四極廢。高注：廢，頓也。左傳定三年：廢於爐炭。杜注：廢，墮也。頓墜之義，與傾圮同。恐發者，猶言將崩圮也，即地傾之義。發爲廢字之省形。

【疏證】義案：甲本作：「胃地毋□□□□恐□。」乙本作「地毋以寧，將恐發。」古本無異文。

「胃地毋□□」：通行本「胃」作「謂」。說文：『胃，穀府也。』白虎通情理：『胃者，脾之府也。』按：說文：『謂，報也。從言，胃聲。』廣雅釋言：『謂，指也。』漢書楊王孫傳：「不損財於亡謂。」註云：「謂者，名稱也。」老子書中：是謂「玄德」，是謂「微明」，是謂「社稷主」。是謂「其謂久視之道。」莊子齊物論：『今我則已有「謂」矣。則未知吾所謂之，其果有謂乎？其果無謂乎？』成玄英疏：「謂，言也。」此叚右傍字爲之。地毋「已」寧：通行本「已」作「以」。說文：『已，用也。从反已。』指事。隸書亦作「㠯」、作「以」。小爾雅廣詁：『以，用也。』楊樹達曰：『「以」假作「已」。』漢書張敞傳：『今兩侯「以」出。』地「毋」以寧：現行本「毋」作

「無」。說文：『毋，止之也。』儀禮士相見禮：「毋上手面，毋下于帶。」鄭玄云：『古文「毋」爲「無」。』又說文：『無，亡也。从亡，無聲。』吳澄道德眞經註：「無以，謂若無此德，而以之裂分判。發，震動，歇不能感應而靈，竭不能充塞而盈，滅息滅而不生。」焦竑老子翼：「蘇子由云：地不得一，未遽發也。呂吉甫云：「俯之而地也，得一以寧，故載焉而不陷。李息齋云：孔子曰：吾道一以貫之。一者何也？天之淸，地之寧。」馬敍倫老子校詁：「地無以寧將恐發。倫案：御覽三十六引同此。」高亨老子正詁：按：劉說是也。發廢古通用。墨子非命中篇：「發而爲刑政。」上篇發作廢。莊子列御寇篇：「先生既來，曾不發藥乎？」釋文：「發，司馬本作廢。」列子仲尼篇：「發無知何能情。發不能何能爲。」釋文：「發一本作廢。」史記平原君傳：「十九人相與目笑之而未發也。」索隱本發作廢。並其證也。此采王念孫讀書雜志說。」朱謙之老子釋義：情牽案：碑本與羅卷此均作『無』，不作『无』爲變例。武內法京敦乙本作『无』。又莊子至樂篇『天無爲以之淸，地無爲以之寧。』語意本此。蔣錫昌曰：『劉說是。莊子列禦寇「先生既來，曾不發藥乎？」釋文「發，司馬本作廢」；列子黃帝篇引作「廢」。又繕性「非藏其智不發也」，御覽逸民部引作「廢」。左傳哀十一年疏引竹書紀年云：「梁惠王廢逢忌之藪以賜民」；漢書地理志引作「發」。均其證也。「發」「廢」雙聲，故可通用，此言天無以淸將恐裂，地無以寧將恐廢也。』王淮老子探義：王弼曰：「各得其一，致此淸寧靈盈生貞」，又曰：「故爲功之母不可舍也，是以皆無用其功，恐喪其本也」。焦竑曰：「裂，破毀也。發、發泄也。歇、消滅也。竭、枯竭也。蹷、音厥、顚仆也」。嚴靈峯老子達解：老子作「廢」不作

「發」。如十八章：『大道「廢」。』三十六章：『將欲「廢」之。』作「發」者，字之闕壞，失去「广」旁耳，疑當改正。陳鼓應老子今註今譯：廢：王弼本原作「發」。根據嚴靈峯先生的見解改正。呂氏春秋恃君覽篇云：『天固有衰嗛廢伏。』是天固有『廢』矣。因改『發』爲『廢』，以復其舊。」余培林老子讀本：按此字當作「廢」，各本作「發」，是「廢」的通假字。張揚明老子斠證釋譯：揚明案：「發」，廢也。莊子列禦寇：「曾不發藥乎」？釋文：「司馬本作廢」。郭慶藩集釋：「發，司馬作廢。發廢古同聲通用字。」爾雅：「廢，稅舍也」。方言：「發，稅舍車也」。是發與廢同。史記禮書：「發」作「廢」。史記扁鵲傳：「色廢脈亂」。徐廣曰：「一作發」。墨子非命中篇：「發而爲刑政」。上篇「發」作「廢」。皆其例。

侯王無以貴高，將恐蹶。(42)

【斠補】河上注：不可但欲高於人。案上文：天無以淸，地無以寧，神無以靈，谷無以盈，萬物無以生。均承上以淸、以靈、以盈、以生言。惟此句無以貴高，與上以爲天下貞不相應，疑貴即貞字之訛，貴貞形近，後人據此節王注有淸不足貴諸文，遂改貞爲貴。又疑貴高並文，與下貴高二語相應，遂于貴下增高字，實則貴當作貞，高乃衍文也。河上本出于王本後，故據誤文生訓。

【疏證】義案：甲本作「侯王毋已貴（下缺五字）。」乙本作「侯王毋已貴以高，將恐蹷」古本作「王侯無以爲貞而貴高，將恐蹷。」衡諸古本，疑脫「爲貞而」三字，劉說貴當作貞，高乃衍文，恐非也。侯王毋已貴以高將恐「欮」：通行本「欮」作「蹶」。說文：『蹶，僵也。從足，厥聲。』亦作「蹷」，下形，上聲。又說文：『欮，逆氣也。』按：荀子成相篇：「國乃蹷。」楊倞注：「顛覆也。」范應元：『蹷，音厥，僵也。』此假右偏旁字為之。又作下形上聲字。現存本無有作「欮」者。吳澄道德眞經註：侯王無以爲貞而貴高，將恐蹷。「蹷，傾跌而失其位。」焦竑老子翼：「蘇子由云：侯王不得一，未遽蹷也。呂吉甫云：其尊爲侯王以得一，故能制天下之動而貞夫一，則一之不可不致也。李宏甫云：侯王不知致一之道，與庶人同等，故不免以貴自高，高者必蹷，下其基也，貴者必蹷，賤其本也。何也？致一之理，庶人非下，侯王非高；在庶人可言貴，在侯王可言賤，特未知之耳。」魏源老子本義：「侯王無以貞而貴高。將恐蹶。河上無貞而二字。李氏嘉謨曰：所謂一者何也？知天之所以清，即知地之所以寧；知神之所以寧，即知谷之所以盈；知萬物之所以生，即知侯王之所以爲天下貞。蓋極其致，皆有生於無也，是未嘗不一也。若不知一則必自異，自異則必絕物，侯王絕物，物亦絕之矣。李氏贄曰：今夫輪輻蓋軫衡軛會而成車，人但知其爲車，而不知其爲轂者所會而成，初無所謂車也。由是推之，侯王庶人，人但見其有貴有賤有高有下，而不知其致之一也。彼據其所見之形迹，貴而不能賤者，則亦琭琭落落如玉石而已。然則欲知反而弱者無他，致一以極乎無而已。夫天地萬物，皆有生於無，故天不自知其清，地不自知其寧，神不自知其靈，谷不自知其盈，萬物不自知其生，則侯王亦不自知其貴高，明矣。不自知其清寧者，無心而運，無爲而成也。不自知其爲靈與盈者，寂而虛也，不自知爲生者，自然也。不自知爲貴爲高者，賤下也，寂故靈虛故盈，無心無爲故清寧，自然故不期生而生，自賤自下，故爲天下貞，此則得一之所致也。」馬叙倫老子校詁：「王侯無以爲貞而貴高，將恐蹷。彭耜曰：王注無爲字，纂微司馬蘇曹陳並無爲貞而三字，程貞上有天下字，無而貴高三字，陸蹷作蹶。范應元曰：古本作王侯無以爲貞將恐蹷，河上爲貞下有而貴高三字。紀昀曰：各本作侯王無以貞貴高將恐蹶。畢沅曰：河上王弼作侯王無以貴高將恐蹷，陸希聲與奕同。劉師培曰：當作侯王無以貞將恐蹶。此承上侯王得一以爲天下貞言，貞誤爲貴，後人因下文增高字。（易順鼎同。）張煦曰：呂蘇作侯王無以正貴高，林作侯王無以爲正貴高，呂葛蘇趙蹷作蹶。石田羊一郎曰：以上一節文義完，與下文不相屬。倫案：范作侯王無以爲貞將恐蹷，是也。范於上文王侯得一以爲天下貞校曰，河上作侯王，則王弼同古本矣，彭白吳同此，白蹷作蹶。張嗣成作侯王無以貞貴高將恐蹷，寇張之象宋河上易州磻溪臧疏奈卷及治要引並作侯王無以貴高將恐蹷。（張蹷作蹶。）潘作侯王無以貞而貴高將恐蹶，館作侯王無以貴將恐蹷。參覈各本，知因下文誤衍貴高二字，而後人加而字以貫其義者，此本是也。但衍貴高二字而轉脫爲字者，張嗣成本是也。衍貴高二字而轉脫爲貞二字者，寇等是也。衍貴高二字而脫爲字加而字者，潘本是也。然亦疑貴高二字非衍文，乃讀者以下文與此義不相應，增而貴高三字，傳寫又或脫爲貞而三字，或脫爲而二字，或脫爲字耳。」陳柱老子註：侯王無以貴高將恐蹶。侯王句當從劉師培說改爲『侯王無以貞將恐蹶。』高亨老子正詁：侯王無以爲貞將恐蹶。「爲貞，」王本原作「貴高。」范應元本作「爲貞。」今據改。按：作「爲貞」是也。說文：「蹶，僵也。」廣雅釋詁：「蹶，敗也。」朱謙之老子釋譯：武內義雄曰：『景、遂、敦三本「侯王」與上文合，下又同。景、遂二本「貴高」，敦本無「高」字，然下文「貴高」並稱，有「高」字是。』羅振玉曰：『敦煌本「貞」下有「而」字』。情牽案：此句疑有誤文。諸河、王本，顧歡本、磻溪、景福、樓正、室町、奈卷句同此。范本作『侯王無以爲貞將恐蹷』，高翿作『侯王无以貞而貴高將恐蹶』，傅奕作『侯王無以爲貞而貴高將恐蹷』，彭耜，趙孟頫同傅本，惟『王侯』作『侯王』。嚴遵同彭本，惟『無以爲貞』作『無以爲正』。皆川愿老子繹解，又與嚴遵同。易順鼎曰：『當作「侯王無以貞，將恐蹶；」「貞」誤爲「貴」』。後人見下文「貴以賤爲本，高以下爲基」二句，以爲承上文而言，妄於「貴」下又加「高」字，遂致踵訛襲謬，而義理不可通矣。』情牽案：『將恐蹷』諸王本『蹷』作『蹶』。說文『蹶僵也，從足厥聲；一曰跳也，亦謂者蹷。廣韻『蹶，失脚也，僵也，亦作蹷』。廣雅釋詁三『蹷敗也。』呂覽愼行『小人之行，不蹷于山；』注『蹷躓顚頓也』。荀子成相『國乃蹷』，注『顚覆也』。『侯王無以貞，將恐蹷』，言侯王無以爲貞，將恐顚覆失其位也。治要引作『蹷』，夏竦古文四聲韻卷五引古老子亦作『蹷』。王淮老子探義：「此承上文而反言之。蓋「道」既爲萬事萬物所以然之「理」，則失其「道」，無其「理」，必將「事」不成而「物」不存矣。抑更進而之：道實爲一切事物之「必要條件」，同時亦爲一切事物之「充分條件」，一切事物只要得其道則無不然；失其道，則必不然。而道之作用於是乎充份可見矣。」嚴靈峯老子達解：「言天不淸明，勢必至於崩裂；地不安定，勢必至於傾圮；神不靈妙，勢必至於消失；谷不盛滿，勢必至於涸竭；萬物不化生，勢必至於死滅；侯王不居其正位，勢必至於顚仆也。趙至堅本『貴高』二字正作『貞』，當據改正。陳鼓應老子今註今譯：貞：王弼本原作『貴高』。根據范應元本與趙至堅本改正。嚴靈峯先生說：「易說是也。程大昌本作『侯王無以爲天下貞將恐蹶。』范應元本作『爲貞』。趙至堅本正作『貞』。作『貞』是矣，正應上文『侯王得一以爲天下貞。』因據趙至堅本改正。」以上三說可從。范應元作「貞」，范並說：「古本如此。」可見原文爲「貞」字。余培林老子讀本：「蹶，顚仆，指失位。」張揚明老子校證譯釋：「侯王無以貞將恐蹶」：王弼原作「侯王無以貴高將恐蹶」，宋河上、景龍、臧疏、奈卷、司馬、曹、陳、寇、磻溪均同。傅奕、陸希聲作「王侯無以爲貞而貴高將恐蹶」。館本作「侯王無以貴將恐蹶」。范應元：「古本作『王侯無以爲貞將恐蹶』。馬以爲是。揚明案：范固有所本，證之館本劉易之說，自是正論；且「天無以淸將恐裂」六句一貫均無「爲」字，故此句不應獨有「爲」字。據改。蹶，顚仆也。荀子儒效：「竭蹶而趨之」。注：「竭蹶，顚倒也」。淮南精神訓：「形勞而不休則蹶」。注：「顚也」。」鄭良樹老子論集：「根據帛書來觀察，第二節最後一句『貴高』不但沒有錯，而且『高』上還應該多一個『以』字。以我使個人地看法，這一句『侯王無以爲貴，以高，將恐蹷』，應當歸入第三節，所以第三節立刻提出『貴』『高』二字，然後再以『侯王自謂孤寡不穀』作結語，來應和首句的『侯王』二字。（論帛書本老子）鄭說是也。

貴以賤爲本(43)

【斠補】王注：貴乃以賤爲本。案淮南子原道訓作貴者必以賤爲號。高注云：貴者，謂公王侯伯稱孤寡不穀。故曰：以賤爲號。是老子古本作以賤爲號也。號指下文自謂孤寡不穀言，此漢語也。

作本者，別本也。

【疏證】義案：甲本作「故必貴而以賤爲本。」乙本作「故本貴以賤爲本。」古本作「故貴以賤爲本。」吳澄道德眞經註：「此章以六者並言，而此以承上文貴高二字，專爲侯王言之。蓋侯王之位，貴貴且高，而沖虛之德，不欲盈，惟當自處於下賤也。孤如無父，寡如無夫，不穀不善也，皆不美之名，非人所願有者，而侯王自謂是以下賤自處也。先云賤爲本，下爲基而後，但云賤爲本，舉一以包二者，省文也。」焦竑老子翼：「蘇子由云：故一處貴而非貴，處賤而非賤。呂吉甫云：故貴以賤爲本，則未有貴者，乃貴之所自而立也。李息齋云：若不知一，則必自異，自異則絕物，侯王絕物，物亦絕之，故貴以賤爲本。」魏源老子本義：故貴必以賤爲本。他本無兩必字，此從淮南子及河上本。王氏弼曰：「清不能爲清，盈不能爲盈，皆有其母，乃存無形。故清不足貴，盈不足多，貴在其，而母無貴形，是貴乃本乎賤，故致數與乃無與也，玉石琭琭珞珞，體盡於形，故不欲也。夫高以下爲基，貴以爲賤本，有以無爲用，此其反也。動皆知其所無，則物通矣，故云反者道之動也。夫貴高與賤下相反，而一之者何哉？蓋所謂侯王者，亦人見之爲侯王耳。若推其極致，則積衆賤而成寡，分數之初，無貴之可言，積衆下而成高，分數之初，無高之可言。如會衆材而成車，分數之本，無車之可言。至於無貴賤高下之可言，則豈但以賤爲本，下爲基而已邪，蓋并我而無之矣。無我則無物，無我無物，則無高無下，無貴無賤，如此則高與下一也。貴與賤一也，彼與我一也，無往而不無，則無往而不一，何怪其與玉石之硜硜堅强自異於物者相反哉？」王夫子之老子衍：「夫貴賤高下之與『一』均，豈有當哉？乃貴高者功名之府，而賤下者未有成也。」馬叙倫老子校註：「彭耜曰：司馬以上並有必字。畢沅曰：河上公以上並有文字，文選籍田賦注同。嚴可均曰：御注下字下脫爲字。羅運賢曰：文選藉田賦注意林引兩以字上，並有必字。倫案：臧疏奈卷及淮南道應訓，文子道原篇，治要意文林，選勵志詩注引以上並有必字，各本及御覽四二三袁宏明謙引漢書魏豹田横傳顏注引並同此，臧疏引顧歡曰：夫言高以下爲基者，是顧無必字，成疏下文人之所惡，唯孤寡不穀曰：足明貴以賤爲本，高以下爲基，是成亦無必字，淮南道應訓引仍作爲本，然高誘於道應訓無注，原道訓注曰：貴者謂公王侯伯稱孤寡不穀，故曰以賤爲號，是高見老子亦作號也。劉說是，下同。陳柱老子註：故，同『夫』，此別爲一章，與上文氣不相蒙。嚴復云：『以賤爲本，以下爲基，亦民主之說。』高亨老子正詁：「故貴以賤爲本，按故字衍文，後人所益。」朱謙之老子釋譯：嚴可均曰：『「高以下爲基」，御注脫「爲」字，河上「高」下有「必」字。』宇惠曰：『齊策，「貴以」「高以」上，共有「雖」字。』情牽案：景福、室町、奈卷、顧歡諸本及淮南道應訓、羣書治要、意林，引二「以」上均有「必」字。淮南原道訓『是故貴者必以賤爲號，而高者以下爲基』。語亦本此。王淮老子探義：此承上而特言「侯王」所得之「一」（道），上文「侯王得一以爲天下正」，侯王所以能爲天下之政長者，以其「道」之「虛靜」與「謙卑」耳，本經廿六章曰：「重爲輕根、靜爲躁君」，六十三章曰：「是以聖人終不爲大，故能成其大」，六十八章曰：「善用人者爲之下」，七十章曰：「是以聖人被褐懷玉」，七十八章曰：「受國之垢、是謂社稷主、受國之不祥、是爲天下王」，皆可與此處互相發明。」嚴靈峯老子達解：言苟無賤者，貴亦不彰。「受國之垢，是謂社稷主；

受國不祥，是爲天下王。」苟無下者，高亦不成。「九層之臺，起於累土」也。陳柱曰：『四十二章「物或損之而益，或益之而損」十二字；當在「致數與無與」句下。』陳說未塙。按：此十二字當在此句之上，並在『將恐蹶』句下。故貴以賤爲本，高以下爲基。姚鼐曰：『四十二章：「貴以賤爲本，高以下爲基，侯王自稱孤、寡、不轂；此非以賤爲本邪非乎」諸句，當在四十二章「人之所惡」句上。姚校非也。按：「人之所惡」及下諸句，當在此『故貴以賤爲本，高以下爲基』句下，並在『侯王自稱孤寡不轂』句上也。嚴靈峯馬王堆帛書老子試探：戰國策齊策：顏斶曰：『老子曰：「雖貴以必賤爲本，雖高必以下爲基；是以侯王稱孤寡不轂，是其賤之本與非？」』劉向說苑談叢：「必貴以賤爲本，必高以下爲口。」

余培林老子讀本：「故貴以賤爲本。故，發語詞，與「夫」同。」張揚明老子斠證譯釋：河上、臧疏、奈卷、室町、景福、顧歡及淮南道應訓、羣書治要、文子道原篇、意林、文選勵志詩注引，「以」上均有「必」字。景龍、傅奕及各本並無。

四十章　去用（闕）

四十一章 同 異

質眞若渝。(44)

【斠補】王注：質眞者不矜，其眞故渝。案上文言廣德若不足，建德若偸。此與並文，疑眞亦當作德。蓋德字正文作悳，與眞相似也。質德與廣德、建德一律；廣德爲廣大之德，與不足相反；建德爲剛健之德，與偸相反；質德爲質樸之德，與渝相反；三語乃並文也。

【疏證】義案：甲本四十一章全缺，乙本作「質□□渝」。古本作「質眞若輸。」

吳澄道德眞經註：「質眞皆實也，猶云實之實也。渝不守信也、必守信而後爲實、實之實者，反若渝而不信。」焦竑老子翼：「陸希聲云：復其性以御其神，斯質眞若渝也。蘇子由云：質眞若渝，體聖抱神，隨物變化，而不失其貞者，外若渝也。呂吉甫云：體性抱神，以遊世俗之間，而非所驚也。故曰質眞若渝。王元澤云：建德則有所立，而離本近僞矣。故又要在乎不易吾眞，故次之以質眞。李息齋云：質眞者，不徇於外，外不徇，則惟吾所之，故曰若變。」魏源老子本義：「傅奕偸作媮，古皆通用，春秋渝平爲輸平是也。質眞作質直。李氏嘉謨曰，夫然則非廉隅可得而察也，非成不成可得而盡也，非聲音可得而知也，非形器可得而執也，彼中下之士，方役其所見，而議吾之迹，以實昧實退實類實辱實渝，其不侮笑者幾希矣。」馬敍倫老子校詁：「質直若輸。彭耜曰：司馬直作直。紀昀曰：渝一作媮。畢沅曰：河上公王弼作渝，古字通，如春秋渝平爲輸平是。張煦曰：呂等作質眞若渝。倫案：直，柰卷館本寇白張嗣成趙同此，各本作眞，當作悳。輸，各本並作渝，然據范說則古本上句作輸，不應此復作輸，紀謂渝一作媮，亦與此本上句重，似作渝者是。倫案：說文渝，變汚也，古書多用爲變義，此渝字當作汚解，則通，然倫謂渝借爲諛，言質厚之德，不立厓異。反若諂諛也。莊子駢拇篇：通如俞兒，即淮南氾論訓之臾兒。荀子修身篇：以不善和人者謂之諛。揚注：諛與俞同，並其例證。」陳柱老子註：「渝，變也。與眞反。」柱高亨老子正詁：「眞」，司馬光本作直。按：劉說是也。蓋老子原書德字悉作悳，後人改作德。此句誤作眞或直，不然，亦必被改作德矣。質，實也。論語雍也篇：「質勝文則野。文勝質則史。」皇疏：「質，由實也。」是質有實義之證。渝借爲窬。說文：「窬，空中也。」淮南子氾論篇：「乃爲窬木方版以爲舟航。」高注：「窬，空也。」質德若渝，猶言實德若虛耳。」朱謙之老子釋譯：傅奕本作『質直若輸』，柰卷『眞』亦作『直』。渝、輸古字通。畢沅曰：『河上公、王弼作「渝」，古字通，如春秋「渝平」爲「輸平」是也。』案輸叚爲偸，有苟且懷安之意，又爲渝。『質眞』之『眞』，爲『悳』之訛，『質悳若渝』蓋謂質樸之人，行動遲緩，駑弱有若輸愚者也。王淮老子探義：「質眞若渝」即「實德若窬（虛）」，劉高二氏其說甚塙。又「實德若窬」與上文「夷道若纇」相應，其義則與「上德若谷」同解。又：史記老子本傳老子敎孔子曰：「良賈深藏若虛，君子盛德容貌若愚，去子之驕氣與多欲、態色與淫志，是皆無益於子之身，吾所以告子，若是而已」，即其義。嚴靈峯老子達解：道之眞，以治身。言眞純之質，反若渝失。「爲道日損」也。質眞若渝，按：此句疑當在上文：「夷道若纇」句下。又：「眞」字司馬光本、寇才質本、明太祖本俱作「直」，按：「眞」，疑係「道」字之形誤，「道」字古亦作「⿱屮道」，「道」字闕壞，因成爲「首」，「首」再誤爲「直」。莊子天運篇：「是以道不渝。」刻意篇：「純素之道，惟神是守；守而勿失，與神爲一。」是此文原當作「質道若渝」，並與上文「明道」、「進道」、「夷道」三句相屬也。」陳鼓應老子今註今譯：質（德）若渝：質樸的「德」好像易變的樣子。「德」，王弼本原作「眞」，根據劉師培的說法改正。余培林老子讀本：「德」王弼本原作「眞」，劉師培曰：「疑『眞』亦當作『德』。按劉說極是，今據改。」張揚明老子斠證釋譯：爾雅釋言注：「渝謂變易。」詩鄭風羔裘：「舍命不渝」。傳：「變也」。這種變，有變壞之義。馬說是。「質德」，謂樸實之德，亦即質眞之德，質厚之德。「質德若渝」，其意是說有了質厚的樸實之德，反像時常在變化似的。這正好與十五章「混兮其若濁」互相印證。

四十三章　道化（闕）

四十三章 偏用

無有入無間。(45)

【斠補】王注：虛無柔弱，無所不通，無有不可窮，至柔不可折。案淮南原道訓引作出于無有，入于無間。此老子古本也。王本亦有出于二字。王弼上文注云：氣無所不入，水無所不出于經。注文水無所不出于經，當作無所不經，與上無所不入對文，出于二字，必係無有上之正文。蓋王本亦作出于無有入無間，而出于二字，誤入注文也。傅奕本與淮南同。

【疏證】義案：甲本作「无有入于无間。」乙本作「（上缺）（无）間。」古本作「無有入於無間。」吳澄道德直經註：「無有入於無間。又承上文所言，敎弱之義而廣之。至柔與無有，皆弱也。馳騁，猶云躪躒。無有，謂無有查滓之質。無閒，無中閒罅隙可入之處。水至柔，能攻穿至堅之石；氣無有能透人無罅隙之金石牆壁。以至柔無有之損，而有馳騁，至堅入於無閒之益，所謂損之而益者。柔能勝剛，無能入有，皆非有所爲而自然。故曰無爲之有益。」焦竑老子翼：「蘇子由云：以有入有，捍不相愛；以無入有，無未嘗勞，有未嘗覺；求之於物，則鬼神是也。是以聖人唯能無爲，故能役使衆强，出入羣有。呂吉甫云：無有入於無間，觀於物，則氣是也。

李息齋云：況於無之眞，豈不足以破有之僞乎？故無有能入無間。無間者，蹈水火，入金石，其精不亡之謂也。」魏源老子本義：「無有入於無間。王弼無於字。傅奕作出於無有，入於無間。李氏嘉謨曰：物本非物，堅者僞體也，雖至堅之極，必歸於無，以天下之至柔，能馳騁天下之至堅。」馬敍倫老子校詁：「出於無有，入於無間。范應元曰：傅奕同古本，河上本少出於二字。紀昀曰：淮南原道訓作出於無有，入於無間。畢沅曰：王弼無出字二於字。淮南原道訓引同此，道應訓引同河上。嚴可均曰：御注作無有入無間。陶紹學曰：王弼於上句注曰：氣無所不入，水無所不出於經，出於二字，應是經文誤入注中者。（易順鼎同。）張煦曰：呂葛作無有入於無間，蘇作無有入無間。羅運賢曰：治要引無有入於無間。倫案：陶說是也。范白同此。柰卷易州磻溪彭寇張嗣成二趙吳淮南道應及治要引無出於二字，宋河上館本臧疏張之象無出字二於字。臧疏引車惠弼曰：此即無有入無間也，是車同河上等，易州館本間誤聞。又案七十八章以其無以易之也一句，當在此下。」陳柱老子註：嚴復云『無有入無閒，惟以太耳。』高亨老子正詁：出於無有，入於無間。「出於」二字，王本原無，傅本有。淮南子原道篇引同。今據增。按：「出於」二字是也。淮南子原道篇引此文高注：「水是也。」甚塙。朱謙之老子譯釋：嚴可均曰：『御注、河上、王弼無「於」字，傅奕、淮南子作「出於無有，入於無間」。』魏稼孫曰：『「無有入於無聞」，「聞」疑碑誤。「聞」釋「間」，嚴誤。』焦竑曰：『古本淮南子並作「出於無有，入於無間」。』范應元曰：『間隙也，傅奕、嚴遵同古本。』案今嚴本作『無有入於無間。』劉文典曰：『今本老子河上公章句偏用第四十三，作「天下之至柔，馳騁天下之至堅，無有入無間；」「無有」上敓「出」

字，可據淮南子引文增。道應篇引作「出於無有，入於無間；」疑後人改之也。老子注：「無有謂道也，道無形質，故能出入無間；」是所見本，尚未敓「出」字。』王道曰：『無間，無隙也。尋丈之水，能浮萬斛之舟；六尺之轡，能馭千里之馬；至柔馳騁至剛者，此類是也。天地之氣，本無形也，而能貫乎金石；日月之光，本無質也，而能透乎蔀屋；無有入於無間者，此類是也。』王淮老子探義：嚴可均曰：「傅奕淮南子作『出於無有，入於無間』」。

案：無有者，至虛之謂也；無間者，至實之謂也。至虛是至柔之更進一層，何則？柔弱之用，由於虛無之道故也；至實是至堅之更進一層，何則？以今日物理學言之：物之至堅者乃因其「密度」之大，凡物之「密度」大至極處，必至於無間（空隙），故「至堅」之極，即是「至實」。準此，「無有入無間」，即是上文「天下之至柔馳騁天下之至堅」之進一步之發揮與强調，合而言之；即謂虛無柔弱之道，無往不利，無物不克，天道（物理）、人事，兩在不爽。」嚴靈峯老子達解：無有，則空虛無物；無間，則無隙不可入。惟其無有，乃可以入於無隙。謂道「視之不見」而無所不在也。無有入無間，按：此五字與上下文俱不相應，疑係第五章錯簡；當在「動而愈出」句下，並在「多言數窮」句上。又：此句上，傅奕本、范應元本、白玉蟾本並有「出於」二字，「入」字下，傅奕本、范應元本、白玉蟾本及各本多有「於」字。傅奕與淮南子同。劉說是也，當據傅奕本及王注改正。嚴靈峯馬王堆帛書老子試探：淮南精神：「出入無間。」陳鼓應老子今註今譯：無有入無間：無形的力量能穿透沒有間隙的東西。「無有」（That-which-is-Withoutform）指不見形相的東西。「無間」是沒有間隙。「無有入無間」，淮南子作「出於無有，入於無間。」余培林老子讀本：「無有」指虛無柔弱的東西，如氣、水。「無間」，無有間隙，指固實堅强的東西，如金、石。氣能行車，水能穿石，就是「無有入無間」的實例。張揚明老子斠證譯釋：王弼原作「無有入無間」；河上同。傅作「出於無有，入於無間」。揚明案：淮南原道訓引與傅本同。陶紹學云：「王弼於上句注曰：『氣無所不入，水無所不出於經』，『出於』二字，應是經文誤入注中者」。易順鼎所見亦同。馬敍倫亦謂「陶說是也」。據改。」呂吉甫：「氣以其無質，故合於神，然而不能無。氣者也，猶能入於無間，而況以無形之至柔，太易見之未見氣，於以馳騁天下之至堅，而入於無間，則孰不爲之動？而亦何入而不自得哉？」揚明案：蘇、呂之說，猶未盡善，蓋鬼神畢竟渺茫，而氣則已具形象；氣既爲道生一之一，既爲有名之始，有名即有形有象。而本章明言「無有」，其非氣也可知。而道德無名，道爲視之不見，聽之不聞，搏之不得的，故「無有」者，應指「大道」而言。」

四十四章　立戒（闕）

四十五章　洪德（闕）

四十六章　儉欲

天下有道，卻走馬以糞。⑷⑹

【斠補】王注：卻走馬以治田糞。案韓非解老篇述其義曰：今有道之君，外希用甲兵，而內禁淫奢。上下事馬於戰鬥逐北，而民不以馬遠淫通物，所積力惟田疇，必且糞灌。故曰：天下有道，卻走馬以糞也。此爲古訓，王注蓋本此。又淮南覽冥訓云：故卻走馬以糞。高注云：止馬不以走，但以糞糞田也，亦本韓非。

〔疏證〕義案：甲本作「□□有（下缺五字）糞。」乙本作「□□□（道卻走馬以糞）。」古本作「天下有道，卻走馬以播。」吳澄道德眞經註：「卻、退也。走馬，善走之馬。糞車，糞載之車，古者每甸六十四井，皆出戎馬。充賦有道之世，各守分地，不相侵戰，故民閒善馬，不以服戎車而退卻，賤用之，以服糞車而糞田也。戎馬，齊其力，以備戰者。郊者，二國相交之境，無道之世，寇敵日侵，郊外數戰，戎馬不得歸育於國廐，而生育於郊外也。糞下，諸家並無車字，惟朱子語錄所說有之，而人莫知其所本。今按張衡東京賦云：却走馬以糞車，是用老子全句，則後漢之末，車字未闕。魏王弼註云：衡未遠而已闕矣。蓋其初，偶脫一字，後人承舛，遂不知補。

車郊叶韻，闕車字，則無韻。」焦竑老子翼：「陸希聲云：夫天下有道之世，雖有甲兵，無所用；雖有健馬，無所乘。蘇子由云：天下各安其分，則不爭而自治，故卻走馬而糞田。呂吉甫云：天下有道，民之智能已於耕食之間，而盜爭銷於無欲之際，而其死已脫矣。故曰卻走馬以糞。」魏源老子本義：「糞，傅奕作播，古字通。星衡四景賦：卻走馬以糞場車。張協七命亦作糞車，朱子及吳澄並稱之，謂車郊協韻。」然韓非子、淮南子、鹽鐵論諸本並同，故仍其舊。王氏弼曰：天下有道，知足之足，無求於外，各修其內而已，故卻走馬以糞田也。」馬敍倫老子校詁：「彭耜曰：李却與卻同，朱文公糞下有車字，謂以走馬載糞車也。姚鼐曰：此及下兩句，當在後章天下多忌諱上，糞貧昏合韵。畢沅曰：河上公王弼播作糞，古字通用。御覽引文子曰：卻走馬以糞，車軌不接於遠方之外。韓非淮南引並作糞。易順鼎曰：吳澄謂糞下當有車字，然淮南覽冥訓曰：故卻走馬以糞，而車軌不接於遠方之外。高注引無車字，東京賦薛綜注引亦無車字，張煦曰：呂蘇葛卻作却。倫案：易說是也。各本及韓非解老篇、喻老篇、漢書西域傳注、文選七命注引，並無車字，播作糞。鹽鐵論未通篇曰：當此之時，却走馬以糞。晉書晰傳（斠注卷五十一）：屬時欲廣農：晰上上議云云：卻走馬務田。老子所以稱有道，蓋本此文，亦無車字。文選東京賦注引老與下句互易，館本奈卷寇趙寫卻作却。館本播作糞，韓非解老篇引句末有也字。倫案：卻借為距。說文曰：距，止也。播借為糞，眞元聲通也。陳柱老子注：畢沅云：「糞下，張衡東京賦有車字。」王弼云：天下有道，知足知止，無法於外，各修其內而已，故卻走馬，以治田糞也。高亨老子正詁：此言天下有道，天干不興，走馬不用於軍而用於田也。卻猶驅也。韓非子外儲說右上：「海上有賢狂矞，太公望聞之，往請焉，三卻馬於門而狂矞不報見也。」楚辭愍命：「卻騏驥以轉運兮，騰驢贏以馳逐，」卻並驅義。可以互證。孟子滕文公篇：「凶年糞其田而不足，」趙註：「糞治其田。」禮記月令：「可以糞田疇。」糞亦治田之義。（案：卻、止也，高說非）

朱謙之老子釋譯：羅振玉曰：『「糞」敦煌本作「[米+坴]」，乃「糞」之別構。』情牽案：碑本同。又羅卷『戎』誤作『我』，羅失校。『糞』傳本作『播』。畢沅曰：『「糞」「播」古字通用』。玉篇『播種也』，疑老子此處或有播種之義。彭耜曰：『頃在江西見有所謂糞車者，方曉此。』易順鼎曰：『按文子精誠篇云，「惟夜行者能有之，故卻走馬以糞，車軌不接於遠方之外；」或以「車」字連讀，亦可爲吳說作證。然淮南覽冥訓云，「故卻走馬以糞，而車軌不接於遠方之外，」「糞」下有「而」字，則「車軌」當連讀矣。高注云，「卻走馬以糞，老子詞也，止馬不以走，但以糞糞田也。」一說國君無道，戎馬生於郊，無事走馬以糞田也，故兵車之軌，不接遠方之外。」淮南有許慎、高誘兩注，此一說疑許注，而與等高義同。東京賦薛綜注亦引老子「卻走馬以糞」，是漢末傳老子者皆無「車」字，張衡殆誤讀文子與！王弼「以糞田」，正用舊義也。車郊音亦相遠，吳氏以爲叶韻，尤所未詳。又按文子自然篇云，「足跡不接於諸侯之境，車軌不結於千里之外；」是「車軌」連讀無疑矣。何氏焯讀書記謂文子作「糞車」，李注偶未引及，非也。』情牽案：張景陽七命注引王弼曰：『天下有道，修於田而已，故卻走馬以糞田。』又漢書西域傳顏師古注：『老子德經曰：天下有道，卻走馬以爲糞，』疑『糞』字或內有『爲』字，或下有『田』字，此與『糞車』，同爲誤引無疑。韓非解老、喻老引經文，與此石同。王淮老子探義：河上公曰：「糞、糞田也。兵甲不用，卻走馬、治農田」。又曰：「戰伐不止，戎馬生於郊境之上，久不還也」。案：此章爲老子反戰之思想。凡道家皆爲天下之和平主義者，此實緣於其自然主義之基本立場與無爲而治之政治哲學。何以言之？蓋宗「自然」則必主「無爲」而反「有爲」，有爲之大且甚者，莫過於戰爭，故凡道家必反對「戰爭」而崇尚「和平」也。所謂「天下有道，却走馬以糞」，言和平時間，戰馬停止馳騁於疆場，轉而從事於農業生產。反之，戰爭時間「戎馬生於郊」，謂不分牝牡，雌馬亦服役於疆場，且久戰不歸，故幼馬生於郊野。無道之世，豈唯民不聊生，禽獸亦將不得其所矣。嚴靈峯老子達解：言有道之世，兵革不興，故屏棄乘載之馬而不用，以之治田疇也。按：自『天下有道』至『戎馬生於郊』諸句，與下文義不相應；疑當在三十章「以道佐人主者」句上。陳鼓應老子今證今釋：卻：屏去，退回。吳澄說：「却，退也。」糞：耕種。傅奕本『糞』作『播』。二字古時通用。鹽鐵論未通篇有說：『聞往者未伐胡越之時，繇賦省而民富足；溫衣飽食，藏新食陳；布帛充用，牛馬成羣；農夫以馬耕載，而民莫不騎乘。當此之時，卻走馬以糞。其後師旅數發，戎馬不足，牸牝入陣，故駒犢生於戰地，六畜不育於家，五穀不殖於野，民不足於糟糠。』這裡，替「卻走馬以糞」和「戎馬生於郊」舉了一個鮮明的實例。余培林老子讀本：天下有道。王弼曰：「天下有道，知足知止，無求於外，各修其內而已。」却，止息的意思。走馬，善走的馬。糞，糞田，耕種的意思。張揚明老子斠證譯釋：「卻走馬以糞」；傅作「以播」。景龍、敦煌「糞」作「坌」。畢沅：「糞、播，古通用」。于省吾：「按糞敦煌本作坌，景福本作糞，別體字也。傅奕本作播，同音假字也。卻字從無確語。糞田亦不應但曰糞，此乃望文生訓。卻字本應作陳，陳譌爲隙，後文又改爲卻。莊子田子方曰：『日夜無隙』，敦煌本隙作陳。大宗師作『使日夜無卻』。是其證。陳田古字通。走字自來皆以爲行走之走，誤矣。周人載籍，凡言走馬無訓行走者。走，趣古字通，敘官鄭注：『趣馬，趣，養馬者也』。田走馬以糞，田字逗，謂田養馬以糞之也。韓非子解老：『積力於田疇，必且糞灌，故曰天下有道卻走馬以糞也』。是韓子先言田疇。如改韓子下文爲田走馬以糞也，與上義相承。」揚明案：走馬，詩文王之什緜篇：「古公亶父，來朝走馬」。鄭箋：『來朝走馬，言其避惡，早且疾也』。孔疏：「其來以早朝之時，疾走其馬」。復案說文：「趣，疾也」。段注：「周禮趣馬，大鄭曰：趣馬，趣養馬者也」。按「趣養馬」，謂督促養馬」。又說文：「走，趨也。趨，走也」。段注：「大雅：『左右趣之』。毛曰：『趣，趨也』。此謂假借趣爲趨也」。于氏將「趣養馬者」，讀爲「養馬」，而强爲之說，不取。易馬之說是。從原句不改。」「卻走以糞：「卻」高亨：「卻猶驅也。」王淮：「卻，止也。高說非」。揚明案：說文段注：「節制而卻退之也」。增韵：「止也」。故弼注「知足知止」，即釋却義。王說是。「糞」，除也。昭三年左傳：「小人糞除先人之敝廬」。又施肥料於田也。禮月令：「可以糞田疇」，疏：「糞，壅苗之根也」。孟子滕文公：「凶年糞其田而不足」，趙注：「糞，治其田」。按說文段注：「古謂除穢曰糞。凡糞田多用所除之糞爲之，故曰糞」。河上公：「糞者糞田也。兵甲不用，卻走馬治農田。治身者，卻陽精以糞其身。」王弼：「貪欲無厭，不修其內，各求於外，故戎馬生於郊也」。李嘉謨：「有道則能使兵爲民，無道則能使民爲兵。可欲者，愛也。不知足者，取也。欲得者，有也。由愛生取，由取生有，遂有無窮之咎」。

禍莫大於不知足，咎莫大於欲得(47)

【斠補】河上本於此二句上，有罪莫大於可欲一語。俞云：據韓非解老篇，則此句當有。惟韓非子罪作禍，誤也。案俞說是。韓非子解老篇，禍字涉上文君禍禍亂而誤。又喻老篇亦引此三語，正作罪莫大於可欲，且承上文以名號爲罪，以城與地爲罪言，則老子本文作罪明矣。惟韓非子解老、喻老二篇，引咎莫大於欲得句，大均作憯。解老篇得又作利。又喻老篇此語上文云：苦痛雜於腸胃之間，則傷人也。憯憯則退而自咎，即釋此憯字之義也。憯與痛同，猶言禍莫痛於欲得也。老子古本亦必作憯，傅本猶然，今本作大，蓋後人上語大字律之耳。至於解老篇，得作利，則涉上語欲利而訛。顧千里識誤，謂當作得是也。

【疏證】義案：甲本作：「𥞟莫大於不知足，（咎）莫憯於欲得。」乙本作「（禍）、下缺）。」古本作「禍莫大於不知足，咎莫憯於欲得。」劉說大當作憯是也。吳澄道德眞經註：「咎莫大於欲得，禍莫大於不知足。罪愆惡咎禍，皆災殃，而禍重於咎，兵端之起，經罪由於知土地之爲可欲，知其可欲，務求得之，則貪奪矣，此災殃之始也，得之不知厭足，得隴望蜀，則戰爭無已時，此災殃之極也。」焦竑老子翼：陸希聲云：求而不已，必害於人，故禍莫大焉。欲而必得，其心愈熾，故咎莫重焉。然自非聖人，不能無欲，欲則不能無求，求而不知足，禍之甚者也。蘇子由云：以其可欲者示人，固有罪矣；而不足其足者，其禍又甚；所欲必得者，其咎最大。呂吉甫云：

由可欲，故不知足，則雖有餘而不止也。平爲福，有餘爲禍。故曰禍莫大於不知足。由不知足，故欲得，欲而得之，則怨咎之招。而兵之所以不已也。故曰咎莫大於欲得。李息齋云：可欲者，愛也。不知足者，取也。欲得者，有也。由愛生取，由取生有，衆有橫生，遂爲無窮之咎。」魏源老太本義：「傅奕本，咎莫大作莫憯，吳澄此句在禍莫大句之上。」王夫之老子衍：「禍發於方寸，福隱於無名。一機之動如蟻穿，而萬殺之爭如河決。故有道者，不爲福先，而天下無禍。豈强窒之哉？明於陰陽之亢，而樂遊於大同之圃，安能以已之已知，犯物之必害者乎？」馬叙倫老子校詁：禍莫大於不知足。倫案：吳此句在咎莫大句下。咎莫憯於欲得。紀昀曰：大，韓非作憯。畢沅曰：河上王弼憯作大，韓非解老篇得作利，李約憯作甚。說文解字：憯，痛也。古音甚憯同。劉師培曰：韓非得作利，亦涉上文而誤。顧廣圻謂當作得，是也。張煦曰：憯，呂等作大。石田羊一郎曰：與第一句義複，且礙文理，韓詩外傳引無，知是古注羼入。倫案：范作憯，臧疏、羅卷作甚。成疏曰：其爲咎責，莫甚於斯。是成亦作甚。甚借爲憯，聲同侵類。說文糂，重文作糣，是其例證。各本並作大。高亨老子正詁：禍莫大於不知足。按：「多欲」與「不知足」意同。此句與上句之別在禍字與罪字耳。咎莫大於欲得。按：說文：「咎，災也。」此句與上句之別在欲得二字，欲得言所欲者得也。所欲者得，常人訢慶，而老子以爲最大之咎也。朱謙之老子釋譯：嚴可均：『「罪莫大於欲得」，王弼無此句。』羅振玉曰：『景龍、御注、敦煌、景福四本均有「罪莫大於可欲」句，釋文河上本亦有此句。又「大」字敦煌本作「甚」。』謙案：廣明、慶陽、磻溪、樓正、遂州、柰卷、室町、高、顧、彭、傅、范均同此石。惟傅、范本第三句作「咎莫憯於欲得」，遂州、顧歡『大』作『甚』。韓詩外傳九引首句『可欲』作「多欲」，吳澄本第三句在第二句上。又「咎」乃「咎」之別構，與第九章同。惟韓非子解老、喻老二引「咎莫大於欲得」句，「大」均作「憯」，解老篇「得」又作「利」。又解老篇此語上文云：「苦痛雜於腸胃之間，則傷人也憯，憯則退而自咎」，即釋此「憯」字之義也。「憯」與痛同，猶言「禍莫痛於欲得」也。老子古本亦必作憯」，傅本猶然。今本作「大」，蓋後人以上語「大」字律之耳。至於解老篇「得」作「利」，則涉上文「欲利」而訛，顧千里識誤，謂仍當作「得」，是也。」情牽案：「『大』作『憯』，是也。『憯』與『甚』通。敦、遂本作『甚』，傅、范本作『憯』。范曰：『憯音慘，痛也。』畢沅曰：『河上公、王弼『憯』字亦作「大」，韓非作「咎莫憯於欲利」，李約「憯」作「甚」。說文解字「憯痛也」，古音甚，憯同。』嚴靈峯老子達解：言富貴不知止足，貪欲無厭，必招大禍：「多藏必厚亡」也。言爭名於朝，逐利於市；必遭災殃。「甚愛必大費」也。禍莫大於不知足，咎莫大於欲得：陸德明音義：『河上本「禍莫大於不知足」上，有「罪莫大於可欲」一句。』播：景龍本及衆本上各有「罪莫大於可欲」一句，朱得之本與韓非子同。似當從兪、劉二氏說補正，並以『禍莫大於不知足』句殿末。嚴靈峯馬王堆帛書老子試探：韓嬰韓詩外傳：老子曰：「罪莫大於多欲，禍莫大於不知足，故知足之足，常足矣。」張揚明老子斠證譯釋：王弼原無「罪莫大於可欲」一句。河上、傅、范、顧、彭、高、趙、寇、白、張、吳、景龍、御注、敦煌、景福、廣明、慶陽、樓正、遂州、奈卷、室町均有。陸德明釋文於「禍莫大於不知足」下注云：「河上本此句上有「罪莫大於可欲」一句。揚明案：罪，說文：「捕魚竹网。秦以爲辠字。辠，犯法也。咎，說文：

「災也。」」。段注：「災，當是本作烖。天火曰烖。引申之凡失意自天而至曰災」。釋詁：「咎，病也」。故罪係主動，罪由已犯。咎係被動，係天降災病，故咎由自取。「可欲」，係指可愛的東西，如千里之馬，如和氏之璧，如高祖見始皇而謂「大丈夫當如是也」，如呂不韋見異人而謂「此奇貨可居也」都是。所以三章說「不見可欲，使民心不亂」。欲得，是出於內心的貪念。所以「罪莫大於可欲」，是說一個人主動的去犯罪，莫大於見了可欲的東西而使心亂也。「咎莫大於欲得」，是說災禍之大，莫大於貪得無厭。所以兩句的意義不同。故應從多本增此一句。

故知足之足，常足矣。(78)

【斠補】河上本無矣字。案韓非子喻老篇引作知足之爲足矣，當爲古本。

【疏證】義案：甲本作「（上缺）恆足矣。」乙本作「（上缺）足矣。」古本韓詩外傳無異文。劉說是也。吳澄道德眞經證：「故知足之足常足。儻以各有分地，不求廣闢爲心，知自足之爲足，則不貪奪戰爭，而常自足矣」。焦竑老子翼：「陸希聲云：人皆有知足者，能知至知之足，則無所不足矣。蘇子由云：唯知足者，所寓而足，故無不足。呂吉甫云：故不知足者，雖足而不足，則知足之足常足也可知矣。李息齋云：若知取不必外，是謂知足，知足則無不足矣。」魏源老子本義：「司馬本無之足二字，又無矣字，韓非子作知足之爲足矣。李氏嘉謨曰：有道則能使兵爲民，無道則能使民爲兵。可欲者，愛也。不知足者，取也。欲得者，有也。由愛生取，由取生有，遂爲無窮之咎，觀不知足者，雖足而不足，則知足之足，常足也，可知矣。」馬叙倫老子校詁：「彭耜曰：司馬無之足二字。畢沅曰：本或無矣字。張煦曰：林蘇無矣字。倫案：羅卷無故字，館本作知足之足常，韓非喻老篇引無之字，常作爲，文選東京賦注引作知足常足也，宋河上羅卷易州張嗣成吳澄無矣字。倫案：右文舊爲第四十六章。」高亨老子正詁：故知足常足矣。此句王本原作「故知足之足常足矣。」司馬光本無「之足」二字。文選東京賦李注引同。今據刪。按：無「之足」二字，是也。朱謙之老子釋譯：嚴可均曰：『「常足」御注、王弼作「常足矣」。』羅振玉：『敦煌本無「故」字、「矣」字。』情牽案：嚴遵本亦無『故』字，遂州本無『矣』字，韓詩外傳引有。司馬光本無『之足』二字。韓非喻老引『知足之爲足矣』，文選東京賦注引，『知足常足』。案『足』字從止，即『趾』字，故義爲止。易『鼎折足』，鄭注『無事曰趾，陳設曰足。』漢書五行志『足者止也。』二十八章『常德乃足』，河上注『止也』。劉咸炘曰：「知止即知反，經屢言知足即知止，知止謂保富貴也，相對往來皆不常久，必反，乃爲常，乃能久。』常久，實老子之宗旨。王淮老子探義：嚴幾道曰：「俄之所以見敗於日本者，坐不知足而欲得耳」。案：無論就任何觀點言，在人類之社會中，戰爭永遠是一種文化現象之病態，老子首先診斷病理，認爲病因在於爲政者主觀心理之「多欲」、「不知足」、與「欲得」。是故釜底抽薪之道，厥爲消滅一切可能的戰爭之動機。而老子之處方，則爲「知足常足」。知足、是一種「智慧」，同時也是一種「德性」之涵養。老子之政治哲學：以人君之修「德」養「智」爲第一義，重內政、輕外交；務農事，反戰爭。此其大要也。張揚明老子斠譯釋：「功成身退」，全性保眞；「長生久視」，不居不去；則可以常足矣。禍莫大於不知足，咎莫大於欲得，故知足之足常足矣。按：諸句與上文不相應，疑當在四十四章「知足不辱」句後。

四十七章　鑒遠

不出戶，知天下；不闚牖，見天道。(49)

【斠補】案韓非子喻老篇引作不出於戶，可以知天下；不窺於牖，可以知天道。當爲老子古本，今本經後人删改。

【疏證】義案：甲本作「不出於戶，以知天下；不規於牖，以知天道。」乙本作「不出於戶，以知天下；不覞於□，□知天道。」古本作「不出戶，可以知天下；不窺牖，可以知天道。」劉說知見上有可以是也。不「規」於牖：通行本「規」作「窺」。說文：『窺，小視也。從穴，規聲。』王弼本作「窺」。范應元曰：『古文作「闚」，音窺。』字林：『闚，傾頭門內視也。』此叚字之下部爲之。現存本無有作「規」者。不「覞」於□：通行本「覞」作「窺」。說文：『窺，正視也，穴中正見也。正亦聲。』帛書作「覞」，與「覞」字甚近似。此叚字之下部爲之。「覞」字說文未收，亦未見他書。現存本無有作「覞」者。吳澄道德眞經註：「天下萬事萬物之理，皆備於我，故雖不出戶而徧知天道者，萬理之一原，內觀而得，非如在外之有形者，必窺牖而後見也。」焦竑老子註：「蘇子由云：性之爲體，充徧宇宙，無遠近古今之異。古之聖人，其所以不出戶牖，而無所不知者，特其性全故耳。呂吉甫云：天下之所以爲天下者果何邪？見天下之所以爲天下，則不出戶，而知之矣。天道之所以爲天道者果何邪？見天道之所以爲天道，則不窺牖而見之矣。李息齋云：天地不可以形盡，而可理盡，故其出彌遠，其知彌少。若知其理之在此，則雖閉戶可也。章安云：夫知見何事於出？何待於窺？出戶則有行，窺牖則有見，聖人不行而本乎智，不見而本乎心。故天下之事，皆可得而知。」魏源老子本義：「淮南子戶牖下有兩以字，韓非子作不出於戶，可以知天下，不窺於牖可以見天道，傅奕本同，但無兩於字。」呂氏惠卿曰：聖人知天下之所以爲天下，故不行而知，見天道之所以爲天道，故不見而名。夫何故？以其備於我故也，知之於所不行，名之於所不見，則不爲而成矣。王夫之老子衍：不出戶，知天下；章安曰：出戶則離此而有知。不窺牖，見天道。章安曰：窺牖則即彼而有見。」道，盈於向背之間。有所向，斯有所背矣。無所向，無所背，可名之中。乃使人貿貿然終日求中而不得，爲天下笑。無已，姑試而反之。反非中也，而漸見其際。有欻乎？如光之投隙；有約乎？如絲之就絡。物授我知而我不勤，乃知昔之逐亡子而追奔馬者，勞而愚矣。非然，則天下豈有「不行而知，不見而名，不成而爲」者哉？馬敍倫老子校詁：不出戶，可以知天下。范應元：傅奕韓非與古本兩句皆有可以二字。紀曰：韓非出下有於字。畢沅曰：河上王弼兩句皆無可以二字，陸希聲作不出戶而知天下。張煦曰：呂等無可以二字，下同。倫案：淮南道應引至彌少，此二句皆無可字，下句知作見，磻溪作不出戶知天下，范同此，棄卷及淮南道應訓文子道原篇治要意林引無可字，各本無可以二字，下同。譣弼注曰：故不出戶闚牖而可知也，是王兩句皆有可字。呂氏春秋君守篇作不出於戶而知天下，淮南主術訓及後漢書張衡傳注文選思玄賦注引，並作不出戶而知天下。韓詩外傳三曰：昔者不出戶而知天下，不窺牖而見天下。蓋本此文。不窺牖，可以知天道。畢沅曰：陸希聲作不窺牖而見天道。張煦曰：趙窺作窺，呂作闚。倫案：磻溪作不闚牖見天道，張之象窺作闚，各本及淮南道應訓主術訓呂氏春秋君守篇治要意林文選思玄賦注（涵本無此句）。引同此。羅卷無牖字。臧疏無可字。知，韓非喻老篇呂氏春秋淮南引同此，各本及文選思玄賦注引作見。成疏曰：覩自然之道，是成亦作見。諗弼注曰：故不出戶闚牖而可知也，則王兩句並作知。畢沅曰：說文曰：窺，小視也。闚，閃也。閃，闚頭門中也。方言，凡相闚視，南楚謂之闚。沅以爲穴中闚視曰窺，門中窺視曰闚，應用闚字。倫案：古小少字同，小視與窺頭門中非二義，窺闚一字。」陳柱老子註：王弼謂事有宗而物有主，途雖殊而同歸也，慮雖百而其志一也。道有大常，理有大致，執古之道，可以御今，雖處於今，可以知古始，故不出戶闚牖而可知也。」朱謙之老子釋譯：羅振玉曰：『景福本「戶」下，及下句「牖」下，均有「以」字。』情牽案：奈卷、室町及淮南道應訓、文子道原篇、治要、意林引與景福本同。又文子精誠篇、下篇引『戶』下有『以』字，淮南主術訓、後漢書張衡傳注、文選思齊賦注、韓詩外傳三引有『而』字。呂氏春秋君守篇引作『不出於戶而知天下』，傅、范本作『不出戶，可以知天下。』韓非子喻老作『不出於戶，可以知天下。』又淮南子主術訓『人主者，以天下之目視，以天下之耳聽，以天下之智慮，以天下之力爭。』蓋即『不出戶知天下』之古義。羅振玉曰：『景龍本、御注本「牖」作「牗」，牗之別體。』情牽案：羅卷『窺』作『闚』，缺『牖』字，『見天道』作『知天道』。御注、邢玄、慶陽、磻溪、樓正、河上、顧歡、彭耜、傅奕、高翿均作『窺』，同此石。諸王本、室町本作『闚』。又『牖』下顧歡、室町本有『以』字，陸希聲有『而』字。呂氏春秋君守篇引作『不窺於牖，而知天道；』文子精誠篇作『不窺於牖，以知天道；』傅、范本作『不窺牖，可以知天道。』又尸子處道篇引仲尼曰：『不出於戶而知天下，不下其堂而治四方；』鬼谷子本經陰符七篇引『不出戶而知天下，不窺牖而知天道；不見而命，不行而至。』語亦本此。畢沅曰：『案韓非子作「不闚於牖，可以知天道」；說文解字曰：「窺，小視也；」「闚，閃也」，「閃，窺頭門中也。」方言「凡相竊視，南楚謂之闚。」沅以為穴中竊視曰窺，門中竊視曰闚，應用「闚」字。老子楚人，用楚語矣。韓非是。』情峯案：畢說是也。玉篇『闚，相視也，與窺同；』字林：「闚，傾頭門內視也，字亦作闚。」任大椿字林考逸引漢孟郁修堯廟碑云：『䦱極道之要妙』云云，據此知『闚』『䦱』二字通。又『窺』說文：『小視也，从穴規聲；』與闚略同。易觀『闚觀利女貞』用『闚』；豐『闚其戶』用『闚』，此當用闚。敦煌本作『闚』，與韓非喻老篇同，當從之。夏竦古文四聲韻出『闚』字，引厲山木道德經本作䦱。王淮老子探義：王弼曰：「事有宗而物有主，途雖殊而同歸也，慮雖百而其致一也。道有大常，理有大致，執古之道可以御今，雖處於今可以知古始，故不出戶窺牖而可知也」。案：「天下」：指經驗、事物。「天道」：謂原理、法則。「見天道」是「知天下」之基礎之前提；「知天下」是「見天道」之作用與效果。蓋修道者之智慧能夠把握各種原理與法則，因而對於經驗事物可以充份認識而有效處理。又：「不窺牖、見天道」：謂原理法則之發現，唯是一種智慧之反省與直覺，而可以不假外求；「不出戶、知天下」：謂以道制器，以理制事，完全是一種以靜制動之方式，亦即所謂「處無為之事」也。嚴靈峯老子達解：

「既得其母，以知其子」。「以天下觀天下」，故不出戶，可以知天下也。執古之道，以御今之有。」通於一，萬事畢。天下同歸而殊途，一致而百慮；故不闚牖，可以見天道也。按：本章自「不出戶知天下」至章末「不爲而成」止，全章文疑並當在四十三章：「吾是以知無爲之有益」句下。嚴靈峯馬王堆帛書老子試探：呂氏春秋（季春紀：先己：「不出於門戶，而天下治者。」呂氏春秋審分：「故曰：不出於戶，而知天下；不窺於牖，而知天道。其出彌遠者，其知彌少。」淮南道應：「故老子曰：不出戶，以知天下；不窺牖，以見天道；其出彌遠，其知彌少。」淮南主術：「是故不出戶而知天下，不窺牖而知天道。」後漢書張衡傳思玄賦：「不出戶而知天下兮。」陳鼓應老子今註今譯：「天道：自然的規律。」余培林老子讀本：不出戶，知天下；不窺牖，見天道。謂天下雖大，不出戶亦可知；天道雖廣，不窺牖亦可見。因萬事有則，萬物有理，知其則、識其理，則萬事萬物、如網在綱，無不瞭然。此即莊子所謂的「通於一而萬事畢」（天地篇）的道理。況萬事萬物總原理的道，是視之不可見，聽之不可聞，搏之不可得，而存於吾人心性之中。吾人只要內觀返照，化私去欲，道自可見，故不須「出戶」「窺牖」。若必於知識經驗中求之，則愈求愈迷了。」星揚明老子斠證譯釋：淮南子「戶牖」下有兩「以」字。韓非子作「不出於戶，可以知天下；不窺於牖，可以見天道」。傅同；惟無「於」字。陸希聲作「而知天下」，「而見天道」。河上「闚」亦作「窺」。揚明案：各本均作「不行而知」，河上、王弼所注亦係以「知」立論；惟吳澄獨作「至」。但考吳注「不待行出，而已如徧至其處，故能悉知天下之事」，是吳亦作「知」無疑。其所以誤爲「至」者，係誤解吳注，以爲「如徧至其處」，係釋至字，故以注改經。殊不知「不待行出而如徧至其處」者，只是釋「不行」而衍其義而已。下文「故能悉知天下之事」一語，正解「知」字。馬敍倫亦謂當作「至」，失之。又：「知」與「明」同義，既謂「不行而知」，又謂「不見而明」，似嫌重複。故作「名」是。名是名稱，其義是說即不見也可以說出名稱來。故原句不能改。」河上公：「聖人不出戶以知天下者，以己身知人身，以己家知人家，所以見天下也。天道與人道同。天人相通，精氣相貫。吉凶利害，皆由於己」。王弼曰：「事有宗而物有主，途雖殊而同歸也，慮雖百而其致一也。道有大常，理有大致，執古之道，可以御今，雖處於今，可以知古始。故不出闚牖，而可知也」。呂吉甫：「天下之所以爲天下，天道之所以爲天道者，果何邪？得其所以然者，則不出戶牖而知之矣。如必待出而後知之，則足力目力所及幾何？」李嘉謨：「出而求天地者，求其形也。天地不可以形盡，而可以理盡」。

四十八章　忘知（闕）

四十九章　任德

聖人在天下，歙歙爲天下渾其心，聖人皆孩之。(50)

【斠補】王注：皆使和而無欲，如嬰兒也。案此文聖人在天下，歙歙爲，在疑任字之訛。歙歙爲者，與二十章沌沌兮一律，乃形容任何天下之詞也。文選東京賦李注引老子曰：聖人在天下，惵惵焉。惵惵即歙歙異文，焉與爲同。足證古本歙歙爲句，爲與焉同。說文：歙，縮鼻也。莊子山木篇則呼張歙之。釋文云：歛也。又淮南精神訓云：開閉張歙。則歙即三十六章將欲歙之之歙，乃斂閉之義也。此言聖人治天下，行治不尚侈，張天下渾其心，下當脫百姓皆注其耳目一語，此兩語爲對文。下言聖人皆孩之，言民雖紛志役欲，聖人乃以無知視之也。

【疏證】義案：甲本作「□□之在天下，翕=焉，爲天下渾心，百姓皆屬耳目焉，聖人□□□。」乙本作「耶人之在天下也，欱=焉）（下缺七字）（生）皆注亓（下缺七字）。古本作「聖人之在天下，歙歙焉；爲天下，渾渾焉；百姓皆注其耳目，聖人皆咳之。」劉說言有脫文是也。□生皆注：通行本「生」作「姓」。說文：『姓，人所生也，從女，生亦聲。』按：「左隱公八年傳：『因生以爲姓。』典禮注：『姓之言生也。』此叚右偏旁字爲之。現存本無有作「生」者。「耶」人之在天下：通行本「耶」作「聖」。說文：『聖，通也。从耳，呈聲。』按依帛書當作「从耶」，「从王」。从王」。从說文則是叚右偏旁字爲之。依帛書係叚字之上部爲之。現存本無有作「耶」者。聖人皆「咳」之：通行本「咳」作「孩」。說文：『咳，小兒笑也。从口，亥聲。古文从子。』爾雅釋詁三：『孩，少也。』按：「孩」、「咳」古今字。吳澄道德眞經註：「聖人之在天下，歙歙焉爲天下渾其身心，百姓皆注其耳目，聖人皆孩之。歙歙，縮意，王氏曰：心無所主也，渾意無適莫也，諸本歙歙作惵惵，或作怵怵，皆恐懼意。惟王弼作歙，以心無所主釋之，與上下文意協。董思靖曰：渾混同，蓋融化其異，混合其同。皆孩之，謂不生分別。蘇氏曰：天下之善惡信僞，各自是以相非，聖人則待之如一，彼方注其耳目，以觀聖人之予奪，而一以嬰兒遇之，無所喜嫉，是以善信者不矜，惡僞者不慍，釋然，皆化而天下定矣。」焦竑老子翼：「蘇子由云：天下善惡信僞，方各自是以相非，相賊不知所定。聖人憂之，故惵惵爲天下渾其心，無善惡，無信僞，皆以一待之。彼方注其耳目，以觀聖人之予奪，而吾一以嬰兒遇之，於善無所善，於惡無所嫉。夫是以善者不矜，惡者不慍，釋然皆化，而天下始定矣。呂吉甫云：聖人之在天下，惵惵然不已，爲百姓渾其心。渾其心也者，使善信者不以自異，而不善不信者，不自棄故也。百姓皆注其耳目，唯聖人之爲視聽，而聖人皆孩之。孩子也者，遇之以慈，待之以厚，雖有不善不信，猶善而信之，知其心之無常，猶己而已矣。李息齋云：「怵怵然，常恐天下之人德有心，而心有眼，穿鑿取與，不見大全，故每爲天下渾其心。百姓用耳目所接者爲明，而不知其非明也。聖人皆孩而畜之，使不爲非明所亂。李宏甫云：聖人則合天下之人，而渾爲一心，百姓皆注其耳目，以我觀彼，以此視我，各相是非，不可一也。聖人見此不喜，聞彼不怒，一以嬰兒遇之。是以彼亦不矜，此亦不愠，釋然皆化，而天下定矣。」魏源老子本義：「聖人在天下，聖人下，本有之字。惵惵爲天下渾其心，王弼作歙歙，河上作怵怵，釋文作惔惔，一本惵惵下有焉字。渾其心，傅奕作渾渾焉。百姓皆注其耳目，聖人皆孩之。孩，釋文作咳。呂氏惠卿曰：物得以生之謂德，則德者物性之所自出，而無不善不信，明矣。陳氏懿曰：惵惵，不自安之意，聖人無自矜自是之心，故常有不自安之意。渾其心者，渾然不分其善不善也。」王夫之老子衍：「聖人在天下，歙歙爲天下渾其心，百姓皆注其耳目，聖人皆孩之。即有聖人，豈能使天下之皆孩邪？一生二而有陰陽，有陰陽而有性情，有性情而有是非。夫性情之凝滯以干陰陽之肖者而執之，將遂以爲常乎？常於此者，不常於彼矣。唯執大常以無所常，故恣陽亢陰凝之極，而百姓可坐待其及。我爲焦土，百姓爲灌潦；我爲和風，百姓爲笙竽。有漬而不受，有聲而不留，則善之來投，若稚子學語於翁嫗之側，而況夫不善之注耳目者乎？嗚乎！天下之有目而注者多矣，與之爲目者，則亦注也。聖人不爲目，而天下自此孩矣。」馬叙倫老子校詁：「聖人在天下。彭耜曰：纂微司馬曹陳並無之字。紀昀曰：人下一本有之字。畢沅曰：河上王弼無之字。張煦曰：呂蘇無之字。石田羊一郎曰：任本作在。古書任或誤在，淮南詮言訓在智則人與之訟，在力則人與之爭。王念孫云：在當作任。倫案：范彭吳有之字，各本無，在字，劉說是也。歙弼注曰：在智則人與之訟，在力則人與之爭，陶紹學謂二在字疑應作任，據此則王作任。歙歙焉爲天下渾渾焉。陸德明曰：歙歙，一本作惵惵，河上本作惔。簡文同，河上作怵。范應元曰：嚴遵王弼同古本。彭耜曰：司馬惵惵下有焉字。渾心，纂微司馬蘇曹達具陳葉清源黃並作渾其心。王昶曰：開元至元作惵惵爲天下渾其心。畢沅曰：河上王弼無焉字。古無惵字，作怵是，怵歙聲義相近。渾渾焉，河上王弼並作渾心焉。張煦曰：呂蘇葛趙作惵惵爲天下渾其心，林作歙歙爲天下渾其心。御覽六七引作愉然。倫案：歙歙，宋河上臧疏奈卷易州作怵怵。成疏曰：怵怵，勤懼之貌，是成亦作怵怵，羅卷彭寇白張嗣成二趙潘磻溪作惵惵，吳有焉字，各本無，渾渾焉范作渾心焉，館本彭作渾心，無焉字，羅卷作混其心，各本作渾其心。諭弼注曰：歙歙焉心無所主也，爲天下渾心焉，意無所適莫也，是王作歙歙焉爲天下渾心焉。倫謂老子本文當作歙歙焉渾渾焉，蓋老子之義，謂聖人之治天下，無所分別，百姓皆欲視聖人之動作，而聖人一切懷之而已，使曰爲天下渾其心，安得復曰百姓皆注其耳目乎？觀此無其心二字而重渾字，本或作渾心或作渾其心。蓋由文有錯脫，而讀者以意增損其間，以求通其義，轉不得其義矣，倫案：歙借爲合，渾借爲梱。百姓皆注其耳目，聖人皆咳之。陸德明曰：咳，本或作孩，成玄英曰：河上作注，諸本作浮。彭耜曰：司馬下有焉字，陳無其字。畢沅曰：聚珍版王弼本無百姓一句，據陸德明釋文應有，諸本皆有，咳，河上作孩。同，俞樾曰：觀弼注曰：百姓皆注其耳目焉，吾皆孩之而已。則亦有此句。張煦曰：呂等及御覽七六引皆有百姓一句。倫案：各本並有百姓一句。成疏曰：衆生妄浮耳目，是成注字亦作浮，館本作淫，今各本作注。然陸出注字曰：之樹反，則作浮者蓋別本。咳，羅卷館本作㤥，各本作孩。倫案：注浮皆借爲䜴，今作投。（說文䜴投異字，然䜴訓遙擊。投訓擲也，擲即遙擊，則實一字也。）莊子達生篇以瓦注者巧。呂氏春秋去尤篇引注作投，投即䜴字。（說文從殳豆聲，豆即壴省，逗從壴聲，讀若住。住說文作梪，從豆聲，讀若樹，蓋並從壴省聲。）說文曰：「繇擊也，咳孩一字，咳㤥又並借爲晐。說文曰：晐，兼晐也。倫案：右文舊爲第四十九章。」陳柱老子註：「句上當從釋文本增『百姓皆注其耳目』句，此謂聖人之在天下，歙歙焉渾渾焉，無所用心，而於百姓耳目之所注，則如慈母之於嬰孩焉，固無所不至也。」高亨老子正詁：聖人在天下，「人」下傅本有「之」字。歙歙爲天下渾其心。「歙歙」河上本作「怵怵」。按：歙歙猶汲汲也。歙讀爲潝。說文：「潝水疾流聲。」是潝有疾義，而潝潝猶言汲汲矣。汲本字作彶，說文：「彶，急行也。」河上作怵者，疑忣字之譌，忣古急字也。（見淮南子。）急急與彶彶更相近矣，歙潝古通用。詩小旻：「潝潝訿訿」，漢書劉向傳引潝潝作歙歙，即其證。歙與汲彶急古亦通用。史記司馬相如傳：「瀏蒞卉吸，」索隱本吸作歙，即其左證。此句言聖人急急使天下人心渾濁，歸於無識無知也。百姓皆注其耳目。王本無此句，河上本傅本並有之。今據補。按：當有此句。說文：「注，灌也。」百姓用耳以聽，用目以視，即是耳目有所灌注。故河上公曰：「注，用也。」今人恆言注目注意，即此義。聖人皆孩之。「孩」傅本釋文並作「咳」。嚴遵本作「駭。」龍興觀碑唐寫本殘卷並作「㤥」。按：孩借爲閡。說文：「閡，外閉也。」漢書律曆志：「閡藏萬物。」顏注引晉灼曰：「外閉曰閡。」聖人皆孩之者，言聖人皆閉百姓之耳目也。上文云：「歙歙爲天下渾其心。」即謂使天下人心胥渾渾噩噩，而無識無知也。此文云：「百姓皆注目其耳目，聖人皆閡之。」即謂閉塞百姓耳目之聰明，使無聞無見也，此老子之愚民政策耳。孩咳一字，因其爲借字，故亦作駭作㤥。晏子外篇第八：「頸尾咳于天地乎。」孫星衍曰：「咳與閡同。」亦以咳爲閡。朱謙之老子釋譯：嚴可均曰：『「怵怵」御注作「惵惵」，河上作「悏悏」，王弼作「歙歙」』，簡文云「河上作怵」，高翿作「喋喋」。』羅振玉曰：『案景龍、景福二本作「怵怵」，御注本、敦煌本作「惵惵」，「渾」敦煌本作「混」。』畢沅曰：『河上公作「怵怵」，王弼作「歙歙」，蘇靈芝書明皇注本作「惵惵」，陸德明曰：「一本作惵惵，河上本作淡淡，簡文云：河上作怵怵」；今案河上公作怵怵，與簡文所見之本同。古無「惵」字，作「怵怵」，歙、怵聲義相近。』情牽案：室町、柰卷、顧歡作『怵怵』，同此石。傅、范、本作『歙歙』，同王弼。慶陽、磻溪、樓正、彭、趙作『惵惵』，同御注。河上注：『聖人在天下怵怵，常恐怖富貴，不敢驕奢；』是河上本作『怵怵』，簡文云：『河本作怵』是也。唐本『怵』多作『惵』，蓋本嚴注。嚴君平曰：『惵惵若恢恢，言虛心以包萬方也；』彭耜釋文曰：『歙歙固無義，惵惵亦無理，愚意惵惵當作慄慄，危懼貌。蓋字之訛也。』情牽案：玉篇『惵，徒頰切，恐懼也。』『怵，恥律切，懼也。』又說文『怵，恐也。』廣雅釋詁二『怵懼也。』釋訓『怵惕，恐懼也。』禮記祭統『心怵而奉之以禮』。孟子『皆有怵惕惻隱之心』。是『惵惵』與『怵怵』均爲恐懼之貌，義通。

又案『渾其心』，遂州、景福、御注、慶陽、磻溪、樓正、柰卷、室町、河上、顧、高、趙並同此石。嚴遵，彭耜無『其』字，傅本作『渾渾焉』，范本作『渾心焉』。范云：『嚴遵，王弼同古本。』案渾其心即渾渾沌沌之意，呂覽大樂篇『渾渾沌沌』，文選江賦注『渾渾沌沌，雞卵未分也；』左傳文十八『謂之渾敦』，注『不開通之貌』。情牽案：劉說非也。各本均作『在』，不作『任』，此全句當爲『聖人在天下，怵怵；爲天下，渾渾。』『在天下』與『爲天下』對，『怵怵』與『渾渾』對，『渾其心』三字乃『渾渾』注文竄入。傅本『聖人在天下，歙歙焉；爲天下，渾渾焉；』之字、焉字皆增字。但『渾渾』二字與『怵怵』相對，則無疑也。

羅振玉曰：『百姓皆注其耳目』，王本今本脫此句，景龍、御注、敦煌本均有之。』紀昀曰：『案「孩」釋文云「王弼作咳」，據注文仍宜作「孩」。』武內義雄曰：『敦、遂二本「孩」作「㤥」，釋文「咳本或作孩」。』情牽案：今傳、范本作『咳』，嚴遵本作『駭』，范曰：『咳，何來切，小兒笑兒。舊本、釋文並作咳。』兪樾曰：『按「爲天下渾其心」下，河上本有「百姓皆注其耳目」七字，王弼本當亦有之。故注云：「如此則言者言其所知，行者行其所能，百姓各皆注其耳目焉，吾皆孩之而已；」是可證其有此句也。注有「各用聰明」四字，在「爲天下渾其心」句下，正解百姓皆注其耳目之誼，而經文奪此句，當據河上公本補之。』情牽案：據補之是也。諸王本誤脫此句，道藏王本有之。又『注』猶聚也，周禮獸人及獘田，疏『注猶聚也。』注其耳目，即聚其耳目。顧本成疏：『河上作「注」，諸本作「浮」，浮者染滯也，顚倒之徒，迷沒世境，縱恣耳目，滯著聲色，旣而漂浪長流，愆非自積；』云云，案『浮』乃妄人以意改字，以求合於佛說；老子無此。高亨曰：『按「孩」借爲「閡」。說文：「閡，外閉也；」漢書律曆志「閡藏萬物」，顏注引晉灼曰：「外閉曰閡」。聖人皆孩之者，言聖人皆閉百姓之耳目也。上文云「歙歙爲天下渾其心」，即謂使天下人心，胥渾渾噩噩，而無識無知也。此文云：「百姓皆注其耳目，聖人皆閡之，」即謂閉塞百姓耳目之聰明，使無聞無見也。此老子之愚民政策耳。孩、咳一字，因其爲借字，故亦作駭、作咳。晏子外篇第八「頸尾咳於天地乎」！孫星衍曰：「咳與閡同」，亦以咳爲閡。』王淮老子探義：王弼曰：夫以明察物，物亦競以其明應之。以不信察物，物亦競以其不信應之。夫天下之心不必同，其所應不敢異，則祖肯用其情矣。甚矣，害之大也，莫大於用其明矣。……若乃多其法網，煩其刑罰，塞其徑路，攻其幽宅，則萬物失其自然，百姓喪其手足，鳥亂於上，魚亂於下。是以聖人之於天下，歙歙焉心無所主也，爲天下渾心焉，意無所適莫也。」案：歙歙，王弼注以「心無所主」釋之。渾其心，以「意須所適莫」解之。可謂得其正詁。此言聖人在上清靜自然，以「無爲」蒞天下，所謂「歙歙爲天下渾其心」者，言其無常心（毋意、毋心、毋固、毋我），而以百姓心爲心也。本經第十章曰：「明白四達，能無知（原作「爲」）乎」，五十二章曰：「塞其兌、閉其門，終身不勤」，皆所以喻聖人之「無心」、「無知」、「無欲」，故「無爲」也。蓋「無爲」原則上必以「無心」爲本，唯無心乃可無爲，此聖人所以「歙歙爲天下渾其心」也。百姓皆注其耳目，聖人皆孩之。河上公曰：「注、用也。百姓皆注其耳目爲聖人視聽」。王弼曰：「無所察焉，百姓何避。無所求焉，百姓何應。無避無應，則莫不用其情矣。人無爲捨其所能而爲其所不能；舍其所長而爲其所短。如此，則言者言其所知，行者行其所能，百姓各皆注其耳目焉，吾皆孩之而已」。案：「孩」字歷來無善解，諸本或作「咳」（傅奕、范應本作），或作「駭」（嚴遵本），或作「恢」（敦煌本、遂州本），皆了無義趣。今案：「孩」爲「賅」之假，賅、賅備也。此言聖人在上無心無爲（渾其心），百姓皆注其耳目，（用其耳目，以表現其是非好惡），聖人皆兼而取之（以百姓心爲心，而因循其是非好惡）。蓋聖人唯是以因循自然爲「道」，以俯順民心爲「德」，以成無爲之「治」耳。」嚴靈峯老子達解：聖人無心，故歙歙焉爲天下渾其心也。言百姓各用其耳目之聰明，而聖人皆視之如赤子也。聖人在天下歙歙：王弼

注：『是以聖人之於天下，歙歙焉，心無所主也。』依注，王本「歙歙」下當有「焉」字。按：傅奕本、范應元本作「焉」字，當據補正。百姓皆注其耳目：蔣錫昌曰：『按：浙局王本老子後附校勘記云：「閣本、畢本、黎本並有「百姓皆注其耳目。」一句。據注「各用聰明。」釋文「注，之樹反。」知王弼本實有此句。以文繁難補，附記於此。」道藏王本及諸本均有此句，當據補入。』蔣說是也。按：王弼注云：『百姓各皆注其耳目焉，吾皆孩之而已。』是張之象本在「爲天下渾其心」句下脫此七字。陳鼓應老子今註今譯：歙歙焉：「歙」，收斂，指收斂意欲。范應元說：「歙：音吸，收斂也。」劉師培說：「『歙』，乃歙閉之義也。此言聖人治天下，行治不尚侈張。」徐復觀先生說：「歙歙，正形容在治天下時，極力消去自己的意志伸長出來作主，有如納氣入內（歙）。」（中國人性論史）歙歙焉：原缺「焉」字。傅奕本、司馬光本、李約本、吳澄本、范應元本均有「焉」字。王弼註文：「是以聖人之於天下『歙歙焉』，心無所主也。」可見王本「歙歙」下面也有「焉」字，因據傅本添增。渾其心：使人心思化歸於渾樸。聖人皆孩之：『聖人』使他們都回復到嬰孩般眞純的狀態。徐復觀說：「聖人皆孩之的方法，亦只是聖人自己抱一守樸，不給百姓以擾動。亦即是無爲而治。」余培林老子讀本：歙歙焉：「歙」猶三十六章「將欲歙之」的「歙」，收斂的意思。「焉」是語尾詞，猶「然」。此句王弼本作「歙歙」，無「焉」字。注曰：「是以聖人之於天下，歙歙焉心無所主也。」由註文知王本原有「焉」字。傅奕本、吳澄本、范應元本皆有「焉」字，今據傅、吳諸本及王弼注文增補。爲：治。渾其心：王弼曰：「爲天下渾其心焉，意無所適莫也。」按「渾」是渾樸的意思，「其」指聖人自己。「渾其心」即質樸其

心，亦即「無常心」的意思。各註家皆釋爲渾百姓之心，恐非是。又按馬敍倫以爲此句「老子本文當作渾渾焉」，極爲有理。因若作「渾渾焉」，則原文即爲「聖人在（猶於）天下，歙歙焉；爲天下，渾渾焉。」文既對稱，意亦明暢。但因無確據，未敢擅改。百姓皆注其耳目：「注」，專注。「注其耳目」，謂凝視傾聽。形容百姓的愚痴如嬰兒的狀態。王弼本無此句，河上公及釋文本皆有。王弼注曰：「百姓各皆注其耳目焉，吾皆孩之而已。」是王本原也有此句。今據河上公本及王弼註文增補。孩之：謂視之如嬰兒。」張揚明老子　補譯釋：「聖人在天下」：傅、范、彭、吳「人」下有「之」字。王念孫：『在』當作『任』。揚明案：作「任」亦通；惟「在天下」，則未負天下重任者——即無位之聖人，亦包括在內，義較廣。王、陶、劉、馬之說備考。「歙歙爲天下渾其心」：傅作「歙歙焉爲天下渾渾焉」。河上「歙歙」作「怵怵」。開元、至元、魏源均作「惵惵」。范應元：「嚴遵、王弼同古本。」揚明案：釋文正作「歙歙」，注：「危懼貌」。「歙歙」是。「百姓皆注其耳目」：王弼原無此句，各本皆有。揚明案：俞說是。據增。「聖人皆孩之」：傅「孩」作「咳」。敦煌、遂州作「㤥」。「歙歙」：釋文：「歙歙，許及反。危懼貌」。「渾其心」：陳懿典：「渾然不分其善不善也」。揚明案：渾其心者，即不穿鑿，不辨別，不分析，而玄同之意。「皆孩之」：高亨：「孩借爲閡。說文：『閡，外閉也』。聖人皆㤥之者，聖人皆閉百姓之耳目也，此老子之愚民政策耳。孩咳一字，因其爲借字，故亦作駭作㤥」。揚明案：說文：咳孩一字。咳㤥又並借爲賅。賅，兼賅也。此處如作兼賅之義，則是聖人無善無不善，兼取之而已。如作一以嬰兒遇之，則不但兼取，且有生之畜之，長之育之，亭之毒之，養之覆之之意。故其義長。至高說則誤解老子，不足取。張說是也。

五十章 貴 生

生之徒，十有三；死之徒，十有三；人之生，動之死地，亦十有三。(51)

【斠補】王注：取其生道全生之極，十分有三耳；取死之道全死之極，亦十分有三耳；而民生生之厚，更之無生之地焉。河上注：人之求生動作及十三死也。案韓非子解老篇云：人之身三百六十節，四肢九竅，其大具也。四肢與九竅，十有三者，十有三者之動靜，盡屬於生焉，屬之謂徒也。故曰：生之徒也。十有三者，至死也。十有三具者，皆還而屬之，於死死之徒，亦十有三。故曰：生之徒十有三，死之徒十有三。凡民之生生而生者固動，動盡則損也，而動不止，是損而不止也。損而不止，則生盡，生盡之謂死，則十有三具者，皆爲死死地也。故曰：民之生生而動，動皆之死地之十有三。據此文觀之，則十有三者，四肢九竅相合之數也。徒者，屬也。而王本人之生以下，脫生而動三字，之死地上文，脫皆字。老子之旨，蓋言民生則思動，動則皆趨死地也。趨，往也。民字作人，係避唐諱改。傅奕本與韓非子同，此爲古本。惟韓非子十有三上之之字，誼不可通，傅本作亦，當從之。文選鮑照代君子有所思行，李注引老子作人之生生之厚，動皆之死地十有三，蓋誤涉下語生生之厚而誤。然足證古本人之生下，較王本增三字。

〔疏證〕義案：甲本作「（上缺）徒十有三，而民生＝動皆之死地之十有三。」乙本作「生之□□□□，（死）之徒十又三，而民生生僮皆之死地之十有三。」古本作「生之徒十有三，死之徒十有三，而民之生生而動動皆之死地，亦十有三。」吳澄道德眞經註：「十者，總計上中下三等之人，大率分爲十類；有三者，十類之中，有三類也。凡不以憂思嗜欲損壽，不以風寒暑濕致疾，能遠刑誅兵爭壓溺之禍者，生之徒也。其反是者，逸貴之人，內傷勞賤之人，外傷麤悍之人，不終其正命死之徒也，各於十類之中，有其三焉。之，適也、趨也。動，作爲也。生生，求以生其生也。厚，謂用心太重。或仙術以延生，而失宜；醫藥以衛生，而過劑；居處奉養，謹節太過，而驕肥。十類之中，亦有三類如此。其意正欲趨生，而其作爲反，以趨於死地者，爲其求生之心太重，而不順乎自然也。」焦竑老子翼：「蘇子由云：生死之道，以十言之，三者各居其三矣。豈非生死之道九，而不生不死之道一而已矣。不生不死，則易所謂寂然不動者也。老子言其九，不言其一，使人自得之，以寄無思無爲之妙也。有生則有死，故生之徒，即死之徒也。人之所賴於生者厚，則死之道常十九，聖人常在不生不死中。生地具無，焉有死地哉！呂吉甫云：生之徒十有三，則由生而得生，非幸生者也。死之徒十有三，則由死而得死，非不幸而生者也。民之生，動之死地十有三，則豹養其內，而虎食其外；毅養其外，而病攻其內；非不以生爲事，顧不得其道，而動之死地者也。焦竑云：生徒之十有三，此練形住世者也。死之徒十有三，此殉欲忘生者也。人之生，動之死地十有三，此斷滅種性者也。凡此十分之中，率居其九，皆生生之厚者也。」魏源老子本義：「第三句韓非傅奕皆作民之生，生而動，動皆之死地，河上本作亦十有三。王氏弼曰：十有三，猶云十分有三分也。取生之道，全生之極，十分有三。取死之道，全死之極，亦十分有三耳。而民生生之厚，反亦無生之地焉。善攝生者，無以爲生，故無死地也。源案：生之徒三句，諸說皆鑿，惟王氏近之而語未明。蓋徒之爲言類也。生之徒，死之徒，猶云取生之道，取死之道，此二者，統言天地間人物，生死常然之理也，而人之生於天地間者，往往舍其取生之道，動輒由其取死之道，此乃專言斯人不能全生之通弊也。故下句始言人之生，而上二句不言者，明其泛言物理而未切人身也。下句不復云，動之死地之徒者，明其總承上文，而非並舉三事也。夫人之生既動皆之死地，而但云十有三者，因上文兩十有三而重言之。則總數之實動之死地十有九矣。太上詞不迫切，故留言外之旨，待人自領耳。若夫後其身而身先，外其身而身存，入世出世，超然無死地者，則天下一人而已。韓非子所引民之生，生而動，動而皆之死地。雖未必原文，然義亦昭然，諸家乃謂求生而反之死者，焉鍊形衛生之徒，並上兩者爲三事，則鑿而難通矣。其論無死地者，亦多釋氏法身不壞之旨，與黃老不倫，故並不取焉。」王夫之老子衍：蘇子由曰：生死之道九，而不生不死之道一。有死地，無生地。無地爲生，有地爲死。試效言之矣。人之生也，神舍空而即用，形拔實以營虛，非其出乎？迨氣與空爲宅，形與壞爲質，則死者非其入乎？雖然，既有生矣，遂以其出者爲可繼也，引緒旁生，據地而遊，則死固死於靜，生亦死於動。死於動者，能不靜，而不能靜於動也。靜於動，則動於靜，動靜兩用而兩不用。靜於動，則動可名爲靜；可名爲靜，靜亦樂得而歸之；所謂「守靜篤」者此也。動於靜，則靜可名爲動；可名爲動，靜與周旋而不死；所謂「反者道之動」者此也。故有地者三，無地以爲地者三，騖於地不地而究以得地者三。此自九而外，一之妙所難言與！然而攝生者其用在動，之死者其用亦動。何以效之？攝生者以得地爲憂，動而離之。之死者以不得地爲憂，動而即之。彼雖日往還於出入之間，而又惡知動哉？」馬叙倫老子校詁：生之徒十有三，死之徒十有三。文廷式曰：十有三，當從韓非解老篇指四枝九竅。倫案：羅卷館本十並作什，各本及韓非解老篇引並同此。倫案：說文曰：徒，步行也。行，人之步趨也。金甲文行字多作非，或作非。羅振玉謂說文壼（今作壺）訓宮中道，許謂從口象宮垣道上之形，不知囗但象宮垣，而象道路者乃在囗內之非字，非即行字。（殷墟書契釋文。）其說是也。是徒爲步道，說文無塗途二字，蓋徒即塗途本字也。莊子至樂篇食於道徒，即道途也，此徒字蓋如字讀。而民之生生而動，動皆之死地，亦十有三。范應元曰：韓非嚴遵同古本。彭耜曰：纂微司馬蘇曹達眞陳清源黃程並民作人，纂微司馬蘇曹陳無亦字，程動下有而字。紀昀曰：韓非解老篇作民之生生而動，動而皆之死地之十有三。畢沅曰：河上王弼作人之生動之死地亦十有三。顧廣圻曰：韓非作民之生生而動，動皆之死地十有三。據其文曰：凡民之生生而生者固動。又曰：皆爲死，死地也，生生與死死相對，所以解此文之生生也，可見老子原文如此。今作人之生動之死地十有三，非也。易順鼎曰：選注所引，似爲可據，蓋以人之生生之厚六字爲一句，故下文申之曰：夫何故？以其生生之厚。王注曰：而民生生之厚更之無生之地焉，是王本動之死地之上亦有生生之厚四字。張煦曰：呂等並作人之生動之死地亦十有三，惟林人作民。倫案：范同此，但無上而字，各本亦無上而字，彭民字同此，各本作人，奈卷動下有皆字，但不重動字，館本作人之生動之死地什有三，各本並無動皆二字，羅卷易州磻溪無生而動皆亦五字，奈卷趙無亦字，趙寫無生而動皆四字，倫謂當從此文而去上而字，其義韓非爲長。」陳柱老子註：「韓非子云：人之身三百六十節，四肢九竅，其大具也。此十三具者之動靜盡屬於生，屬之謂徒也，故曰：生之徒十有三，至其死也，此十三具者，皆還而屬之死，故曰：死之徒亦十有三。凡人之生，此十三具者必動，動極則損，損而不止，則生盡，生盡之謂死，故曰：民之生，生而動，動皆之死地，亦十有三。——以本韓非子原文而有刪改。」高亨老子正詁：十有三之義，王說近之。馬謂徒即古塗途字，是也。七十六章曰：「堅強者死之徒，柔弱者生之徒。」徒字義與此同。蓋百年壽之大齊。此百年即人類出入所歷之途也。其前三十年，日趨於長益，是生之徒十有三也。其後三十年，日趨於消損，是死之徒十有三也。其中四十年，不長益亦不消損，是不生不死之徒十有四也。然而生生之厚者，此不長益不消損之期，亦變爲消損之期，此不生不死之徒亦變爲死之徒。充其量有前三十年之長益，僅供中三十年之消損，然則生生之厚者，其壽至大得六十歲耳。故下文曰「人之生，動之死地亦十有三。夫何故：以其生生之厚。」傅本作「人之生生而動，動皆之死地，亦十有三。」韓非子解老篇引與傅同。范應元本作「人之生生而動之死地，亦十有三。」按：韓非傅范並重生字，是也。下文云「以其生生之厚，」即承此句生生言。是其證。王本挩一生字，宜據補。朱謙之老子釋譯：羅振玉曰：『敦煌本「十」作「什」，下同。』情牽案：『出生入死』呂氏春秋情欲篇高注引與此同。莊子『萬物皆出於機，皆入於機：』又『其出不忻，其入不拒：』又『有乎出，有乎入，入出而無見其形：』皆出生入死之說。嚴可均曰：『王弼、高翿「地」下有「亦」字。』羅振玉曰：『景龍、御注、景福、敦煌四本均無「亦」字，景福本「動」下有「皆」字。』

畢沅曰：『傅本「而民之生生而動，動皆之死地，亦十有三；」河上公、王弼作「人之生、動之死地，亦十有三；」谷神子作「而民生動之死地，十有三」；案韓非子與奕同。』情案：嚴本、遂州本、奈卷均無『亦』字，奈卷、室町有『皆』字。范應元本作『民之生生而動之死地，亦十有三；』並云『韓非、嚴遵同古本』。易順鼎曰：『王本及韓非似皆有誤。文選鮑照代君子有所思行注引老子云：『人之生生之厚，動皆之死地，十有三；』所引似爲可據。蓋以「人之生生之厚」六字共爲一句。老子意謂人求生太厚，遂動之死地。故下文又申明之曰：「夫何故？以其生生之厚。」夫生，十有三；死，十有三；其數本各居半，至於求生過厚，而死之數遂多於生矣。若作「人之生，生而動；」語近於不可解。觀王注亦云：「而民生生之厚，更之無生之地焉」；是「動之死地」之上，有「生生之厚」四字之證。』高延弟曰：『生之徒，謂得天厚者，可以久生；死之徒，謂得天薄者，中道而殀；動而之死者，謂得天本厚，可以久生，而不自保持，自蹈死地。蓋天地之大，人物之蕃，生死紛紜，總不出此三者。生生之厚謂富貴之人，厚自奉養，服食藥餌以求長生，適自蹈於死地，此即動而之死者之一端。緣世人但知戕賊爲傷生，而以厚自奉養者爲能養生，不知其取死同也，故申言之。夫天下之人以十分爲率，殀死者居其三，自蹈於死者居其三，幸而得遂其生死之常者，僅居十之三耳。吁！此正命之人所由少與！』（老子正義）情案：十有三之說，自韓非子、河上公、碧虛子、葉夢得以四肢九竅爲十三，已涉附會。乃又有以十惡三業爲十三者，如杜廣成；以五行生死之數爲十三者，如范應元；其說皆穿鑿不足信。蘇轍謂生死之道九，而不生不死之道一，老子之言其九，不言其一；使人自得之。似深得老子之旨，而實以佛解老，焦竑因之而有讀老子至出生入死章，大悟遊戲死生之說。吁亦誣矣！王淮老子探義：韓非子曰：「人始於生而卒於死。始謂之出，卒謂之入，故曰：出生入死」。案：此處章句當依范應元本作「人之生生，而動之死地，亦十有三」。「十有三」句，自韓非以四肢九竅爲解，後世注家多爲其所誤。唯王弼得其正悟，清人高延弟從之，所釋最爲的確。老子此言，重點在人之生生而動之死地」一句。蓋「生之徒」與「死之徒」皆是天命（命則有定），人所無可奈何者。唯「人之生生，而動之死地」，則本非天命，實爲人事。既是人事，則固操之在我，奚必動之死地哉？老子於此暗示人生在世「養生」之善與不善，關係人之年壽生死，而世人每多忽之，養生不以其道，則實足以戕「生」害「命」而動之死地，老子於此深致其歎，大可發人深省。嚴靈峯老子達解：十有三者，謂十分中得其三分也。言生者，居十之三；死者，亦居十分之三也。「不知常，妄作；凶」。本爲生之徒，動而爲死之徒也；此自蹈死地之人，亦居十分之三也。即十之全數三分之一也。言十有三者，蓋以成數約計之也。動之死地十有三：武英殿本、浙局本，「十」字上並有「亦」字。按：王弼注：「取死之道，全死之極，十分亦有三耳。」依注文觀之，則王本當有「亦」字。陳鼓應老子今註今譯：生之徒：屬於長命的。「徒」，類，屬。王弼注：「取其生道，全生之極。」蔣錫昌說：「長壽之類。」十有三：十分中有三分；即十分之三。許多解釋者從韓非子的說法，把「十有三」解釋爲「四肢九竅」。這是錯誤的。死之徒：屬於夭折的。蔣錫昌說：「短命之類。」人之生，動之死地：人本來可以得生，但是却走向了死路。余培林老子讀本：生之徒：「徒」猶類、屬。「生之徒」謂能夠長壽之人。指自然長壽，非由「善攝生」。十有三」：按「有」猶「之」。「十有三」即十之三，亦即十分之三。死之徒：短壽的人。指自然短壽，非由「生生之厚」。人之生，動之死地：兩「之」字皆動詞，作「至」解。「動」，行。謂人本可至於長壽，而走向死地。指人爲的因素，非由天然。張揚明老子斠補譯釋：「人之生，動之死地，亦十有三」：景龍、景福、敦煌、御注、魏源並無「亦」字。傅作「而民之生，生而動，動乃之死地，亦十有三」。谷神子作「而民生動之死地十有三」。「生之徒」，「死之徒」：爾雅釋訓：「徒，輩者也」。玉篇：「衆也」。

入軍不被甲兵。(52)

【斠補】河上本被作避，云不好戰以殺人。釋文：被，皮彼反。兪云：韓非子解老篇作備，當以被爲長。案韓非子解老篇云：聖人之游世也，無害人之心，則必無人害，無人害，則不備人。故曰：陸行不遇兕虎。入山不恃備以救害，故曰：入軍不備甲兵。老子古本被當作備，言不恃甲兵之備也，備被音近，後人改被爲備，非古本矣。兪說非。

【疏證】義案：甲本無異文。乙本作「入軍不被兵革。」古本亦無異文。焦竑老子翼：「呂吉甫云：內不見有身，外不見有物。則熟爲死地？孰爲虎兕甲兵，而投其角，措其爪，容其刄哉？焦竑云：夫有生必有死，是生固死之地矣，兕虎甲兵將安避之？善攝生則無生矣，故兕之角無所投，虎之爪無所措，兵之刄無所容。何者？彼無地以受之也。」馬叙倫老子校詁：「兪樾曰：被，河上作避。韓非解老篇曰：入山不恃備以救害。故曰：入軍不備甲兵。則甲兵以在己者言，自當以作被爲長。張煦曰：開元無聞字，蘇趙被作避。倫案：遇，吳作避，臧本韓非備字作被。然以上文入山不恃備以救害，觀之，韓所見本自作備，宋河上吳趙寫作避，白作拔，羅卷甲作鉀。」高亨老子正詁：「被」河上本作「避」，韓非子解老篇引作「備」。按：王作被是也。被猶受也。加於身謂之被，不被甲兵，言甲兵不加其身也。下文曰：「兵無所容其刃。」可證本章所謂兵乃敵人之兵，軍乃敵國之軍也。朱謙之老子釋譯：情案：……『兕虎』乃『兕虎』之別構。『兕虎』當爲『虎兕』，王弼注：『虎兕無所措其爪角』，淮南詮言訓「虎無所措其爪，兕無所措其角；」皆虎在兕前，知古本當亦虎兕連文無疑。又敦煌本『甲』作『鉀』，乃『甲』之別構。『遇』嚴本作『避』，『被』河上本、趙本亦作『避』。情案：作『被』是也。韓非解老本亦作『被』。盧文弨曰：『張俊本作被』，顧廣圻曰：『藏本作被，備、被義同。』王先愼曰：『廣雅釋詁「備，具也，」史記絳侯世家集解引張揖注「被，具也；」故本書作「備」，王弼本作「被」，甲兵以在己者言，明作備、作被二字並通。河上本作「避」，聲之誤。」王淮老子探義：釋憨山曰：「蓋聞善養生者，不養其生，而養其生之主。然有其生者，形也；主其生者，性也。性爲主生，性得其養而復其眞，則形骸自忘，形忘則我空，我空則無物與敵，故陸行不遇兕虎，入軍不被甲兵」。案：此言善養生者，超然於生死利害之途，故曰：「陸行不遇兕虎，入軍不被（受也）甲兵」。老子此章表面上具有濃厚之神秘主義色彩，似乎如一般宗教迷信中所述之「神通」（佛教）與「奇蹟」（基督教），實則大謬不然。老子之意唯在表示：善養生者無心以遊世，故無物累，無人禍（兕虎甲兵，無從爲害）。大凡老莊書中類似之話頭，皆須作如是解，否則非愚則誣也。嚴靈峯老子達解：「言入於軍中，而不爲甲兵所加害也。」嚴靈峯馬王堆帛書老子試探：「被或作避。」陳鼓應老子今註今譯：入軍不被甲兵：戰爭中不會受到殺傷。馬總說：「不好戰殺。」（老子意林）蔣錫昌說：「廣雅釋詁二：『被，加也。』『遇』『被』皆爲受動詞。……其入軍也，不至敵人戒線之內，故決不爲甲兵所加。」余培林老子讀本：被甲兵：受到兵器的傷害。「甲」字無義，因「兵」而連言，觀下文「兵無所容其刃」，僅言「兵」，不言「甲」，則可知。張揚明老子斠證譯釋：河上、吳、焦「被」作「避」。揚明案：釋文出「被，皮彼反」。被，受也；避，廻也，危也；受義爲是。禮運：「食味別聲被色而生者也」。朱駿聲：「猶受也」。後漢書賈復傳：「身被十二創」。

虎無所措其爪，兵無所容其刃。(53)

【斠補】案韓非子解老篇：措作錯，容作害。措錯古通，害乃韓非子之誤，容害形近，涉上遠諸害而訛。

【疏證】義案：甲本作「□□所昔亓蚤，兵无所容□□□。」乙本作「（上缺）亓蚤，兵（下缺）。」古本無異文。□□无所「昔」亓蚤：通行本「昔」作「措」。說文：『措，置也。从手，昔聲。』按：韓非子解老、陸德明釋文、景龍碑本、范應元本，並作「錯」，范「音措」並注云：「置也。」蓋「措」通「錯」。此亦叚右偏字爲之。現存本無有作「昔」者。□無所昔其「蚤」：通行本

「蚤」作「爪」。說文：『叉，手足甲也。从又，象形。』朱駿聲曰：『詩祈父：「予王之爪牙。」或以「蚤」爲之。又說：『蚤，齧人跳蟲也。从䖵，蚤聲。叉，古「爪」字。』叚借爲爪。考工記輪人：『欲其蚤之正也。』隸書本同。吳澄道德眞經註：「十類之中，生之徒有其三，死之徒有其三，之生動之死地者，亦有其三，則其爲九矣。九之外有其一，太上眞人也。攝，猶攝政攝官之攝，謂不忍生爲己有，若暫焉管攝之。以虛靜爲裏，柔弱爲表，塊然如木，石之無知，侗然如嬰兒之無欲，雖遇猛獸惡人，此不逃避而彼自馴狎不加害也。」焦竑老子翼：「呂吉甫云：人之所以遇虎兕、被甲兵，而虎兕甲兵之所以能傷人者，以吾有身故也。今我視吾心莫知其鄉，則吾心不可得，吾心不可得，則吾身與物亦不可得；內不見有身，外不見有物，則孰爲死地？孰爲虎兕甲兵，而投其角，措其爪，容其刃哉？」魏源老子本義：「王氏弼曰：器之害者莫甚於戈兵，獸之害者莫甚於兕虎，而令無所容其鋒刃，措其爪角，斯誠不以欲累其身者也。何死地之有乎？」夫蚖蟺穴於淵，鷹鸇巢於山，矰繳不能及，網罟不能施，可謂處於無死地矣。而卒以甘餌，乃入於無生之地，豈非生生之厚乎；故物苟不以求其離本，不以欲渝其眞，則如赤子之毒蟲不螫，猛獸不搏也。王夫之老子衍：「兕虎之攫，必按地以爲威；甲兵之殺，必爭地以制勝。遇無地者，則皆廢然而喪其殺機。殺不在彼，死去於我，御風者所以泠然善，雲將所以暢言遊也。」馬叙倫老子校詁：「俞樾曰：釋名釋姿容曰：容，用也，莊子胠篋篇容成氏，六韜大明篇作庸成氏，是容庸通。兵無所容其刃，言兵無所用其刃也。倫案：措范作錯，易州誤作楷，各本及淮南詮言訓北山錄二引同此。容河上脫其字，羅卷爪誤作狐。容字，俞先生說是。倫案：爪當作叉，館本作甲也。」陳杜老子註：莊子人間世篇云『時其飢飽，達其怒心，虎之與人類異，而媚養己者順也，故其殺者逆也。』夫去其生生之厚，則於物無奪，而能去其所厚者以養物，是順物之性，而不逆者也。孰從而害之？夫生生之厚，死地也，無生之厚，故無死地。朱謙之老子釋譯：嚴可均曰：『「措其爪」御注、河上、王弼作「措」，釋文作「錯」。』武內義雄曰：『敦、遂二本「措」作「錯」，釋文本同。』情牽案：羅卷『爪』作『狐』，誤。碑本『措』作『揹』，亦誤。『揹』乃『措』之誤字。韓非解老、釋文、遂州本、范本均作『錯』，景福、磻溪、室町、奈卷、傅奕均作『措』，措錯古通。『措』安也，無所措其爪，即無所安其抓也。『爪』羅卷作狐，乃抓之形似，夏竦古文四聲韻卷四有『抓』字，引古老子作[illegible]。嚴靈峯老子達解：言猛虎無從施展其足爪也。言兵器無從容受其鋒刃也。虎無所措其爪：鹽鐵論世務篇引『老子曰：「兕無所投其角，螫蟲無所輸其毒」。』按：說文『螫，蟲行毒也。』玉篇：「凡蟲之毒害人者為螫。」疑「螫」字乃注文而衍。五十五章：「毒蟲不螫，」正同此意。句當作：「蟲無所輸其毒。」似係此處脫簡。蓋上文「虎」、「兕」連文，此句應在此下，並在「兵無所容其刃」句上。鹽鐵論蓋約引也。嚴靈峯馬王堆帛書老子試探：「淮南銓言：故老子曰：虎無所措其爪，兕無所措其角。桓寬鹽鐵論世務篇：老子曰：兕無所投其角，螫無所輸其毒。」張揚明老子斠證譯釋：「虎無所措其爪」：河上無「其」字。「兵無所容其刃」：高延第：「此章為處亂世者指示兕虎兵刃皆凶暴不祥，喻世路之崎嶇，人情之險詐。讀莊子養生主，人間世二篇，足盡此章之旨，非眞兕虎可尾也。葛洪之徒不達此義，創為符咒厭勝，云可入山伏怪，謬妄甚矣」。揚明案：本章各家注釋都未能充分發揮老子的本義，甚至不免曲解。如吳澄謂為「查滓消融，神氣澹漠如風如影，莫可執捉，無可死之」。焦竑謂爲「本無生，孰殺之」？是皆葛洪之類也。莊子秋水篇云：「知道者必達於理，達於理者必明於權；明於權者不以物害己。至德者，火弗能熱，水弗能溺，寒暑弗能害，禽獸弗能賊。非謂其薄之也，言察乎安危，寧於禍福，謹於去就，莫之能害也」。這才是最好的注釋。以莊解老，得其義矣。

夫何故？以其無死也。(54)

【斠補】王注：何死地之有乎？案韓非子解老篇云：體天地之道，故曰無死地焉。則此文也字，係地字之訛。王以何死地之有相釋，則王本亦作地。今河上本作地，王本作也，蓋傳寫之訛也。

【疏證】義案：甲本作「何故也？以亓无死地焉。」乙本作「(上缺)也，以亓(下缺)」。古本作「夫何故也？以其無死地焉。」劉說是也。吳澄道德眞經註：蓋其查滓消融，神氣澹漠，如風如影，莫可執捉，無可死之質，縱有傷害之者，何從而傷害之哉？」焦竑老子翼：「王元澤云：無死地者，由其無生。彼無生者，湛然常生，而不自生；故未嘗死，未嘗生。道至乎此，則其形有禪，而神未嘗，安得死乎？程俱云：然則吾之生也，前不知其所起，後不知其所斷，貫萬古而常存者，湛然也。然後曉然，知我之未嘗生，未嘗死也，將以奚爲死地哉？」魏源老子本義：「傅奕夫何故下，亦有也字；無死地下，有焉字。」馬叙倫老子校詁：「彭耜曰：葉以上有也字，五注達眞清源黃程地下有焉字。畢沅曰：河上王弼故下無也字，地下無焉字，谷神子作以無死地。

張煦曰：各本無也字焉。倫案：范故作哉，柰卷故下有也字，經幢地字作之道二字，弘明集六釋慧通駁顧道士夷夏論引作生生之厚必之死地，蓋節文，各本無焉字，磻溪館本趙寫無也焉二字。倫案：右文舊爲第五十章。」高亨老子正詁：「善攝生者無死地，雖危險之境，慘毒之物，莫能害之，況處其常哉？」朱謙之老子釋譯：諸王本皆作『地』不作『也』，劉所據爲誤本。諸王本惟浙局據華亭張氏原本，作『死也』，死也無義。諸石本、諸寫本，均同此石，惟遂州本『何』作『其』。范本『故』作『哉』。傅本、柰卷『故』下有『也』字。嚴本、室町本有『哉』字。韓非解老與王羲之本、傅本『地』下有『焉』字，則此以意增字，助長語勢，無關宏旨。高延第曰：『此章爲處亂世者指示兕虎、兵刃皆凶暴不祥，喻世路之崎嶇，人情之險詐。讀莊子養生主、人間世二篇，足盡此章之旨，非眞謂飢虎可尾也。葛洪之徒，不達此義，創爲符咒厭勝，云可入山伏怪，謬妄甚矣。』王淮老子探義：王弼曰：「善攝生者無以生爲生，故無死地也」。又曰：「故物苟不以求其離本，不以欲離其眞，雖入軍而不害，陸行而不可犯也。赤子之可則而貴，信矣」。案：「死地」，謂禍害可畏之事也。此言善養生者不過份有心執着生命，故能超然於生死利害之途。本經十三章曰：「吾所以有大患者，爲吾有身，及吾無身，吾有何患？莊子秋水篇所謂：「至德者，火弗能熱，水不能溺，禽獸弗能賊，非謂其薄之也，言察乎安危，寧於禍福，謹於去就，莫之能害也」。據此，則善養生者，唯是智慧通達，無心而忘我，死生利害不足以爲禍，故物累可免，而「生」反眞得其養也。嚴靈峯老子達解：夫何故？以其無死地。又設問曰：何故能如此乎者？答曰：以其不求生生之厚，故無可死之機也。按：七十五章：「夫唯無以生爲者，是賢於貴生也」二句，疑當在此「以其無死地」句下。陳鼓應老子今註今譯：「無死地：沒有進入死亡的領域。」余培林老子讀本：「無死地，謂不進入致死的境地。」

五十一章　養德（闕）

五十二章　歸元（闕）

五十三章　益證

使我介然有知，行於大道，唯施是畏。大道甚夷，而民好徑。(55)

【斠補】王注：行大道於天下，唯施爲之，是畏也。王云：施讀也池，池，邪也。言行於大道之中，惟懼其入於邪道。案王說是。惟韓非子解老篇曰：書之所謂大道也者，端道也；所謂貌施也者，邪道也；所謂徑大也者，佳麗也；佳麗也者，邪道之分也。據此文觀之，則唯施古本作貌施，或貌施之上有唯字。國語晉語云：夫貌，情之華也。廣雅釋詁：貌，巧也。是貌字之義與夸飾同，故與施同爲邪道。又徑字之下，當有大字。四十一章：大笑之。王念孫謂當作大而笑之。大與迂同，王以迂義解彼文大字，義雖稍曲，然此文徑大，大實訓迂。漢書郊祀志：怪迂。顏注迂謂回遠也。是迂與徑同，故此文徑大並言。又韓非子以佳麗釋徑大，佳形近差，麗離古通，當爲差離之訛。自大字之義，後儒莫解，遂並删其字。幸韓非子徑大並言，足補老子今本之缺，故就其義引申之。

【疏證】義案：甲本作「使我□□有知也，□□大道，唯□□□□，道甚夷，民甚好解。」乙本作「使我介有知，行於大道，唯施是畏。大道甚夷，民甚好懈。」古本無異文。吳澄道德眞經註：

「我者，汎言衆人，非老子自謂。介然，音義與孟子介然用之成路同，倏然之頃也。知字句絕，施猶論語無施勞，孟子施施從外來之施。矜夸張大也，聖門顏子有若無，實若虛，無施勞。老子之學，蓋亦若此，夸張最其所忌。此章言不知道之人，惟務夸張，若使其人倏然之頃，有所知而欲行於大道，則必專以施爲畏而不敢爲。徑者小路，與大道相反。卑卑斂退者，大道也，其道甚平夷，而易行。堂堂夸張者，小徑也，而人多好行之。」焦竑老子翼：「陸希聲云：使我介然微有知常之明，方將行於大道，則唯所施而是畏，畏其不合於大道也。蘇子由云：體道者，無知無行，無所設施，而物自化。今介然有知，而行於大道，則有設施建立，非其自然，有足畏者矣。大道夷易，無有險阻，世之不知者，以爲迂遠，而好徑以求捷。呂吉甫云：使我不能刳心，而有介然之知，行於大道，則唯施是畏，求其周行不殆，不可得也。況夫開其兌，濟其事者耶！大道之爲體，不知而知，則夷之甚者也，而民乃欲以有知求之，是好徑而不知所由也。李息齋云：使我介然，以有知之心，而行大道，所知有限，而道無窮，怵怵然，恐其施之不足，是謂唯施是畏。蓋大道甚夷，而民好徑，好徑者，知之爲賊也。」魏源老子本義：「而民好徑。陳景元作民甚好徑。」陳氏懿典曰：謹畏不敢者爲大道，則驕矜炫燿者爲非道，明矣。謙之爲道，卑不可踰，而人不肯由也。呂氏惠卿曰：舍道而由徑，則亡本而徇末。李氏嘉謨曰：行於大道，則蕩然廣大，心逸日休，故甚夷也。爭於小徑，則矜智欺人，心勞日拙，故成於盜也。源案：道以不盈爲大，不盈者專務於內，有若無，實若虛也。今施且夸焉，則專務於外，無而爲有，虛而爲盈，無有窮極矣。夫民有生則有欲，則無不以相尙爲高，此最難克之心，而有無窮之弊，豈不甚可畏哉！而民以不施之道歛約而難行，顧乃見小欲速以爭騖捷徑，豈知不矜不伐而人莫能尚之，其道甚平，何難行之有？謂之民則豈然無知，不知大道，則愈夸而愈小。蓋好大道者其見大，好小徑者其見小。見大，則常若不足；見小，則常若有餘。若是者爲士則必徇名而荒德，爲庶人則必侈末而耗本，爲國家者則必至飾外而虛內，雖淺深廣狹不同，而其爲以己徇人則一而已。特其顯者，莫若國家之侈弊爲尤易見，甚至人心之難克，而施之可畏如此。」王夫之老子衍：「天下不勝「知」也。「知」而「施」之，則物之情狀死於己之耳目，而耳目亦將死於情狀矣。然則將去知乎？而知亦無容去也。有知者，有使我知者。知者自謂久知，而使我知者用其「介然」而已。知「介然」之靡常，則己無留好。己無留好，而天下不羨其留，雖施不足畏，而況於知？俄頃之光，而終身之據，已尚之物，亦從而尚之，莽、操之奉堯舜爲竽，黃巾、赤眉之奉湯武爲竽，與陰陽之沴奉凝滯之沖氣以爲竽而盜其生，等也。道之不可以「介然」行也，如斯夫！」馬叙倫老子校詁：「使我介然有知，行於大道。」倫案：介借爲哲。說文曰：哲，知也，古文作嚞，儀禮士冠禮注：古文紒作結。曹憲廣雅注曰：說文⿰髟介即籀文髻字，此折介三聲相通之證。惟施是畏。倫案：白作惟，各本作唯，是。羅卷作甚。倫案：王念孫之說是也。然韓非解老篇曰：書之所謂大道也者，端道也。（倫案：端借爲褍。說文曰：衣正幅也。）所謂貌施也者，邪道也，所謂徑大也者。（大爲道誤，王先愼謂衍字，非使也。）佳麗也，佳麗也者，邪道之分也，以邪道釋貌施，以佳麗釋徑道，似正相反，此下文謂大道甚夷而民好徑，是老子以大道與徑對文，論語行不由徑，徑正謂邪道，是當以邪道釋徑道，邪道亦正與端道對也。蓋韓非本文作所謂徑道也者，邪道也；所謂貌施也者，佳麗也；佳麗也者，邪道之分也，後人妄改以就老子此文次第，或寫傳倒誤耳。又此文之義，謂不行大道而邪行爲可畏，若以佳麗釋貌施，與行義無涉，疑韓時此文施字已有誤作貌者，讀者以作施者校寫貌字下，因成貌施，韓乃以佳麗釋之，而後人復以佳麗附會於服文采之義矣，無貌字是。大道甚夷而民好徑。彭耜曰：纂微司馬蘇達眞陳並作民甚好徑。畢沅曰：徑，開元石刻作徑，非。嚴可均曰：御注高　作民其好徑。張煦曰：呂林作民甚好徑。羅運賢曰：意林引徑作俓。倫案：范夷作徑，是。潘作彝，借。臧疏誤作美。而民好徑，范寇趙羅卷作其民好徑，易州作而人好徑，館本磻溪作民甚好徑，宋河上徑作俓。」陳柱老子註：「此謂使吾人介然有知，行於大道，固似甚善也，而無如其易趨於施何！施者，邪也，蓋大道可行而不可使之介然有知，介然有知，則爭端起矣。」高亨老子正詁：使我介然有知，按介然猶慧然也。介讀爲黠。方言卷一：「虔，儇慧也，自關而東趙魏之閒謂之黠。」廣雅釋詁：「黠，慧也，」介黠古通用。儀禮士冠禮：「將冠者采衣紒。」鄭注：「古文紒爲結。」廣雅釋詁：「髺，髻也。」曹憲音：「髺，籀文髻。」並其左證。行於大道，唯施是畏。王念孫曰：「施，讀爲迆。迆，邪也。言行於大道之中，唯懼其入於邪道也。下文云：『大道甚夷，而民好徑。』河上公注：『徑，邪不正也。』是其證也。說文：『迆，衺行也。』引禹貢：『東迆北會於滙。』孟子離婁篇：『施從良人之所之。』趙注曰：『施者邪施而行。』丁公著音迆。淮南子齊俗篇：『去非者非批邪施也。』高注曰：『施，微曲也。』要略篇：『接徑直施。』高注曰：『施，邪也。』是施與池通。（文選甘泉賦「封巒石關池靡乎延屬。」漢書楊雄傳池作施。）史記賈生傳：『庚子日施兮。』漢書施作斜，斜亦邪也。所謂徑也者，佳麗也，佳麗也者，邪道之分也。』此尤其明證矣。大道甚夷而人好徑。「夷，」范應元本作「徯。」「人，」王本原作民，景龍碑龍興觀碑並作人。今據改。范應元曰：「徯，說文云：『行平易也。』奚侗曰：「人指人主言，各本皆誤作民，與下文誼不相屬。蓋古籍往往人民互用，以其誼可兩通，此人字屬君，自不能借民為之。」按：夷借為徯，徯道平也。民作人，是也。」朱謙之老子釋譯：丁仲祜：「介，微也。一切經音義十五引易劉瓛注，列子楊朱篇「無介然之慮者」釋文。列子仲尼篇「其有介然之有，唯然之音，雖遠在八荒之外，近在眉睫之內，來干我者，我必知之。」宋林希逸曰：「介然之有，言一介可見之微也。」又介然，堅固貌。」荀子修身篇「善在身介然必以自好也」注，張充與王儉書「介然之志，峭聳霜崖，確乎之情，峯橫海岸」。」（案徑即上文所謂施也。邪道足以惑人，故曰唯施是畏。王注曰「言大道蕩然正平，而民猶尚舍之而不由，好從邪徑，況復施為以塞大道之中乎」；於正文之外，又增一義，非是。）嚴可均曰：『「而人好徑」，御注、高翿作「民其好徑」，河上、王弼作「而民。」（老子唐本考異）羅振玉曰：『「而」敦煌本作「其」。』情案：『夷』范本作『徯』。范曰：『徯，古本如此，說文云：行平易也。』又『徑』字嚴本作『逕』，景龍、御注宋刊河上本皆作『徑』。意林卷一引經『而民好徑』，注引河上公『徑邪不平正也』，是馬總所見本作『徑』。玉篇人部『「徑」牛耕、牛燕二切，急也』；作『徑』恐非。『而人』高翿、磻溪、樓正、范、趙均作『民甚』。劉說本韓非子，雖辨而曲。王先愼曰：『德經「大道甚夷而民好徑」，河上公云，「徑邪不平正也」』。此「大」字衍』。王淮老子釋義：使我介然有知、行於大道，唯施是畏。河上公曰：「老子疾時王不行大道，故設此言：使我介然有知於政事，我則行於大道，躬無爲之化。唯、獨也。獨畏有所施爲失道意，欲賞善恐僞善生，欲信忠恐僞忠起」。

案：此章爲論政之言，介、特也。揚子方言：「物無耦曰特，獸無耦曰介」。介然、獨特貌。施、行也、爲也、謂有爲之政教設施也。老子謂使我獨異於世俗之知，服從大道，我所畏者：唯恐有爲、多所設施，而不能淸靜自然耳。蓋至德之世，大道之行也，如本經十七章所言「太上下知有之」而已。是故原則上「無爲」乃最高之政治理想，不得已而難免有政教之設施，亦將知「有爲」之非善，後果之可慮，而儘可能加以節制，適可而止，故曰：「唯施是畏」。本經第三十二章曰：「始制有名，名亦既有，夫亦將知止，知止可以不殆」，即其義。大道甚夷，而民好徑。河上公曰：「夷、平易也。徑、邪不平正也。大道世平易，而民好從邪徑也」。王弼曰：「言大道蕩然正平，而民猶尚舍之而不由，好從邪徑，況復施爲以塞大道之中乎」。案：此言大道甚平易，淸靜自然，無欲無爲，便是大道之行，至德之世。然而世俗之人好行小徑，多欲有爲。離於大道，違反樸素。人類社會之演變從形式上看，是由「自然」轉變到「人文」；從內容上看，則是人性由「渾樸」經過穿鑿而遭受「戕賊」。此中之是非得失，顯而易見，然世俗之知，徒見人文社會並無絕對之「益」，而不見人性戕賊甚深且巨之「害」，此民之所以多欲有爲而好小徑也。」嚴靈峯老子達解：使我介然有知，行於大道；言若使我微有所知，則行於大道。唯施是畏。言惟恐入於邪道之可畏懼也。大道甚夷，而民好徑。言大道蕩然正平，而世人卻好行斜徑；舍正路而不由也。唯施是畏。按：第二十八章：「人之所畏不可不畏」二句，與上下文俱不相附，疑係本章脫簡，當在此下；並在「大道甚夷」句上。陳鼓應老子今註今釋：我：指有道的治者。王眞說：

「我者侯王也。」范應元說：「使我者，老子託言也。」介然有知：微有所知，稍有知識。「介」，微小。列子楊朱篇：「無介然之慮者。」釋文：「介，微也。」顧本成疏：「介然，微小也。」施：邪；斜也。錢大昕說：「『施』古音斜字。史記賈生列傳：『庚子日施兮。』漢書作『斜』。『斜』『邪』音義同也。」夷：平坦。民：作「人」。指人君。景龍本，李約本，次解本，「民」作「人」。徑：邪徑。河上公註：「『徑』，邪不正也。」余培林老子讀本：使，假設之辭。老子主無知無欲，今文中謂「介然有知」，並非事實，所以冠以「使」字。介然，忽然。大道，大路，實指道德之道。施，王念孫曰：施，讀爲迆。迆，邪也。按王氏之說極是，「施」與「迆」皆從「也」聲，二字音同，故「施」可通「迆」。夷，平。民，人，對首句「我」字而言。指一般執政者。徑，邪曲小路。張揚明老子斠證譯釋：「大道甚夷」：范「夷」作「𢓡」潘作「彝」。臧疏誤作「美」。「而民好徑」：纂微、司馬、蘇、陳、達眞、館本、磻溪、呂、林並作「民甚好徑」。范、趙、寇、高、羅卷作「其民好徑」。景龍作「而人好徑」。河上、開元、意林引「徑」作「俓」。傅、吳、焦、魏及各本同此。「使我介然有知」：揚明案：趙佑四書溫故錄：「介亦分別意」。說文：「介，畫也」。荀子修身篇：「介然必以自好也」，楊倞注：「介然，堅固貌」。漢書律曆志：「介然有常」，注：「介然，特異之意」。故「介然」實含有倏忽、分別、堅固、特異諸義。「介然有知」，與佛家「頓悟」略同。「惟施是畏」：王弼：「唯施爲之是畏也」。河上注略同。揚明案：王說是。「唯施是畏」，其意是說行於大道，唯有邪行爲最可怕。所謂邪行，即不遵大道而誤入旁門左道也。「大道甚夷」：王弼：「言大道蕩然正平」。揚明案：詩召南草蟲：「我心則夷」，箋：「平也。小雅節南山：「君子如夷」，傳：「易也」。故夷有平、易二義。「而民好徑」：王弼：「好從邪徑」。焦竑：「路狹而捷爲徑」。

五十四章　修觀

善建者不拔，善抱者不脫，子孫以祭祀不輟。(56)

【斠補】案韓非子喻老篇作善建不拔，善抱不脫，子孫以其祭祀，世世不輟。較今本爲長。

【疏證】義案：甲本作「（上缺）拔（下缺），子孫以祭祀（下缺）。」乙本作「善建者（下缺七字），子孫以祭祀不絕。」古本作「善建者不拔，善褢者不脫，子孫祭祀不輟。」吳澄道德眞經註：植一木於平地之上，必有拔而偃仆之時；持一物於兩手之中，必有脫而離去之日。善建者，以不建爲建，則永不拔。善抱者，以不抱爲抱，則永不脫。善於保國延祚者，亦然。無心於留天命，而天命自留，故子孫世世祭祀不輟，有如善建、善抱者也。」焦竑老子翼：「蘇子由云：世豈有建而不拔，抱而不脫者乎？唯聖人知性之眞，審物之妄，捐物而修身。其德充積，實無所立，而其建有不可拔者；實無所執，而其抱有不可脫者。故至其子孫，猶以祭祀不輟也。呂吉甫云：凡物以建而立者，夫有不拔者也。唯爲道者，建之以常無有，則善建而不拔矣。凡物以抱而固者，未有不脫者也。唯爲道者，抱神以靜，則善抱而不脫矣。夫唯所建所抱者如此，則其傳豈有窮哉！」魏源老子本義：「韓非子無兩者字，又作子孫以其世世祭祀不輟。王弼本，孫下亦有以字。天下之物，建於外者，外物得而拔之；抱於外者，外物得而脫之。恃外有之固者，其固終不可恃也。若夫建德而抱一者，建之於心，抱之於內，初無建抱之形，苟我不自拔且脫，誰得而拔脫之乎？蓋非徒固之於一時，並且固之於後世。世人之建抱者，以智術邀結，則假於外者非己有，聖人惟修其一身之德，則足於故眞也，取人人所同具者而獨全之，夫誰不在所建所抱之中乎？推而及之家國天下，亦不過此德之所餘，以長之豐之普之而已，一德之外無餘事，一眞之外無餘修也。夫何故？一人之身，一家一鄉一國一天下之身是也。千萬人之性情，一身之性情是也，苟吾身之德既修，則以我之身，觀人之身，彼此無異，是故家國天下之人雖不一，而彼家之身，猶此家之身，觀於吾一家之人而足矣。彼國之身，猶此國之身，觀於一國之人而足矣。即今之天下，亦古之天下，後之天下，亦今之天下，同此身即同此德，其同然之理，豈能外此而別有知哉？不外吾身而得之矣。古之謂藏天下於天下者，因此道也。以是知舍修而言建抱者，非善建善抱者也，離身而言修者，非眞修也。修之身，德乃眞盡之矣。」王夫之老子衍：以己與天下國家立，則分而爲朋矣。彼朋「建」，則此朋「拔」；彼朋「抱」，則此朋「脫」。然而有道者，豈能强齊而並施之哉？事各有形，情各有狀，因而觀之，可以無爭矣。而流動於情狀之中，因其無可因，以使之自因者，所謂「知之以此也。」馬敍倫老子校詁：「善建者不拔。畢沅曰：韓非喻老篇無者字，下同。倫案：羅卷館本無字者，下同。臧疏無此句者字，各本及周易集解二虞翻引同此。善袌者不脫。范應元曰，捝一作脫。畢沅曰：袌作抱。非。張煦曰：袌，呂等作抱，倫案：袌各本作抱，范脫作捝，是。說文曰：捝，解捝也。子孫祭祀不輟。彭耜曰：纂微司馬蘇曹達眞陳並無以字。紀昀曰：韓非喻老篇作子孫以其祭祀世世不輟。畢沅曰：王弼時雍子孫下有以字。劉師培曰：韓引較今本爲常。倫案：彭張之象子孫下有以字，羅祀作祠，輟作餟。倫謂當從韓非作子孫以其祭祀世世不輟，惟其字當是共字之譌，共當作龔。說文曰：龔，給也。左成七年傳楚共王，呂氏春秋權勳篇作龔王，是其通用之證。輟是，餟借。」陳柱老子註：韓非子云：『一其趨舍，雖見所好之物，不能引之，謂之不拔，一於其情，雖有可欲之類，神之不爲動之謂不脫。』朱謙之老子釋譯：嚴可均曰：『子孫祭祀不輟」王弼「子孫」下有「以」字，韓非子有是「以其世世」四字。』羅振玉曰：『敦煌本無「者」字，景龍本、敦煌本無「以」字，「祀」敦煌本作「祠」。』情牽案：顧歡本第一句亦無『者』字，傅本『抱』作『袌』，范本『脫』作『挩』。嚴遵、河上、御注、磻溪、樓正、顧、趙、傅、范、高均無『以』字。又周易集解『屯』下虞翻引第一句同此石。淮南主術訓引『善建者不拔』，注「言建之無形也」。王念孫云：『此六字乃正文，非注文也。「故善建者不拔」者引老子語也。「言建之無形也」者，釋其義也。文字正作「故善建者不拔，言建之無形也。」』案老子古誼如此。又韓非喻老『善建不拔，善抱不脫，子孫以其祭祀世世不輟：』顧廣圻曰：『德經無「以其世世」四字』。又解老引『不拔、不脫、祭祀不絕』，則『輟』亦作『絕』，輟絕義同。武內敦本作『醊』，羅卷作『餟』；均非。王淮老子探義：河上公曰：「建，立也。善以道立身立國也，不可得引而拔也」。王弼曰：「固其根而後營其末，故不拔也。不貪於多，齊其所能，故不脫也」。案：建、謂建「德」。抱、謂抱「道」。此言善於修道建德者，根基深厚堅固，人生立於不敗之地，福德常留人間，並且延及子孫，宗廟祭祀，可以世代不絕。史記管晏列傳：「鮑叔既進管仲，以身下之。子孫世祿於齊，有封邑者十餘世，常爲名大夫。天下不多管仲之賢，而多鮑叔能知人也」，鮑叔牙之爲人，即所謂「善建者不拔，善抱者不脫，子孫以祭祀不輟」者矣。又：本經五十九章所謂：「夫唯嗇是謂早服，早服謂之重積德」。重積德、即此所言之「善建」；早服、即此所言之「善抱」。五十九章又曰「有國之母，可以長久」，故能不拔不脫，而子孫祭祀不輟也。

嚴靈峯老子達解：善建不拔，言善於建立者，「深根固柢」；故不拔也。善抱者不脫，言善於抱持者，「聖人抱一，爲天下式」；故不脫也。子孫以祭祀不輟。言子孫傳此道，是以世世祭祀不絕；「死而不亡」也。嚴靈峯馬王堆帛書老子試探：「淮南主術：故善建者不拔。」陳鼓應老子今註今譯：抱：有牢固的意思。子孫以祭祀不輟：世世代代都能遵守「善建」「善抱」的道理，後代的烟火就不會絕滅。余培林老子讀本：善建者不拔，善抱者不脫：「建」謂建德，「抱」謂抱道。天下萬物建於外面的，外力可以拔除它，抱在手上的，外力可以脫去它。道德建抱於內心，又沒有建抱之形，如果不自拔自脫，外物是無法脫拔的。所以說「不拔」、「不脫」。子孫以祭祀不輟：謂建德抱道，不僅可自求多福，且可福及子孫，世世不輟，祭祀永享。張揚明老子斠證譯釋：「善建者不拔；善抱者不脫」：韓非解老、羅卷、館本無兩「者」字。顧歡無上「者」字。傅「抱」作「袌」。「子孫以祭祀不輟」：韓非解老作「子孫以其祭祀世世不輟」。傅、蘇、曹、陳、景龍、敦煌、篡微、達眞、司馬並無「以」字。羅卷「祀」作「祠」。「輟」作「輒」。「善建者不拔；善抱者不脫」：韓非解老：「人無愚智，莫不有趨舍，一建其趨舍，雖見所好之物不能引；不能引之謂不拔。雖有可欲之類，神不爲動；神不爲動之謂不脫」。

修之於國，其德乃豐。(57)

【斠補】案韓非子解老篇云：治邦者行此節，則鄉之有德者益衆。故曰：修之邦，其德乃豐。則國當作邦，邦豐葉韻。蓋改邦爲國，亦因漢人避高祖之諱也。下文以國觀國，解老篇亦作邦，均當依彼文訂正。

【疏證】義案：甲本殘闕。乙本作「脩之國，亓德乃夆。」古本作「修之邦，其德乃豐。」劉說是也。修之「邦」：通行本「邦」作「國」。說文：『邦，國也。從邑，丯聲。』周禮：『大宰之佐王治邦國。』鄭玄注：『大曰邦，小曰國。邦之所居曰國。』又說文：『國，邦也。從囗，從或。或亦聲。』又：『或，邦也；從囗，從戈，以守一。』吳澄道德眞經註：道之眞，以治身；其緒餘，以治人家者，一身之外，九族之內。鄉者，一家之外，鄉遂之內。邦者，鄉遂之外，邦畿之內。天下者，邦畿之外，四海之內。修之於家、於鄉、於邦、於天下者，自近及遠，人人各修其德也。然豈人人而教之，我無爲，而民自化；無欲，而民自樸。爾餘者，身之緒餘所及。長者，視一家又加長也。豐者，視一鄉，又加大也。普者、視一邦、又周徧也。邦，諸本作國，按諸詩序用之邦國焉之下，孔穎達疏引老子云：修之邦，德廼豐。蓋漢避高祖諱，改作國也。唐初聚書最盛，猶有未避諱，以前舊本也。」焦竑老子翼：「呂吉甫云：或修諸其身，而不能推之於天下國家者，故曰：修之家，其德乃餘；修之鄉，其德乃長；修之國，其德乃豐；修之天下，其德乃普也。」魏源老子本義：「邦豐爲韻，皆古音也。諸本避漢諱改邦作國，今從韓非子。又河上王弼本，五修之下俱有於字，此從韓非淮南及傅奕本。趙立堅五乃字，並作能字。呂氏惠卿曰：世之所謂修德者，或修之於家國天下，而不知其本眞乃在吾身也。德之眞者既修諸身，則推之而已。莊周以爲道之眞，以治身，其緒餘以爲國家，其土苴以治天下。其說出於此。觀諸吾身，其所餘者已足而無待於外，則以觀家國天下，亦若是而已矣。王夫子之老子衍：方且無「身」，而身何「觀」？方且無鄉、邦、天下，而我又何「觀」？方且無之，故方且有之。析於所自然，而搏於所不得已，則匪特「朋亡」，而已物相見之眞，液化脈函，固結以壽於無窮，是謂「死而不亡」。馬敍倫老子校詁：「范應元曰：邦字韓非與古本同，一作國。李賡芸曰：邦字與豐協韻，漢人避高祖諱，改爲國。倫案：范吳同此，各本作國，下同。陳柱老子註：「國字當從蘇時學說作『邦』，與下豐字爲韵。」高亨老子正詁：「邦」王本作國，傅本作邦。韓非子解老篇引同，今據改。按：「作邦是也。」朱謙之老子釋譯：嚴可均曰：『「脩之身」河上、王弼「脩之」下有「於」字，下「脩之家」「脩之鄉」亦然。御注、高翿五句皆無「於」字。「其德有餘」衆本作「乃餘」，御注作「其德能有餘」，韓非子與此同。「脩之於國」韓非子作「於邦」，與豐叶韻，今沿漢避諱改也。』羅振玉曰：『景福本無「之」字，下同。景龍、御注、敦煌三本均無「於」，下四句同。又敦煌本「乃」作「能」，下四句「乃」字同。御注「眞」作「貞」。「其德乃餘」景龍、景福二本「乃」作「有」，敦煌本「餘」上有「有」字。』武內義雄：『敦、遂二本「乃」皆作「能」。』情牽案：彭、趙、范、樓正、高翿亦無五『於』字，室町本『有』字上有『乃』字，無上四『於』字。嚴本無『其德乃眞』

句。『其德有餘』句與河上、柰卷同此石。又傅、范『國』作『邦』，傅『普』作『溥』。范曰：「『邦』字韓非與古本同。』顧廣圻曰：『傅本「普」作「溥」』，案普溥同字也。』易順鼎曰：『按周易集解虞氏注引老子曰：「修之身，德乃眞。」詩序正義曰：「老子云，修之家，其德乃餘；修之邦，其德乃豐；」皆無「於」字。虞所引，並無「其」字矣。』焦竑曰：『「邦」一作「國」。漢人避高帝諱改之，於韻不叶。今从韓非本。』洪頤煊曰：『「脩之於國，其德乃豐」；案「國」當爲「邦」。上下文身、眞、家、餘、鄉、長、下、普皆爲韻，此以邦、豐爲韻。韓非子解老篇「修之邦，其德乃豐」；又云「以邦觀邦」；字尚未改。』王淮老子探義：王弼曰：「以身及人也，修之身則眞，修之家則有餘，修之不廢，所施轉大。焦竑曰：「邦、一作國。漢人避高帝諱改之，於韻不叶，今從韓非本」。案：老子此言亦修身爲「本」，齊家治國平天下爲「末」之意，儒家禮記大學所述，或即以爲此據。唯「內聖外王」（莊子語）之學，雖爲儒道兩家之共法，其精神內容則不必相同。儒家以「修身」爲本，以「平天下」爲聖德之「極致」，且爲一積極之「目的」；道家以「修身」爲本，以「治天下」爲聖人之「餘事」，乃是無心而自然之一種「效用」，而非一有心之「目的」，此儒道之所異。因此，老子並不反對德化之普遍，要能無心而自然，乃合於道耳。」嚴靈峯老子達解：修之於國，其德乃豐；其緒餘以治國家，「無事而民自富」，故德豐也。陳鼓應老子今註今譯：范應元本作「邦」，范說：「『邦』字，韓非與古本同。」魏源說：「『拔』『脫』『輟』爲韻，『身』『眞』爲韻，『家』『餘』爲韻，『鄉』『長』爲韻，『邦』『豐』爲韻，『下』『普』爲韻，皆古音也。諸本避漢諱改『邦』作『國』。」（老子本義）「邦」即國，但本章三個「國」字，仍應依原文改正爲「邦」。余培林老子讀本：「豐：豐盛、豐碩、豐厚。」張揚明老子斠證譯釋：「修之於身」至「其德乃普」十句：王弼「邦」原作「國」。韓非、傅奕、吳澄、魏源並無五「於」字；「國」均作「邦」。焦竑同；惟有於字。景龍無前三「於」字；「修」作「脩」。趙志堅「乃」均作能。傅「普」作「溥」。洪頤煊：「按國當爲邦，身眞、家餘、鄉長、下普爲韵，此以邦豐爲韻。」揚明案：「邦」字據諸說改復其舊。下同。「普」「溥」通用。詩小雅「溥天之下」，孟子萬章篇引作「普天之下」。是其證。「修之於身」至「以天下觀天下」十五句：解老：「身以積精爲德，家以積財爲德，鄉國天下皆以民爲德。今治身而外物不能亂其精神，故曰：「修之身，其德乃眞。眞者，愼之固也。治家者，無用之物不能動其計，則資有餘。故曰：修之家，其德有餘。治鄉者行此節，則家之有餘者益衆，故曰：修之鄉，其德乃長。治邦者行此節，則鄉之有德者益衆，故曰：修之邦，其德乃豐。莅天下者行此節，則民之生莫不受其澤，故曰：修之天下，其德乃普。修身者以此別君子小人；治鄉、治邦、莅天下者，各以此科適觀息耗，則萬不失一。故曰：以身觀身，以家觀家，以鄉觀鄉，以天下觀天下」。呂吉甫：世之所謂修德者，或修之於國家天下，而不知其本眞乃在吾身也。德之眞既修諸身，則推之而已。莊周以爲道之眞，以治身，其緒餘以爲國家，其土苴以治天下，其說出於此」。魏源：「一德之外無餘事，一眞之外無餘修也。夫何故？一人之身，一家、一鄉、一國、一天下之身是也。千萬人之性情，一身之性情是也」。揚明案：老子之道，放之則彌六合，收之則退藏於密，修齊治平，無不咸宜。

五十五章　玄符（闕）

五十六章　玄德（闕）

五十七章 淳 風

以奇用兵。(58)

【斠補】王注：故以正治國，不足以取天下，而以奇用兵也。案奇與正對文，則奇義同邪。管子白心篇：奇身名廢。注云：奇邪不正也。是奇即不正，以奇用兵，即不依正術用兵也。五十八章：正復爲奇。亦正奇對言。又七十四章云：使民常畏死，而爲奇者，吾得執而殺之，孰敢？面注：詭異亂羣謂之奇。實則此文之奇，亦當訓邪，即周禮宮正所謂奇衺之民也。鄭注云：奇譎非常。此奇字之的解也。

【疏證】義案：甲本作「以畸用兵。」乙本同。古本無異文。以「畸」用兵，通行本「畸」作「奇」。說文：「畸，殘田也，從田，奇聲。」荀子天論篇：「墨子有見於畸，無見於齊。」經、傳皆以「奇」爲之。叚借爲「奇」。廣雅釋詁二：「畸，邪也。」莊子大宗師：「敢問畸人。」李頤注：「畸，異也。」又說文：「奇，異也。從大，可聲。」管子白心：「奇身名廢。」注：「謂邪不正。」吳澄道德直經註：「奇者，權謀詭詐，譎而不正。孫吳以奇用兵，帝王以弔民伐罪爲心，不尙權謀，詭詐以爲奇。奇者，僅可施於用兵，不可以治國。」焦竑老子翼：「蘇子由云：古之聖人，柔遠能邇，無意於用兵；唯不得已，然後有征伐之事，故以治國爲正，以用兵爲奇。呂吉甫云：兵者，不祥之器，非君子之器，故有道者不處。兵而常且久，則是處之也，故以奇而不以正。奇者，應一時之變者也。李息齋云：我以正治人，由人之本正也；以奇用兵，由兵之本奇也。」魏源老子本義：「王氏弼曰：取天下者常以無事，及其有事，不足以取天下，故以正治國，則不足以取天下，而適致以奇用兵也。夫以道治國，崇本以息末，以正治國，立辟以攻末，本不立而末淺，民無所及，故多忌諱，欲以恥民，而民彌貧，利器欲以强國，而國愈昏，民多智慧，則巧僞生，巧僞生，則邪事起，以至法令滋章，盜賊多有，皆舍本治末，故致此，是正者欲以息邪而奇兵用也。聖人無爲無欲，而民從之速，皆崇本以息末耳。孰知其極其無正者，言孰能知善治之所極乎？惟無可正舉，無可形名，悶悶然而天下化，是其極也。以正治國，則便復以奇用兵矣。吳氏澄曰：以正治國者，法制禁令正其不正，管商是也。以奇用兵者，譎而不正，孫吳是也。奇者，僅能用兵而不能治國；正者，但知治國，而不可以取天下。惟以無爲治天下，不期服人而人自無不從之也。夫以正治國之效何如哉？」王夫之老子衍：天下有所不治，及其治之，非「正」不爲功。以「正」正其不正，惡知正者之固將不正邪？故「正」必至於「奇」，而治國必至於「用兵」。夫無事者，正所正而我不治，則雖有欲爲奇者，以無猜而自阻，我乃得坐而取之。馬敍倫老子校詁：「嚴可均曰：御注奇誤作其。倫案：劉說是也。下文衺事滋起，王河上衺事作奇物，五十八章其無正衺，亦正衺對文。曲禮釋文，奇車，奇邪不正之車，以邪釋奇，奇亦衺之借字，亦通作邪。」高亨老子正詁：

下文曰：「奇物滋起。」諸奇字皆邪義也。今發其義例於此。朱謙之老子釋譯：嚴可均曰：『以奇』御注誤作「以其」。』王淮老子探義：釋憨山曰：「言治天下國家者，當以清靜無欲爲正，而不可用奇巧以誘民。且奇巧詐術，是爲詭道，但可用之於兵，不可以治國，故曰以正治國，以奇用兵。然兵者不祥之器，不得已而用之，乃好事者爲之耳，非取天下之具也，故以無事取天下」。案：此三句以首句「以正治國」爲主要，且爲全章之主題。「以奇用兵，以無事取天下」，只是陪襯。雖然，分別觀之，則此三句可視爲各自獨立而平等並列之三個原則。玆分析之如左：所謂「以正治國」，表面似乎易解，即以正道治國之意，殊不知所謂「正道之內容，果何所指？此則大有研究之餘地。儒者以仁義忠孝，敬老尊賢，勤政愛民爲治國之正道，而道家則未必然。老子所謂以「正」治國者，謂國君主觀上體道虛無；客觀上因循自然。亦即國君自守無爲之道，而放任天下於自得之場。彼此相忘，上下清靜，返於「樸」而化於「道」，此則爲老子所謂之「以正治國」也。所謂「以奇用兵」，此與「以正治國」相對成文。「正」既是自然無心之常道，「奇」即是人爲有心之變詐。就用兵言，「兵不厭詐」。故「以奇用兵」，亦爲一普遍之原則，至於當否用兵，自是另一問題。嚴靈峯老子達解：言以正道治國，以詭道用兵也。以正治國，以奇用兵，以無事取天下，吾何以知其然哉？以此。俞樾曰：『此數句，當屬上章。如二十一章曰：「吾何以知衆甫之然哉，以此。」五十四章曰：「吾何以知天下之然哉，以此。」並用「以此」二字爲章末結語，是其例矣。下文「天下多忌諱而民彌貧」乃別爲一章，今誤合之。』俞說是也。按：此與十二章、三十八章、七十二章皆以「故去彼取此」作爲結句之一例也。王弼注：『上云：「其取天下者，常以無事；及其有事，已不足以取天下」也。』是王所見本『以正治國』諸句，文當在『不足以取天下』章之後也。是此數句，當在四十八章「及其有事不足以取天下」句後。又：王弼注：『以道治國，則國平；以正治國，則奇正起也。……故以正治國，則不足以取天下。而以奇用兵也。夫以道治國，崇本以息末，以正治國，立辟以攻末，本不立而末淺，民無所及，故必至於奇兵用也。』王注謂「以正治國」爲「攻末」，恐非也。宋徽宗曰：「正者，道之常；奇者，道之變。……國以正定，兵以奇勝。」葉夢得曰：「治國者，必以正；用兵者，必以奇。」呂惠卿曰：「治國者，不可以不常且久者也；故以正而不可以奇。」王一清曰：「以正治國，順理而已；以奇用兵，從權變也。按：正，謂清靜之道。以正治國，猶言以正道、常道治國也。下文：「我好靜而民自正。」第四十五章：「清靜爲天下正。」皆其證也。鼓應老子今注今譯：「奇：奇巧，詭秘。臨機應變。」

五十八章 順化

禍兮福之所倚，福兮禍之所伏。(59)

【斠補】案韓非子解老篇所引，於禍兮句下，有以成其功也五字，疑此節多佚文。

【疏證】義案：甲本作「旤福之所倚，福（下缺）。」乙本作「（上缺）福□之所伏。古本無異文。「旤」福之所倚：通行本「旤」作「禍」。說文：『禍，害也。从示，咼聲。』釋言釋言語：『禍，毀也。』荀子天論：『逆其類者，謂之禍。』論衡累害篇：『來不由我，故謂之禍。』又說文：『旤，屰惡敬詞也。从旡，咼聲。』朱駿聲曰：『叚借爲「禍」。』荀子仲尼：猶恐及其「旤」。』按：此文作「旤」，下增「心」字。五十二章：「既得其母。」「既」，小篆本作「㤅」，下亦增「心」。康熙字典云：「禍」，古文「旤」。古文下亦無「心」字，此蓋古別體字。現存本無有作「旤」者。「福兮禍所伏」：「福兮」上，脫「禍兮福所倚」五字。吳澄道德眞經注：「無事者之政，若悶悶無可喜，然自化自正，自富自樸，其民迺淳淳然。正者之政，若察察有可觀然，下貧上昏，物僞人亂，其民迺缺缺然，故借禍福爲譬，人以爲禍者，不知福倚於禍之旁。譬悶悶之政，而有淳淳之民也。人以爲福者，不知禍伏於福之中。譬察察之政，而有缺缺之民也。禍不終於禍，而終於福，福不終於福，而終於禍。孰能知其終之所至何如哉？」焦竑老子翼：「陸師農云：若夫未能致於無正之地，而流於吉凶之域，則一禍一福，其運如輪，其循如環，終於迷而已。蘇子由云：天地之大，世俗之見，有所眩而不知也。蓋福倚於禍，禍伏於福。譬如老稚生死之相繼，未始有止，而迷者不知也。呂吉甫云：時有終始，世有變化，禍福淳淳，至有所拂者，有所宜。有所拂者，世所謂禍；而有所宜，世所謂福，則福所倚也。有所宜者，而有所拂，則禍所伏也。李息齋云：天下之事，禍福之相爲倚伏，所从來久矣。政悶悶者，無得在我，而有得在民；政察察者，有失在民，而有得在我。我得則彼失，我福則彼禍，自然之理也。」魏源老子本義：「韓非子所倚所伏上，並有之字。所謂禍者，其終未必非福，所謂福者，其終未必非禍。孰則知其終之所極何如哉？蓋正與不正對，正一反則爲不正之奇，正善而奇不善，斯訞禍生焉。不知無所謂正，則無所謂善，而亦不至反而爲奇之訞也。常人迷昧，久已不知此理，故但知以正治國之爲善，而不知無所謂正之爲正也。知此者其惟有道乎？以無事爲事，則以不方爲方，不廉爲廉，不直爲直，不光爲光。是以其遇物也，圭角鋒稜，渾然不露，容隱韜晦，與物無傷，則有其善而無其弊耳。雖未嘗以此取天下，而天下可取之理在其中矣。王夫之老子衍：嘗試周旋迴翔於理數之交，而知其無正邪，彼察察然迓福而避禍者，則以爲有正。是故遠「割」「劌」「肆」「耀」之傷，而作「方」「廉」「直」「光」之保，則氣數失其善祆，而奇正忘於名實。不然，避禍而求福於容，容亦迷而速其祆爾。」馬敍倫老子校詁：畢沅曰：明皇陸希聲無兩之字。易順鼎曰：御覽四五九引說苑引老子曰：得其所利，必慮其害，樂其所樂，必顧其敗，人爲善者，天報以福，人爲不善者，天報以禍。故曰：禍兮禍所依，福兮禍所伏。案所引語，疑此處佚文。呂覽制樂篇：故禍者福之所倚，福者禍之所伏，聖人所獨見，衆人焉知其極，亦多於此。張煦曰：倚作依，呂林葛趙無兩之字。倫案：說苑敬愼篇：老子二字，疑當在故字下。獨禍兮以下引老子文耳。不然，此二語爲老子引古記，而老子全書無故曰例也。惟此下脫聖人所獨見衆人七字，當據呂氏春秋補。劉謂此節多佚文，是也。各本及文子微明篇引無二之字。史記賈誼傳誼爲鵩鳥賦曰：禍兮福所倚，福兮禍所伏。蓋即此文，亦無二之字。張之象同此，易州無兩兮字。」朱謙之老子釋譯：嚴可均曰：「御注作「禍兮禍所倚，福兮禍所伏」。河上、王弼有兩「兮」字，無兩「之」字。」情案：景福、磻溪、樓正、彭、范、高、王義之、趙孟頫、並與河上、王弼同。遂州本，二『兮』字並無。又『熟知其極』、諸本『熟』皆作『孰』，此言衆人不知禍福之所歸也。文子微明篇云：『利與害同門，禍與福同隣，非聖賢莫之能分，故曰，禍兮福所倚，福兮禍所伏，孰知其極？』呂氏春秋制樂篇云：『故禍者福之所倚，福者禍之所伏。聖人所獨見，衆人焉知其極？』荀子正名篇云：『權不正則禍託於欲，而人以爲福；福託於惡，而人以爲禍；此亦人所惑亂禍福也』又大略篇云：『慶者在堂，弔者在閭。禍與福隣，莫知其門。』此與賈誼服賦所云：『夫禍之與禍，何異糾纏；命不可測，孰知其極？』語皆出於老子。又韓非解老篇云：『故曰，禍兮福之所倚，以成其功也。…故曰，福兮禍之所伏…故諭人曰，孰知其極？』劉師培以所引於『禍兮』句下有『以成其功也』五字，疑此節多佚文。又御覽四百五十九說苑引老子曰：『得其所利，必慮其所害；樂其所樂，必顧其敗。人爲善者，天報以福，人爲不善者，天報以禍。故曰，禍兮福所倚，福兮禍所伏。』易順鼎以所引疑係此處逸文。實則老子語，蓋只此三句，韓非『以成其功也』與說苑引『故曰』以上諸語，皆爲後人發揮老子之旨，非其本文，不可不辨。王淮老子探義：王弼曰：「言誰知善治之極乎？唯無可正舉，無可形名，悶悶然而天下大化，是其極也」。案：此承上文言天下之禍福、得失、是非、善惡、俗人之智淺，多未能深辨。悶悶之政本是善政，世或以其「無爲」爲非；察察之政、本是惡政，世或以其「有爲」爲是。其實皆似是而非，老子於此深致其歎，故曰：「孰知其極」。極，究竟也。嚴靈峯老子達解：「物或損之而益，或益之而損」，福因禍而生；人遭禍則有戒心，修善得道，則禍去而福來；禍伏匿於福中，人得福則忘形驕恣，則福去而禍來。禍、福之轉相生也，如塞翁之失馬。言禍反爲福，福反爲禍也。」嚴靈峯馬王堆帛書老子試探：「淮南人間：故福之爲禍，禍之爲福；化不可極，深不可測也。賈誼新書：鵩鳥賦：禍兮，福所倚；福兮，禍所伏。余培林老子讀本：「倚」，依憑。「伏」，隱藏。此二句謂禍福無定。張揚明老子斠証譯釋：「禍兮福之所倚，福兮禍之所伏」：明皇、陸、呂、林、葛、趙均無兩「之」字。韓非、河上、王弼、及各本均有。景龍、遂州、呂林、葛、趙並無兩「兮」字。「禍兮福之所倚，福兮禍之所伏」：韓非解老：「人有禍則心畏恐，心畏恐則行端直，行端直則思慮熟，思慮熟則得事理。行端直則無禍害，無禍害則盡天年。得事理則必成功。盡天年則全而壽，必成功則富與貴。全壽富貴之謂福。而福本於有禍，故曰禍兮福之所倚。人有福則富貴至，富貴至則衣食美。衣食美則驕心生，驕心生則行邪僻而動棄理。行邪僻則身死夭，動棄理則無成功。夫內有死夭之難，而外無成功之名者，大禍也。而禍本生於有福。故曰福兮禍之所伏」。

五十九章 守道

治人事天，莫若嗇。⑽

【斠補】王注：嗇，農夫。河上注：嗇，貪也。案韓非子解老篇述此文曰：書之所謂治人者，適動靜之節，省思慮之費也。所謂事天者，不極聰明之力，不盡智識之任，苟極盡則費神多，費神多，則盲聾悖狂之禍至，是以嗇之。嗇之者，愛其精神，嗇其智識也。故曰：治人事天，莫若嗇。是古誼嗇爲省嗇，王說非。

【疏證】義案：甲本殘闕。乙本、古本皆無異文。吳澄道德眞經注：「人所成之形，天所受之氣，治事修之養之也。嗇所入不輕出，所用不多耗也，留形惜氣要術也。」焦竑老子翼：「蘇子由云：以嗇治人，則不可有國者是也。以嗇事天，則深根固蔕者是也。古之聖人，保其性命之常，不以外耗內，則根深而不可拔，蔕固而不可脫，雖以長生久視可也。蓋治人事天，雖有內外之異，而莫若嗇則一也。呂吉甫云：純素之道，唯神是守，守而勿失，與神爲一。則人有其有不可得而治，天有其不可得而事乎？故曰：治人事天，莫如嗇也。魏源老子本義：「陸希聲本作治民，韓非王弼作莫如。李氏嘉謨曰：外以治人，內以事天，皆莫若嗇。嗇者，無所不嗇之謂也。謹於內，閑於外，內心不馳，外欲不動，故能早服而德日以積，積於不積則無不勝，無不勝則無不治，雖有國可也。人知其有國而不知其可以有國者，由其有本，本積既厚，則安知其極，此所以長久不殆也。」王夫之老子衍：「人」之情無盡，取而「治」之，而不及情者多矣。「天」之數無極，往而「事」之，則無可極者遠矣」。馬叙倫老子校詁：「范應元曰：若字河上同古本。彭耜曰：纂微司馬蘇曹葉如作若。畢沅曰：人，陸希聲作民。若，王弼作如。魏錫曾曰：御注人作民。王先愼曰：趙孟頫作如。倫案：弼注曰：上承天命，下綏百姓。成疏曰：上合天道，下化黎元，是王成仁皆作民。若字，臧疏吳趙寫及韓非解老篇引作如，各本同此。（弼注曰：莫如猶莫過也，今張之象本作若，蓋後人據別本改之。）成疏曰：天，自然也。式，法也。莫若，猶莫過也。言上合天道，下化黎元者，無過用無爲至法也。是成亦作若，惟嗇作式，館本嗇亦作式，下同。」陳柱老子註：韓非子云：『嗇之者，愛其精神，嗇其知識也，衆之人用神也躁，躁則多費，聖人用神也靜，靜則少費。』高亨老子正詁：說文：「嗇，愛濇也，从來，从㐭，來者㐭而藏之，故田夫謂之嗇夫。穡，穀可收曰穡。从禾，嗇聲。」朱駿聲說文通訓定聲曰：「嗇字本訓當爲收穀，即穡之古文也。」其說甚塙，嗇从來从㐭，來麥也，即收麥而藏於㐭中之象也。是嗇本收藏之義，衍爲愛而不用之義。此嗇字謂收藏其神形而不用，以歸於無爲也。」朱謙之老子釋譯：魏稼書曰：『治人事天』，御注「人」作「民」。」武內義雄曰：『敦、遂二本「嗇」作「式」、「式」爲「嗇」之借字。』情牽案：邢玄『人』亦作『民』。『若』字嚴、顧、彭、趙作『如』，釋文出『如』字。『嗇』敦、遂二本及趙志堅本作『式』，作『式』是也。顧本成疏「「天」自然也，「式」法也，「莫若」猶無過也；言上合天道，下化黎元者，無過用無爲之法也。」是成所見本作「式」。又强本榮注「莫過以道用爲法式」；是李榮所見本亦作「式」。「式」即法式，猶今語規律。說文「式、法也；」周書謚法「式、法也；」廣雅釋詁一「式、灋也；」詩下武「下土之式」，傳「法也」。經文二十二章「聖人抱一爲天下式」。易順鼎曰：「『式』即『栻』字，廣雅「栻，梮也」，梮有天地，所以推陰陽，古吉凶，以楓子棗心木爲之。漢書王莽傳「天文郎案栻於前」即此，字亦作「式」。周禮「太史抱天時與太師同車」，鄭司農云，「大出師，則太史主抱式以知天時，主吉凶。」……老子「式」字即此義。」情牽案：易說甚辨。老子爲周柱下史，曾子問引鄭玄云：「老聃周太史」，則其曾抱式以知天時，或亦分內之事。惟此云治人事天莫若式，乃就法式而言，二十八章「爲天下式」，六十五章「兩者亦楷式，常知楷式；」「式」字均作法式解，而法式之觀念，則固從觀察天文之現象來也。嚴靈峯老子達解：「言治理人民，保養天賦，莫過於愛惜精氣也。」陳鼓應老子今註今譯：治人事天：治國養生。「人」，陸希聲本，强思齊本作「民」。「治人」，即治國。「天」，有兩種解釋：㈠作「自然」；成疏：「天，自然也。」㈡作「身」；河上公註：「治身者當愛精氣不放逸。」王純甫說：「事天，謂全其天之所賦，即修身之謂也。」奚侗說：「呂覽先己篇：『所事者，末也。』高註：『事，治也。』又本身篇：『以全其天也。』高註：『天，身也』……嗇以治人，則民不勞；嗇以治身，則精不虧。」嚴靈峯先生說：「『天』，猶身性；以全其天也。『事天』，猶治身也。」本章重點在於講「嗇」，「嗇」是「長生久視之道」（本章最末一句話）。林希逸註文中說：「治國者如此，養生者亦如此，養生而能嗇，則可以長生。」「治國」「養生」，就是指「治人，事天」

而說的。本章在於講怎樣來治國養生，對於如何去應對自然（天）則隻字未提。所以「事天」應依林希逸作「養生」解。孟子盡心章（上）也曾說：「存其心，養其性，所以事天也。」這是養生之所以為「事天」解的一個有力的旁證。道家的「養生」着重在存心、養性上（保存靈明的本心、蓄養天賦的本性），和後代道教止於養形的低級趣味不同。嗇：愛惜，保養。余培林老子讀本：事天：謂治身、保身。韓非子解老篇曰：「聰明睿智，天也；動靜思慮，人也。」韓非以「聰明睿智」釋「天」，但「聰明睿智」皆在人身，由此可知所謂「事天」，乃是事天之所賦予人的心性本能，也就是修身的意思。本章所說的都是修己治人之道，是老子「內聖外王」的工夫，沒有一句話說到天的部份，尤可證明「事天」就是修身之意。嗇：河上公曰：「嗇，貪也。治國者當愛民，治身者當愛精神。」是「嗇」就是愛惜、節儉的意思。與六十七章的「儉」字同義。張揚明老子斠證譯釋：陸希聲及御注「人」作「民」。臧疏、吳、趙、及韓非解老「若」作「如」。館本「嗇」作「式」。下同。各本均同此。范應元：「『若』字河上同古本」。「治人事天」：韓非解老：「書之所謂治人者，適動靜之節，省思慮之費也。所謂事天者，不極聰明之力，不盡智識之任。苟極，則費神多。費神多，則盲聾悖狂之禍至，是以嗇之」。揚明案：「治人」，即治理人事，亦即人為之義。「事天」，即順應天然。莊子秋水篇說：「天在內，人在外，德在乎天。知夫人之行，本乎天，位乎德」。又說：「牛馬四足是謂天，落馬首，穿牛鼻，是謂人。故曰无以人滅天，无以故滅命，无以德殉名，謹守而勿失，是謂反其眞」。本經十章所謂的「嬰兒」，是天；「能嬰兒乎」，是人。「一」，是天，「營魄抱一」，是人。「氣」，是天；「專氣」是人。「柔」是天；「致柔」是人。「玄覽」是天，「滌除玄覽」是人。十六章所稱：「虛極」是天，「致虛極」是人。「靜篤」是天，「守靜篤」是人。「命」是天，「復命」是人。「莫若嗇」：解老：「少費之謂嗇。嗇之者，愛其精神，嗇其智識也。」蘇轍：「嗇者，有而不用也」。朱熹：「老子之學，謙沖儉嗇，全不肯役精神。」馮友蘭：「寡欲，亦即嗇也」。揚明案：「嗇」，便是塞克閉門，清心寡欲之意。即對內吝嗇精、氣、神，不使洩傷耗費；對外也不因故而大費精神體力。亦即秋水所謂「无以人滅天，无以故滅命，无以德殉名」的意思。張說是也。

夫唯嗇，是謂早服；早服，謂之重積德。(61)

【斠補】王注：早服，常也。兪云：困學紀聞引此文兩服字，皆作復，且引司馬公、朱文公說，並云不遠而復。又曰：王弼本作早服，而注云：早服，常也。亦當作復。今按韓非子解老篇，亦作蚤服。王說非。案呂氏春秋情欲篇論早定，則知早嗇。又解老篇述下文早嗇義曰：夫能嗇也，是從於道，而服於理者也。又曰：聖人雖未見禍患之形，虛無服從於道理，以稱蚤服。則訓服從道理，早即先幾之義矣。王訓早服爲常，後儒又改服爲復，見於釋文，宋人均從之，此均昧於古訓者也。兪氏知作復之非，惜未詮韓子之誼耳。

〔疏證〕義案：甲本殘闕。乙本作「夫唯嗇，是以蚤＝服＝是胃重＝積＝（下缺）。」古本作「夫惟嗇，是以早服；早服，謂之重積德。吳證道德眞經註：「復，反還其初重多也。積，畜聚於內也。德，所得於天之沖氣。克，勝也。極，終窮也。有，保有之國。以喻人之身，嗇於用氣，則虧者全，衰者盛，而早得，以反還其初所得之沖氣，畜聚於內者，有增無減，氣充滿則能勝外物，無有能耗損傷害之者。」焦竑老子翼：「韓非子云：夫唯嗇，是謂蚤服。知治人者，其思慮靜；知事天者，其孔竅虛，思慮靜，故德不去；孔竅虛，則和氣日入。夫能令故德不去新，和氣日至者，蚤服者也。故曰蚤服，是謂重積德。蘇子由云：夫嗇者，有而不用者也。世患無以服人，苟誠有而能嗇，雖未嘗與物較，而物知其非不能也，則其服之早矣。物既已服，斂藏其用，至於歿身而終不試，則德重積矣。呂吉甫云：夫唯嗇其精神而不用，則早服者也。苟為不嗇而費之，至於神敝精勞，雖欲反其精神，亦無由入矣。其於復也，不亦晚乎？故曰：夫唯嗇，是謂早復。人之生也，固足於德，夫誠能嗇，而早復之，則德日益以充，故曰早復謂之重積德。」魏源老子本義：「諸本作是謂，此從韓非子。蚤服，焦竑云：一本作早復。」朱子曰：老子之學，謙沖儉嗇，全不肯役精神。早服是謂重積德者，言早已有所積，復養以嗇，是又加積之也。若待其已損而後養，則養之方足，以補其所損，不得謂之重積矣。所以貴早服者，早覺其未損而嗇之也。姚氏鼐曰：服者，事也。嗇者，時暇而力有餘。故能於事物未至，而早從事以多積其德，逮事之至而無不克矣。」王夫之老子衍：「韓非曰：思慮靜，故德不去；孔竅虛，則和氣日入。」以其敝敝從其浩浩，此翼彼之恩，而彼翼望此以為怨。怨不可以有國，而敝敝窮年，亦「根」敗「柢」枯，而其「生」不延。迨其不延，悔而思「服」，豈不晚與！守之圜中，鮮所「治」，鮮所「事」。情萬而情情者一，數萬而數數者並一不存。或疑其吝而不德，而不德之德，天人無所邀望於始，則亦無所怨悯於終。而批卻導窾，數給不窮者，寧有訖乎？故牡之觸有窮，而牝之受無所止。「重積德」者，天下歙其受而歸我，席虛以游天下，此「有國」之與「長久」，兩難幷者，而幷之於此。幷之於此，則豈有不幷於此者哉？馬叙倫老子校詁：「夫唯嗇。是以早服。范應元曰：服字，古本如此。河上、蘇子由、韓非俱作服字注，王弼、孫登及世本作早復，如易卦不遠復之義。彭耜曰：纂微司馬蘇曹陳以字作謂，纂微蘇曹陳復作服。畢沅曰：以，諸本作謂，韓非同奕。俞樾曰：困學記聞十引作復，且引司馬公朱文公說，並云，不遠而復，今察韓非解老篇以服從爲說，則古本自是服字。易順鼎曰：陸德明作復，又釋文出復字云：音復，是王本原作早復也。張煦曰：葛惟作爲，倫案：寇張之象臧疏易州館本磻溪奈卷惟作唯。是以，范吳館本臧疏同此，各本作是謂，以字是。韓非解老篇引早作蚤，下同。彭張嗣成吳潘服作復，各本同此，復字是。陸德明作復，則今王本作服者，後人依別本改之矣。館本作伏，趙寫作是謂早復。早服之重積德。王先愼曰：河上謂之作是謂。倫案：陸張嗣成趙寫服作復，各本同此，韓非解老篇引謂之作是謂。謚河上注曰：是謂重積德於己也，是河上亦作是謂。今河上本作謂之，蓋後人據別本改矣。倫案：重讀重複之重，說文作緟。今通用重。」陳柱老子註：韓非子云：『衆人離——離古通罹。——於患，陷於禍，猶未知退而不服於道理，聖人雖未見禍患之形，虛無服從於道理，以稱蚤服。』——蚤與早通。」高亨老子正詁：夫唯嗇，是謂早服。按早服下無賓語，意不完足。韓非子解老篇：「夫能嗇也，是從於道而服於理也。」增道理二字以釋之。河上公注：「早，先也，服，得也，夫獨愛民財，愛精神，則能先得天道也。」增天道二字以釋之。王注：「早服常也。」增常字以釋之。皆增字爲訓，不可取也。竊疑服下當有道字。早服道與重積德句法相同，辭意相因。服道即二十三章所云「從事於道」之意也。韓非子引已無道字，蓋其 也久矣。或曰：「有道字不失韻乎？」曰：老子全書用韻，率之幽通諧，本章正嗇道德克極母久道爲韻也。下句早服下亦挩道字。早服是謂重積德。「是謂」王本原作謂之，河上本作是謂，韓非子解老篇引同。今據改。按：作是謂是也。」朱謙之老子釋譯：『嗇』敦、遂二本作『式』。『謂』敦、遂本及嚴、彭、顧、傅、范作『以』。『早』嚴本作『蚤』。『以』『蚤』二字並與韓非子解老同。『早服』敦、遂二本『服』作『伏』，彭、趙作『復』，傅、范同右。范曰：「王弼、孫登及世本作「早服」。」兪樾曰：『按困學紀聞十引此文，兩「服」字皆作「復」，且引司馬公、朱文公說，並云「不遠而復」。又曰：「王弼本作早服，而注云早服常也，亦當爲復；」今案韓非子解老篇曰：「夫能嗇也，是從於道而服於理者也，衆人離於患，陷於禍，猶未知退而不服從道理。聖人雖未見禍患之形，虛無服從於道理以稱蚤服；」然則古本自是「服」字。王說非。』又案韓非解老引『夫謂嗇，嗇是以蚤服；』盧文弨曰：『張本「謂」作「惟」，「以」作「謂」，凌本「服」作「復」，上下句皆同。王弼本作「復」，傅釋文「復音服」。』顧廣圻曰：『傅本及今德經，「謂」皆作「惟」，今德經「以」作「謂」，傅本與此合』。王先愼曰：』凌本作「復」者，用老子誤本改也。上文「從於道而服於理」，又言「不服從道理」，又云「虛無服從道理」，即解老子蚤服之義。服從之服當作服，更無疑義。知韓子所見德經，本作「服」不作「復」也。困學紀聞十引老子「服」作「復」，並引司馬光、朱文公說云「不遠而復，謂王弼本作早復，而注云早服常也，亦當作復。」據此則王弼本仍作「服」

與本書合。宋儒據釋文爲訓，未檢韓子也。凌氏依誤本老子改本書，非是。』情牽案：作『蚤服』是也。范本引王作『早復』，道藏宋張太守彙刻四家注引王注『早復常也』，『早復謂之重積德者也』；是范、張皆見王本亦有作『復』者。司馬光謂『不遠而復，不離於德，可以修身』；朱熹謂『能嗇則不遠而復，重積德者，先已有所積，後養以嗇，是又加積之也。』蓋皆以儒家之說解老，擅改『早服』爲『早復』，王先愼所云誤本者，殆即此耳。高亨之說是也。河上公注『早服』句：『早，先也；服，得也；夫獨愛民財，愛精氣，則能先得天道也。』又注『重積德』句云：『先得天道，是謂重積德於己也；』知河上公二句皆有『道』字，今脫。王先愼曰：『河上「謂之」作「是謂」，與韓非解老文合。』情牽案：嚴遵本無此句。『早服』二字可從韓子注，『服』訓服從道理。虞書『五刑有服』，傳『從也』；爾雅釋詁『服，事也』；禮記孔子閒居『君子之服之也』，注『猶習也』。服有從習之義，謂從於道而習於理也。又『德』借爲『悳』，廣雅釋詁三『德，得也』；左襄廿四傳『德，國家之基也』；家語入官『德，政之始也』；呂覽精通『德也者，萬民之宰也』；皆借德爲悳。言早服從道理，則積得深厚也。王淮老子探義：韓非曰：「聰明睿智、天也。動靜思慮、人也。……書之所謂治人者，適動靜之節，省思慮之費也；所謂事天者，不極聰明之力，不盡智識之任也。苟極盡則費神多，……聖人之用神也靜，靜則少費，少費之謂嗇。……夫能嗇也，是從於道者服於理也。案：治人謂養生也、事天謂修道也。嗇者、愛而不費之意。此言修道養生之原則耑在「彊本節用」。誠能彊本節用便是服從自然之道理——「虛靜、無爲」。誠能虛靜無爲則「德」必日積而盛。蓋修道養生之目的唯在成德，以建體立極也。嚴靈峯老子達解：夫唯嗇，是謂早服；言唯能愛惜精氣者，可以早日服膺於道理也。早服，謂之重積德；言早服膺於道理者，能厚於積德也。陳鼓應老子今註今譯：早服：有兩種解釋：㈠「服」，作復，返。「早服」，早返於『道』；高亨說：「『早服』下無賓語，意不完足。」各家多增『道』來解釋；韓非子說「夫能嗇也，是從於道而服於理也。」王弼說：「早服，常也。」『常』即常『道』。㈡「服」作「事」；姚鼐說：「『服』者，事也。嗇則時暇而力有餘，故能於事物未至，而早從事以多積其德，逮事之至而無不克矣。」張默生根據姚鼐的說法將「早服」譯釋爲「早爲準備。」今從姚說。重積德：不斷的積蓄『德』。「重」，多，厚，含有不斷增加的意思。『德』，指嗇『德』。余培林老子讀本：是以：王弼本原作「是謂」，河上公本及其他各本同。韓非子解老篇作「是以」。按老子書中，上句用「夫唯」，下句不用「是以」，則用「故」字領句（「故」也是「是以」之意），而沒有用「是謂」的。如第二章：「夫唯弗居，是以不去。」七十章：「夫唯無知，是以不我知。」七十一章：「夫唯病病，是以不病。」七十二章：「夫唯不厭，是以不厭」準此，這裏的「謂」字當是「以」字之誤。今據韓非子改。早服：謂早服從於道。韓非曰：「聖人雖未見禍患之形，虛無服從於道理，以稱早服。故曰：夫唯嗇，是以早服。」重積德：「重」，多。「德」，指嗇德。張揚明老子斠證譯釋：「是以早服」：王弼原作「是謂」。纂微、司馬、蘇、曹、陳並同。傅奕作「以」」。畢沅：「『以』，諸本作「謂」」：韓非同奕」。「服」，孫登、張嗣成、彭、吳、潘、趙作「復」。館本作「伏」。俞樾：「困學紀聞卷十引此文，兩『服』字皆作『復』，且引司馬公、朱文公說並云：『不遠而復』；今按韓非解老篇曰：『夫能嗇也，是從於道而服於理者也』，然則古本自是『服』字」。馬敍倫：「『復』字是。陸德明作復』，則今王本作『服』者，後人依別本改之矣」。揚明案：陸德明出『復』字，范應元亦謂「王弼作復」，可見陸、范所見王本作「復」無疑。惟王弼在「是謂早服」下注稱：「早服常也」；在「早服謂之重積德」下又注「唯重積德不欲銳速，然後乃能使早服其常，故曰早服謂之重積德者也」。注文三出「早服」，當可證明王本最早係「早服」，故有些注文。後人改爲「早復」，故陸、范所見爲「早復」。然後又改回爲「早服」，故今本仍爲「早服」。韓非解老爲「早服」，范謂「服字古本如此」，「服」字義長，「服」字是。李嘉謨：「內服其心，外服其形，寂然不動」。姚鼐：「服者，事也」。揚明案：「服」，詩大雅蕩：「曾是在服」，傳：「服，服政事也」。又食也，禮曲禮：「醫不三世，不服其藥」。又用也，易繫辭：「服牛乘馬」，疏：「服用其牛」。又治也，詩周南：「服之無斁」，箋：「服，整也。乃能整治之無厭倦」。是服之義甚多。在本章，似有四義：一，如韓、蘇所說降服之意，即降服貪嗔痴愛種種妄心雜念。二，如曲禮所謂服食之意，即服氣養生，以收專氣致柔之效。三，如蕩傳所謂服事之意，即服事於道，從事日積月累的純功修爲。四，服膺之意，即服膺自然。「重積德，」：朱熹：「重積德者，先己有所積，後養以嗇，是又加積之也」。揚明案：道發之於外者爲德，故至德配道。修德即所以爲道，積德即所以進道。重積德，即日積月累的修德，亦即常德不離，久之便能與道同體。

莫知其極，可以有國。(62)

【斠補】案韓非解老篇作則可以有國，與上文則莫知其極例同。較今本爲長。

【疏證】義案：甲本作「（上缺）可以有＝國＝。」乙本作「（上缺）有＝國＝。」古本無異文。吳澄道德眞經注：「氣之生息不絕，莫知其終窮之時，非如凡人之氣老，則衰耗竭盡，至於終窮也。氣無終窮，則能保有其身，而形長留於世矣」。焦竑老子翼：「蘇子由云：積德既厚，雖天下之剛强，無不能克，則物莫測其量矣。如此而後，可以有國。呂吉甫云：夫有土者，有大物也。有大物者，不可以物；物而不物，故能物物。莫知其極，則不物而能物物者也，雖有土而無其累矣。故曰：莫知其極，可以有國。」魏源老子本義：「黃茂材莫知其極無疊句。呂氏惠卿曰：人之生也，固足於德，誠能嗇而早服之，則德日以充，非重積德而何？德之至者勿莫能傷，天下莫能勝，夫安往不克哉？無不克而知其極，則能物物而不物於物者也，不可以有國乎？既得其母，以知其子。既知其子，復守其母。歿身不殆，可以長久矣。精神者生之根柢，嗇而藏之，衞而保之。則根深柢固而生長矣，生長則視久矣。」馬叙倫老子校詁：「彭耜曰：黃無莫知其極四字。畢沅曰：韓非解老篇引可上有則字。張煦曰：葛以作與。倫案：館本莫作能，范可上有則字。」陳柱老子註：韓非子云：『其術遠則衆人莫見其端末，是以莫知其極。』高亨老子正詁：「可以有國」下疑當有「之母」二字，蓋此文原作「莫知其極，可以有＝國＝之＝母＝，可以長久，」當變作「莫知其極，可以有國之母，有國之母可以長久，」寫者誤挩二字耳。「國之母」者道也。五十二章曰：「天下有始，以爲天下母，」天下母即道也，是其證。可以有國謂有道也。此兩句猶云莫知其極，可以有道。有道可以長久，挩之母二字，則失上句之恉矣。上文明言「早服道，」

此文隱言「有道，」其辭淺深有序。」朱謙之老子釋譯：敦、遂二本『莫』作『能』，嚴本『有』作『爲』，遂州本『長久』作『久長』。范本『極』下有『則』字，范曰：「『則』字河上公、韓非同古本。」王淮老子探義：韓非曰：「夫能有其國保其身者，必且體道。體道則其智深，其智深則其會遠，其會遠衆人莫能見其所極，……莫知其極則可以有國。所謂有國之母：母者、道也。道也者生於所以有國之術，所以有國之術，故謂之有國之母。夫道以與世周旋者，其建生也長，其持祿也久，故曰有國之母，可以長久」。案：此言修道大成之人，盛德而至於莫知其極，則可以爲君而有天下。何則？所以爲君而有天下者，道也。「道」乃所以爲君而有天下之唯一根據與憑藉（母、謂根據與憑藉），彼既修道大成，盛德而至於莫知其極，自然可以享有天下。且苟不失「道」敗「德」，則必更將永久享其福祚也。嚴靈峯老子達解：莫知其極，可以有國；其德普而無往弗居，「貴以身爲天下，乃可以寄天下；愛以身爲天下，乃可以託天下。」此之謂國有也。余培林老子讀本：「莫知其極」：不知其盡處。有國：秉國，即治國。」張揚明老子斠證譯釋：「可以有國」：范及解老引「可」上有「則」字。葛「以」作「與」。」「莫知其極」：解老：「唯夫能令人不見其事極。不見其事極者，爲能保其身，有其國」。

是謂深根固柢，長生久視之道。(63)

【斠補】河上本柢作蔕。注云：深根固蔕者，乃長生久視之道。案韓非子解老篇云：樹木有曼根，有直根。根者，書之所謂柢也，柢也者，木之所建生也。曼根者，木之所持生也。德也者，人之所以建生也。祿也者，人之所以持生也。今建於理者，其持祿也久。故曰：深其根。體其道者，其生日長。故曰：固其柢。柢固則生長，根深則視久。故曰：深其根，固其柢，長生久視之道也。據此文觀之，則古本當增兩其字，與挫其銳，解其紛，句法相同。蓋以根深柢固，乃長生久視之本也。河上注所解亦不誤，惟誤柢作蔕。

【疏證】義案：甲本作「是胃深根固（下缺）。」乙本作「是胃□根固氐，長生久視之道也。」古本無異文。是胃□根固「氐」：通行本「氐」作「柢」。說文：『木根也。从木，氐聲。』小篆作「氐」。廣雅釋言：『氐，低也。』此段右偏旁字爲之。按：諸本多作「蔕」，無有作「氐」者。吳澄道德眞經注：「上文言保其身形，由於積德。德者，萬物身形之母，保有其身形者，以能保有身形之母也，故可長久。氣爲身形之母，氣能留形，形亦能留氣。氣之生於下，如木有根，養形以培根，則根深不拔。氣之榮於上，如果有蔕，養形，以滋蔕，則蔕固不脫。根不拔，則木永不枯瘁，蔕不脫，則果永不隕落。此身所以長生，曰所以久視，而能度世不死也。深根固蔕，形之留氣。長生久視，形之留氣也。（此句疑當作氣之留形也）。」焦竑老子翼：「呂吉甫云：然則嗇之爲道，是謂深根固蔕，長生久視之道也。精神者，生之根，嗇而藏之，則根深而生長矣。長生者，視之蔕，嗇而保之，則蔕固而視久矣。李息齋云：本積既厚，則其塵垢穅粃，猶將陶鑄堯舜，况其下者哉？此所謂深根固蔕，治人事天之道。」魏源老子本義：「蘇氏轍曰：凡物方則割，廉者劌，直則肆，光則耀，聖人有其能而不盡其用。嗇者，有而不用也，斂藏其用，至於沒身而終不試，則德重積矣。德積既厚，雖天下之剛强無不能克，則物莫測其量矣。如此而後可以有國，以其能守母也。孟子云：存其心，養其性，所以事天，然則以嗇治人，可以有國者是也。以嗇事天，則深根固　者是也。古之至人，保其性命之常，不以外耗內，則根深而不可拔，固而不可脫，雖長生久視可也。源案：此章解者多齟齬，惟蘇氏以可以有國以上爲治人，深根固柢爲事天，於義較愜。」馬叙倫老子校詁：「彭耜曰：纂微司馬蘇五注曹達眞陳淸源黃柢作蔕。范應元曰：河上柢作蔕，非經義。畢沅曰：蘇靈芝書亦作蔕，韓非解老篇作深其根固其柢，無是謂二字，韓非句下有也字。嚴可均曰：御注作故蔕。張煦曰：趙不重有國二字，呂趙柢作蔕，文津道作身。羅運賢曰：意林御覽六五九引作深根固蔕。倫案：館本是謂作是以，易州館本磻溪趙寫吳及意林文選魏都賦注引柢作蔕，寇張嗣潘臧疏奈卷作蒂，范彭白張之象及文選六代論注引作柢。倫案：右文舊爲第五十九章。」高亨老子正詁：說文：「柢，根也。」蓋根柢二字對言則別，混言則通也。視讀爲寘，寘，置也，立也。視寘古通用。詩鹿鳴：「視民不恌。」鄭箋：「視，古之示也。」儀禮士昏禮：「視諸衿鞶。」鄭注：「視，今文作示。」此視示通用之證。詩鹿鳴：「示我周行。」鄭箋：「示當作寘，寘，置也。」禮記中庸：「治國其如示諸掌乎。」鄭注：「示讀如寘之河干之寘，寘，置也。」此示寘通用之證。廣雅釋詁：「置，立也。」然則視寘通用，而寘有置立之義明矣。禮記檀弓篇：「公室視豐碑，三家視桓楹。」豐桓皆大義，言葬時於槨之前後四角，公室則立大碑，三家則立大柱也。此二視字亦立義也。呂氏春秋重己篇：「莫不欲長生久視。」高注：「視，活也。」久視即久立，久立即久活，故高逕訓示爲活耳。荀子榮辱篇：「是庶人之所以取飽食暖衣，長生久視以免於刑戮也。」久視亦久立也。呂荀蓋本於老子。
朱謙之老子釋譯：嚴可均曰：『「固蔕」御注作「故蔕」，王弼作「固柢」。』畢沅曰：『「柢」河上公作「蔕」，韓非作「深其根固其柢」，無「是謂」二字，蘇靈芝書亦爲「蔕」。』羅振玉曰：『「柢」釋文「亦作蔕」，敦煌、御注、景福三本作「蔕」。』情牽案：遂州、邢玄、磻溪、樓正、室町、奈卷、嚴、顧、趙、高並作『蔕』。意林、御覽六百五十九引同，傅、范本作『柢』，范曰：『「柢」字傅奕引古本云「柢木也」，』又引郭璞云：「柢謂根柢也」。河上公作「蔕」，非經義。夫「柢」亦是根。』情牽案：字林云：『蔕柢音同』，夏竦古文四聲韻卷四引古老子亦作『蔕』[illegible]，范說非。又『長生久視』爲當時通行語。荀子榮辱篇云：『是庶人之所以取煖衣飽食長生久視以免於刑戮也；』呂氏春秋重己篇云：『世之人主貴人，無賢不肖莫不欲長生久視』；高誘注『視活也』。老子義同此。嚴靈峯老子達解：柢固則長生，根深則久視；「不失其所者久，死而不亡者壽」；故可以長久也。按：此章自「治人事天」至末「長生久視之道」止，全章當接六十章「以道莅天下者其鬼不神」句上。按：五十九、六十兩章，疑原屬一章，因中竄入「治大國若烹小鮮」七字錯簡，隔斷上下語氣；校者不察，遂分成二章矣。嚴靈峯馬王堆帛書老子試探：淮南泰族：「根深則本固。」陳鼓應老子今註今譯：長生久視：長久維持；長久存在。「久視」，就是久立的意思。余培林老子讀本：視：活。呂氏春秋重己篇曰：「無賢不肖，莫不欲長生久視。」高誘注：「視，活也。」所謂「長生久視」，即二十三章「死而不亡者壽」的「死而不亡」。張揚明老子斠證譯釋：「是謂深根固柢」：韓非作「深其根，固其柢」。河上、篡微、司馬、蘇、曹、五注、達眞、黄、陳、呂、趙、景龍、館本・趙寫、磻溪、意林引「柢」均作「蔕」。寇、潘、張嗣成、臧疏、奈卷作「蒂」。傅、范、彭、白、文選文化論引並同此。范應元：「河上『柢』作『蔕』，非經義」。揚明案：「柢」，說文：「木根也」。注：「道德經深其根，固其柢，長生久視之道。韓非解老曰：『樹木有曼根，有直根。按直者曰直根，橫者曰曼根。柢，或借蔕字爲之』。「蔕」，說文：「瓜當也」。注：「老子深根固柢，柢字亦作蔕，皆假借爲柢字」。是正作「柢」。「長生久視之道」：久活與長生義複，作活解，亦望文生義也。吳氏是。吳雖從蔕字立論，而以長生久視爲氣之留形，其意即專氣以養形；以久視專氣，以專氣而達長生之目的也。可謂深得老子之旨。蓋養氣必常內視，方能使心與氣相守。方能營魄抱一，故內視爲長生之道。久視者，常常內視也。

六十章　居位

治大國，若烹小鮮。(64)

【斠補】王注：不擾也，躁則多害，靜則全眞。河上注：鮮魚，烹小魚。案韓非子解老篇述此義曰：烹小鮮，而數撓之，則賊其澤。文子道德篇亦云：治大國，若烹小鮮，勿撓而已。是周人解此語，均以不撓爲解。王注不擾與不撓之義略同。又解老篇賊其澤，澤之爲言美也，猶言損其美。

【疏證】義案：甲本殘闕。乙本作「治大國，若亨小鮮。」古本無異文。治大國若「亨」小鮮。通行本「亨」作「烹」。說文：『从高，羊聲。煮也。』朱駿聲曰：『字亦作「烹」。今隸作「享」作「亨」，用篆文。』按：方言七：「亨，熟也。」陸德明曰：『「烹」，不當加火。』此段字之上部爲之。唐敦煌成玄英開題序訣義疏殘卷本，開元二十六年玄宗道德經幢本，並作「亨」，與帛書同。韓非子云：烹小鮮，而數撓之，則賊其澤。治大國，而數變法，則民苦之。是以有道之君，貴靜不重變法（「不」當作「而」）。故曰：治大國者，若烹小鮮。案韓非此文「是以有道之君，貴靜，不重變法。」羣書治要本作：「有道之君貴虛靜，而重變法。」作「不重」者誤。又此「重」字，非「尊」、「尙」之意，乃「不輕率」義。論語學而篇：「君子不重則不威。」皇侃疏：

「重乃輕根，靜爲躁本，君子之體，不可輕薄也。」此「重字」，乃指不輕言變法也，諸本並訛。惟陳奇猷韓非子集釋云：王先愼靜上增虛字改不爲而曰：案不字誤。重，猶難也。當作「貴虛靜而難變法」，文曲而有致，作不則率然矣，治要、藝文類聚五十四、御覽六百三十八引靜上並有虛字，據補。治要、藝文類聚不作而，據改。陳奇猷云：上文皆言靜，而未及虛義，明虛字不當有。是以有道之君貴靜（句）不重變法（句）禮緇衣「臣儀行不重辭」，注：「重，猶尙也。」此謂有道之君貴靜而不尙變法也，正承上文「治大國而數變業」言。推王氏之意，蓋以法家主張變法，（如吳起變法於楚，商鞅變法於秦。）故改此文。殊不知法家之變法，乃變儒家之法，在變儒家之法以後，則法不能時時變更，故曰「不重變法也。」難一篇云：「令朝至暮變，暮至朝變，十日而海內畢矣」，亦反對時時變法之意。亦備一說。吳澄道德眞經注：小鮮，小魚也。國大則民衆，治大國當以國當以簡靜，不可擾動其民。如烹小魚，惟恐其壞爛「而不敢擾動之也。」焦竑老子翼：「蘇子由云：烹小鮮者，不可撓；治大國者，不可煩。煩則人勞，撓則魚爛；聖人無爲，使人各安其自然。呂吉甫云：烹魚者，不可以煩；而烹小鮮者，尤當全之，而不割者也。治大國者，亦若是而已。烹而割之則傷矣。李息齋云：治國者，聖人之餘事，不啻如烹小鮮，雖詼奇譎怪，道通爲一。安甫云，烹小鮮者，攪之則爛，故聖人以無爲治天下。」魏源老子本義：「各本無兩者字。韓非解老篇曰：凡法令更則利害易，利害易則民變業。故事大衆而數搖之則少成功，藏大器而數徙之則多敗傷，烹小鮮而數撓之則賊其澤，治大國而數變法則民苦之。是以有道之君，貴淸靜而重變法也。王夫之老子衍：動天下之形，猶餘其氣，動無餘矣。「烹小鮮」而撓之，未嘗傷小鮮也，而氣已傷矣。傷其氣，氣遂逆起而報之。馬叙倫老子校註：「陸德明曰：烹不當加火。成玄英曰：腥，魚也。河上作鮮字。（卷子本臧疏引作鮮。）范應元曰：鱗，總括魚之屬也，傅奕孫登同古本。彭耜曰：程若作如，纂微烹作亨。畢沅曰：大國下韓非解老篇有者字。烹，開元石刻作享是。易順鼎曰：道德指歸論治大國篇曰：是以明王之治大國也，若柄纖微，若通小水，疑所據老子作治大國若亨小澌。亨，通也。澌者，說文曰：水索也，水索謂水將盡。亨小澌，謂通極小之水，若行所無事矣。澌與鮮古通。倫案：淮南齊俗引此句，范國下有者字。烹作亨。鮮作鱗。易州臧疏卷子本成疏館本六朝殘卷烹作亨，鮮作腥。各本及韓非解老篇，淮南齊俗訓，書鈔二七，類聚五二，後漢書循吏傳注，逸民傳注引同此。論衡自然篇曰：上德之治，若烹小鮮。後漢書循吏傳贊曰：治善烹鮮，俱本此本，亦作鮮。（傅增湘校六朝殘卷始此。）」陳柱老子註：王弼云：『不擾也，躁則多害，靜則全眞，故其國彌大而其主彌靜，然後可能廣得衆心也。』高亨老子正詁：「鮮」范應元本作鱗，范又引傅奕本孫登本同。按：作鱗是也，鱗與下文神人爲韻。應據改。朱謙之老子釋譯：羅振玉曰：『「亨」王本作「烹」，與景福本同。釋文出「烹」，注「不當加火」，則王本原作「亨」，今改正。景龍本、敦煌本均作「亨」。御注本、敦煌庚作「享」。又「鮮」敦煌辛本作「腥」，注河上作鮮』。情牽案：遂州本作『厚小腥』，厚字誤。范本作『亨小鱗』。注『小鱗，小魚也，治大國譬如亨小鱗。夫享小鱗者不可擾，擾之，則魚爛。治大國者，當无爲，爲之則民傷。蓋天下神器不可爲也。』鱗神爲韻，於義可通。又『腥』字，成玄英疏：『腥，魚也。』河上公作鮮字，亦魚也。』唯腥有臭義，楚辭涉江『腥臊並御』，注『臭也』。

又『肉則麇腥』，疏『生肉也，又爲鮏；』通俗文『魚臭曰腥』，作腥義短，仍從碑本作『亨小鮮』爲是。孔廣森詩聲類三『亨』字下曰：『案「亨」「亯」「享」三字，後人所別，古人皆祇作「亨」字，而隨義用之，其讀似亦祇有亨音。』河上注『亯小魚不去腸，不去鱗，不敢撓，恐其糜也。』淮南齊俗訓引老子曰：『治大國若亯小鮮，爲寬裕者，曰勿數撓，爲刻削者，曰致其醎酸而已。』皆合老子古義。洪頤煊曰：『按韓非子解老篇「事大衆而數搖之，則少成功；藏大器而數徙之，則多敗傷；亯小鮮而數撓之，則賊其澤；治大國而數變法，則民苦之。是以有道之君，貴靜不重變法，故曰：「治大國者，若亯小鮮。」」「若」是「苦」字之譌。』易順鼎曰：『舊註皆以亯小鮮爲亯小魚，然義頗難解。道德指歸論治大國篇云：「是以明王之治大國也，若亨小澌。」亨，通也；「澌」者說文云「水索也」。水索謂水將盡。亨小澌，謂通極小之水，若行所無事矣。「亨」讀如字，後人誤讀爲亯，「澌」與「鮮」古字亦通。詩「有兔斯首」箋「斯白也」，今俗語斯白之字作鮮，是其證。小鮮即小澌也。』倩案：洪、易皆頗迂曲其說，惟以此知『若』字疑本或作『苦』，『鮮』字疑嚴本作『澌』是也。又韓非解老引『國』下有『者』字，顧廣圻曰：『傅本及今德經皆無「者」字。』王先愼曰：『治要有「者」字』。今案三國志卷四十四陳壽評，『治大國者若亯小鮮』，後漢書循吏傳注引『理大國者若亨小鮮也』；蜀志姜維傳評引『治大國者猶亯小鮮』，皆有『者』字。北堂書鈔二十七引『治國若亯小鮮』，後漢書逸民傳引『理大國若亯小鮮』；類聚五十二，淮南齊俗訓、文子道德篇引『治大國若亯小鮮』，均無『者』字，同此石。又馬其昶曰：『詩毛傳云：「亯魚煩則碎，治民煩則散，知亯魚則知治民；」義出老子。』王淮老子探義：河上公曰：「鮮，魚。亯小魚不去腸，不去鱗。不敢撓，恐其糜也。治國煩則下亂，治身煩則精散」。案：「治大國若烹小鮮」，此爲老子論政之妙喻，韓非所解極是。夫小國寡民之政，固不必多事；廣土衆民之大國，更不可多事。何則？蓋大國之政，凡有所爲，其舉事之初，必體大難起；施行之際，復牽連極多；待其將旣，則收拾不易而復元尤難。故曰：「治大國若烹小鮮」，言其必須清靜無爲而絕對不可生事擾民也。本經第十章所謂「愛民治國，能無爲乎」，三章曰：「爲無爲，則無不治」，即其義也。嚴靈峯老子達解：言治大國者，「其政悶悶」；無欲、無爲，靜定無事；如烹小魚，不煩，不擾也。治大國若烹小鮮。按：此句與下文不甚相應，疑當在三十一章「恬淡爲上」句上。嚴靈峯馬王堆帛書老子試探：淮南齊俗：老子曰：治大國若烹小鮮。司馬遷史記汲、鄭列傳：老子所謂：治大國若烹小鮮也。（汲黯傳）陳鼓應老子今註今譯：「小鮮：小魚。」據吳澄之說。張揚明老子斠證譯釋：韓非解老引及范「國」下有「者」字。開元「烹」作「享」。景龍、臧疏、卷子、成疏、館本、范「烹」作「亨」。范「鮮」並作「鱗」。揚明案：韓非、淮南、河上、傅奕均同此，「烹小鮮」是。河上公：「烹小魚不去腸，不去鱗，不敢撓，恐其糜也。治國煩則下亂」。王弼：「若烹小鮮，不擾也。躁則多害，靜則全眞。故其國彌大，而其主彌靜，然後乃能廣得衆心矣」。呂吉甫：「得有國之母以治國，雖大無難也。」揚明案：鮮，生魚也。禮內則：「冬宜鮮羽」。衡諸帛書，作「鮮」爲是。

其神不傷人。(65)

【斠補】案韓非子解老篇引此無人字。又聖人亦不傷人句，人字作民。蓋古本作民，唐避諱改爲人。河上本人作之，非是。

【疏證】義案：甲本作「神不傷人也。」乙本同。古本無異文。韓非子云：夫內無痤疽癉痔之害，而外無刑罰法誅之禍者，其輕恬鬼也甚。故曰：以道蒞天下，其鬼不神。治世之民，不與鬼神相害也。故曰：非其鬼不傷人也，其神不傷人也。吳澄道德眞經註：「鬼所以不靈怪者，非不靈怪，雖能靈怪，而不爲妖災傷害人也。所以不傷害人者，非自能如此也，以聖人能使民氣和平，不傷害天地之氣，天地之氣亦和平而不傷害人也。曰鬼曰神，皆天地之氣，名二而實一也。」焦竑老子翼：「蘇子由云：外無所煩，內無所畏，則物莫能侵，雖鬼神無所用其神矣。非其鬼之不神，亦有神而不傷人耳。呂吉甫云：唯聖人爲能不傷人，故陰陽和靜，鬼神不擾，萬物不傷，羣生不夭，則其神不傷人也。李息齋云：凡詼奇譎怪，皆化爲道，道豈有傷人者乎？本欲吾不傷人，故其幽至於鬼神，皆不能以神傷物。程俱云：聖人不傷民，固也；而能使鬼神亦不傷人，何哉？蓋人之在道，道之在人；猶魚之在水，水之在魚也。安甫云：雖神而自不能爲人之傷也，何也？以聖人未嘗傷人也。夫聖人不傷人，神亦不能爲人之傷，是兩不相傷也。」魏源老子本義：「人處疾則貴醫，有禍則畏鬼，聖人在上則民少欲，民少欲則血氣治而舉動理，舉動理則少禍害。夫內無疾痛之害，外無刑罰法誅之禍者，其輕恬鬼也甚。故曰以道蒞天下者，其鬼不神，言治世鬼不與人相害也。疾人之謂鬼傷人，上刑戮民之謂上傷民，民不犯法而不上行刑之謂上不傷人，故曰聖人亦不傷民。上不與民相害，鬼不與人相傷是兩不相傷也，則德盡在於民矣，故曰德歸焉，言其德幽明上下交盛，而俱歸之於民也。王氏弼曰：躁則多害，靜則全眞，故其國彌大，其主彌靜，然後能廣得衆心矣。若烹小鮮，不擾也，物守自然，則神無所加，神無所加，則不知神之爲神也。道治則聖人亦不傷人，聖不傷人，則不知聖之爲聖也。夫恃威網以治物者治之衰，使不知神聖之爲神聖，則道之極矣。神聖兩不相傷，是神聖合道，交歸之民也。」王夫之老子衍：「夫天下有「鬼神」，操治亂於無形；吾身有「鬼神」，操生死於無形。殺機一動，龍蛇起陸，而生德戕焉。靜則無，動則有，神則「傷人」，可畏哉！「載營魄抱一而不離」，與相保於水之未波。豈有以治天下哉？「蒞」之而已。」馬叙倫老子校詁：「彭耜曰：司馬蘇五注達眞葉清源黃程邵三句民字皆作人。畢沅曰：韓非解老篇作非其鬼不神也，其神不傷人也。（倫案：乾道本脫人字。）嚴可均曰：御注作傷民，下同。張煦曰：呂作傷民，下同。倫案：范彭寇磻溪人作民，下同。」陳柱老子註：「此謂以道蒞天下，則一切之神權宗教，昔日以爲可以禍福民，而藉之以愚民者，均失其用也；不特神醫宗教失其用，即聖人之刑賞，昔日視爲可以生死人，而藉以威民者，亦失其作用也；故曰神不傷人，聖亦不傷人。非其神不傷人句，當從陶鴻慶說，去非其二字，王弼釋之云：『猶云不知神之爲神，亦不知聖人之爲聖也，夫恃威網以使物者，治之衰也，不知神聖之爲神聖，道之極也。』此說深得老子之恉，蓋專制之國用威權，而民主則否，一以平等爲歸，何威權之有？高亨老子正詁：「其神不傷人」之神，宜讀為神祇之神。非者蓋不唯二字之合音，若合之於或之乎而為諸，合之焉而為旃，合而已而為耳，合不律而為筆，合終葵而為椎，合扶搖而為飆也。今釋此文曰：「以道蒞天下，其鬼不䰠；不唯其鬼不䰠，其神不傷人；不唯其神不傷人，聖人亦不傷人。」始怡然理順矣。詩抑：「匪手攜之，言示之事。匪面命之，言提其耳。」匪亦不唯之合音。非匪古通用。朱謙之老子釋譯：嚴可均曰：『御注作「傷民」，下二句亦然。』情牽案：慶陽、磻溪、樓正、彭、范、高，並作『民』，傅本作『人』。韓非子引『非其鬼不神，其神不傷人也』；下有『也』字。惟乾道本『傷』下脫『人』字。顧廣圻曰：『傅本及今德經皆無上下兩「也」字。藏本「傷」下有「人」字是也，傅本及今德經皆有。』王淮老子探義：王弼曰：「神不害自然也。物守自然，則神無所加，神無所加，則不知神之為神也」。蘇子由曰：「聖人無為，使人各安其自然，外無所煩，內無所畏，則物莫能侵，雖鬼無所用其神矣」。呂吉甫曰：「鬼之為道，非不神也。……而所以不神者，以聖人為能以道蒞天下，使人不淫其性，不遷其德，無大喜大怒以干陰陽之和，所謂處混芒之中，與一世而得澹漠焉者也」。案：此處章句不甚易解，關鍵在「鬼」與「神」之意義不能確定，舊注多執鬼神為一種客觀之存在，視為魔鬼妖怪之意，如韓非、王弼等人莫不如此。雖似若可通，然終不可理解。今案此處所謂鬼神並非實義，「鬼」諭人心術之不正，及人間之災禍；「神」喻此種災禍之作用與影響，用為動詞。道家理智的自然主義不可能承認實體之鬼神，老子此言蓋謂以道蒞天下者必然清靜無為，國泰民安，百姓各得其所，各遂其生，心術純正，各安其份，而人間一切之災禍，皆無從產生其不幸之影響，故曰「其鬼不神」。

又：人間之災禍實指「人禍」而言（荀子所謂「人祅」者是也），人心有「鬼」（心術不正），人禍即可能產生，唯至德之世，聖人以道菈天下，百姓皆化於「道」而歸於「樸」，心術雖未必皆正，作用亦未必盡善，然必不至於爲暴亂而爲人間帶來災禍，故曰「非其鬼不神，其神不傷人」。嚴靈峯老子達解：言非謂陰氣不能伸而爲神，乃因其神不傷有道之人也。非其鬼不神，其神不傷人，非其神不傷人：道藏河上公道德眞經註：無「非其鬼不神，其神不傷人」二句。張煦曰：「趙孟頫本無「非其神不傷人」一句。」陶鴻慶曰：「「非其」二字，蓋涉上文「非其鬼不神」而誤衍也。王注云：「道洽，則神不傷人；神不傷人，則不知神之爲神。道洽，則聖人亦不傷人；聖人亦不傷人，則不知聖人之爲聖也。猶云：不知神之爲神，亦不知聖人之爲聖也。」是其所見經文，本作「神不傷人，聖人亦不傷人。」下文注所謂「神聖合道」是也。下文注云：「神不傷人，聖人亦不傷人；聖人不傷人，神亦不傷人；故曰「兩不相傷」也。尤「神」、「聖」對舉之證。」按：陶謂衍「非其」二字，未得。蓋「非」字衍文，「其」字則未衍也。「其神不傷人」與上文疊句，正與前段：「早服」、「重積德」、「無不克」、「莫知其極」、「有國」諸疊句之詞例一律也。正注正無「非」字，疑當删去；句作「其神不傷人。」又：上句之上，疑當有一「以」字，句作：「以其神不傷人。」「以」字古文作□□，因有闕壞，遂成片字；校者不知，並涉上文「非其鬼不神」句，以爲乃「非」字之壞字，便改爲「非其神不傷人」；連上文作：「非其鬼不神，非其神不傷人」。嗣文以疊兩「非」字，義不可通；乃復將「非」字移入下一句，於是作：「非其鬼不神，其神不傷人；非其神不傷人」三句相連矣。呂惠卿曰：「其鬼不神，非其鬼不神也，由其神不傷人；故不神也。」廣雅曰：『「由」，以也；用也。』「由」、「以」同義。依義及老子文例，「非」當作「以」；並在「其神不傷人」句上；作「非其鬼不神，以其神不傷人。」如：五十章：「夫何故？以生生之厚。」又：「夫何故？以其無死地。」六十五章：「民之難治，以其智多。」六十六章：「江南所以能爲百谷王者，以其善下之。」七十一章：「聖人不病，以其病病。」七十五章：「民之饑，以其上食稅之多；……民之難治，以其上之有爲；……民之輕死，以其求生之厚。……」疑當依老子文例改正。嚴靈峯馬王堆帛書老子試探：小篆本作非其「申」不傷人也。通行本「申」作「神」。說文：『天神引出萬物者也。從示，申聲。』風俗通怪神：『神者，申也。』范應元曰：『神，伸也。』按：易繫辭傳，『引而申之』。此段右偏旁字爲之。現存本無有作「申」者。陳鼓應老子今註今譯：「其神不傷人：伸於陽者不傷民。」張揚明老子斠證譯釋：「非其鬼不神」至「聖人亦不傷人」四句：解老一、二句下有「也」字。四句下「人」字作「民」。魏源一、三句有「也」，四句亦作「民」。河上、吳、焦、四句下「人」字作「之」。成玄英：「諸本皆作『亦』字，唯張係天及陸先生本作『之』字。然之亦二字相似，寫者誤作『亦』字，今用『之』爲是」。揚明案：釋文未出「之」，各本均作『亦』。作「亦」是。

六十一章　謙德（闕）

六十二章　爲道（闕）

六十三章　恩始

天下難事，必作于易；天下大事，必作于細。(66)

【斠補】案韓非喩老篇引此文，「于難事大事上」均有之字，當爲古本。

【疏證】義案：甲本作「天下之難，作于易；天下之大，作於細。」乙本作「天下之□□□易，天下之大（下缺）。」古本作「天下之難事，必作於易；天下之大事，必作於細。」劉說是也。吳澄道德眞經註：「作、起也。所以得遂其無爲者，能圖其難於易之時，爲其大於細之時也。天下之事，始易而終難，始細而終大，終之難，起於始之易，終之大，起於始之細，故圖之爲之，於其易細之始，則其終可不至於難，可馴至於大，而不勞心勞力，所以能無爲也。若不早圖之，急爲之於其始，則其終也。易者漸難，細者不大，心力俱困，無爲其可得乎？」焦竑老子翼：「蘇子由云：聖人齊大小，一多少，無所不畏，無所不難，而安有不濟者哉！呂吉甫云：以天下之難事，必作于易；天下之大事，必作于細。而我常無作也，苟有所作，必於易與細而見之，則所謂知幾其神者是也。能得之於吾心，則其推之於天下國家無難矣。李息齋云：事必求易，大必由細；自易而往，則難者亦易；自細而行，則大者亦細。」焦竑云：不可力得，至易也；不可目窺，至細也。雖至易而至難者，待此以解；雖至細而至[illegible]以成。豈可以其易與細，而忽之哉！」魏源老子本義：「此句下，韓非子繼以故聖人蚤[illegible]焉」吳氏澄曰：凡以無爲而爲者，老氏宗旨也。無事無味，皆演無爲之皆，所以得遂其無爲者，能圖其難於易之時，爲其大於細之時也。天下之事，始易而終難，始細而終大，故圖之爲之於其始，則不勞心力，自能無爲；若不早圖而亟爲之，以至易者漸難，細者漸大，心力俱困，無爲其可得乎？蘇氏轍曰：世人莫不畏大而侮小，難多而易少，至於難而後圖，大而後爲，則事常不濟矣。呂氏惠卿曰：有爲則有事，有事則有味，爲而不爲，則事亦無事；雖反復尋繹而何味之可言乎？人所最難忘者怨，而吾一以德報之，則其他尚何足嬰其心哉？天下之事，大作於細，難於作易，苟有所作，吾必於易與細而先見之，既則見圖而爲之，所謂知幾其神者也。李氏嘉謨曰：聖人終不爲大，而不必歸之者，由其無心也。聖人於事未至，已常若難之者，不以我必於物也。焦氏竑曰：無爲無事無味者，道也。王夫之老子衍：憤與長養者，人之所見「大」也。恩怨讎酢者，人之所見「難」也。秋脫之葉，春之所榮；重雲之屯，雨之所消；非果爲「大」而爲「難」，審矣。道其猶水乎！微出於險，昌流非盈。盈，循末而見其盈，不知其始之有以持之也。如是，則聖人勞矣乎！而能不勞者，託於無也。無「大」則若「細」，無「易」則若「難」，保其無而無往不得。所難者，保無而已矣。馬敍倫老子校詁：彭耜曰：纂微司馬蘇曹達眞陳無之字。畢沅曰：河上王弼無之字。張煦曰：呂等無之字。倫案：六朝殘卷范及韓非喻老篇引同此，各本無三之字，館本卷子本成疏細作小，館本無下句天下之三字。」朱謙之老子釋譯：武內義雄曰：『敦、遂二本「細」作「小」。』羅振玉曰：『敦煌辛本無

「天下」二字。』情牽案：據貞松堂藏西陲秘籍叢殘校敦煌壬本有『天下』二字，遂州本無。又彭、趙、傅、范及韓非喻老篇於『難事』『大事』上，均有『之』字。嚴本二句『難事作於易，大事作於細』，高翿『細』均作『纱』。王淮老子探義：河上公曰：「欲圖難事當於易時，未及成也。欲為大事必作於小，禍亂從小來也」。呂吉甫曰：「是以聖人終不為大，故能成其大，以為大於其細，而不為大於其大故也」案：老子此言示人以處事之方法。所謂「圖難於其易，為大於其細」，言凡事不可捨易求難，亦不可貪多務得也。唯老子此言僅限於就處事之方法講，即程序上難事必先從易處著眼，大事必先從小處著手。必如此處理事物，就原則講，方為合理；就事實講，方為有效。老子豈是教人絕對勿為難事與大事，誠如此則所謂「圖難」與「為大」將作何解？抑更進而言之：聖人實以「不為大」為手段，而以「為大」為目的，故曰：「聖人終不為大，故能成其大」。然則凡世俗之苟安怠墮，投機取巧，避重就輕者，皆未明此理而誤以「手段」為「目的」者也。嚴靈峯老子達解：此言慎易以避難，敬細以遠大。白圭之行隄也，塞其穴；丈人之慎火也，塗其隙。是以白圭無水難，丈人無火患。「圖難於其易」至「必作於細」諸句，陳柱本移在六十四章「合抱之木」至「始於足下」諸句之上。陳校是也。當從之。余培林老子讀本：作，興起。韓非子喻老篇曰：「有形之類，大必起於小；行久之物，族必起於少。故曰：天下之難事，必作於易；天下之大事，必作於細。」張揚明老子斠證譯釋：喻老、六朝殘卷、傅、范兩「天下」下均有「之」字。各本無。韓非喻老：「是以欲制物者，於其細也。故曰：圖難於其易也，為大於其細也。」

六十四章 守微

學不學，復衆人之所過。(67)

【斠補】王注：不學而能者，自然也。喩於不學者，過也。故學不學，以復衆人之過。案韓非子喩老篇逃此義曰：故知者不以言談教，而慧者不以藏書篋，此世之所過也，而王壽復之，是學不學也。故曰：學不學，復歸衆人之所過也。據此，則古本復下有歸字，與十四章復歸于無物，二十八章復歸于嬰兒，復歸于無極，復歸于樸一律。

【疏證】義案：甲本作「學不學，而復衆人之所過。」乙本無異文。古本作「學不學，以復衆人之所過。」吳澄道德眞經注：「此言聖人之欲，以不欲爲欲；聖人之學，以不學爲學。難得之貨，人所欲者，不貴重之，是不欲人之所欲也。故曰：欲不欲。衆人所趨者，我則不趨，衆人掉臂過而不顧，我則還反其處，是不學人之所學也。故曰：學不學。」焦竑老子翼：蘇子由云：人皆徇其所欲，以傷物；信其所學，以害理。聖人非無欲也，欲而不欲，故雖欲而不傷於物。非無學也，學而不學，故雖學而不害於理。呂吉甫云：學不學，以復衆人之所過，以輔萬物之自然，而不敢爲，則繕性於俗學，以求復其初者，非知此者也。王元澤云：不學之學，非無學也，所學在於不學耳，以復衆人之所過故也。衆人逐末多事，聖人以不學之學，救其過，而反之道。李息齋云：吾以不學爲學，收視反聽，復衆人之所過；以輔道之自然，而不敢爲。夫豈有爲之執之之病哉！魏源老子本義：「韓非子復下有歸字，傅奕復上有以字。事無事。則其學也不學矣。劉氏概曰：欲衆人之所不欲，故曰欲不欲，不欲衆人之所欲，故曰不貴難得之貨。學衆人之所不學。不學衆人之所學，故曰復衆人之所過。」王夫之老子衍：「劉仲平曰：欲衆人之所不欲，不欲衆人之所欲；學衆人之所不學，不學衆人之所學；復其過矣。」馬敍倫老子校詁：「成玄英曰：復，河上作備。彭耜曰：纂微司馬蘇曹達眞陳程無以字。畢沅曰：復上河上王弼無以字，韓非亦無以字，不欲下有而字，復下有歸字，所過下有也字。嚴可均曰：御注作衆民。張煦曰：呂等無以字。倫案：彭有以字，各本無，諭弼注曰：故學不學，以復衆人之所過也，是王有以字，館本卷子成疏復作備。河上注曰：復之者，使反本也，是河上亦作復，成所據蓋俗本。然古音復備相同，上文是謂早復，今本多作服。說文犕下曰：易曰：犕牛乘馬。今易作服，是其例證，復字是。說文曰：复，行故道也。（復後起字。）復衆人之所過，謂行衆人之所經過，與不爲先義同。故下文曰：以輔萬物之自然而不敢爲也，不當有歸字。」陳柱老子注：「學不學，謂學如不學，不以智識階級矜入也；然則老子亦非眞主不學者。」高亨老子正詁：「復」上傅本有「以」字。按「復衆人之所過」當作「以復衆人之過，」王本挩一「以」字，衍一「所」字。「以復衆人之過」與「不貴難得之貨，」句法略同，義亦明瑩，增所字則贅矣。欲不欲者，以不欲爲欲也。學不學者，以不學爲學也。朱謙之老子釋譯：嚴可均曰：『「復衆人」御注作「衆民」。』羅振玉曰：『「復」敦煌辛本作「備」。』情睾案：羅卷壬本作『復』，遂州作『備』，諸王本、宋河上本、傅、范本均作『復』。傅本『復』上有『以』字，諭王注亦有『以』字。劉說非也。『復歸』之『歸』字無義，敦煌一本作『備』，成玄英曰：『復，河上作備；『備』亦無義。復也者猶復補也。莊子德充符篇『夫無趾兀者也，猶務學以復補前行之惡；』此復之本義。韓非子喻老篇引『復歸衆人之所過也』，顧廣圻曰：『傅本及德經無「歸」字、「也」字。』王先慎曰：『王弼注「學不學，以復衆人之過」，歸字疑衍。』王淮老子探義：河上公曰：「聖人欲人所不欲。……聖人學人所不能學。……衆人學問反過本爲末，過實爲華。復之者，使反本也」。王弼曰：「好欲雖微，爭尚爲之興；難得之貨雖細，貪盜爲之起也」。又曰：「不學而能者自然也，喻於不學者過也，故學不學，以復衆人之過」。王元澤曰：「輔自然者，莊子所謂反以相天是也。爲之，則以人滅天矣」。案：此文似亦他章錯簡，古今注家雖無考證，然其與上文相連，顯然義不相屬。今案：疑此爲上章所有，當在「爲無爲、事無事、味無味」句下。唯文獻不足，證據毫無，姑存其說，以俟賢智。嚴靈峯老子達解：「絕學無憂」，故聖人學其所不學。「爲學日益」，此衆人之所過也，「去甚，去奢，去泰」，此復衆人之過也。張揚明老子斠證譯釋：傅「復」上有「以」字。各本同此。韓非喻老引「復」下有「歸」字。馮友蘭：「即欲達到無知之地步，即以不學爲學也」。河上：「衆人學問反過本爲末，過實爲華；復之者，使反本也」。陳澧：「學爲自然，衆人之學過於自然，當復之也。」馮友蘭：「以學爲學，乃衆人之道；以不學爲學，乃聖人之教也」。揚明案：河上王弼所言，大致相同，然其意不顯。簡言之：復，是復反之意。過，是超過。不學便是自然；過，便是超過了自然，而不自然。

衆人爲學日益，衆人貴難得之貨，均係超過自然的病態表現。復衆人之所過，即返回衆人所超過的而回到自然的境界。亦即陳澧所謂學爲自然也。馮友蘭認爲欲達到無知的地步；誤矣。

以輔萬物之自然，而不敢爲。(68)

【斠補】案韓非子喩老篇：輔作恃。恃蓋待字之訛，義輔字爲長。

【疏證】義案：甲本作「能輔萬物之自□□弗敢爲。」乙本作「能輔萬物之自然，而弗敢爲。」古本作「以輔萬物之自然，而不敢爲也。」吳澄道德眞經注：「凡此不欲不學者，蓋以萬物之理，無爲而自然，故吾亦無爲而與萬物同一自然，如輔之於輪輻，相依附而爲一也。章首言爲無爲，章末言自然而不敢爲，此一章之意相始終。」焦竑老子翼：「蘇子由云：然後內外空明，廓然無爲，可以輔萬物之自然，而待其自成矣。王元澤云。輔自然者，莊子所謂反以相天是也。爲之則以人滅天矣，故不敢爲。」魏源老子本義：「恃，諸本作輔，此從韓非子。」恃，待也，待其自然而不敢以有焉造作之。所謂無爲自化，膺靜自正也。王氏雱曰：以輔萬物之自然而不敢爲，將各安於性命之常，而事物無所兆矣，更何脆之可泮，微之可散哉？」王夫之老子衍：「因物者不常，因道者致一。一無所倚，迎幾「早服」，此以「恃萬物之自然而不爲」。馬敍倫老子校詁：「畢沅曰：本無也字。焦竑曰：韓非子喩老篇輔字作恃，義長。羅運賢曰：治要引作以輔萬物之自然而不敢爲焉。倫案：館本卷子成疏易州萬作万，范及韓非有也字，羅卷奈卷及治要引也作焉，各本無也字，以輔，各本及文選鸚鵡賦、鷦鷯賦注引同此，以字涉上文而衍，輔疑爲順字之譌，賈子道術篇行歸而過之謂之順，此順字義同，恃亦順譌。倫案：右文舊爲第六十四章。」高亨老子正詁：老子極言聖人無爲。二章曰：「聖人處無爲之事。」三十八章曰：「上德無爲而無不爲。」四十三章曰：「無爲之益，天下希及之。」四十七章曰：「聖人不爲而成。」四十八章曰：「爲道日損，損之又損，以至於無爲，無爲而無不爲。」五十七章曰：「聖人云我無爲而民自化。」本章亦曰：「聖人無爲故無敗。」其無爲之義，頗令人眩惑，而本章乃明揭而出之曰：「以輔萬物之自然而不敢爲。」始知老子所謂聖人無爲者，只是輔萬物之自然而已。輔萬物之自然，則萬物自生自成，皆生皆成，故能無不爲也。朱謙之老子釋譯：羅振玉：『景福本、敦煌壬本「爲」下有「焉」字。』倩案：傅、范本下有『也』，奈卷及治要引有『焉』字。廣明本與此石同。又案焦竑考異曰：『以恃萬物之自然而不敢爲，「恃」舊作「輔」，非。』今案作『輔』是也。韓非喩老篇引『恃萬物之自然而不敢爲』；廣雅釋詁二『輔，助也』；易象傳『輔相天地之宜』；論衡自然篇曰：『然雖自然，一須有爲輔助之也。』此即老子以輔萬物自然之旨。嚴靈峯老子達解：莫之爲而常自然，「爲無爲」，「我無爲而民自化」；故不敢爲也。「是以聖人欲不欲」至「以輔萬物之自然而不敢爲」諸句，陳柱曰：「三十三字，蓋六十三章錯簡。」陳說是也。按：當在「味無味」句下。又陳本「輔」字改作「順」。嚴靈峯馬王堆帛書老子試探：「能輔萬物之自□□弗敢爲」：隸書本作『能輔萬物之自然而弗敢爲』，與小篆本文當一致。諸本「能」並作「以」。王弼注：『輔萬物之自然而不爲始。』河上公注：『教人反本實者，欲以輔萬物自然之性也。』俱未得其義。焦竑曰：『「恃」一作「輔」』，非。既曰『自然』矣，而又『輔』之，非『自然』。今從韓非本。」焦說是也。按：韓非子喻老篇：「故曰：『恃自萬物之自然而不敢為也』」當據先秦古本。喻老文上並云：「隨自然，則臧、獲有餘。」疑喻老篇之「恃」，乃假作「待」，或係「待」字之形近而訛，「恃」又謁為「輔」。韓非子顯學篇云：「夫聖人之治國，不恃人之為吾善也，而用其不得為非也。……夫必恃自直之箭，百世無矢；必恃自圜之木，千世無輪矣。」王先慎注曰：「意林、御覽九百五十二引『恃』作『待』。」是「待」誤為「恃」之證。荀子性惡篇云：「直木不待檃括而直者，其性直也。今人之性惡，必將待聖王之治，禮義之化，然後皆出於治，合於善也。」又云：「故拘木必將待檃括蒸矯然後直，純金必待磨厲然後利；今人之性惡，必將待師法然後正，得禮義然後治。」是「待」有「因」義。二十九章王弼注云：「萬物之自然為性，故可因而不可為也。」又云：「聖人達自然之性，暢萬物之情，故因而不為，順而不施。」「以待萬物之自然而不敢為」，即淮南子原道訓：「萬物固以自然，聖人又何事焉。」莊子應帝王篇：「順物自然而無容私焉，而天下治。」田子方篇：「無為而才自然矣。」秋水篇：「何為乎？何不為乎？夫固將自化。」山木篇：「化其萬物而不知其禪之者，焉知其所終？焉知其所始？正待之而已。」大宗師篇：「以待其所不知之化已乎。」文子道德篇云：「夫道者，德之宅，大之根，福之門，萬物待之而生，待之而成，待之而寧。」陸樹芝曰：「一切聽其自然。」頗得其義。「以待萬物之自然」，亦即「順物自然」之意也。第二章：「為而勿恃」，隸書本「恃」作「待」；則韓非喻老之文，蓋亦叚「恃」作「待」矣。此文當從焦校依喻老文改「輔」作「恃」矣。陳鼓應老子今註今譯：「是以『聖人』欲不欲，不貴難得之貨；學不學，復衆人之所過，以輔萬物之自然而不敢爲」：這一章從「其安易持」到「愼終如始，則無敗事。」意義已完足。「是以『聖人』欲不欲」以下三十三個字，顯然是他章誤入這裡。但不能確定是那一章誤入的，這幾句的今譯是：「所以『聖人』意欲別人所不意欲的，不珍貴難得的貨品；『聖人』學別人所不學的，挽救衆人的過錯，以輔導萬物的自然發展而不加以干預。」這裡所說的「欲」是指聲色貨利，所說的「學」是指政教禮法。張揚明老子斠證譯釋：「以輔萬物之自然而不敢爲」：魏源從韓非子「輔」作「恃」。傅奕「爲」後有「也」字。治要引也作「焉」。揚明案：朱謙之說是。」衡諸帛書，作「輔」是也。

六十五章　淳德（闕）

六十六章　後己（闕）

六十七章　三　寶

不敢爲天下先，故能成器長。(69)

【斠補】王注：唯後外其身爲物所歸，然後乃能立成器，爲天下利，爲物之長也。案韓非子解老篇述其義云：不敢爲天下先，則事無不事，功無不功，而議必蓋世，欲無處大官，其可得乎？處大官之謂爲成事長，是以故曰：不敢爲天下先，故能爲成事長。是古本成器長上有爲字。成器者，大官也。爲者，居也。蓋古代工官通用，故大官亦名成器長，今本脫爲字，誼不可通。

【疏證】義案：甲本作「不敢爲天下先，故能爲成事長。」乙本作「不敢爲天下先，故能爲成器長。」古本無異文。吳澄道德眞經注：「不敢先者，居人後，而不爲長，然自後者人先之，迺所以首出庶物之上，而爲器之長也。」焦竑老子翼：「蘇子由云：世以進銳爲能，而以不敢先爲恥，不知進銳之多惡，於人而不敢先之樂，推於世，其終卒爲器長也。呂吉甫云：不敢爲天下先，爲後人矣。而聖人用之，以爲官長者，皆從我者也，是能成器長也。」魏源老子本義：「故能成器長。韓非作故能爲成事長。呂氏惠卿曰：所謂三寶，皆人之所難持者也，惟無我不爭者能持之。然惟慈故儉，惟儉故不敢爲天下先，則慈者三寶之所自出也。」馬叙倫老子校詁：「彭耜曰：司馬能下有為字，陸成下有其字。畢沅曰：韓非解老篇作故能為成事長。俞樾曰：韓非引能下有為字，當從之。蓋成器二字連文，襄十四年左傳成國不過半天子之軍。杜注：成國，大國。昭五年左傳：皆成縣也。成縣，亦謂大縣。然則成器，大器也。大器以天下言，故曰為成器長。劉師培曰：韓非以大官解成器長，則不得無為字，今本脫。易順鼎曰：御覽八〇二引輕敵則幾喪吾寶七字，在不敢為天下先上。倫案：六朝殘卷敢作能，卷子成疏奪不敢以下十一字，范成上有為字，羅卷作故能為民成器長，潘成下有其字，倫謂俞先生說是。弼注曰：然後乃能立成器為天下利，為物之長也。河上注曰：成器長，謂道人也，我能為得道人之長也，王河上解成器未是，然皆有為字可證。成疏曰：位居九五，為神器之尊，是成亦有為字。」高亨老子正詁：成器長，謂能為物之長也。」朱謙之老子釋譯：嚴可均曰：『河上、王弼無「夫」字。』羅振玉曰：『景龍、御注、敦煌辛諸本句首，均有「夫」字，「成器長」敦煌壬本「成」上有「為民」二字』。紀昀曰：『案「器」韓非子作「事」。』情牽案：顧、彭、傅、范、高、趙、樓正諸本均有『夫』字。韓非解老及治要引均作『慈故能勇』。范本『成器』上有『為』字，案有『為』字是也。俞樾曰：『韓子解老篇作「不敢為天下先，故能為成事長。」「事」「器」異文，或相傳之本異，或彼涉上文「事無不事」句而誤，皆不可知。至「故能」下有「為」字，則當從之。蓋「成器」二字相連為文。襄十四年左傳「成國不過半天子之軍」，杜注曰：「成國大國」。昭五年傳「皆成縣也」，成縣亦謂大縣。然則成器者大器也。二十九章「天下神器不可為也」；爾雅釋詁「神，重也」。「神器」為重器，「成器」為大器，二者並以天下言，質言之，則止是不敢為天下先，故能為天下長耳。』楊樁曰：『易之乾卦曰：「神至柔而動也剛」，則得乎仁者有勇之說，故曰：「慈故能勇」。節卦曰：「節以制度，不傷財，不害民」，則得乎儉以足用之說，故曰：「儉故能廣」。謙卦曰：「謙尊而光，卑而不可踰」，則得乎謙而四益具之說，故曰「不敢爲天下先，故能成器長。」大易老氏之書，若合符節。」王淮老子探義：王弼曰：「夫慈以陳則勝，以守則固，故能勇也。節儉愛費，天下不匱，故能廣也。唯後外其身，爲物所歸，然後乃能立成器，爲天下利，爲物之長也」。河上公曰：「今世人捨慈仁，但爲勇武；舍其儉約，但爲奢泰；舍其後己，但爲人先，動入死地」。案：此承上文而分別陳述三寶之效用。「慈」之所以能有「勇」者，猶論語所謂「有德者必有勇」也。蓋慈者德之體，有慈故有德，有德則有勇。世俗所謂「愛情之力量」與「道德之勇氣」，固非老子此言之意，然去其所爲愛與德之「相」，忘其所以愛與德之「心」，以達於「大仁不仁」之「仁」與「上德不德」之「德」，則其所有之「力量」與「勇氣」，固無以異，故曰：「慈故能勇」。「儉」之所以能「廣」者，謂重積德則用廣大，重積財則用有餘也。不敢爲天下先所以能爲「長」者，以其善下不爭，故天下樂推而不厭也。此三者體用一貫，本末不離。無其體而妄求用，則捨本逐末，枉道速禍，故曰：「死矣」」。嚴靈峯老子達解：「未嘗先人，而嘗隨人；人皆取先，己獨取後。「後其身而身先」。「受國之垢，是謂社稷主；受國不祥，是謂天下王」。「大器晚成」，故不先而反成爲器長也。陳鼓應老子今註今譯：器長：萬物的首長。「器」，物，指萬物。余培林老子讀本：「器長，萬物之長。」張揚明老子斠證譯釋：王弼原作「故能成器長」。傅奕、景龍、宋河上、吳澄、焦竑同。范應元「成」上有「爲」字。敦煌壬本「成」上有「爲民」

二字。揚明案：俞、馬之說是。「慈故能勇，儉故能廣」對文；「不敢爲天下先」與「故能爲成器長」亦對文。據增「爲」字。衡諸帛書，有「爲」者是也。王弼作不與，明是同字。陶鴻慶曰：不必與之爭。」魏源老子本義：「一本無敵字，傅奕與作爭，河上作不與爭。王氏注曰：不與爭，若皆出於爭，則未必勝矣。呂吉甫云：善勝敵者不爭，是謂不爭之德也。李息齋云：勝敵而自勝者，以不爭爲德，如天下之不爭而勝也。」焦竑老子翼：蘇子由云：以吾不爭，故能勝彼之雖有能，退然若不能，自處於其下，用他人之智爲智，用他人之能爲能，不武不怒，不與爲敵而廣雅注：勝敵不爭與之，勢屬敵力，兵刃不施，敵將自屈。由之謙德，雖在人上，謙然若不曾己。釋詁：「勝，克也。」又說文：「戕，我也。」比段字之上部爲之。現存本無有作「戕」者。與道德王注是也。善「戕」敵者弗與，通行本「戕」作「勝」。說文：「勝，任也。从力，朕聲。」與雅

【疏證】案：甲本作「善勝敵者弗□」。乙本作「善戕敵者弗與」。「古本作「善勝敵者不爭。」」

【補】王注：不與爭也。案與當作舉，舉即舉兵，猶古籍大舉之，舉兵字也。

善勝敵者不與。(70)

六十八章 配 天

六十八章　配天

善勝敵者不與。(70)

【斠補】王注：不與爭也。案與當作舉，舉即舉兵，猶古籍大舉之，省兵字也。

【疏證】義案：甲本作「善勝敵者弗□」。乙本作「善朕敵者弗與。」古本作「善勝敵者不爭。」王注是也。善「朕」敵者弗與，通行本「朕」作「勝」。說文：『勝，任也。从力，朕聲。』爾雅釋詁：『勝，克也。』又說文：『朕，我也。』此段字之上部爲之。現存本無有作「朕」者。吳澄道德眞經註：勝敵不待與之，對陣較力，兵刃不施，彼將自屈。吾之智能，雖在人上，歉然若不智己。雖有能，退然若不能，自處於其下，用他人之智爲智，用他人之能爲能，不武不怒，不與爲敵而自勝者，以不爭爲德，如天下之不爭而勝也。」焦竑老子翼：蘇子由云：以吾不爭，故能勝彼之爭，若皆出於爭，則未必勝矣。呂吉甫云：善勝敵者不爭，是謂不爭之德也。李息齋云：勝敵而不必與之爭。」魏源老子與本義：「一本無敵字，傅奕與作爭，河上作不與爭。王氏弼曰：不與者，不與爭也。」馬叙倫老子校詁：畢沅曰：河上作不與爭。王弼作不與，明皇同奕。陶鴻慶曰：王注曰：不與爭也，不與爭而但云不與，不辭甚矣。與即爭。墨子非儒下篇曰：若皆仁人也，則無說而相與，與下文若兩暴交爭云云，文義相對，是謂與即相爭也。王引之經義述聞謂：者，古相當相敵時，謂之與。當與敵，並與爭義近。疑注文本作與爭也，後人肊增不字。張煦曰：林敵作戰，爭作與。倫案：卷子成疏無二者字，下善用句亦無者字，磻溪怒誤作恕，宋河上敵誤作戰。爭字，范彭寇白張嗣成趙潘臧疏同此，各本作與。弼注曰：不與爭也，是王亦作不爭。河上注曰：不與敵爭，而敵自服。成疏曰：既無喜怒，何所爭耶？臧疏引節解曰：故曰不爭，是河上成節解，並作不爭。又案此文當移古之極也後，自爲一章，二十二章夫惟不爭，故天下莫能與之爭，當在此下。」高亨老子正詁：與猶鬥也，古謂對鬥爲與。左傳襄公二十五年傳：「一與一誰能懼我！」戰國策秦策：「以此與天下，天下不足兼而有也。」史記孫子傳：「今以君之下駟與彼上駟，取君上駟與彼中駟，取君中駟與彼下駟。」燕世家：「龐煖易與耳。」白起傳：「廉頗易與。」淮陰侯傳：「吾生平知偉信爲人易與耳。」諸與字皆斯義也。夫對鬥而後勝敵，非善也，善勝敵者，師旅不興，兵刄不接，而敵降服，故曰善勝敵者不與也。朱謙之老子釋譯：嚴可均曰：『「不爭」河上、王弼作「不與」。「善用仁者爲天下」，各本「仁」作「人」。御注、王弼作「爲之下」』。羅振玉曰：『「善戰者」敦煌辛本無「者」字，下三句同。「不與」、景龍、御注、敦煌庚辛諸本「與」均作「爭」，敦煌壬本作「與」。「善用人者爲之下」，景龍本「人」作「仁」，無「之」字。景福本、敦煌辛本無「之」字』。武內義雄曰：『敦、遂、景三本「與」作「爭」，按此「爭」字與下「不爭之德」相對，作「爭」是也。情牽案：邢玄、磻溪、樓正、顧、彭、傅、范、趙、高均作「不爭」。遂州、邢玄、顧、趙、河上亦無「之」字。又磻溪，『怒』作「恕」，敦煌壬本『之』作『天』，皆誤。倩案：陶說是也。經義述聞引漢書高帝紀『吾知與之矣』：「與猶敵也。又史記燕世家曰：『龐煖易與耳』；白起傳曰：『廉頗易與』；淮陰侯傳曰：『吾生平知韓信爲人易與耳』。古謂對敵爲與。左傳襄公二十五年『一與一，誰能懼我』？是與即爭也。勞健、高亨引證所見亦同。今道藏河上本作「不與爭」，義重。「與」與武、怒、下爲韻，作「爭」則無韻。王淮老子探義：「河上公曰：『善以道勝敵者，附近以仁，來遠以德，不與敵爭而敵自服也』。案：此即兵法所謂『不戰而屈人之兵』之義。嚴靈峯老子達解：「言善於取勝者，上兵伐謀，運籌帷幄之中，決勝千里之外；不戰而屈人之兵，善之善也。『不爭而善勝』；故不與敵爭也。」陳鼓應老子今註今釋：不與：不爭。景龍本，敦煌庚辛本，傅奕本，顧歡本，釋文及各種古本「與」作「爭」。揚明老子斠證譯釋：宋河上無「敵」字，傅作「不爭」，各本同此。任氏：「與」即「應付」、「對付」。（老子注譯）揚明案：爭，鬥，對付，三義近似。惟對付之義，尤爲明顯。高舉史記諸與字，皆對付之意。衡諸帛書，作「與」是也

六十九章　玄　用

故抗兵相加，哀者勝矣。(71)

【斠補】王注：哀者必相惜而不趣利，害避，故必勝。案此文之哀，則三十一章所謂以喪禮處之也。彼文云：殺人之衆，以哀悲泣之；戰勝，以喪禮處之，即此哀字之義。

【疏證】義案：甲本作「故抗兵相若，則哀者勝矣。」乙本作「故抗兵相若，而依者朕囗。」古本作「故抗兵相若，則哀者勝矣。」吳澄道德眞經註：「抗，舉也。哀者，慈心之見。蘇氏曰：兩敵舉兵相加，而吾出於不得已，則有哀閔殺傷之心，哀心見，而天以助之，勝矣。蓋慈者之勝不慈，非戰而敗之，不戰而屈之，即勝也。焦竑老子翼：蘇子由云：兩敵相加，而吾出於不得已，則有哀心。哀心見，而天人助之，雖欲不勝，不可得也。呂吉甫云：夫唯以不爭爲勝者，則未有能勝之者，故曰抗兵相加，哀者勝矣。」魏源老子本義：「故抗兵相加。傅奕作相若，又下有則字。蘇氏轍曰：天之將救斯人也，則開其心志，無所不慈；無所不慈，則物皆爲之衞矣。」王夫之老子衍：無道之於天下，莫不然者，而戰其一。「欲猝得此機而不能，將如之何？無亦姑反其勢而用其情乎！以「哀」行其「不得已」，所以斂吾怒而不喪吾「三寶」也。」馬叙倫老子校詁：

彭耜曰：纂微司馬蘇曹陳並無則字，程無故字。畢沅曰：若，河、王弼作加，河上無者字，矣作也，王弼無則字。張煦曰：河上無故字，葛抗作杭，無相字，各本若作加，無矣字。倫案：卷子成疏抗作亢，若字同此，無矣字，館本同此，無矣字。白抗作亢，趙寫無相字。若，各本作加，羅卷作如。成疏曰：若當也，是成亦作若，古音加若，魚歌聲近，可以通假，或加譌爲如，因復成若矣。則字，范彭易州臧疏同此，各本及宋河上無，宋河上矣字同此，易州無矣字。易順鼎曰：哀即愛，古字通。詩序：哀窈窕而不淫其色。哀亦讀爲愛。抗兵相加，則哀者勝，即上文慈以戰則勝也。倫案：此承本章不敢爲主而爲客，不敢進寸而退尺言。則俞說義長。又謙讓字當作攘，此作襄，省文。倫案：右文舊爲第六十九章。」陳柱老子註：「不得已而用兵，則民必哀憤，故可以勝敵。」高亨老子正詁：王弼曰：「抗，舉也。」按：抗兵相加，有樂之者，有哀之者，樂之者敗，哀之者勝。蓋哀之者存不忍殺人之心處不得不戰之境，在天道人事，皆有必勝之理也。」朱謙之老子釋譯：嚴可均曰：『各本作「哀者勝矣」，無「則」字。』羅振玉曰：『敦煌辛本「加」作「若」，壬本作「如」。景龍本、敦煌辛本均作「則哀者勝」。』武內義雄曰：『敦本「加」作「若」，又一本作「爭」。遂本「加」「若」二字兩存，又敦、遂二本作「哀者勝」。』情牽案：諸王本注『抗，舉也；加，當也。』道藏宋張太守彙刻四家注引作『抗，舉也；若，當也。』是王本亦「加」「若」二字兩存。羅卷作『亢兵相若』。顧本成疏：『若，當也，哀，慈也，抗，舉也。』强本榮注：『兩邊舉衆，名曰抗兵。多少均齊，故云相若。』均作『若』，與傅奕本同。惟趙孟頫本作『故抗兵加』，脫一『相』字。敦煌壬本『敵』作『啇攵』，『哀』作『㐪』，誤字頗多，但此作『抗兵相如』。

『如』字義長，『加』疑形似『如』字而譌。勞健曰：『抗兵相如』，敦煌唐寫本如此。范與開元、河上、諸王本皆譌作「相加」。王弼注「抗，擧也，加，當也」。按戰國策「夫宋之不如梁也」，高注「如，當也，」證王注「加」字，同是「如」之形誤。禮記曾子問「如爵弁而用布」；又「如有兄弟」；釋文並云，「如本作加」。蓋二字自古常互譌。……「加」字形誤所由，當作「如」。今注家多循譌文，解成相交之義，失其旨矣。』兪樾曰：『案「哀」字無義，疑「襄」字之誤。史記「梁惠卒，襄王立，襄王卒，哀王立。」據竹書紀年無哀王，顧氏日知錄謂「哀」「襄」字近，史記誤分爲二人。又按秦哀公，陳哀公，史記十二諸侯年表，皆作襄公，是二字之相混久矣。「襄」者「讓」之叚字。周官保氏職，鄭注「襄尺」，釋文「襄音讓，本作讓；」是古襄、讓通用。上文曰：「吾不敢爲主而爲客，吾不敢進寸而退尺；」即所謂讓也。故曰：「抗兵相加，讓者勝矣。」因叚「襄」爲「讓」，又誤「襄」爲「哀」，故學者失其解耳。』情牽案：兪說迂曲，且改字解經，而武內義雄從之。易順鼎曰：『「哀」即「愛」，古字通。詩序：「哀窈窕而不淫其色」。「哀」亦當讀爲愛。「抗兵相加哀者勝」，即上章「慈以戰則勝也」。』蔣錫昌曰：『說文「哀，閔也」；閔者即六十七章所謂「慈」也。此言兩方擧兵相當，其結果必慈者勝。六十七章所謂「慈以戰則勝」也。』二說誼優，證之以三十一章『殺人衆多，以悲哀泣之，戰勝以哀禮處之；』皆古用兵精言，知『哀』字並不誤也。王淮老子探義：蘇子由曰：「聖人以慈爲寶，輕敵則輕戰，輕戰則輕殺人，喪其所以爲慈矣。」案：此總結全文，而點出「輕敵」之必禍與「哀兵之必勝，以與上文相呼應。蓋輕敵必禍，故「不敢爲主」，「不敢進寸」；哀兵必勝，故「爲客」、「退尺」也。嚴靈峯老子達解：「言兩軍相當，哀者，置之死地而後生，不樂殺人，而不敢輕敵者必勝也。」陳鼓應老子今註今譯：抗兵相加：兩軍相當。王弼註：「『抗』，舉也，『加』，當也。」傅奕本，敦煌辛本「加」作「若」。哀：有「慈」的意思。說文：「哀，閔也。」「閔」，即六十七章所說的「慈」。林希逸說：「哀者戚然不以用兵爲喜，擊攻其鎧，踴躍用兵，則非哀者矣。」余培林老子讀本：抗兵相加：謂舉兵相敵戰。哀：訓「愛」，即三寶之一的「慈」。張揚明老子斠證譯釋：傅作「抗兵相若，則哀者勝矣」。揚明案：各本均作「加」，作「加」義長。「則」字於義無關。故從王不改。吳澄、魏源將此章與上兩章合成一章。王弼：「哀者必相惜而不趣利避害，故必勝」。魏源：「不得已而用之，以不祥視之，以喪禮處之，皆哀之至也。惟哀，而後可以言勝」。揚明案：哀兵，應爲不得已而應敵抗戰之兵，爲救亡圖存而戰者，此老子之本意也。謂爲「讓」，既係「抗兵相加」，抗與讓，正相反。況兵戎相見，生死相搏，讓何能勝？俞說疏矣。衡諸帛書、古本、敦煌辛本，作「若」「哀」爲是也。

七十章　知難（闕）

七十一章 知病

夫唯病病，是以不病。聖人不病，以其病病，是以不病。(72)

【斠補】案韓非子喻老篇述此義曰：越王之霸也，不病宦；武王之王也，不病詈。故曰：聖人之不病也，以其不病，是以無病也。據此文觀之，則以其病病，是以不病，當作以其不病，無以無病。否則，是以不病句與上複，必非老子古本之舊。

【疏證】義案：甲本作「是以聖人之不病，以亓（下缺）」。乙本作「是以耵人之不▢也，以亓病＝也，是以不病。」古本作「夫唯病病，是以不病。聖人之不病，以其病病，是以不吾病。」吳澄道德眞經註：「病病，猶患其所患，以不知爲知病也。以爲病而病之，則不復有此病矣。聖人生而知之，雖知猶若不知，豈有不知爲知之病乎？其不病也，自然而然，非由病病而然也。聖人不恃其生知，已雖無病可病，然見不賢而內自省，於衆人有病之可病者，亦惕然以爲病而病之，以其病人之病，若己之病，是以自己始終不病也。」焦竑老子翼：「蘇子由云：道非思慮之所及，故不可知。然方其未知，則非知無以入也。及其既知而存知，則病矣。故知而不知者上，不知而知者病，既不可不知，又不可知，唯知知爲病者，久而病自去矣。呂吉甫云：夫唯知知之爲病，而病之，則反乎無知而知，不足以病之矣。故曰：夫唯病病，是以不病。聖人不病，以此而已。故曰：以其病病，是以不病。李息齋云：儻不知知之爲僞，而徒益其知，則是以病爲藥，其病有不可勝言者，唯知知之爲病，是以不病，聖人所以不病者，以其知之也。焦竑云：凡有知皆妄也，凡有妄皆病也。學者方狃，以爲玄覽，寶而持之，病奚從瘳乎？聖人之不能廢知，猶夫人也而知不爲病者，知知之爲病故耳。知其爲病，則勿藥而病瘳矣。知不知上，所謂生而無生，眞性湛然也。不知知病，所謂無生而生，業果宛然也。唯其病病，是以不病，所謂知幻即離，不作方便也。」魏源老子本義：「夫惟病病，是以不病。聖人之病病也，以其病病，是以不病。韓非作是以無病也，傅奕作是以不吾病。「人既不知，則必自以爲知，衒玉求售，必非至寶，以瑜爲瑕，以規爲瑱，雖聖人與居，不能藥而救之也。非病而何？使其一旦自知其病而病之，則所以去病者即在此矣。前半段言人知道者之難，後半段嘆人妄知者之多也。蓋昧於道眞者，由惑於俗見，以人身言之，則不知者其病之見證，而自以其妄見焉知者，則其致病之根源也，故後以病喩之。」王夫之老子衍：「夫唯病病，是以不病。聖人之不病也，以其病病，是以不病。府天下以勞我，唯其知我；官我以割天下，唯其知天下。夫豈特天下之不勝知？而知者，亦將倚畔際而失遷流。故聖人，於牛妄耜，於馬妄駕，於原忘田，於材忘器，悶悶於己而不見其府，悶悶於天下而無以爲官。若夫制萬族之宇、而效百骸之位，已有前我而市其餘知者，方斅之以爲勞，而苦其多遺，沉浮新知，以遁故器，而曾莫之病乎？」馬敍倫老子校詁：「夫惟病病，是以不病。聖人之不病，以其病病，是以不病。彭耜曰：纂微蘇曹陳並無之字。畢沅曰：河上王弼無之字吾字，韓非喩老篇作聖人之不病也，以其病病，是以無病。嚴可均曰：御注作夫唯病，是以不病，聖人不病，以其病病，是以不病。高翿同御注，唯病下重一病字。俞樾曰：上言夫惟病病，是以不病，下又言以其病病，是以不病。則文複矣。韓非作聖人之不病也，以其不病，是以無病。當從之。蓋上言病病故不病，此言不病故無病，兩意相承，不病者，不以爲病也。（劉師培同。）張煦曰：呂等無之字吾字。

倫案：俞先生說是。惟字，范彭白張嗣成二趙旲及潛夫論思賢篇引同，各本作唯，羅卷是以不病一句，卷子館本成疏作是以聖人不病，以其病病，是以不病。臧疏聖人上有是以二字，六朝殘卷作是以病，之字吾字范同此，各本無。臧疏引顧歡曰：蓋以其自無病也。疑顧同韓，易州作是以聖人不病，以其病病，是以不病。倫案：右文舊爲第七十一章。高亨老子正詁：夫唯病病，是以不病。夫唯以病爲病，是以不病也。聖人不病，以其病病，是以不病。論語爲政篇載孔子之言曰：「知之爲知，不知爲不知，是知也。」持義與老子不同。朱謙之老子釋譯：嚴可均曰：『「是以聖人不病」，御注作「夫唯病，是以不病，聖人不病。」河上、王弼、高翿「夫唯病」下，復有「病」字。』羅振玉曰：『夫唯病病』，景龍本、敦煌辛本，均無此四字，壬本無下「病」字。「是以不病」，敦煌庚本無「不」字，敦煌壬本無此四字，景龍本、敦煌辛本無「不病」二字。』情牽案：韓非喻老篇引『聖人之不病，以其不病，是以無病也；』傅、范本作『夫唯病病，是以不病；聖人之不病，以其病病，是以不吾病。』遂州本無『夫唯病病，是以不病』二句，同此石。今案廣雅釋詁三：『病，難也；』論語曰：『堯舜其猶病諸；』孔注：『猶難也』。『聖人不病，以其病病，是以不病；』與六十三章『是以聖人猶難之，故終無難，』義同。六十三章以事言，此則以知言。莊子讓王：「學而不能行謂之病」，亦以知言，即此章「病」之本義。諸本文贅，既云「夫唯病病，是以不病」，又云「以其病病，是以不病。」傅、范本更贅，決非老子古本之舊。錢大昕曰：「「夫唯病病，是以不病；聖人不病，以其病病，是以不病。」石本但云，「是以聖人不病，以其病病，是以不病。」此類皆遠勝他本」，是也。王淮老子探義：河上公曰：「夫聖人懷通達之知，託於不知者，欲使天下質朴忠正，各守純性，小人不知道意，而妄行強知之爭以自顯著，內傷精神，減壽消年也。」案「夫唯病病，是以不病」兩句，義複，疑當刪。此承上言聖人之「知」所以不出毛病而永無謬誤者，乃因其有所警覺，擔心其「知」之可能產生謬誤。因此謹守其「所知」而不言其「所不知」，此聖人之所以「不病」也。抑更進而言之：其「所知」者，唯是「知」其有「所不知」耳，除「知」其有「所不知」外，聖人並無「所知」。莊子所謂「至人之用心若鏡，不將不迎，應而不藏，故能勝物而不傷」（應帝王）。鏡體虛靜，明而無垢，聖人之心亦如之，此其所以「不知」而「不病」也。嚴靈峯老子探義：夫唯病病，是以不病。唯能厭惡其患害者，所以不至有此患害也。聖人不病，以其病病；是以不病。言聖人之能無患害者，以其能厭惡患害；故不至有此患害也。夫唯病病，是以不病，以其病病，是以不病。惟「聖人不病」句上，當加「是以」二字；「是以不病」句，當從韓非子改「不」作「無」。末「是以不病」句，乃係複出；當刪。是以不病：按：三十三章自「知人者智」至章末「死而不亡者壽」諸句，當在此下。嚴靈峯馬王堆帛書老子試探：「王符潛夫論釋難篇：老聃有言：大丈夫處其實，不居其華。又：思賢篇：老子曰：夫唯病病，是以不病。」陳鼓應老子今註今譯：病病：把病當作病（who recognizes sick-minded as sick-minded）。聖人不病，以其病病。夫唯病病，是以不病：王弼本原作「夫唯病病，是以不病。聖人不病，以其病病，是以不病。」文句誤倒且複出，根據蔣錫昌的說法改正。蔣錫昌說：「御覽疾病部引作：『聖人不病，以其病病；夫唯病病，是以不病；』較諸本爲長，當據改正。蓋『夫唯』之句，常承上句之意而重言之，此老子特有文例也。今試以全書證之。二章：『功成而弗居。夫唯弗居，是以不去。』『夫唯』二句，係承上句『弗居』之意而重言之，例一。八章：『水善利萬物而不爭。……夫唯不爭，故無尤。』『夫唯不爭』二句，係承上文『不爭』之意而重言之，例二。十五章：『保此道者不欲盈。夫唯不盈，故能蔽不新成。』『夫唯不盈』二句，係承上句『不欲盈』之意而重言之，例三。七十二章：『無厭其所生。夫唯不厭，是以不厭。』『夫唯不厭』二句，係承上句『無厭』之意而重言之，例四。此文『夫唯病病，是以不病』二句，誤倒在『聖人不病，以其病病』二句上，又衍末句『是以不病』四字，致失古本之眞也。」余培林老子讀本：聖人不病，以其病病。謂聖人之所以無此缺失，是因爲聖人以此缺失爲缺失。「病病」，上「病」字是動詞，下「病」字是名詞。聖人不病，以其病病。夫唯病病，是以不病。王弼本、河上公本及其他各本皆作「夫唯病病，是以不病。聖人不病，是以不病。」既重複「是以不病」一句，「夫唯」一句又無所承，文字意義，兩皆不暢。今考御覽疾病部引此文作「聖人不病，以其病病。夫唯病病，是以不病。」似較各本爲優。由此可知各本「夫唯病病，是以不病」二句，原在章末，後誤倒在「聖人不病，以其病病」之上，又衍「是以不病」末句，所以才造成這樣辭句重複，文義不暢的現象。今據御覽所引文字改正。張揚明老子證譯釋：「夫唯病病，是以不病」：傅、范、彭、白、張嗣成、二趙、吳均作「夫惟」。景龍無此兩句。敦煌辛本、壬本無「夫唯病病」。辛並無「不病」二字。庚本無「不」字。「聖人不病，以其病病，是以不病」：景龍「聖人」上有「是以」二字。魏源作「聖人之病病也」。揚明案：「夫唯病病，是以不病」，其義是說唯其知道怕病，所以便沒有病。故以下緊接「聖人不病，以其病病，是以不病」。此正承上句之意而重複述之。其意是說：聖人不病，是因爲他知道怕病，所以便沒有病。如果按韓非易作「聖人之不病也，以其不病，是以無病」；則是說聖人之所以不生病，是因爲他不生病，所以便沒有病。如此，便毫無意義；也與上文文義不合。韓非、兪、劉，均未得其本旨，應從原文。」「病病」：上「病」，動詞。憂也，患也。禮樂記：「病不得其衆也。」注「猶憂也」。論語衞靈公：「君子病無能焉」，疏：「病，患也」。下「病」，名詞。疾加也。見說文。儀禮既夕禮：「疾病，外內皆埽」，注：「疾甚曰病」。衡諸帛書，張說是也。

七十二章　愛己（闕）

七十三章　任爲（闕）

七十四章　制惑（闕）

七十五章　貪損（闕）

七十六章　戒强

是以兵强則不勝，木强則兵。(73)

【斠補】王注：强兵以暴於天下者，物之所惡也，故必不得勝。訓下句曰：物所加也。兪云：列子引作兵强則滅，木强則折。當從之。案兪說是。淮南原道訓亦作兵强則滅，木强則折，疑不勝係後人注文，兵涉上文兵强而誤。

【疏證】義案：甲本作「兵强則不勝，木强則恆」。乙本作「□以兵强則不朕，木强則競。」古本作「是以兵彊者則不勝，木彊則共。」吳澄道德眞經注：「是以兵强則不勝，木强則共。用兵示弱者，謀深而工，敵輕而玩之，故勝。恃强者，慮淺而驕，敵懼而備之，故不勝。兵法始如處女，敵人開戶，示之弱也。後如脫兔「敵」不及距，則能勝之矣。秦兵過周，超乘三百，竟敗於殽。齊兵入晉，桀石投人，竟敗於鞍；此恃强不勝之驗也。共，兩手所圍也。木之弱而搖動者，爲近末之小枝；强而不搖動者，則爲近根合拱之大榦也，因言兵而並及於木。」焦竑老子翼：「蘇子由云：兵以義勝者，非强也；强而不義，其敗必速。木自拱把上必伐矣。呂吉甫云：是以兵强則恃之而驕，而敵國之所謀也。我驕則敵謀，所以不勝也。木强則伐，伐之所以共而舉之也，非徒然也。吳幼淸云：用兵，示弱者，謀深而工，敵輕而玩之，故勝。恃强者，慮淺而驕，敵懼而備之，故不勝。……共，兩手所圍也，木之弱而搖動者，爲近末之小枝，强而不搖動者，則爲近根合共之大榦也。」魏源老子本義：「是以兵强，傅奕下有者字。則不勝。木强則兵。河上作木强則共，此從王弼勝兵爲韻，言木强被伐也。」呂氏惠卿曰：道之爲物，無形而不爭，則天下之至柔，而人莫之喻也。故以有形喻之，人與草木之形體，皆以堅强而死，柔弱而生，況欲體無形之道者，而不致其柔弱，其可得乎？是柔弱勝剛强之理，非但兵驕則敗，木强則伐爲然也。天以淸虛在上，地以堅實在下，臣以有爲事上，君以無爲任下，凡物之理莫不然也，然則體道之貴柔明矣。蘇氏轍曰：沖氣在焉，則體無堅强之病。至理在焉，則事無堅强之累。物之常理，精者在上，粗者在下，其精必柔弱，其粗必强大也。吳氏澄曰：末二句即承上兩句而言之，蓋兵强者爲人所勝，是不若以弱勝者之處人上也。木强者近根之榦，是不若枝條之處上也。推此則知矜己凌人必蹶，其貴高而柔弱者爲衆所推戴矣。李氏嘉謨曰：柔弱雖非即道，而近於無爲；剛强雖離乎道，而涉於有焉，無爲則去道不遠，有爲則吉凶悔吝隨之，益遠於道矣。」王夫之老子衍：是以兵彊則不勝，木彊則共。董思靖曰：人共伐之。彊弱者，迹也。夫豈木之欲生，而故爲柔脃哉？天液不至而糟粕存，於是而堅枯之形成矣。故堅彊者，有之積也；柔弱者，無之化也。無之化，而尙足以生，況其未有化乎？不得已而用其化以爲柔弱，以其去無之未遠也。夫無其彊者，則柔者不凝，天！下之所以厚樹其質也。而孰知凝之即爲死之徒乎？質雖因其已有而不可無，而用天地之沖相升降，則豈唯處上者之柔弱也，即其處（上）「下」者而與枯槁遠矣。馬敍倫老子校詁：

「畢沅曰：河上王弼無者字。張煦且：呂等無者字。倫案：六朝殘卷館本趙寫磻溪無者字，各本及列子黃帝篇引無者字則字，文子道原篇作即，則即古書多通用，見經傳釋詞。列子引不勝二字作滅字，是也，由滅字脫失，讀者以弼注中有故必不得勝云云。補不勝二字也。彭耜曰：黃共作折。王昶曰：開元至元兵作共。畢沅曰：道藏奕本兵字誤共，今河上本亦誤共，非也。王弼作兵，是。俞樾曰：木强則兵，於義難通，列子黃帝篇引作木彊則折，折字闕壞，又涉上句而誤爲兵耳。易順鼎曰：俞說是。文子道原篇淮南原道訓亦作折。王注曰：物所加也四字，疑非原本。張煦曰：葛木作本，兵作共，呂等兵作共。倫案：兵各本作共。成疏曰：譬樹木粗强，故枝條共壓其上，是成亦作共，蓋折字篆文作𣂚，與兵字篆文作𢍁，均從斤。而𣂚與𢍁文略同，因誤折爲兵，復由兵而譌爲共耳。折與滅韵。」陳柱老子說：木强則兵。兵字當從俞樾說爲「折」字之誤。高亨老子正詁：是以兵强則滅，木强則折。兵强八字，王本原作「兵强則不勝，木强則兵。」列子黃帝篇、文子道原篇、淮南子原道篇、並引作「兵强則滅，木强則折。」今據改。按老子原文當作「兵强則滅，木强則折。」蓋滅字轉寫挩去。讀者見王注有「故必不得勝」之文，因補不勝二字。此采黃茂材（彭耜道德經集注引）俞樾、易順鼎、劉師培、馬如龍、奚侗，各家說而補正之。朱謙之老子釋譯：情案：『木强則共』御注、景福、邢玄、磻溪、樓正、高翿、奈卷、河上、王羲之、顧、范、彭、敦煌庚辛諸本均同。諸王本作『兵』，道藏王本作『共』，經訓堂傅本作『兵』，道藏傅本作『共』。『共』字未詳。强本成疏曰：『譬樹木分强，故枝條共壓其上；亦猶梁棟宏壯，故椽瓦共壓其上也。』知成所見本亦作『共』，故繳繞穿鑿其辭。丁仲祐曰：『集韻「共」爲「拱」之省文。穀梁僖三十三年傳「子之冢木已拱矣」，注「拱合抱也。」又公羊傳注「拱可以手對抱」』說雖可通，但以較『木强則兵』，所謂直木先伐，猶覺後義勝也。黄茂材曰：『列子戴老聃之言曰：「兵强則滅，木强則折」。列子之書，大抵祖述老子之意，且其世相去不遠。「木强則折」，其文爲順。今作「共」又讀爲「拱」，其說不意通，當以列子之書爲正。』情牵案：黄說是也。奚侗曰：『「折」以殘缺誤爲「兵」，復以形似誤爲「共」耳。茲據列子黄帝篇、文子道原篇、淮南原道訓引改。但文子淮南於「木彊則折」下，有「革彊則裂，齒堅於舌而先敝，」皆韻語，或老子原本有之，而今捝去。』王淮老子探義：黄茂材曰：「列子載老聃之言曰：『兵强則滅，木强則折』，列子之書大抵祖述老子之意，且其世相去不遠。木强則折，其文爲順。今作共，又讀如拱，其說不通；當以列子之書爲正」。案：「是以兵强則不勝，木强則兵」，當據列子黄帝篇改作「是以兵强則滅、木强則折」。「滅」與「折」爲韵，作「不勝」與「兵」既失韵，且義不可通。河上本下「兵」字作「共」，亦非。詳見馬敍倫老子校詁及朱謙之老子校釋所引諸家考證，茲不贅。又案：此以「兵强則滅，木强則折」，喩「堅强者死之徒」，主要是就「作用」上講，示人之立身行世，處事接物，當以剛强爲戒，然後方可免於挫敗。嚴靈峯老子達解：「勇於敢則殺」，「輕敵幾喪吾寶，故抗兵相加，哀者勝矣。」故曰：兵强則不勝也。木强大者則斧斤至矣，人必共斫伐之也。以兵强則不勝，木强則共。武英殿本、浙局本「共」並作「兵」。河上公本、傅奕本景龍本及諸本亦多作「共」。奚侗曰：『木彊則失柔韌之性，易致折斷。「折」各本或作「共」，或作「兵」，皆非是。蔣錫昌曰：『按列子「不勝」作「滅」，「兵」作，「折」，當從之。此文「滅」、「折」爲韻。四十二章王注：「至柔不可折」即據此而言，亦王本作「折」之證。』按：「不勝當作「滅」」。蓋上文云：「堅强則死之徒，」非僅「不勝」已也。吳子圖國篇：「有扈氏之君，恃衆好勇，以喪其社稷。」文子符言篇：「天下雖大，好兵者亡。」是當作「滅」，於義爲長。又：禮記祭法：『萬物死，皆曰「折」。』莊子山木篇：「直木先伐。」皆「木强則折」之證。是此文當據列子文改正。又：四十二章：「强梁者不得其死」一句，當在此下；並在「强大處下」句上。陳鼓應老子今注今釋：兵强則滅，木强則折：王弼本原作「兵强則不勝，木强則兵。」根據列子改正。文子道原篇也說：「兵强即滅，木强即折。」因據列子黄帝篇，文子道原篇，淮南正道訓改正。余培林老子讀本：兵强則不勝，木强則兵。「兵」是動詞，砍伐的意思。謂兵勢强盛，則恃强而驕，反而不能勝敵。樹木强大，則爲工匠所需，反被砍伐。張揚明老子斠證譯釋：「是以兵强則滅，木强則折」：王弼原作「兵强則不勝，木强則兵」。河上「兵」作「共」。黄茂材作「折」。楊明案：劉師培、馬敍倫、奚侗、高亨、蔣錫昌、陳柱、嚴靈峯均有同見。劉並謂「不勝，乃後人注文」。馬亦謂「由滅字脱失，讀者以弼注中有『故必不勝』云云，補『不勝』二字也」復案「即」「則」二字古通用。論語學而：「君子不重則不威」。經傳釋詞：「廣雅曰：則，即也」。史記項羽本紀：「公徐行即免死，疾行則及禍」。均其證。是則列子、文子、淮南子所引均同。故各家之説是，據改。衡諸帛書，甲本作木强則「恆」，乙本作木强則「競」，古本作番木彊則「共」，各家之説，作木强則「折」，或木强則「兵」者，有待商榷。

七十七章　天　道

是以聖人爲而不恃，功成而不處，其不欲見賢。(74)

【斠補】王注：是以聖人不欲示其賢，以均天下。案其上疑脫以字。五十章云：夫何故？以其生生之厚。又曰：夫何故？以其無死地。此文疑與同例，言爲而不恃，功成不處，由於聖人不欲自顯其賢也。若無以字，則文義似未足。

【疏證】義案：甲本殘闕。乙本作「是以耶人爲而弗又，成功而弗居也。若此亓不欲見賢也。」古本作「是以聖人爲而不恃，功成而不居，其不欲見賢邪。」吳澄道德眞經註：「聖人之功，能蓋天下，此有餘者也，不恃其所爲之能，而若無能，不居其所成之功，而若無功，不欲顯示其功能之賢於人，皆損己之有餘也。」焦竑老子翼：陸希聲云：在易損下益上曰損，損上益下曰益，以下爲本也。是以聖人能爲之而不恃，其事能成功而不居，其所以其不欲見賢於人，故天下謂之似不肖，皆損有餘，奉不足之旨也。呂吉甫云：聖人則有道者也，是以爲而不恃，功成不居，其不欲見賢者，無他，凡以法天之道而已矣。李息齋云：唯聖人能以已有餘，而奉人不足，故其能及萬物而不恃其能，功蓋天下而不居其功，利澤施於天下而不欲見其賢，唯有道者而後如此。」魏源老子本義：「功成而不處。傅奕作不居。其不欲見賢邪。王弼無邪字。「有道之聖人，雖有至賢之行，而不欲以自見，此爲道日損，必至於損之又損也。蘇氏轍曰：張弓上筋，弛弓上角，故以況天之抑高舉下，天無私，故均；人有私，故不均。有道者贍足萬物而辭，既以爲人，已愈有，既以與人，已愈多，非有道者無以堪此。爲而恃，成而處，則賢見於世，賢見於世，則是以有餘自奉也。」王夫之老子衍：「聖人之能不禍於天者，無禍地也。夫豈但勞天下以自奉者，爲奉有餘哉？人未嘗不肖而欲賢之，作人未嘗亂而欲治之，美譽來歸而腥聞贈物，非樂天下之敗以自成乎？故一人安位，天下失據；一日行志，百夫傷心；殺機發於誥誓，而戎馬生於勳名。然則庸人之自奉儉；而賢者之自奉奢，可不畏哉！」馬叙倫老子校詁：「彭耜曰：纂微司馬蘇曹陳並居作處，纂爲曹陳無耶字。葉賢上有其字。畢沅曰：河上王弼作處，無耶字，明皇無下而字。俞樾曰：賢下當者有乎字。張煦曰：開元無二而字賢字，呂趙無下而字，呂林葛無耶字。石田羊一郎曰：爲而二句已見二章，且王弼無注，恐後人羼入，是以聖人其不欲見賢邪一句，在此爲贅，當移至三十八章。倫案：六朝殘卷居作處，耶作也，磻溪作功成不處，無耶字，奈卷無上而字，彭寇張嗣成二趙易州館本卷子成疏臧疏無下而字，館本卷子成疏功成乙轉，彭寇白張嗣成吳及呂氏春秋審分覽高注引居字同此。各本作處，易州其作斯。見，館本臧疏作示。諗弼注曰：是以聖人不欲示其賢以均天下，則王亦作示也。卷子成疏無不耶二字，見作退。成疏曰：不欲示見己之賢能（臧疏無見字，）則成亦作示也，趙潘耶字同此，范彭吳作邪，各本無。倫案：爲而不恃，功成而不居，二句，當在五十一章，八十一章聖人不積以下，當在此是以下其不欲見賢耶上，但因錯簡衍聖人二字。倫案：右文舊爲第七十七章。」高亨老子正詁：「賢」下傅本有「邪」字。按「賢」下當有「邪」字，本章全是韻文，無邪字則失韻，是其證。「其不欲見賢邪！」言不欲見賢也。二十二章曰：「不自見故明，不自是故彰，不自伐故有功，不自矜故長。」。二十四章曰：「自見者不明，自是者不彰，自伐者無功，自矜者不長。」則老子不欲見其賢審矣。」朱謙之老子釋譯：嚴可均曰：『「爲而不恃」御注無「而」字，「功成不處」河上、王弼「成」下有「而」字。「斯不見賢」各本作「其不欲見賢」，高翿句末有「邪」字。』羅振玉曰：『「功成而不處」敦煌庚辛本「功成」作「成功」，景龍、御注：敦煌辛本均無「而」字。「其不欲見賢」敦煌庚本「賢」下有「也」字，辛本「則其欲退賢」。』武內義雄曰：『敦本「見」作「示」。』情牽案：河上注『不欲示人知已之賢』，是河上『見』亦作「示」，顧歡同。遂州本『見』作『貴』。『斯不見賢』，『斯』即『廝』字。『斯』『廝』古今字。左傳哀二年『人臣隸圉免』，杜注『去廝役』。釋文『廝字又作斯』。新序雜事四、潛夫論敘錄『廝役』均作『斯役』。此云『斯不見賢』，案詩毛傳『賢，勞也』；聖人能損有餘，補不足，裒多以益寡，抑高而舉下，豈勞煩廝役者耶？傅本『賢』下有『邪』字。高亨曰：『「賢」下當有「邪」字，本章全是韻文，無「邪」字則失韻，是其證。』王淮老子探義：河上公曰：「聖人爲德施不待其報也，功成事就，不處其位，不欲使人知已之賢，匿功不居榮，畏天損有餘也」。案：此言總承上文，而爲贊德之辭。聖人體合人道，無心無我，故無私。佈德於天下，而人莫之知，所以者恃？雖有施爲而無所執持，雖有成功而不居其名，其不欲見賢之故也。見、現也。不欲見賢、即不欲現其德，常無名而返自然之謂也。嚴靈峯老子達解解：所以聖人施與於人而不自矜其能，責望其報；「功成事遂」而不自居其功；「被褐懷玉，自知而不自見；」不欲示其賢能於世也。此「光而不燿」，「明道若昧」也。聖人爲而不恃，功成而不處，其不欲見賢。奚侗曰：「三句與上文誼不相承，上二句已見二章，又複出于此。」馬叙倫曰：『「爲而不恃，功成而不居」二句，當在五十一章。』陳柱曰：『按：「爲而不恃」二句，當是第二章之複錯。』陳說是也。按：此二句當刪。嚴靈峯王堆帛書老子試探：淮南繆稱：『漠然不見賢焉。』陳鼓應老子今註今譯：是以『聖人』爲而不恃，功成而不處，其不欲見賢：這三句和上文意義不相連屬，疑是錯簡複出。日本市川匡說：「古註誤入。」（見嚴靈峯老子章句新編引）奚說有理：「是以『聖人』爲而不恃，功成而不處」兩句爲二章重出，「其不欲見賢。」一句，或是上二句的註文羼入。余培林老子讀本：其，以，因爲之意。景龍本作「斯」，「斯」也是「以」的意思。見賢，表現己德。張揚明老子斠證譯釋：傅、彭、寇、白、張嗣成、吳「處」作「居」。傅「賢」下並有「耶」字。景龍、明皇，無「而」字。景龍並作「斯不見賢」。錢穆：「謂賢士建功而不自見其賢，乃能久處不去。」揚明案：見賢，即以賢自見，亦即將已之賢，表彰於人前之意。不欲見賢者，不欲將已之賢能表帝露於人前，亦即爲而不恃，功成而不處也。

七十八章　任信

弱之勝强，柔之勝剛，天下莫不知，莫能行。(75)

【斠補】案淮南道應訓引老子曰：柔之勝剛也，弱之勝强也，天下莫不知，而莫之能行。當爲古本。

【疏證】義案：甲本殘闕。乙本作「水之朕剄也，弱之朕强也，天下莫弗知也，而(莫)□□□(也)。」古本作「柔之勝剛，弱之勝彊，天下莫不知，而莫之能行。」吳澄道德眞經註：柔之勝剛，弱之勝强，天下莫不知，而莫能行。水爲至柔弱之物，而能攻至堅剛之金石，此柔弱能勝剛强。天下之人，莫不知之，而莫有能行柔弱之事者，蓋歎之也。」焦竑老子翼：「呂吉甫云：夫水之爲柔弱，而柔弱之勝剛强，天下莫不知，而老子數數稱之。何也？以天下雖莫不知，而莫能行也。夫聰明睿知，足以有臨矣。則其患者，豈在於材力之不足也。顧未能損有餘，以奉天下，持之以柔弱，而常爲名尸智主事，任謀府之所累耳。李宏甫云：故攻堅强者，莫勝於柔弱，柔弱者，不期勝而自勝也。故又戒之曰：其無以輕易柔弱爲也。畢竟能勝剛强，而剛强者不與焉。」魏源老子本義：柔之勝剛，弱之勝强，一本上有故字，中無兩之字，天下莫不知，莫能行。傅奕作莫不知，而莫之能行。柔弱勝剛强，老子屢言之，而人多易視之者，故知之而莫能行，乃於書之將終，復舉而言曰：吾之此言，愼毋視爲易易也。蓋凡有血氣，皆有爭心，平日非不知柔弱之爲善，及至垢辱横逆之加，不覺勃然，其剛强之忽發而不能堪矣。」馬叙倫老子校詁：柔之勝剛，弱之勝彊。彭耜曰：纂微司馬蘇曹並上有故字，無二之字，陳葉無二之字。畢沅曰：河上上有故字，王弼二句到轉，淮南道應訓兩句下並有也字。嚴可均曰：御注高翿作故柔勝剛弱勝强。張煦曰：呂葛趙同開元，林蘇二句乙轉。彊。各本作强。倫案：淮南道應引至而莫能行，六朝殘卷柔之句在弱之下，柔之句無之字，臧疏寇白張嗣成二趙館本磻溪卷子成疏作故柔勝剛弱勝强，易州作故弱勝强柔勝剛，張之象二句到轉。彊字，各本作强。天下莫不知，而莫之能行。彭耜曰：司馬蘇曹陳葉無而之二字。畢沅曰：河上王弼無而之二字，淮南道應訓引同奕。張煦曰：葛無而莫之能行五字。趙無之字，呂等無而之二字，倫案：易州卷子成疏臧疏潘不知作能知。范彭同此，吳趙寫無之字，各本無而之二字。陳柱老子註：「此言處柔居下之旨，老子之恆語也。」朱謙之老子譯釋：嚴可均曰：『御注、高翿作「故柔勝剛，弱勝强」；』河上、王弼無「故」字，作「弱之勝强，柔之勝剛。」「莫能知」各本「能」作「不」。羅振玉：『「柔之勝剛」景福本「勝」作「能」，敦煌庚本與景龍本同，而無「故」字；御注本、敦煌辛本作故柔勝剛，弱勝强。」又「不」均作「能」。』情牽案：淮南道應訓引老子曰：『柔之勝剛也，弱之勝强也，天下莫不知，而莫知能行；』與傅奕本同。唯傅本無二「也」字。王淮老子探義：河上公曰：「圓中則圓、方中則方，擁之則止，決之則行。水能懷山襄陵，磨鐵消銅，莫能勝水而成功也」。呂吉甫曰：「天下之物，唯水爲能因物之曲直方圓而從之，則是柔弱莫過於水者也。而流大物、轉大石、穿突陵谷、浮載天地，唯水爲能，則是下攻堅强者無以先之也」。高亨曰：「其、猶是也，此也（見裴學海古書虛字集釋）。字當讀爲斯。言天下之莫柔弱於水，而堅强者莫之能勝，乃理之自然，勢所必至，而無以變易也」。案：柔弱勝剛强，爲老子所一貫宣示之眞理，此特以「水」明「柔弱」之用，本經四十三章所謂「天下之至柔，馳騁天下之至堅」者，是也。「無以易之」，猶言此乃不易之定理。「天下莫不知，莫能行」，「不」字當爲「能」字之誤（一本有作「能」者，見朱謙之老子校釋所引嚴可均與羅振玉之異文校對），老子歎此理之不爲世人所識，或雖識而不果行，本經七十章所謂「吾言甚易知，甚易行、天下莫能知，莫能行」，即其義也，作「莫能知」，於義爲長。」嚴靈峯老子達解：「柔弱勝剛强」，此理天下之人無有不知之者；然卻無有能行之者也。

莫能行：按：三十六章：「柔弱勝剛强，魚不可脫於淵，國之利器，不可以示人」諸句，當在此下。余培林老子讀本：莫不知：馬叙倫曰：「易州卷子成疏臧疏潘「不知」作「能知」，范、彭同此。」按作「能知」義較長，七十章曰：「天下莫能知，莫能行。」可資爲證。此處「不」字當爲「能」字之誤。」張揚明老子斠證釋譯：傅、吳、焦、魏兩句次序倒轉。淮南道應訓兩句下並有「也」字。御注、高翿、臧疏、寇、白、張嗣成、二趙、館本、卷子、磻溪、成疏均作「故柔勝剛，弱勝强」。景龍作「弱勝强，柔勝剛。」景龍、卷子、成疏、敦辛本並作「莫能知」。淮南道應訓、傅、范作「而莫之能行」。于省吾：「何氏校刋：諸本「不」均作「能」，按作能者於義爲長。七十章「吾言甚易知，甚易行；天下莫能知，莫能行」，是其證。上云：「弱之勝强，柔之勝剛」，即易知之謂也。甚易知而天下莫能知，有慨乎其言也。當時天下皆知剛强之能勝物，而不知柔弱之能勝剛强，故云：「天下莫能知」。揚明案：河上、淮南、傅、范、彭、司馬、蘇、曹、陳、葉、二趙、吳、焦、魏及本均同王弼作「天下莫不知」，且其注亦均就「莫不知」立論，則何氏校刊顯不可據。呂說是。應從王不改。」陶鴻慶：「此知字當訓爲見」。揚明案：知，本含有識、覺，見諸義，固不必獨訓爲見。」

受國之詬，是謂社稷主；受國不祥，是爲天下王。(76)

【斠補】案淮南道應訓引老子，受國上，均有能字，不祥上，又有之字。當爲古本。

【疏證】義案：甲本作「受邦之詬，是爲社稷之主；受邦之不祥，是胃天下之王。」乙本作「受國之詢，是胃社稷之主；受國之不祥，是胃天下之王。」古本作「受國之詬，是胃社稷之主；受國之不祥，是胃天下之王。」劉說不祥上有之字是也。受國之「詢」：通行本「詢」作「詬」。說文：「詬，謑詬，恥也。從言，后聲；或從句聲。」按：左昭二十年傳：「余不忍其詢。」「詬」作「詢」。此從「句」聲也。蓋「句」與「后」通，故叚「詢」爲之。說文：「詢，同詬。」又說文：「詬，濁也，從土，后聲。」朱駿聲曰：「叚借爲「詬」左宣十五年傳：「國君含詬。」」吳澄道德眞註：「垢，汚穢也。不祥，不吉善也。汚穢不吉，善人所恥，賤以爲卑辱。聖人則不然，雖一國以汚穢，不吉善之名，歸之己，皆受之而不辭。蓋能柔弱，甘以卑辱自處，非如剛强之人，欲以尊榮上人也。然神所歆享，而可以主社稷，民所嚮往，而可以王天下。剛强者，神怒民叛，而失國，失天下，柔弱者，神祐民附，有國，有天下，此柔弱勝剛強之效也。」焦　老子翼：「呂吉甫云：蓋必先其令聞，非過名之言也，不多名之言也。受國之垢與不祥，則過名之言也，名不足以言之也，不及名之言應事，應事言之變也。過名之言體道，體道言之正也。正言而曰受國之詬與不祥，故曰正言若反。湯武之言曰：萬方有罪，在予一人。此知以國之垢與不祥，而受之者也。李宏甫云：苟爲社稷之主，而不能受多方之垢，爲天下之王，而必欲國家之無妖孽，四海之無凶人可得邪！」魏源老子本義：「能受國之垢，是爲社稷主，能受國之不祥，是爲天下王。各本無兩能字，傅奕社主王上有兩之字，河上是爲作是謂，此並從淮南子。夫山藪藏疾，川澤納汙，國君含垢，今挾其才力，而常爲名尸智主，事任謀府，爭心所累，是惡能保其爲侯王乎；此言若反乎俗情，而實合乎正道，俗以受垢受不祥爲殃故也。」王夫之老子衍：夫水者，豈欲以敵堅彊而爲攻者哉？受天下之「垢」里也，終古而無「易」心，而力從之。何也？水之無力，均其無心；水之無心，均其無力也。故「弱其志」者無「易」志，「虛其心」者無「易」心，行乎其所不得已，而不知堅彊之與否，則險夷無易慮，無（地）（他），寓心於汗漫而內不自搆也。寓心於汗漫，無所畏矣。內不自搆，和之至矣。和於中，無畏於外，天下其孰能禦之！」馬敘倫老子校詁：「彭耜曰：纂微司馬蘇曹葉清源黃程不祥上無之字，纂微司馬蘇五注曹陳達眞葉清源黃程邵爲作謂。畢沅曰：河上王弼社稷天下下無之字。是爲，河上作是謂。淮南道應訓兩受字上有能字。張煦曰：呂等無主上王上之字，葛蘇爲作謂，呂林趙無不祥上之字。倫案：淮南引無主上王上二之字，六朝殘卷無下三之字，爲作謂，磻溪同。社稷天下下之字范同此，奈卷稷下有之字，各本無此二之字。受國之垢，莊子天下篇引作受天下之垢。不祥上之字，宋河上彭寇趙及淮南引同此，各本無。是爲，范宋河上易州館本卷子成疏趙作是謂，范王下有也字，館本作是謂天王。」高亨老子正詁：「聖人」上王本原有「是以」二字。嚴遵本無，今據刪。「受國之不祥，」王本原無「之」字，河上本傅本並有。淮南子道應篇、新序雜事篇引並同。今據增。「是謂天下王，」王本「謂」原作「爲，」河上本傅本並作「謂，」淮南子道應篇新序雜事篇引並同。今據改。按河上本傅本是也。論語堯曰篇：「朕躬有罪，無以萬方，萬方有罪，罪在朕躬。」即受國之垢、受國之不祥之意也。」朱謙之老子釋譯：嚴可均曰：「『受國不祥』，河上、高翿『國』下有『之』字。」孫鑛考正曰：「『受國不祥』今本『受國』下，多『之』字。」情牽案：『垢』有垢汚之義。按莊子天下篇引老聃曰：『知其雄守其雌，爲天下谿。知其白守其辱，爲天下谷。人皆取先，己獨取後，曰：受天下之垢。』郭象注：『雌、辱、後、下之類，皆物之所謂垢。』宣十五年左傳：『伯宗曰：川澤納汙，山藪藏疾，瑾瑜匿瑕，國君含垢，天之道也。』杜注：『忍垢恥。』蓋退身處後，推物在先，處衆人之所惡，故幾於道，此垢之本義。又『王』字，說文『天下所歸往也。』穀梁莊三傳曰：『其曰王者，民之所歸往也。』訓『王』爲『往』，人所歸落，此『王』之本義。王淮老子探義：河上公曰：「君能受國垢濁者，若江海不逆小流，則能長保社稷，爲一國君主也。君能引過自與，代民受不祥之殃，則可以王有天下，此乃正之言，世人不知，以爲反言」。案：受國之「垢」與「不祥」，皆所以喩侯王之謙沖自牧。蓋謙冲，乃是柔弱之道，落在人格修養上，所呈現之一種境界與形態，上文就萬物舉例，以「水」明柔弱之用；此文就人格爲言，以「謙冲」喩柔弱之效。天道人事，理無二致，故聖人法天道，貴柔弱，而以謙沖自牧，一謙而四益，此其所以沉潛高明，德性深廣，智慧通達，故能主社稷而王天下也。又「正言若反」，與上文「天下莫能知、莫能行」相呼應，謂受國之「垢」與「不祥」（柔弱謙沖」乃是自然之常道（正、常也。正言猶常道、眞理）然由世俗觀之，或不以爲然，此無他，眞理不同於常識，而常與世俗之見解相違反故也。然雖反於俗知，究竟合於正理，故曰：「正言若反」。嗚呼！理有眞俗，智有深淺，所從來久矣，而唯深智乃能見眞理，豈淺俗者所得聞哉？嚴靈峯老子達解：言有道之主，知白守黑；海納百川；有容德乃大；「受國之垢」也。「侯王自稱孤、寡、不穀」，「貴以賤爲本」；「受國不祥」也。是以聖人云：受國之垢，是謂社稷主，受國不祥，是爲天下王。按：此數句，與上文義不相應，疑係他章錯簡；當在二十二章：「不自矜故長」句下；並在「古之所謂曲則全者」句上。嚴靈峯馬王堆帛書老子試探：「劉向新序雜事：老子曰：能受國之不祥，是謂天下之王也。」陳鼓應老子今註今譯：受國之垢：承擔全國的屈辱。受國不祥：承擔全國的禍難。蔣錫昌說：「凡老子書中所言：『曲』，『枉』，『窪』，『敝』，『少』，『雌』，『柔』，『弱』，『賤』，『損』，『嗇』，『慈』，『儉』，『後』，『下』，『孤』，『寡』，『不穀』之類，皆此所謂『垢』與『不祥』也。」余培林老子讀本：「垢，謂汚垢、屈辱。不祥，謂災禍。」張揚明老子斠證譯釋：傅、范「主」「不」「王」三字上均有「之」字。河上、吳、焦、魏「不」上有「之」字。魏兩「受」字上並有「能」字；「謂」作「爲」。河上、景龍、纂微、司馬、蘇、曹、陳、葛、五注、達眞、清源、葉、黃、程、邵、吳、焦，「爲」作「謂」。揚明案：穀梁傳宣二年：「孰爲盾而忍弒其君者乎」？孟子公孫丑：「而子爲我願之乎」?是「爲」猶「謂」也。又「謂」亦猶「爲」也;左傳僖五年:「一之謂甚,其可再乎」?是則二字古通用。此爲處下不爭之道。八章「水善利萬物而不爭,處衆人之所惡,故幾於道」,六十六章「江海所以能爲百谷王者,以其善下之,故能爲百谷王」。均此意也。宜互參看。謂、爲通用。」

七十九章　任契(闕)

八十章　獨　立

使有什伯之器而不用。(77)

【斠補】王注：言使民雖有什伯之器，而無所用，何患不足也。案河上本作使有什伯人之器而不用，傅奕本作使民有什伯之器而不用也，當以傅本爲是。此文使民與下使民重死一律，河上本蓋亦有民字，易民爲人，又訛書入于伯之下，遂誤讀使有什伯爲句，以人屬下，別爲句非也。王本亦有民字，觀王注言使民三字，可見傅本也字衍。

【疏證】義案：甲本作「使十百人之器毋用。」乙本作「使有十百人器而勿用。」古本作「使民有什伯之器而不用也。」劉說非也。「什伯」，帛書作「十百」是也。疑作「仟」解，言數量之多也。如孟子滕文公上：「或相什百。」說文十部：「千，十百也。」是其證。又如詩小雅甫田：「歲取十千。」周頌噫嘻：「十千維耦。」傳：「十千，言多也。」「十百」與「十千」，形式相同，可作旁證。又如易林：「求利十千。」李白將進酒：「斗酒十十恣讙謔。」王維少年行：「新豐美酒斗十千。」雖作萬解，亦皆言其多也。吳澄道德眞經註：「十人爲什，百人爲伯，什伯之器，重大之器，衆所共也，不用者，不營爲，不貪求，則重大之器，無所用也。」焦竑老子翼：「蘇子由云：什伯人之器，則材堪什，夫伯夫之長者也。事少民樸，雖結繩足矣。內足而外無所慕，故以其所有為美，以其所處為樂，而不復求也。民物繁夥，而不相求，則彼此皆足故也。吳幼清云：十人為什，百人為伯，什伯之器，重大之器，衆所共也。不用者，不營，為不貪求重大之器，無所用也。魏源老子本義：「使有什伯人之器而不用。傅奕作使民有什伯之器而不用也，此從河上。吳氏澄曰：舟車甲兵，非一人可獨用，謂什伯人之器也。民淳事簡，則書契亦可不用，不但不用什伯之器而已。」馬叙倫老子校詁：「使民有什伯之器而不用也。彭耜曰：纂微司馬曹陳無下民字也字。蘇葉黃程亦無也字。紀昀曰：伯下各本俱有人字。畢沅曰：河上作使有什伯人之器而不用，王弼並無人字，李道純同弼，俞樾曰：什伯之器，乃兵器也。後漢書宣秉傳注：軍法，五人為伍，二五為什，則共其器物，其兼言伯者，古軍法以百人為伯。周書武順篇曰：五五二十五曰元卒，四卒成衞曰伯，是其證。什伯皆士卒部曲之名，士卒所用之器，故謂之什伯之器。徐鍇說文繫傳引老子曰：有什伯之器，每什伯共用器，謂兵革之器，得其解矣。河上本什伯下誤衍人字。張煦曰：呂葛蘇林無下民字，林葛伯下有人字，各本無也字。倫案：劉說是也。河上注曰：使民各有部曲什伯，是河上民字本在有字上也。范同此，趙寫同此，惟無也字。易州作寡人，使下無民字，無也字，館本卷子成疏無也字，館本使下無民字，柰卷寡誤寮，使下有一字，左邊作月，右邊泐。白伯作百，下有人字，張嗣成柰卷亦有人字，磻溪無第二民字，六朝殘卷作使有阡陌人之器而不用，各本作使有什伯之器而不用，彭有也字，文子符言篇作雖有什伯之器而勿用。倫謂老子原文當如文子，下文雖有甲兵無所陳之，即此古注，雖有二字，亦承用經文者也，傳寫以雖使音近，譌爲使字，又或誤於雖下增民字，校者以使民有什伯之器而不用，文義較爲潤澤，遂成此文。又讀者以河上本民字避諱改爲人字，而河上於什伯絕句，不解其義，則乙人字於伯字下矣。」高亨老子正詁：使民有什伯之器而不用，「使」下王本原無「民」字，傅本有，今據補。按：「使」下當有「民」字，下文再言「使民，」是其證。兪解什伯之器爲兵器是也。文子符言篇：「天下雖大，好用兵者亡。國家雖安，好戰者危。故小國寡民，雖有什伯之器而不用，」正解什伯之器爲兵器也。淮南子兵略篇：「正行伍，連什伯。」史記秦始皇記：「躡足行伍之間而倔起什伯之中。」皆「什伯」與「行伍」對言，亦什伯爲士卒部曲之名之證。」朱謙之老子釋譯：嚴可均曰：『「小國寡人」各本作「寡民」。「什伯之器」河上「伯」下有「人」字。』羅振玉曰：『「小國寡民」景龍本「民」作「人」，「使民有什伯之器」，敦煌辛本作「使民有什伯之器」，庚本作「使人有仟伯人之器」。』情牽案：『小國寡人』遂州本同。柰卷『寡』作『寮』。下句嚴、彭、傅、范、趙『使』下有『民』字，景福，柰卷，王義之『伯』下有『人』字，顧下有『民』字，傅、范『用』下有『也』字。李道純曰：『「使有什伯之器而不用」，或云「令器」，或云「不用」，皆非也。』「使有什伯之器而不用，使民重死而不遠徙；」兩句一律。下文云：「雖有舟轝，無所乘之，雖有甲兵，無所陳之；」「舟轝」句蒙「重死而不遠徙」而言，「甲兵」句蒙「什伯之器不用」而言，文義甚明。河上公本「什伯」下，誤衍「人字」，遂以「使有什伯」四句爲句，失之矣。』奚侗曰：『史記五帝紀「作什器于壽邱」，索隱曰：「什器什數也。蓋人家常用之器非一，故以十爲數，猶今言什物也。此云什伯，絫言之耳。國小民寡，生事簡約，故雖有什伯之器，亦無所用之也。各本多無「民」字，茲從傅奕本增。河上本作「使有什伯人之器而不用」，而斷「使有什伯」爲句，誼不可通。蓋古本「民」或作「人」，因誤到「什伯」之下，河上遂彊爲句讀耳』。情牽案：二說皆可通。文子符言篇曰：『天下雖大，好用兵者亡，國家雖安，好戰者危。故小國寡民，雖有什伯之器而勿用；』是以什伯之器爲兵器也。漢書『詔天下吏舍，無得置什器；』顏師古注：『五人爲伍，十人爲什，則共器物；』是以什伯之器爲什物，爲十人百人所共之器也。一說什伯人之器，則材堪什夫伯夫之長者也，此說蘇轍唱之，大田晴軒和之，引『列子說符篇，伯樂稱九方皐曰：「是乃所以千萬臣而無數者也；」呂氏春秋至忠篇：「子培賢者也，又爲王百倍之臣；」孟子「或相倍蓰，或相什伯，或相千萬；」（滕文公上）以物言也。「或相倍蓰而無筭者」；（告子上）以人言也。然則什伯千萬，亦皆可以人言也。「器」利器，器長之器，什伯之器，爲特異之材明矣。』謙之案：此說較迂曲，併存可也。王淮老子探義：馬叙倫曰：「雖有舟與四句古注文，誤入經文者也」。案：本章爲老子之理想國。所謂「使民復結繩而用之」，乃是基於自然主義之立場所憧憬之一種人類社會之崇高理想。其意蓋欲取消由人類對自然奮鬥所創造之一切文明之內容，而返於初民時代上古之自然。所謂「小國寡民」，以情揣之，約相當於黃帝以前之部落氏族時代，舟車之利無所用，戰爭之事無所聞，宇宙是天淸地寧的自然，人類是單純樸素的社會。莊子曾經描述此種自然宇宙與人類社會曰：「故至德之世，其行塡塡，其視顚顚。當是時也，山無蹊隧，澤無舟梁；萬物羣生，連屬其鄉；禽獸成羣，草木遂長。是故禽獸可係羈而遊，鳥鵲之巢可攀援而闚。夫至德之世，同與禽獸居，族與萬物並，惡知乎君子小人哉」（馬蹄篇）。據此，老莊所憧憬嚮往者，確爲一種原始之自然宇宙與人類社會，並視之爲崇高之理想，而欲復之。姑不論其是否可能復之，比理想之具有充份之「眞、善、美」，實無庸置疑，然則雖不可能復之，終無害其爲理想也。」嚴靈峯老子達解：「十人爲什，百人爲伯；什伯之器，兵器也。言甲兵不用也。」陳鼓應老子今註今譯：什伯之器：指兵器。十人爲『什』，百人爲『伯』。『什伯』是『士卒部曲』的名稱，他們所使用的器具，就是指兵器。所以兪說可從。余培林老子讀本：「什伯之器：指兵革之屬。」張揚明老子 證譯釋：河上、王羲之、景福、柰卷作「什伯人之器」。嚴、傅、范、彭、趙、敦煌辛本「使」下有「民」字。庚本作「人」字。傅、范「用」下並有「也」字。紀昀：「伯下各本均有人字。」吳澄、焦竑引注亦同。嚴復：「漢陰丈人，不取桔槔，則有什伯之器而不用者也。」蘇轍：「老子生於衰周，文勝俗弊，將以無爲救之；故於書之將終，言其所志，願得小國寡民以試焉，而不可得耳。內足則外無可羨，故以其所有爲美，以其所處爲樂，而不復求也」。呂吉甫：「此救之以質而反乎太古之道也。漢承秦後，卒以無爲清靜，幾致刑借。然則至人之言，豈小補哉」！王雱：「國小民寡，則人淳厚。國大民衆，則利害相摩，巧僞日生。都觀邑與聚落之民，質詐殊俗，則其驗也。考論語、孟子之終篇，皆稱堯舜禹湯聖人之事；蓋以學其書而加之政，亦若是也。老子抱太上之德，以處末世，故其志亦如此耳。」嚴復：「此古小國民主之治也，而非所論於今矣」。馮友蘭：「此即老子之理想的社會也。此非只是原始社會之野蠻境界；此乃包含有野蠻之文明境界也。非無舟輿也，有而無所乘之而已。非無甲兵也，有而無所陳之而已。甘其食，美其服，豈原始社會中所能有者？可套老子之言曰：『大文明若野蠻』。

野蠻的文明，乃最能持久之文明也。」鄭良樹老子論集：「胡適之先生把『什』解爲十倍，『佰』解爲百倍；『什伯之器』，即十倍百倍於其人民之器用。這一點說法雖然淺白，可是，第一、它符合古本老子的文字，第二、它和『小國寡民』相呼應（國小民寡，設使有十倍、百倍其民之器用，尚且棄之而不顧），實在是一個無懈可擊的說法了。」（論帛書本老子）檢核帛書，鄭說是也。

八十一章　顯質（闕）

丙、結論

綜合上述，各章所論，得其要點，擇其犖犖大者，歸納數端，分敘於后：

一、校讎訛挩

㈠挩字

1.「功遂，身退，天之道。」（九章十一則）證以文子、淮南，「功遂」當作「功成名遂」，「成名」二字。案古本作「成名，功遂。」帛書甲本作「功遂，身芮。」乙本作「功遂，身退。」豈帛書亦挩乎？劉說存疑待考。

2.「字之曰道」（廿五章廿八則）引韓非、文子，證「字」上有「强」字。案古本有「强」字，帛書則無，劉說是也。

3.「是以聖人：常善救人，故無棄人；常善救物，故無棄物。」（廿七章卅則）以淮南引老子，證挩「人物」二字。案古本作「故人無棄人……故物無棄物。」帛書作「而无棄人，物无棄財。」劉說是也。

4.「爲天下谿。」（廿八章卅二則）引淮南證「爲」上有「以」字。案古本同今本，帛書「谿」作「雞」，劉說是也。

5.「故失道而後德，失德而後仁，失仁而後義，失義而後禮。」（卅八章四〇則）引韓非證王弼、河上本，句末「德仁義禮」上，均脫四「失」字。案古本、帛書，均無四「失」字，當从韓非補，劉說是也。

6.「無有入無間。」（四十三章四五則）引淮南、王註，證「無有」上挩「出于」。案古本、帛書皆無，當從淮南，劉說是也。

7.「故知足之足，常足矣。」（四十六章四十則）引韓非證古本有「矣」字。案古本、帛書句末皆有「矣」字，劉說是也。

8.「不出戶，知天下；不闚牖，見天道。」（四十七章四九則）引韓非證「戶牖」上有「於」，「知見」上有「可以」字。案古本無「於」字，有「可以」字；帛書有「於」字，無「可」字；當从韓非，劉說非也。

9.「莫知其極，可以有國。」（五十九章六二則）引韓非證「可」上脫「則」字。案古本、帛書皆無則字，劉說是也。

10.「天下難事，必作于易；天下大事，必作于細。」（六十三章六十六則）引韓非喻老，言「難事」「大事」上，脫「之」字。案古本、帛書皆有「之」字，劉說是也。

11.「學不學，復衆人之所過。」（六十四章六七則）引韓非喻老，證「復」下有「歸」字。案古本、帛書皆無「歸」字，喻老不可從，劉說非也。

12.「不敢爲天下先，故能成器長。」（六十七章六十九則）引韓非解老，證「能」下脫「爲」字。案古本、帛書皆有「爲」字，劉說是也。

13.「是以聖人爲而不恃，功成而不處，其不欲見賢。」（七十七章七十四則）引老子五十章「以其生生之厚」，「以其無死地」文例，疑「其」上脫「以」字。案古本、帛書皆無「以」字，劉說存疑待考。

14.「弱之勝强，柔之勝剛，天下莫不知，莫能行。」（七十八章七十五則）以淮南引老子，證「剛」「强」下脫「也」，「莫」下脫「之」字。案古本無「也」字，有「之」字；帛書有「也」字，其下殘缺，有無「之」字，無法考證，帛書可从，劉說是也。

15.「受國之垢，是謂社稷主；受國不祥，是爲天下王。」（七十八章七十六則）以淮南引老子，證「受國」上均有「能」字，「不祥」上有「之」字。案古本、帛書皆有「之」字，均無「能」字，劉說是也。

16.「使有什伯之器而不用。」（八十章七十七則）據傅奕、河上、王弼本，「使」下有「民」字。案古本有「民」字，帛書「十百」下有「人」字，當从帛書，劉說是也。

㈡挩句

1.「天下神器，不可爲也；爲者敗之，執者失之。」（廿九章卅三則）證以文子，「天下神器」下，挩「不可執也」。案古本、帛書同今本，當據文子，劉說是也。

2.「禍兮福之所倚，福兮禍之所伏。」（五十八章五九則）引韓非解老，證「禍兮」下脫「有以成其功」。案古本、帛書皆無，劉說非也。

㈢訛字

1.「長短相較。」（二章三則），證以文子、淮南，「較」當作「形」。案古本作「形」，帛書作「刑」，「形」「刑」古通，劉說是也。

2.「道，冲而用之，或不盈。」（四章六則）：證以淮南、文子、墨子，「或」當作「又」。案古本作「又」，帛書作「有」，「又」「有」古通，劉說是也。

3.「滌除玄覽，能無疵乎？愛民治國，能無知乎？天門開闔，能無疵乎？明白四達，能無爲乎？」（十章十四則）依俞說「乎」爲衍文，引諸子「能」當作「而」。案古本、帛書，皆如今本作「能」，並有「乎」字，劉說存疑待考。

4.「渙兮若冰之將釋」（十五章十八則）引文子，疑「將釋」作「液」。案古本作「將釋」，帛書篆隸本皆作「凌澤」，疑依帛書爲是，劉說非也。

5.「少私寡欲」（十九章廿三則）引韓非、文選，證「私」當作「思」。案古本同今本，帛書殘闕不明，劉說是也。

6.「唯之與阿，相去幾何？善之與惡，相去若何？」（二十章廿四則）引說文、廣雅，證「阿」當作「訶」。案古本作「阿」，帛書甲本作「訶」，乙本作「呵」，據廣雅，「訶」俗作「呵」，劉說是也。

7.「我獨異於人，而貴食母。」（廿章廿五則），引朱孫說，證「食」當作「得」。案古本、帛書，皆作「食」，劉說存疑待考。

8.「餘食贅行」（廿四章廿七則）引老子五四章「其德乃餘」，證「食」當作「德」。案古本、帛書皆作「食」，劉說存疑待考。

9.「輕則失本，躁則失君。」（廿六章廿九則），引河上、韓非證「本」當作「臣」。案古本、帛書皆作「本」，當據河上本，劉說是也。

10.「貴以賤爲本。」（卅九章四三則）引淮南證「本」當作「號」。案古本、帛書皆作「本」，當从淮南，劉說是也。

11.「質眞若渝。」（四十一章四四則）據老子本章，疑「眞」當作「德」。案古本作「眞」，帛書本殘闕，劉說存疑待考。

12.「禍莫大於不知足，咎莫大於欲得。」（四十六章四七則）引韓非證下句「大」當作「憯」。案古本、帛書作「憯」，劉說是也。

13.「入軍不被甲兵。」（五〇章五二則）引韓非證「被」當作「備」。案古本、帛書皆作「被」，劉說是也。

14.「夫何故？以其無死也。」（五〇章五四則）引韓非證「也」爲「地」訛」。案古本、帛書皆作「地」，劉說是也。

15.「以輔萬物之自然，而不敢爲。」（六十四章六十八則）引韓非喻老，言「輔」作「恃」，「恃」蓋「待」訛。案古本、帛書皆作「輔」，喻老不可从，劉說非也。

16.「善勝敵者不與。」（六十八章七十則）引古籍證「與」當作「舉」。案古本作「爭」，帛書作「與」，古書「與」「舉」通用，劉說是也。

17.「未唯病病，是以不病。聖人不病，以其病病，是以不病。」（七十一章七十二則）引韓非喻老，證句末當作「以其不病，無以病病。」案古本作「以其病病，是以不吾病。」，帛書同今本，喻老不可从，劉說非也。

18.「是以兵强則不勝，木强則兵。」（七十六章七十三則）引列子、淮南，證本句作「兵强則滅，木强則折。」案古本作「木强則共」，帛書甲本作「木强則恆」，乙本作「木强則競」，劉說存疑待考。

㈣錯句

1.「淵兮似萬物之宗，挫其銳，解其紛，和其光，同其塵，湛兮似或存。」（四章七則）衡以文例，「湛兮」句，疑當在「淵兮」句下，抄寫致訛。案古本無異文，帛書作「湛呵佁或存」，仍在「同其塵」下，劉說存疑待考。

㈤衍文

1.「兵者，不祥之無，非君子之器，不得已而用之，恬淡爲上。」（卅一章卅五則）以王弼無注，疑「不祥之器，非君子之器。」爲衍文，固註文誤入正文。案古本同今本，帛書作「故兵器，非君子之器也。□□不祥之器也，不得已而用之，銛龐爲上。」當依帛書爲是，劉說非也。

2.「其神不傷人。」（六十章六五則）引韓非解老，疑「人」爲衍文。案古本、帛書皆有「人」字，當从帛書，劉說非也。

㈥訛挩

1.「上禮爲之而莫之應，則攘臂而扔之。」（卅八章卅九則）引韓非證「扔」當作「仍」，本句上抁「禮以情貌」。案古本、帛書皆無，當从韓非，劉說是也。

2.「聖人在天下，歙歙爲天下渾其心，聖人皆孩之。」（四九章五〇則）疑「在」爲「任」字之訛，「心」下脫「百姓皆注其耳目。」案古本、帛書皆作「在」，「心」下古本未挩，帛書作「百姓皆屬耳目焉」，當从古本，劉說是也。

3.「使我介然有知，行於大道，唯施是畏。大道甚夷，而民好徑。」（五十三章五五則）引韓非證「唯施」作「貌施」，「徑」下脫「大」字。案古本、帛書皆作「唯」，無「大」字，當从古本，劉說非也。

(七)訛衍

1.「柔弱勝剛强。」（卅六章卅七則）引韓非證「柔」當作「損」，「强」上無「剛」字。案古本作「柔之勝剛，弱之勝强。」帛書甲本作「友弱勝强」，乙本作「柔弱勝强」，甲乙本皆無「剛」字，劉說是也。

2.「侯王無以貴高，將恐蹶。」（卅九章四二則）據老子本章，「貴」當作「貞」，「高」乃衍文。案古本作「王侯無以爲貞而貴高，將恐蹷。」帛書作「侯王毋已貴以高，將恐欮。」當从帛書，劉說非也。

(八)衍

3.「是謂深根固柢，長生久視之道。」（五十九章六三則）引韓非證「根柢」上有「其」字，「柢」作「蒂」誤。案古本作「柢」，帛書作「氏」，皆無「其」字，當从古本，劉說非也。

1.「専氣致柔，能嬰兒乎？」（十章十三則）證以河上、景龍、傅奕，「能」下脫「如」字，「乎」爲衍文。案古本作「能如嬰兒乎？」帛書甲本作「能無嬰兒乎？」乙本與今本同，劉說存疑待考。

2.「善建者不拔，善抱者不脫，子孫以祭祀不輟。」（五十四章五六則）引韓非言「者」爲衍文，「祭祀」上挩「其」字，下挩「世世」。案古本、帛書皆有「者」字，無「其」與「世世」，當从帛書，韓說非也。

㈨叚借

1.「執古之道，以御今之有。」（十四章十七則）引詩傳、國語，證「有」即「域」字叚文。案古本、帛書，皆如今本作「有」，劉說存疑待考。

2.「故能蔽不新成」（十五章十九則）依俞說引文子，證以老子廿二章「敝則新」，「蔽」乃「敝」叚，「不」上脫「而」字。案古本作「敝」，帛書作「⿱敝衣」，皆有「而」字，劉說是也。

3.「德者同於德」（廿三章廿六則）據王弼注，「德」當作「得」。案古本作「得」，帛書作「德」，「德」「得」通叚，劉說是也。

4.「虎無所措其爪，兵無所容其刃。」（五〇章五三則）引韓非言「措」「錯」古通，「容」「害」形訛。案古本同今本，帛書「措」作「昔」，「容」字同，劉說是也。

㈩避諱

1.「不見可欲，使民心不亂。」（三章五則）證以文選注、易疏、淮南道應訓，無「民」字者，蓋避唐諱也。檢核古本、帛書，皆有民字，劉說是也。

2.「修之於國，其德乃豐。」（五十四章五七則）引韓非解老，證「國」當作「邦」。案古本作「邦」，帛書作「國」，蓋漢人避高祖之諱，劉說是也。

二、詮釋古義

㈠以「久遠有定」詮「常道常名」

1、「道可道，非常道；名可名，非常名。」（一章一則）周漢諸子釋常道常名之義，均以久遠有定相詮。案古本同，帛書本「常道常名」，作「恆道恆名」，「恆」「常」義同。焦竑云：常者，恆久不變也。

㈡以「永無欲永有欲」詮「常無欲常有欲」

2、「故常無，欲以觀其妙；常有，欲以觀其徼。」（一章二則）常無欲常有欲者，猶言永無欲永有欲。案古本「無」作「无」，帛書本「常」皆作「恆」。「恆」「常」通用，「永」「常」義同。三章：常使民無知無欲，即此常無欲之的解。

㈢以「弗子弗有」釋「不有不恃」

3、「生而不有，爲而不恃。」（二章四則）呂氏春秋貴公篇云：天地大矣，生而弗子，成而弗有。案古本同，帛書作「昔而弗始，爲而弗恃也。」陸希聲云：如天地之生物，而不有其用，如百工之爲器，而不恃其成。

㈣以「祭祀用物」釋「芻狗」

4「天地不仁，以萬物爲芻狗；聖人不仁，以百姓爲芻狗。」（五章八則）芻狗者，古代祭祀所用之物也。案古本同，帛書本「聖人」作「聲人」蘇子由云：譬如結芻以爲狗，設之於祭祀。

㈤以「竭」釋「屈」

5「虛而不屈。」（五章九則）河上本作屈，屈，竭也。案古本作「詘」，帛書本作「淈」。呂吉甫云：善橐之爲物，唯其虛而不屈，所以動而愈出者也。

㈥以「政」釋「正」

6「正善治」。（八章十則）正即政字。案古本作「政善治」，帛書作「正善治」，說文：政，正也。

㈦以「安其神」釋「載營魄」

7「載營魄抱一，能無離乎？」（十章十二則）載營魄者，即安持其神也。案古本同，帛書作「戴營袙抱一」，李息篇云：能使魂魄相抱一而不離乎？

㈧以「不知辱患而尊貴驚身」釋「寵辱驚患」

8「寵辱若驚，貴大患若身。何爲寵辱若驚？寵爲下，得之若驚，失之若驚，是謂寵辱若驚。」（十三章十五則）蓋言世人不知辱之下，而尊之若驚；不知大患之害，而貴之若身。案古本同。帛書甲本「寵」作「龍」、「患」作「梡」、「何」作「苛」，「謂」作「胃」。乙本「寵」作「弄」，「謂」作「胃」。蘇子由云：古之達人，驚寵若驚辱，知寵之爲辱先也。貴身若貴大患，知身之爲患本也。

㈨以「乃」釋「若」

9「故貴以身爲天下，若可託天下；愛以身爲天下，若可話天下。」（十三章十六則）王弼注訓「若」爲「乃」是也。案古本「若」作「則」，帛書末句「若」作「女」。蘇子由云：夫惟達人，知性之無壞，而身之非實，忽然忘身，而天下之患盡去，然後可以涉世而無累矣。

㈩以「智」釋「知」

10「太上，下知有之。」（十七章廿則）韓非子：下智有之。淮南高注：下知之人。知當讀爲智。案古本、帛書皆同。呂吉甫云：故下知有之而已。陸希聲云：故下民知有其上而已。蘇子由云：故亦知有之而已。吳幼淸云：民不知有其上也。陸蘇吳氏似作動詞之「知」解，而不作名詞之「智」釋也。

（十一）以「汰」釋「大」

11「慧智出，有大僞。」（十八章廿一則）大僞，即汰僞，即誣言，習爲夸誕虛誣之言行也。案古本同，帛書殘闕。王介甫云：智者，知也；慧者，察也。以其有知有察，此大僞所以生也。

（十二）以「三者行」釋「三者以」

12「此三者，以爲文不足，故令有所屬。」（十九章廿二則）以，用也，猶言行此三者也。文子「三者行」，猶此文之「三者以」也。案古本同，帛書作「此三言也，以爲文未足。」焦　云：聖智、仁義、巧利三者，繇世道日趨於文，故有此名。

（十三）以「利而用之」釋「資」

13「故善人者，不善人之師；不善人者，善人之資。」（廿七章卅一則）資者，利而用之之謂也。以不善，乃善人所利用。案古本、帛書乙本同，甲本「資」作「齎」，假借也。李息齋云：言不善人之本同善人也。

（十四）以「旋回」釋「好還」

14「其事好還。」（卅章卅四則）「好還」爲「旋回」之義，蓋古訓也。案古本同，帛書殘闕。李息齋云：殺人之父，人亦殺其父；殺人之兄，人亦殺其兄，是謂好還。

（十五）以「始」詮「不辭」

15「萬物恃之而生不辭。」（卅四章卅六則）此文不辭，常從畢說作始。案古本同，帛書甲本殘闕，乙本未見此語。蘇子由云：生而不辭，成而不有者，唯道而已。

（十六）以「賞罰」釋「利器」及以「見」釋「示」

16「魚不可脫於淵，國之利器，不可以示人。」（卅六章卅八則）利器即賞罰，示即見。案古本、帛書甲本，國作邦，蓋避漢諱。甲本「示」作「視」，古通用也。李息齋云：魚不可脫於淵，則國之利器，亦不可示人。

（十七）以「廢」釋「發」

17「地無以寧，將恐發。」（卅九章四十一則）發讀廢，墮也。頓墜之義，與傾圮同。恐發者，猶言將崩圮也。即地傾之義，發爲廢字之省形。

（十八）以「以糞田」釋「以糞」

18「天下有道，却走馬以糞。」（四十六章四十六則）王弼：却走馬以治田糞。高誘：止馬不以走，但以糞糞田也。案古本「糞」作「播」，帛書甲本作「糞」，乙本殘闕。蘇子由云：天下各安其分，則不爭而自治，故卻走馬而糞田。

（十九）以「四肢九竅」詮「十有三」

19「生之徒十有三，死之徒十有三。人之生，動之死地，亦十有三。」（五十章五一則）十三者，四肢九竅相合之數也。唯王弼注謂十分有三耳。案古本、帛書皆同。蘇子由云：生死之道，以十言之，三者各居三矣。豈非生死之道九，而不生不死之道一而已矣。

（廿）以「奇譎非常」釋「奇」

20「以奇用兵。」（五十七章五十八則）此文之奇，亦當訓邪，即周禮宮正所謂奇衺之民也。鄭注云：奇譎非常。此奇字之的解也。案古本同，帛書「奇」作「畸」。廣雅釋詁：畸，邪也。管子白心注：奇，謂邪不正。奇畸古通用。蘇子由云：以治國爲正，以用兵爲奇。

（廿一）以「省嗇」釋「嗇」

21「治人事天，莫若嗇。」（五十九章六十則）嗇之者，愛其精神，嗇其智識也。故曰：治人事天，莫若嗇。是古誼嗇爲省嗇。案古本、乙本同，甲本殘闕。李息齋云：謹於內，閑於外，內心不馳，外心不起之謂嗇。

（廿二）以「服從道理」釋「早服」

22「夫唯嗇，是謂早服；早服，謂之重積德。」（五十九章六十一則）韓非解老：聖人雖未見禍患之形，虛無服從於道理，以稱蚤服。則訓服從道理，早即先幾之義矣。案古本、乙本「是謂」作「是以」，乙本「謂」作「胃」，甲本殘闕。呂吉甫云：夫唯嗇其精神而不用，則早服者也。

（廿三）「不撓」釋「烹小鮮」

23「治大國，若烹小鮮。」（六十章六十四則）文子云：治大國，若烹小鮮，勿撓而已。案古本同，乙本「烹」作「亨」，此叚字之上部爲之。甲本殘闕。蘇子由云：烹小鮮者，不可撓，治大國者，不可煩。

（廿四）以「喪禮處之」釋「哀」

24「故抗兵相加，哀者勝矣。」（六十九章七十一則）老子卅一章：殺人之衆，以哀悲泣之。戰勝，以喪禮處之。即此哀字之義。案古本、帛書「加」作「若」。呂吉甫云：夫唯以不爭爲勝者，則未有能勝之者。

由上可知，「校讎訛挩」者，計有十類，得五十三則：㈠挩字十六則，㈡挩句二則，㈢訛字十八則，㈣錯句一則；㈤衍文二則，㈥訛挩三則，㈦訛衍三則，㈧挩衍二則，㈨叚借四則，㈩避諱二則。其中以訛字、挩字爲多，已逾半數。又「詮釋古義」者，得廿四則。以上合計七十七則。兩者相較，亦逾其半，則以校讎訛挩爲大，其價値概可想見矣。

主要參考及引用書目

一、專書部分

解老　韓非　藝文印書館（無求備齋老子集成）
喻老　韓非　藝文印書館（無求備齋老子集成）
道德指歸論　嚴遵　藝文印書館（無求備齋老子集成）
老子注　嚴遵　藝文印書館（無求備齋老子集成）
道德指歸論注　谷神子　藝文印書館（無求備齋老子集成）
老子節解　葛玄　藝文印書館（無求備齋老子集成）
道德眞經注　王弼　藝文印書館（無求備齋老子集成）
老子微旨例略　王弼　藝文印書館（無求備齋老子集成）
老子道德經　河上公　藝文印書館（無求備齋老子集成）
老子音義　陸德明　藝文印書館（無求備齋老子集成）
老子治要　魏徵　藝文印書館（無求備齋老子集成）
道德經古本篇　傅奕　藝文印書館（無求備齋老子集成）
玄言新記明老部　顏師古　藝文印書館（無求備齋老子集成）

道德經開題序訣義疏　成玄英　藝文印書館（無求備齋老子集成）
道德眞經注　李榮　藝文印書館（無求備齋老子集成）
老子意林　馬總　藝文印書館（無求備齋老子集成）
道德經論兵要義述　王眞　藝文印書館（無求備齋老子集成）
道德眞經傳　陸希聲　藝文印書館（無求備齋老子集成）
道德經注疏　顧歡　藝文印書館（無求備齋老子集成）
道德經疏義節解　喬諷　藝文印書館（無求備齋老子集成）
道德篇章玄頌　宋鸞　藝文印書館（無求備齋老子集成）
老子注　王安石　藝文印書館（無求備齋老子集成）
老子解　蘇轍　藝文印書館（無求備齋老子集成）
老子論　程俱　藝文印書館（無求備齋老子集成）
老子解　葉夢得　藝文印書館（無求備齋老子集成）
易老通言　程大昌　藝文印書館（無求備齋老子集成）
老子略解　員興宗　藝文印書館（無求備齋老子集成）
道德眞經四子古道集解　寇質才　藝文印書館（無求備齋老子集成）
音註老子道德經　呂祖謙　藝文印書館（無求備齋老子集成）
道德寶章　葛長庚　藝文印書館（無求備齋老子集成）

道德眞經集解　趙秉文　藝文印書館（無求備齋老子集成）
道德眞經集解　董思靖　藝文印書館（無求備齋老子集成）
道德眞經義解　李嘉謀　藝文印書館（無求備齋老子集成）
老子鬳齋口義　林希逸　藝文印書館（無求備齋老子集成）
纂圖互注老子道德經　龔士高　藝文印書館（無求備齋老子集成）
老子道德古本集註　范應元　藝文印書館（無求備齋老子集成）
老子道德經評點　劉辰翁　藝文印書館（無求備齋老子集成）
道德眞經章句訓頌　張嗣成　藝文印書館（無求備齋老子集成）
道德經轉語　陳觀吾　藝文印書館（無求備齋老子集成）
道德眞經注　吳澄　藝文印書館（無求備齋老子集成）
太上老子道德經　何道成　藝文印書館（無求備齋老子集成）
道德眞經頌　蔣融庵　藝文印書館（無求備齋老子集成）
老子集解　薛惠　藝文印書館（無求備齋老子集成）
道德經註解　張洪陽　藝文印書館（無求備齋老子集成）
老子道德經解　釋德清　藝文印書館（無求備齋老子集成）
老子通義　朱得之　藝文印書館（無求備齋老子集成）
老子億　王道　藝文印書館（無求備齋老子集成）

老子道德經玄覽　陸長庚　藝文印書館（無求備齋老子集成）
老子道德經類纂　沈津　藝文印書館（無求備齋老子集成）
老子　王樵　藝文印書館（無求備齋老子集成）
老子解　李贄　藝文印書館（無求備齋老子集成）
老子道德經參補　張登雲　藝文印書館（無求備齋老子集成）
老子通　沈一貫　藝文印書館（無求備齋老子集成）
老子翼　焦竑　藝文印書館（無求備齋老子集成）
道德經釋略　林兆恩　藝文印書館（無求備齋老子集成）
老子品節　陳深　藝文印書館（無求備齋老子集成）
老子解　徐學謨　藝文印書館（無求備齋老子集成）
道德經釋辭　王一清　藝文印書館（無求備齋老子集成）
道德經　彭好古　藝文印書館（無求備齋老子集成）
道德經評點　歸有光　藝文印書館（無求備齋老子集成）
道德經精解　陳懿典　藝文印書館（無求備齋老子集成）
老子嫏嬛　鍾惺　藝文印書館（無求備齋老子集成）
老子文歸　鍾惺　藝文印書館（無求備齋老子集成）
陶周望解老　陶望齡　藝文印書館（無求備齋老子集成）

老子斷註　趙統　藝文印書館（無求備齋老子集成）
道德經測　洪應召　藝文印書館（無求備齋老子集成）
老子或問　龔修默　藝文印書館（無求備齋老子集成）
道德經集註　潘基慶　藝文印書館（無求備齋老子集成）
老子道德經薈解　郭艮翰　藝文印書館（無求備齋老子集成）
老子奇賞　陳仁錫　藝文印書館（無求備齋老子集成）
太上道德寶章翼　程以寧　藝文印書館（無求備齋老子集成）
道德經解　顧錫疇　藝文印書館（無求備齋老子集成）
老子本義　魏源　世界書局
老子注　陳　商務印書館
老子衍　王夫之　河洛圖書出版社
諸子平議（老子）　俞樾　世界書局
老子考異　畢沅　東洋大學出版部
老子王註考正　波多野太郎　横濱市立大學
老子探義　王淮　商務印書館
老子正詁　高亨　開明書局
老子釋譯　朱謙之　里仁書局

老子哲學　胡哲敷　中華書局
老子學術思想　張揚明　黎明文化公司
老子　證譯釋　張揚明　維新書局
老子想爾注校箋　饒宗頤　香港大學
老子選注　陳柱　商務印書館
老子校詁　馬叙倫　綜合出版社
老子校詁　蔣錫昌　明倫出版社
老子正解　紀敦詩　商務印書館
讀老莊扎記　陶鴻慶　藝文印書館
老子新證　于省吾　藝文印書館
莊老通釋　錢穆　香港新亞研究所
老子　張起鈞　協志工業叢書出版公司
老莊哲學　張起鈞　正中書局
智慧的老子　張起鈞　新天地書局
老子新釋　張默生　大夏出版社
禪與老莊　吳怡　三民書局
老子的政治思想　蔡明田　世界書局

老子今註今譯　陳鼓應　商務印書館
老子讀本　余培林　三民書局
老子達解　嚴靈峯　華正書局
老子章句新編　嚴靈峯　中華文化出版社
馬王堆帛書老子試探　嚴靈峯　河洛圖書出版社
帛書老子　河洛編　河洛圖書出版社
老子論集　鄭良樹　世界書局
竹簡帛書論文集　鄭良樹　源流出版社
老莊哲學研究　賴榕祥　綜合出版社
帛書老子釋文（一九七四年文物十一期）　馬王堆整理小組　文物出版社
帛書老子（一九七四年）　馬王堆整理小組　文物出版社
馬王堆漢墓帛書老子（一九七六年三月）　馬王堆整理小組　文物出版社
老子註釋（一九七七年四月）　編輯部　上海人民出版社
馬王堆帛書老子甲乙本（一九七七年）　赤井清美編　日本東京堂出版社
竹簡帛書（一九七七年）　編輯館　藝文印書館

二、論文部分

長沙馬王堆漢墓帛書概述（文史集林第二輯）　曉菡　木鐸出版社

讀馬王堆出土的「老子」、（文史集林第二輯）　波多野太郎　木鐸出版社
談長沙馬王堆漢墓帛書（文史集林第五輯）　唐蘭等　木鐸出版社
楚帛書老子德先道後問題彝測（中華文化復興月刊十卷十一期）　邱德修　中華文化復興會
老子在戰國時可能只有一種道家傳本（一九七六年十一月）　邱錫昉　文物出版社
馬王堆漢墓帛書老子甲本爲秦楚間寫本説（社會科學戰線一九七八年第二期）　周采泉　吉林人民出版社
老子校讀（一—二）（社會科學戰線一九七八年第一—二期）張松如　吉林人民出版社
帛書老子所反映出的若干問題（明報月刊第一一四期）　徐復觀　香港明報出版社
道家帛書（The Silk Manuscripts on Taoism）　冉雲華　通報（T'oung Pao, 1977）